PARIS

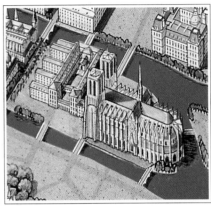
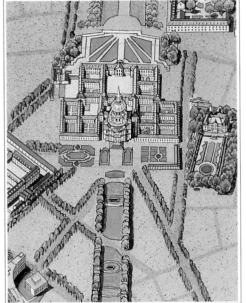
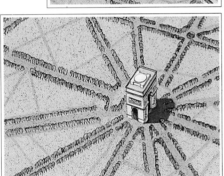

PARIS

Balade au fil du temps

Sélection
du Reader's Digest

PARIS • BRUXELLES • MONTRÉAL • ZURICH

PARIS
Balade au fil du temps
est une réalisation de Sélection du Reader's Digest.

Nous remercions tous ceux qui ont contribué à la préparation et à la réalisation de cet ouvrage.

Conseillers de la rédaction

ALFRED FIERRO
(conservateur à la Bibliothèque
historique de la Ville de Paris)

MARYSE GOLDENBERG
(conservateur à la Bibliothèque
historique de la Ville de Paris)

Auteurs

FLORE D'ARFEUILLE, journaliste
JEAN-MARIE BRUSON, conservateur au musée Carnavalet
DANIELLE CHADYCH, bibliothécaire au musée Carnavalet
ARIANE CHOTTIN, rédactrice indépendante
LIZA DAUM, documentaliste à la Bibliothèque historique de la Ville de Paris
JEAN-CLAUDE DROUIN, chargé de cours à la Sorbonne
ANNE-MARIE DUBOIS, journaliste
ALFRED FIERRO, conservateur à la Bibliothèque historique de la ville de Paris
MARYSE GOLDENBERG, conservateur à la Bibliothèque historique de la ville de Paris
EMMANUEL LAURENTIN, journaliste
DOMINIQUE LEBORGNE, historienne
CHRISTOPHE LERIBAULT, conservateur au musée Carnavalet
DENISE PÉRICARD-MÉA, chargée de cours d'histoire médiévale à Paris-I Sorbonne
KRISHNA RENOU, historienne
PHILIPPE VELAY, conservateur au musée Carnavalet
MARC VOINCHET, journaliste

Équipe éditoriale de Sélection du Reader's Digest
Direction éditoriale : GÉRARD CHENUET

Réalisation de l'ouvrage
Responsable du projet : CAMILLE DUVIGNEAU
Direction artistique : CLAUDE RAMADIER
Lecture-correction : BÉATRICE OMER, CATHERINE DECAYEUX, EMMANUELLE DUNOYER
Iconographie : NICOLE TESNIÈRE
Fabrication : JACQUES LE MAITRE, MARIE-PIERRE DE SCEY

Conception du projet
Responsables d'édition : PHILIPPE PELLERIN, JEAN-JACQUES POTIRON
Direction artistique et couverture : DOMINIQUE CHARLIAT

Maquette
DOMINIQUE DUBOIS et DIDIER PUJOS

Illustrateur
JEAN-FRANÇOIS LECOMTE (plan de Paris avec monuments en élévation)

Nous remercions également pour leur collaboration ANNE CHAPOUTOT (lecture-correction),
MARIE-THÉRÈSE MÉNAGER (index) et SUZANNE WALTER (iconographie).

PREMIÈRE ÉDITION
© 1995, Sélection du Reader's Digest, S.A.
212, boulevard Saint-Germain, 75007 Paris

© 1995, Sélection du Reader's Digest, S.A.
29, quai du Hainaut, 1080 Bruxelles

© 1995, Sélection du Reader's Digest, S.A.
Räffelstrasse 11, « Gallushof », 8021 Zurich
ISBN 2-7098-0616-9

Préface

Pour flâner dans un quartier, il y a les guides. Pour étudier une époque et son style, de savants ouvrages. Mais aucun livre ne rassemblait encore par grandes périodes de l'histoire tous les monuments de Paris, qui ont façonné la Ville Lumière et lui ont donné son âme. Une lacune que vient combler *Paris, balade au fil du temps,* itinéraire original dans l'architecture de la capitale qui voudrait faire revivre ces figures de pierre, témoins immobiles de la vie parisienne. Cet ouvrage ne montre donc que ce qui existe encore aujourd'hui : les reconstitutions de palais ou d'églises disparus, les gravures anciennes les représentant ont été volontairement bannies – à l'exception des Tuileries, dont l'importance monumentale et l'étendue affectent encore l'espace parisien.

Si l'on s'est limité aux édifices existants, on s'est refusé à utiliser les clichés qui figurent habituellement dans les livres sur la capitale pour privilégier une iconographie renouvelée, originale, d'une précision documentaire et d'une qualité photographique exceptionnelles, que photographes et documentalistes ont parfois obtenue au prix d'acrobaties et de trésors d'ingéniosité. Cette recherche de la qualité dans l'image se retrouve aussi dans des textes qui tentent d'associer à la rigueur et à l'exactitude la clarté et la simplicité afin de rendre cet ouvrage accessible à tous.

C'est dans le même esprit – susciter l'intérêt du plus vaste public possible – qu'à été réalisé l'indispensable et rigoureux choix des bâtiments. Les amateurs d'édifices religieux y trouveront leur pâture, des chapiteaux romans de Saint-Germain-des-Prés aux récentes églises en béton ; ceux qu'attire davantage l'architecture civile ne seront pas déçus : ils trouveront ici un très large échantillon de l'habitat des Parisiens des origines à nos jours, des palais royaux aux logis les plus modestes, de la maison médiévale de Nicolas Flamel aux hôtels de la noblesse et de la haute bourgeoisie, des passages couverts du XIXe siècle aux plus remarquables réalisations contemporaines.

Mais le Paris vivant des rues et des quartiers d'aujourd'hui n'est pas pour autant oublié. C'est là le rôle des encadrés – dans chaque double page, un petit texte évoque, ici un musée insolite, là un magasin pittoresque, là encore une rue... situés à proximité d'un des monuments traités – et des cahiers thématiques sur fond noir qui s'intercalent entre les chapitres : murs peints, cimetières, restaurants, parcs et jardins, Paris des artistes... Un Paris offert par petites touches impressionnistes comme autant d'invitations à la découverte de ce qui demeure – dit-on – la plus belle ville du monde.

Jean Dérens
Conservateur général
Directeur de la Bibliothèque
historique de la Ville de Paris

TABLE DES MATIÈRES

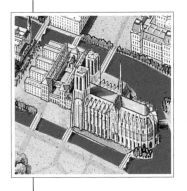

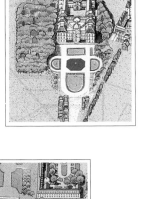

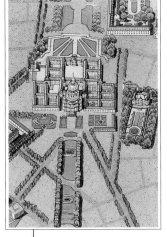

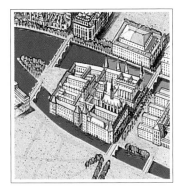

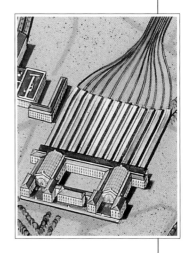

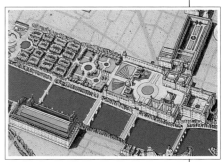
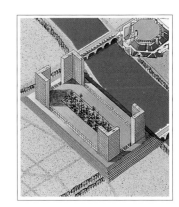

🔒	*Monument habituellement fermé aux visiteurs ou strictement privé ; peut à titre exceptionnel être ouvert lors des Journées du patrimoine.*
👁	*Monument ouvert au public.*

C'est toy Paris, admirable cité,
Grand ornement de ce monde habité,
À qui le ciel n'a donné de pareille
De tes voisins la crainte et la merveille,
Mère d'un peuple abondant et puissant,
Heureux en biens, en lettres florissant.

RONSARD, *À François de Montmorency*

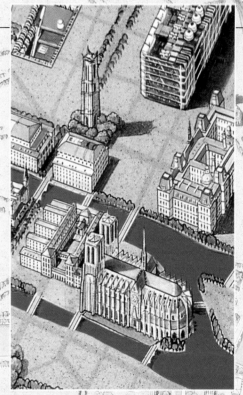

Cathédrale Notre-Dame

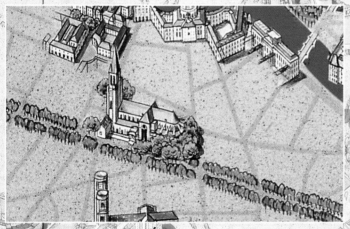

Église abbatiale
Saint-Germain-des-Prés

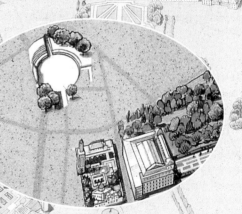

Théâtre de Lutèce

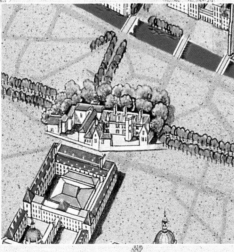

Hôtel de Cluny

Église abbatiale
Saint-Martin-des-Champs

DE LUTÈCE À PARIS

Naissance d'une ville (4500 av. J.-C.- VIIᵉ siècle apr. J.-C.)
La ville médiévale : le temps des Capétiens (987-1483)

Si la présence humaine sur les bords de la Seine a été confirmée par les découvertes de Bercy, c'est avec l'arrivée des Romains, à partir de 52 avant J.-C, qu'une vie citadine naît à Lutèce, l'oppidum celte des Parisii. Gravement menacée par les grandes invasions, Lutèce doit cependant se replier vers 300 dans l'île de la Cité, qui s'entoure alors de murailles.

Des époques mérovingienne (481-751) et carolingienne (751-987) ne subsistent que de rares vestiges. Sous les premiers Capétiens, la ville profite de l'installation de l'administration royale au palais, l'administration locale se développe sous l'égide du prévôt royal et du prévôt des marchands, tandis que l'église épiscopale, les grandes abbayes (Saint-Germain-des-Prés, Sainte-Geneviève, Saint-Martin-des-Champs...) et l'Université constituent d'importants pôles d'expansion. Les activités économiques se concentrent sur la rive droite, avec le port de Grève, le quartier des bouchers, près du Châtelet, et le marché des Halles. Mais l'âge roman est faiblement représenté dans la capitale, ses monuments ayant cédé la place aux églises de style gothique, dont l'Île-de-France est le berceau et dont Saint-Denis et Notre-Dame constituent de précieux témoins.

C'est sous Philippe Auguste (1180-1223) que la ville est dotée d'une enceinte, et sous Louis IX (1226-1270) que l'art et la civilisation du Moyen Âge atteignent leur apogée, avec les joyaux des saintes-chapelles du palais de la Cité et de Vincennes. Durant la première moitié du XIVᵉ siècle, Paris apparaît comme la capitale la plus puissante d'Europe – la population est alors évaluée à environ 200 000 habitants –, où les principales rues sont pavées et où se développe un important artisanat de luxe. La situation de la capitale se dégrade ensuite sous l'effet de la guerre de Cent Ans (1337-1453) – Étienne Marcel et Charles V protègent alors la rive droite d'une nouvelle enceinte – et de la peste noire (1348). Puis la folie de Charles VI (1380-1422) et la guerre civile entre partisans des ducs d'Orléans et de Bourgogne amènent la capitale et le royaume tout entier au bord de la ruine, alors qu'un Anglais, Henri VI, est proclamé roi de France (1422) et qu'une garnison venue d'outre-Manche occupe le Louvre. Un sursaut national, dont Jeanne d'Arc est l'incarnation, met fin à l'occupation étrangère, et Paris fait sa soumission à Charles VII en 1436.

C'est de la fin du XIVᵉ siècle et du début du XVᵉ que datent les plus anciens vestiges de l'architecture civile parisienne : hôtel de Clisson et maison de Nicolas Flamel. Nommé flamboyant à cause de son exubérance, le style gothique finissant se prolonge dans de nombreuses constructions jusqu'à la fin du XVIᵉ siècle.

CHASSEURS ET COMMERÇANTS DU NÉOLITHIQUE ▷

Site de Bercy (XIIᵉ)

🔑 À l'occasion du réaménagement de la grande zone de Bercy en 1991-1992, le sol de ce quartier, jamais perturbé au cours des âges, a livré d'extraordinaires témoignages du passé le plus ancien de la capitale : les archéologues ont mis au jour sur la rive droite de la Seine, parfois à près de 10 mètres de profondeur, de très nombreux vestiges datant de plus de six mille ans !
Là où passaient un grand bras du fleuve ainsi qu'un important chenal furent retrouvées, sur le lieu de l'ancienne berge, une dizaine de pirogues en bois, taillées d'une seule pièce dans un tronc de chêne et parfois longues de 6 à 7 mètres.
Outre ces pirogues, trouvaille exceptionnelle – car rares sont les pirogues qui se sont conservées –, les fouilles ont livré un étonnant arc de chasseur en bois d'if, des hameçons ainsi que de nombreux os de cerf, de sanglier, de castor et de tortue d'eau douce. Ainsi, une population était installée là dès l'époque néolithique, qui chassait et pêchait pour se nourrir et qui commerçait grâce à la navigation fluviale.
Chasseurs et commerçants, ces lointains ancêtres étaient aussi artisans : les centaines d'outils de pierre et de silex avec leur emmanchement en bois de cervidé et les récipients en céramique retrouvés sur le site étaient utilisés dans la vie quotidienne. C'est en effet durant le néolithique que l'homme commence à façonner des poteries décorées de motifs géométriques au poinçon ou au peigne.

Pirogue en chêne particulièrement bien conservée, dont la coque est retournée, et « bouteille » à anses avec décor de bandes au poinçon (vers 4500 avant J.-C.).

Un dernier verre à Bercy

Pendant un peu plus de deux siècles, une capitale d'où les vignes disparaissaient les unes après les autres pour cause d'urbanisation rapide a lorgné vers l'est, au bord du fleuve, là où tout ce que la France comptait de vins se donnait rendez-vous. Jusqu'à ce que, à la fin des années quatre-vingt de ce siècle, les longs hangars à barriques soient à leur tour condamnés dans un Paris de plus en plus dense. Le sort de Bercy, dernier stock d'une capitale qui craignait toujours de manquer, était scellé. Les rues du Beaujolais ou de Pommard étaient de toute façon désertées par ceux-là mêmes qui en avaient fait un haut lieu du Paris populaire : les grossistes en vins avaient émigré avec les Halles à Rungis et, petit à petit, les pavillons de Bercy se dégradaient.
Leur histoire était pourtant liée à celle de Paris. Au XVIIIᵉ siècle, les vignerons de Bourgogne avaient choisi cet endroit situé juste avant les portes de Paris, au bord de la Seine, parce qu'on pouvait y débarquer les barriques venues des régions de production

sans être soumis aux taxes instaurées par les fermiers généraux. Là naquirent des guinguettes, qui furent florissantes jusqu'au milieu du Second Empire, date du rattachement de Bercy à Paris. Les privilèges fiscaux disparurent mais la tradition demeura. Pendant un siècle, tous les marchands de vins firent de cet immense parc ombragé leur quartier général, avec ses maisons, ses rues, ses entrepôts. Dans des bâtiments bas et sans grâce s'entassaient des foudres, grands tonneaux chargés de rafraîchir le gosier des Parisiens : pommard, pomerol, côtes-du-rhône, sancerre ou bourgueil, blanc, rouge ou rosé…
Aujourd'hui, il ne reste plus que deux rangées de chais, classés monuments historiques, dans ce qui est devenu un grand jardin encadré d'immeubles d'habitation et clos, porte de Bercy, par une immense barre de verre et de métal, Bercy-Expo, qui ambitionne d'être pour le siècle à venir ce que fut Bercy pendant deux cents ans : la vitrine des productions agroalimentaires de la France.

LES ANCÊTRES DES PARISII ◁ ▷
Site de Rungis (Val-de-Marne)

🔒 Durant l'été 1967, un père et son fils, creusant les fondations d'une serre, découvrent la sépulture d'un homme enterré il y a deux mille deux cents ans... Outre les fragments du squelette, ce sont surtout les différentes pièces d'armes et d'ornements en fer qui intriguent les archéologues amateurs : l'individu a été inhumé avec sa lance, son bouclier, son épée, glissée dans un fourreau accroché à la ceinture, mais aussi avec un bracelet et une fibule destinée sans doute à agrafer son vêtement.

GUERRIERS ET OPPIDUMS

Plusieurs tombes comparables ont été retrouvées dans les environs de Paris – à Saint-Maur-des-Fossés, à Orly, à Asnières, par exemple –, mais celle de Rungis est l'une des plus spectaculaires. On a baptisé « chefs » ou « guerriers », sans fondement sociologique précis, ces hommes, inhumés en pleine terre, habillés, avec leurs armes et leur parure : la coutume funéraire gauloise voulait que les chefs soient ainsi ensevelis, leurs armes symbolisant leur rôle de guerrier et de défenseur du groupe tribal.
La forme et le type de ces objets funéraires ont permis de dater la tombe de l'âge du fer, vers le milieu du IIIe siècle avant J.-C. La qualité technique de la chaîne de ceinturon et du fourreau décoré par gravure et estampage illustre la virtuosité des forgerons de cette époque.
Toute la partie nord de la Gaule est alors occupée par des groupes celtiques d'installation récente et le peuple des Sénons contrôle une grande partie de la vallée de la Seine. La société, de type tribal, s'organise au sein d'agglomérations le plus souvent fortifiées, les oppidums. Aux IIe et Ier siècles avant notre ère, ces groupes formeront les tribus gauloises : celle des Parisii, dans la région de Lutèce, est l'une d'elles.

Pointe de lance en fer martelé, trouvée dans la tombe de Rungis.

Reconstitution par A. Rapin d'un guerrier gaulois de la fin du IIIe siècle avant J.-C. à partir des éléments retrouvés dans la tombe de Rungis.

PROSPÉRITÉ DE LUTÈCE ▷
Monnaies d'or des Parisii, musée Carnavalet, 23, rue de Sévigné (IVe)

Cheval au galop représenté sur le revers d'un statère en or des Parisii.

💶 À la fin du IIe siècle avant notre ère, de nombreuses cités gauloises commencent à émettre leur propre monnaie. La tribu des Parisii, dont le territoire s'étendait autour de l'oppidum de Lutèce (situé peut-être sur l'île de la Cité), frappe ses premiers statères, pièces en or qui trouvent leur origine dans les monnaies grecques de Philippe de Macédoine, de nombreux Gaulois ayant auparavant été mercenaires dans les pays de la Méditerranée orientale.
Témoins d'une prospérité liée étroitement au commerce fluvial et donc aux diverses activités des bateliers de la Seine, les monnaies des Parisii sont des vestiges assez rares, beaucoup ayant été probablement fondues au cours des siècles pour récupérer le métal précieux. Les exemplaires les plus connus font partie de collections anciennes, et il est exceptionnel d'en trouver lors d'une fouille archéologique...
Pendant une cinquantaine d'années seulement – depuis 100 environ jusqu'à la défaite de Lutèce contre l'armée romaine, en 52 avant J.-C. –, les ateliers monétaires de la tribu des Parisii vont frapper sept séries de statères. Dans les trois dernières séries, le poids d'or fin ira en diminuant, ce qui illustre sans doute le désarroi économique à la veille de la grande guerre contre César.
On ne connaît pas la véritable fonction de ces séries : réserves monétaires appartenant surtout aux chefs ? Monnaie d'une importante valeur unitaire destinée aux échanges commerciaux d'une certaine envergure ?
Un visage de profil est représenté sur l'avers de ces monnaies : on y reconnaît certes la tête d'Apollon des statères macédoniens, mais l'exécution, très stylisée, en est beaucoup plus libre. Le cheval au galop figurant sur le revers est sans doute significatif de l'importance que les Gaulois, bons cavaliers, accordaient à leur monture, élément essentiel de leur vie de guerriers et de commerçants ; il pourrait aussi constituer le symbole de la force maîtrisée, le motif en forme de filet, placé au-dessus de l'animal, évoquant l'idée de domestication.

11

SPECTACLES EN TOUS GENRES
AU THÉÂTRE-AMPHITHÉÂTRE △
Square des Arènes-de-Lutèce, rue de Navarre (Ve)

Vers la fin du Ier siècle, à la limite orientale de la ville de Lutèce, fut construit un édifice couvrant plus de 1 hectare. Ce que l'on a par la suite qualifié d'arènes est en réalité le plus grand théâtre-amphithéâtre – il tenait à la fois du théâtre par sa scène et du cirque par son arène – connu en Gaule.

Plus de quinze mille spectateurs, venus de la ville et de ses environs, s'installaient sur les gradins adossés au flanc oriental de la colline Sainte-Geneviève pour assister à des spectacles fort variés : combats de gladiateurs et de bêtes fauves, chasse à l'animal exotique ramené des provinces romaines d'Afrique ou d'Orient, musique, danse, mime, numéros d'acrobates… Sous les premiers gradins étaient creusés cinq petits réduits qui pouvaient servir de cages à animaux. Un mur de scène long de plus de 40 mètres, à l'ornementation chargée, assurait une bonne acoustique.

LA BATAILLE DES ARÈNES

En 1870, un an après la mise au jour des vestiges des arènes, la compagnie des Omnibus rachète les terrains pour y édifier un dépôt. Un comité des arènes se constitue. Malgré les multiples manifestations – représentation spéciale de l'Opéra-Comique, *les Mousquetaires de l'arène,* banquets, conférences – organisées pour la défense du monument, qui devient alors le lieu de promenade à la mode, les deux tiers environ de l'amphithéâtre sont détruits.

En 1883, le tiers subsistant est mis au jour. Sous la pression de l'opinion publique et de personnalités comme Victor Hugo, président d'honneur du comité – il écrit alors au président du conseil municipal une lettre courte, mais sans ambages –, la municipalité décide la conservation des vestiges et même la reconstruction d'une partie de ceux qui avaient disparu.

Sur les gradins, les places des spectateurs étaient souvent matérialisées par des blocs gravés de noms propres ou de dates, peut-être les sièges de personnalités de Lutèce.

UN PORT SUR L'ÎLE DE LA CITÉ ◁
Crypte archéologique du parvis
Notre-Dame (IVe)

De 1965 à 1972, lors du creusement du parking du parvis Notre-Dame, dans l'île de la Cité, une fouille de sauvetage permit de dégager des vestiges de la ville du Ier siècle de notre ère, qui s'étendent sous une grande partie du parvis : tronçons d'un mur de quai et d'un rempart, puissants contreforts appartenant à un grand édifice et zone de maisons privées comprenant en particulier un hypocauste (système de chauffage par le sol).

Des recherches complémentaires effectuées en 1980 ont dégagé plus précisément les vestiges d'un important aménagement portuaire avec des ouvertures de plusieurs mètres de large interrompant l'alignement du mur de quai – sans doute des rampes d'accès pour l'embarquement et le débarquement des marchandises et des personnes. La présence de nombreuses poteries importées de l'Aveyron, de la région lyonnaise mais aussi d'Angleterre laisse supposer l'importance des échanges assurés par les nautes, les marchands de l'eau parisiens.

Lors des bouleversements politiques de l'Empire romain vers la fin du IIIe siècle, l'aménagement des berges dut être repensé pour des raisons évidentes de protection : on entoura l'île d'un rempart, comme dans de nombreuses autres villes de Gaule à cette époque.

Vestige du mur de quai gallo-romain dans la crypte archéologique du parvis Notre-Dame.

DIEUX ROMAINS ET
DIVINITÉS GAULOISES ▽
Pilier des Nautes, Musée national du Moyen Âge et des thermes de Cluny, 6, place Paul-Painlevé (Ve)

En mars 1710, au cours de travaux d'agrandissement du caveau des archevêques, cinq superbes blocs sculptés furent dégagés sous le chœur de Notre-Dame. Sur l'une des faces est gravée en latin une dédicace permettant de rattacher ces vestiges au règne de l'empereur Tibère (14-37) : « Sous le règne de Tibère César Auguste, les nautes des Parisii ont élevé à leurs frais ce monument à Jupiter très bon et très grand. »

Ce que l'on appela depuis le pilier des Nautes s'élevait à une hauteur d'environ 5 mètres, sans doute sur une place de l'île de la Cité. Il atteste la puissance économique et politique des nautes, corporation des marchands de l'eau certainement établie à Lutèce même, qui exerçait ses droits sur l'ensemble des territoires des Parisii, organisant notamment le transport des récoltes locales et du bois.

Sur toutes ses faces, il est sculpté de bas-reliefs de divinités du panthéon romain – Jupiter, Mercure, Mars, Fortune, Castor et Pollux – et de divinités gauloises – Smertrios, le tueur du serpent, Tarvos Trigaranus, le taureau aux trois grues, Esus taillant l'arbre, Cernunnos, sous la forme d'un homme-animal coiffé de cornes à anneaux.

Ce pilier révèle ainsi, quatre-vingts ans après la conquête finale de César, la coexistence et le mélange heureux existant à Lutèce entre les dieux imposés par le conquérant et les fortes croyances d'origine celtique.

Sur l'une des faces du pilier des Nautes, le dieu gaulois Esus, vêtu d'une tunique courte, élague le feuillage d'un arbre à l'aide d'une serpe.

LES SOINS DU CORPS ◁

Thermes de Cluny, Musée national du Moyen Âge et des thermes de Cluny, 6, place Paul-Painlevé (Ve)

L'agglomération de la rive gauche se développe au Ier siècle autour de la montagne Sainte-Geneviève. 45 hectares ponctués de zones marécageuses (notamment près de la Bièvre), mais où se mettent en place une voirie et de grands édifices publics. Outre le forum (vers la rue Soufflot), un petit théâtre et les arènes, Lutèce comprenait trois ensembles thermaux : les thermes du nord, dits de Cluny, les thermes de l'est (à l'emplacement du Collège de France) et ceux du sud (sous la rue Gay-Lussac) ; ce qui atteste l'importance de la population – environ 10 000 âmes – et l'attention portée aux soins du corps, comme dans toutes les villes du monde romain.
Les thermes du nord, au coin des boulevards Saint-Germain et Saint-Michel, se sont miraculeusement conservés jusqu'à nos jours. Ils ont été réaménagés au XVe siècle par les abbés de Cluny, ils ont servi de support à des jardins suspendus au XVIe, un tonnelier y a même élu domicile au XVIIIe, c'est dire la solidité de leurs voûtes, qui s'élèvent encore à plus de 14 mètres de haut dans la grande salle centrale, appelée frigidarium (salle froide).
Ce type de monument comprenait également une salle tiède avec baignoires, puis une salle chaude, dont le sol et les murs étaient chauffés grâce à des canalisations de plomb ou de terre cuite provenant des foyers de combustion situés dans les caves. Le bâtiment comprenait également des vestiaires, de petites cours intérieures, des couloirs de circulation et une palestre, où l'on pratiquait les exercices physiques.

Grande salle du frigidarium avec sa piscine creusée dans le sol. Les voûtes sont supportées par des consoles en forme de proue de bateau, motif rare et surprenant qui évoque le rôle de la Seine dans le commerce de Lutèce.

Le théâtre de l'éternelle leçon

Non loin des thermes de Cluny, rue de la Huchette, se trouve le plus étrange théâtre de Paris : depuis trente-huit ans, il affiche les deux mêmes pièces de Ionesco, *la Cantatrice chauve* et *la Leçon* ! Créées à Paris respectivement en 1950 et en 1951, ces deux pièces furent ensuite montées au théâtre de la Huchette en 1957. Une grande histoire de fidélité débutait… Nicolas Bataille mit en scène *la Cantatrice chauve*, Marcel Cuvelier *la Leçon*. Eugène Ionesco assista et prit part aux répétitions.
À sa mort, le 11 mars 1994, les pièces étaient jouées pour la 11 944e fois dans leur décor d'origine !
La salle du théâtre – quatre-vingt-deux fauteuils et strapontins, sans balcon – fut installée en 1947 à la place du restaurant du père de Charles Aznavour. En 1957, M. Pinet prit la direction du théâtre et, depuis environ vingt-cinq ans, Jacques Legré assure la relève.
Une soixantaine de comédiens y jouent en alternance. Certains d'entre eux interprètent le même texte depuis la première représentation : Nicolas Bataille incarne toujours M. Martin, Simone Mozet Mme Martin, et Audette Barrois la bonne ! La longue et fidèle affection qui liait ce drôle de petit théâtre à Ionesco – lequel venait volontiers faire un tour dans la salle ou dans les loges – est aujourd'hui entretenue par sa famille. Toutefois, deux fois par an, le théâtre propose, à 21 h 30, après les deux représentations traditionnelles, une création d'un nouveau répertoire.
Théâtre de la Huchette, 23, rue de la Huchette (Ve arrondissement).

CIRCULER À LUTÈCE △

Dallage de voies romaines, Musée national du Moyen Âge et des thermes de Cluny, 6, place Paul-Painlevé (Ve)

Dalles du cardo visibles en bordure du boulevard Saint-Michel, devant les thermes de Cluny.

La Lutèce du Ier siècle s'organise autour de l'île de la Cité, pôle économique, et de la butte de la rive gauche (quartier de la rue Soufflot), qui tend à s'urbaniser ; des ponts sont lancés, joignant la cité aux deux rives et permettant d'assurer une voie nord-sud, indispensable à l'acheminement des biens. Comme dans toutes les villes gallo-romaines, le schéma directeur de la voirie à Lutèce reprend le modèle romain : à partir d'un axe majeur *(cardo)* orienté nord-sud – la rue Saint-Jacques en conserve le tracé –, on traçait des voies parallèles, puis le quadrillage, plus ou moins régulier, des axes transversaux *(decumani)*. Le tracé du *cardo* se poursuivait à l'emplacement de la rue Saint-Martin, sur la rive droite. Cet axe fut très fréquenté, dès le Ier siècle de notre ère, par les commerçants et les voyageurs.
La rue Cujas pourrait avoir été le *decumanus maximus* et aurait croisé le *cardo* à l'angle du forum, situé sur le sommet de la montagne Sainte-Geneviève. Le revêtement des voies romaines, d'impressionnantes dalles de grès posées sur des cailloutis et du sable, a pu être dégagé à moins de 2 mètres de profondeur sous la moitié nord de la rue Saint-Jacques – qui pouvait atteindre 7 mètres de large.

Naissance d'une ville

Montmartre, village mérovingien ▷

Saint-Pierre de Montmartre,
2, rue du Mont-Cenis (XVIIIᵉ)

Depuis que Clovis l'a choisi comme
capitale, Paris connaît un nouvel essor.
La rive droite se développe et les fondations
religieuses se multiplient à mesure que se créent
de nouveaux quartiers. Les villages qui
environnent Paris se dotent d'une église.
Sur le sommet de la butte Montmartre, appelée
aussi bien mont de Mercure que mont de Mars
au cours du haut Moyen Âge et dont
l'occupation remonte à l'époque gallo-romaine,
une église Saint-Denis est construite au
VIᵉ siècle, en hommage au saint supplicié au bas
de la colline vers le milieu du IIIᵉ siècle ; une
importante nécropole y est associée. Elle laisse
la place, en 1134, à une abbaye royale de
Bénédictines, l'abbaye Saint-Pierre. L'ensemble
des bâtiments est détruit au lendemain de la
Révolution, mais l'église Saint-Pierre est
conservée en tant que paroisse. C'est donc
l'une des plus anciennes églises de Paris.

QUATRE COLONNES DE MARBRE

Les archéologues se sont depuis longtemps
attachés à retrouver les traces de la première
église Saint-Denis. Outre les sarcophages de
plâtre ou de pierre dans le sous-sol de l'église,
dans le jardin du Calvaire et la rue du Mont-
Cenis, qui attestent l'importance de la
nécropole, et les soubassements, peut-être
d'époque carolingienne, dégagés dans le chœur
de l'édifice, la trace la plus spectaculaire de
l'ancienne église mérovingienne consiste en
quatre colonnes en marbre surmontées de
chapiteaux corinthiens, qui furent réemployées
dans l'église médiévale, à l'entrée de la nef et
dans le chœur. Les larges feuilles d'acanthe des
chapiteaux sont un des principaux motifs hérités
de l'Antiquité.

VOIR AUSSI NEF ET CHŒUR, p. 23.

Cette colonne en marbre gris
au chapiteau corinthien, située
dans le chœur, provient de
l'église mérovingienne.

Sarcophage en plâtre moulé du VIᵉ-VIIᵉ siècle, découvert
au chevet de Saint-Germain-des-Prés et décoré, en
relief, de motifs de quadrillage et de croix dans une
rouelle, mais aussi d'un personnage et de deux oiseaux
évoquant la colombe du christianisme.

DU PLÂTRE POUR LES DÉFUNTS ◁

Sarcophage mérovingien, musée Carnavalet, 23, rue de Sévigné (IVᵉ)

C'est souvent grâce aux morts que l'on étudie les vivants. Ainsi en est-il des nécropoles
suburbaines de la période mérovingienne – Saint-Marcel (à l'emplacement de l'actuel carrefour
des Gobelins), Saint-Germain-l'Auxerrois, Saint-Pierre de Montmartre, Sainte-Geneviève, Saint-
Germain-des-Prés...–, dont l'origine est liée à la présence de tombes de saints, de martyrs ou de
vierges autour desquelles le peuple chrétien souhaitait se faire enterrer.
Le défunt était enterré habillé, le plus souvent la tête tournée vers l'ouest. À la manière antique, le mort
était entouré de ses objets de parure (fibules, épingles, plaques-boucles et contre-plaques de ceinture
en métal, mais aussi bagues et bracelets) et d'un mobilier ou d'objets familiers, le plus souvent des
céramiques de production régionale. Les armes sont présentes dans les tombes masculines. C'est la
nécropole de Saint-Germain-des-Prés qui livra le plus grand nombre d'objets en or ou en argent.
Les sarcophages, de forme trapézoïdale, sont en pierre taillée ou en plâtre moulé, suivant le rang social
ou les moyens financiers de la famille du défunt. Cette utilisation particulière du plâtre, que permettait le
sous-sol riche en bancs de gypse de Paris et de sa région, favorisa, dès le VIᵉ siècle, le développement
d'une corporation de plâtriers spécialisés et d'un artisanat élaboré.
Il est probable que ces artisans tombiers travaillaient à proximité du lieu des sépultures, où leur était
livré le gypse : gâchage et coulage du plâtre dans des coffrages de planches à la forme de la cuve du
sarcophage, décoffrage, entreposage et séchage, transport et dépôt dans la fosse le jour de la
cérémonie. La face interne des planches était souvent décorée de motifs géométriques ou d'inspiration
chrétienne choisis par la famille du défunt, qui apparaissaient en relief sur les panneaux une fois
démoulés ; démontables, les planches étaient réutilisées par les artisans tombiers qui circulaient d'une
nécropole à l'autre. Ces coutumes funéraires disparurent à l'époque carolingienne.

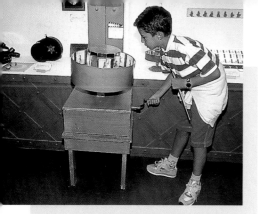

Saint-Pierre ouvre sa halle aux petits et aux grands

Repérable de loin, avec ses grandes banderoles décorées par Speedy Graphito, la belle voûte de fer et de verre de la halle Saint-Pierre, au pied de la butte Montmartre, est un havre de paix pour petits et grands…

Le Musée en herbe propose des expositions thématiques accessibles aux enfants dès l'âge de trois ans (Babar sur son trente et un, le train dans le cinéma…). De remarquables feuillets explicatifs pleins de jeux astucieux animent la visite. Les espaces sont agréables, les tableaux à hauteur des petits yeux, les objets à portée des petites mains, la mise en scène amusante et soignée. Les expositions temporaires sont longues (souvent plus d'un an), ce qui permet aux ateliers animés par des plasticiens de proposer aux enfants des créations personnelles en liaison avec le thème de l'exposition. Les réservations sont limitées pour garder des places disponibles le jour même à ceux qui viennent de loin… Enfin, la halle anime des anniversaires – visite, créations, goûter et amusement – pour quinze enfants à partir de l'âge de cinq ans.

Au premier étage, le musée d'art naïf Max-Fourny expose six cents œuvres venues du monde entier, suivant un roulement permanent. Petites scènes de la vie quotidienne, ambiances pastorales, oniriques et féeriques, foisonnement de personnages et de végétations composent ces tableaux attachants aux teintes éclatantes.

Musée en herbe et musée d'art naïf Max-Fourny, 2, rue Ronsard (XVIIIe).

ESSOR DE L'ORFÈVRERIE MÉROVINGIENNE ▽

Croix de saint Éloi, Bibliothèque nationale, cabinet des Médailles, 58, rue de Richelieu (Ier)

L'aristocratie mérovingienne, un heureux mélange de Gallo-Romains et de chefs francs, favorise l'essor des arts somptuaires. L'orfèvrerie privilégie les techniques venues d'Europe orientale, comme celles du cloisonné (sertissage dans des cloisons de métal soudé de pierres précieuses ou semi-précieuses, comme le grenat ou l'almandin, ou de verroteries), du filigrane (fils d'or ou d'argent entrelacés et soudés sur un champ de même métal) ou du damasquinage (incrustation à froid de filets d'or, d'argent ou de cuivre).

Le rôle politique tenu par le grand orfèvre Éloi est significatif du prestige de cet art : maître de la monnaie sous Clotaire II, trésorier du roi Dagobert puis de Clovis II, il devient évêque de Noyon en 641. Son atelier contrôle l'émission des monnaies du royaume en y faisant figurer son nom, Eligius, et réalise plusieurs chefs-d'œuvre, dont la célèbre croix – dite de saint Éloi – que lui commanda Dagobert. Haute de près de 2 mètres, la croix s'élevait sur le maître-autel de la basilique de Saint-Denis et fit partie du trésor de l'abbaye de Saint-Denis durant tout l'Ancien Régime ; elle fut hélas fondue à la Révolution. Le fragment en or et cloisonné de verroteries de couleur qui nous est resté ainsi qu'une représentation sur un tableau du XVe siècle (*la Messe de Saint-Gilles*) conservé à la National Gallery de Londres permettent de connaître son aspect : haute et étroite, la croix était entièrement recouverte d'une orfèvrerie cloisonnée sur les deux faces, agrémentée de cabochons de pierres précieuses.

Seul fragment conservé de la croix de saint Éloi.

ARTISANS ET COMMERÇANTS ◁

Céramiques carolingiennes, musée Carnavalet, 23, rue de Sévigné (IVe)

Centre administratif d'un puissant comté carolingien, Paris est aussi une importante ville commerciale et artisanale. La cité a conservé une partie de ses quartiers de la rive gauche et, surtout, commence nettement à s'étendre sur la rive droite. En 1986-1987, les fouilles de la rue de Lutèce, en plein centre de l'île de la Cité, ont permis d'identifier un des quartiers de la ville carolingienne, qui jouxtait le célèbre monastère de femmes Saint-Éloi. Une production de céramiques caractéristiques de cette période – coupes, cruches à anse et à bec verseur tubulaire, peintes en rouge sombre de motifs géométriques – a été mise au jour sur ces fouilles ainsi que sur le chantier récent de la rue Saint-Martin, sur la rive droite. Utilisés dans la vie quotidienne, ces récipients ont probablement été, pour la plupart, fabriqués sur place. Mais de nombreux autres produits de consommation – verreries, tissus… –, originaires de différentes régions de France, parvenaient aussi à Paris, notamment par le biais de la célèbre foire de Saint-Denis, qui se tenait en octobre et attirait toute l'Europe.

Cruche en céramique beige avec anse et bec verseur (VIIIe-IXe siècle).

DES MONNAIES D'ARGENT POUR LES ÉCHANGES ◁ ▷

Monnaies carolingiennes, musée Carnavalet, 23, rue de Sévigné (IVe)

Aux VIIIe et IXe siècles, bien que le centre du pouvoir ait quitté Paris – les Carolingiens règnent en Germanie –, la ville est le siège d'un comté, circonscription administrative dont le comte, membre de la famille royale ou personne de haute noblesse, garde une forte autorité pendant toute la période carolingienne. Ainsi le palais comtal de l'île de la Cité accueille-t-il un atelier de frappe monétaire. Un autre atelier se tient au monastère de Saint-Denis, dont le rôle politique et économique va croissant. Les deniers, demi-deniers et oboles, qui se répandent partout, sur les foires comme dans les marchés les plus modestes de Paris, sont tous en argent. La monnaie en or a en effet été abandonnée dès le VIIe siècle, signe probable du déclin économique qui accompagna l'affaiblissement du pouvoir mérovingien après la mort de Dagobert en 639 et la montée en puissance de ceux que l'on appela les maires du palais.

À partir de 781, le nom des monnayeurs disparaît. À l'avers, seul figure celui des rois, en légende circulaire, le centre étant frappé du monogramme carolin (KRLS et O central, abréviation de Karolus). Au revers, le lieu d'émission s'inscrit autour d'une croix pattée ou d'un temple à fronton ; le mot Parisii figure ainsi sur certaines monnaies.

En 794, Charlemagne imposera l'unification du denier dans l'ensemble du royaume (environ 1,7 g d'argent pur), qui sera la seule monnaie à circuler en Europe occidentale pendant près de cinq siècles ! En 864, Charles le Chauve prendra d'autres mesures sévères pour contrôler les échanges économiques, mais aussi pour freiner les activités des nombreux et redoutables faussaires.

À gauche, denier de Charlemagne, émis au monastère de Saint-Denis ; ci-dessus et ci-contre, deniers de Charles le Chauve, émis à Paris entre 840 et 864.

UNE VIE SOUS LA VILLE

Tel un arbre majestueux, la capitale déploie dans le sous-sol de profondes racines. Et sous le bitume se côtoient un monde presque silencieux de pierre, d'eau, d'air confiné et un monde industriel, bruyant et trépidant, de tunnels ferroviaires, de parkings, d'égouts, de câbles… Un calme paradis des ombres et un enfer malodorant…

Pendant des siècles, Paris a puisé dans son sous-sol les matériaux pour la construction – chaux, plâtre et terre à cuire. À la fin du XVIIIe siècle, une partie de la ville flotte sur des galeries abandonnées, qui s'écroulent périodiquement, entraînant des maisons ou des hommes. La création d'un service d'inspection des carrières s'est alors imposée pour surveiller le réseau, le cartographier et le baliser. Il existe toujours.

CAVES ET ABRIS

Si les carrières de gypse n'ont laissé que de rares traces de leur existence – l'une d'elles débouche à l'air libre dans la grotte du parc des Buttes-Chaumont –, les carrières de calcaire, en revanche, ont été utilisées à des fins très diverses. Comme elles jouissent d'une température constante de 11-12 °C, dès le XIIe siècle, les Chartreux aménagent certaines d'entre elles pour faire de la bière et distiller des liqueurs. Au XVIe siècle, d'autres servent de caves à vin ; c'est le cas des celliers des moines de l'abbaye de Passy, aujourd'hui occupés par le musée du Vin (5, square Charles-Dickens, XVIe). Enfin, les champignons de Paris y sont cultivés à partir de 1840.

△ Une ancienne carrière située sous l'ancien couvent des Ursulines, rue des Ursulines (Ve).

◁ La grotte du parc des Buttes-Chaumont et sa cascade.

▽ Réseau de galeries souterraines situé sous la rue d'Assas, utilisé par les Allemands durant la Seconde Guerre mondiale.

△ Caves voûtées gothiques de l'hôtel de Beauvais, 68, rue François-Miron (IVe).

△ **Puits d'inspection accédant aux carrières, sous l'avenue du Général-Leclerc (XIVe).**

◁ **C'est en 1793 que Philibert Aspairt trouva la mort dans les catacombes.**

▽ **Le Tonneau, dans les catacombes, pilier habillé de crânes et de tibias.**

A LA MÉMOIRE
DE PHILIBERT ASPAIRT
PERDU DANS CETTE
CARRIÈRE LE III NOV^bre
MDCCXCIII RETROUVÉ
ONZE ANS APRÈS ET
INHUMÉ EN LA MÊME PLACE
LE XXX AVRIL MDCCCIV

Lors des bombardements aériens de la Première Guerre mondiale, les carrières servent d'abris ; celles du Val-de-Grâce et d'autres hôpitaux y accueillent des services médicaux. En 1940, les Allemands confisquent les plans du Paris souterrain, où ils aménagent de véritables places fortes, la plus importante étant située sous la faculté de pharmacie (quelques-unes de leurs installations y subsistent encore). Non loin de là, sous la place Denfert-Rochereau, le PC de la Résistance avait trouvé refuge dans un abri non mentionné sur les cartes détenues par les Allemands.

SANCTUAIRES MACABRES

Environ 8 % de la surface des carrières sont consacrés aux catacombes, où six millions de squelettes ont été déversés entre 1785 et 1814. Le romantisme a mis ce lieu fantastique à la mode. Dès 1810, les cata-combes deviennent le théâtre de mises en scène poético-macabres : construction de murs décorés de tibias et de crânes, captage symbolique des eaux du Léthé dans la fontaine « de la Samaritaine », transcription de vers d'Homère, de Lamartine, de Delille… On érige un édifice à l'endroit où avait été retrouvé en 1804 le cadavre de Philibert Aspairt, portier du Val-de-Grâce – identifié grâce à ses clés –, qui s'était aventuré onze ans auparavant dans les catacombes ! Le Tout-Paris s'y presse : Balzac, Flaubert, les Goncourt, Victor Hugo, le célèbre photographe Nadar… Les cryptes – caveaux souterrains servant de sépulture à un corps saint et de lieu de culte – ont souvent gardé une vocation funéraire. Dans le centre de Paris, ce sont parfois d'anciennes chapelles de surface qui se sont lentement enterrées par exhaussement des rues. La plus célèbre est sans conteste celle du Panthéon, destinée à devenir la nécropole de la République. Sous l'Institut catholique, une carrière-cave fut transformée en crypte après la découverte des corps de prêtres assassinés à la Révolution. Et, place de la Bastille, dans le soubassement de la colonne de Juillet, reposent dans deux immenses sarcophages les corps des victimes des Trois Glorieuses. Certaines cryptes sont cependant affectées à un usage profane, telles la crypte Sainte-Agnès, sous l'église Saint-Eustache, ou la crypte de la Châsse, sous les magasins C & A de la rue de Rivoli, qui accueillent concerts et expositions. Tandis que la crypte de Saint-André-des-Arts fait office de cabaret et celle de la rue Laplace de restaurant russe.

ELLE COULE…

L'eau est omniprésente sous Paris. Le silence des galeries souterraines n'est guère troublé que par un discret goutte-à-goutte. Et seuls des fontaines et surtout des puits ouvrent sur ces profondeurs humides. La rive droite est alimentée dès 1150 par le captage des ruisseaux qui des hauteurs de Belleville descendent par des conduits souterrains – il subsiste encore quelques regards, rue des Cascades, rue de l'Ermitage… – et alimentent plusieurs fontaines, dont celle des Innocents. Des trente mille puits recensés en 1870 à Paris, bien peu nous sont restés : celui du musée de Cluny, de Saint-Julien-le-Pauvre, daté du VIIe siècle et réputé pour son eau miraculeuse, celui du restaurant du Caveau, place Dauphine, qui ouvre à chacun des trois étages de caves et puisait l'eau dans la Seine. À Passy, dans les sous-sols du musée du Vin, se voit encore un puits exploité depuis 1650 pour les vertus thérapeutiques de son eau, qui fut conditionnée en bouteilles en 1758.

Aujourd'hui, une partie de l'eau potable est amenée par des aqueducs, dont l'un arrive au réservoir de Montsouris, haut tumulus recouvert de gazon. Depuis 1874, il stocke des milliers de mètres cubes d'une eau fraîche descendue du sud de l'Île-de-France.

UN MUSÉE DES ÉGOUTS

Les premiers égouts couverts datent du XIVe siècle, mais ils sont alors d'une longueur très modeste. Il faut attendre l'épidémie de choléra de 1832 et les découvertes scientifiques sur la propagation des maladies pour que les autorités prennent conscience de l'urgence de la construction d'un réseau souterrain. Dès 1853,

ce réseau revêt sa configuration actuelle : à la Concorde, un collecteur général reçoit des collecteurs secondaires et les dirige vers Asnières. Avant de revenir à la Seine, les eaux sont décantées sur les champs d'épandage d'Argenteuil. Ces bas-fonds de Paris sont ouverts aux curieux depuis 1867. Aujourd'hui, le musée des Égouts organise une visite des divers types de galeries et d'un bassin de dessablement, puis on montre aux visiteurs l'impressionnante boule de 3 mètres de diamètre qui pousse devant elle les boues solides du siphon de l'Alma

◁ Curage du collecteur de Clichy. Le plus gros bateau-vanne utilisé dans les égouts est ici en pleine action.

▷ Le réservoir de Montsouris, entre la rue de la Tombe-Issoire et l'avenue Reille, est un gigantesque monument souterrain : deux étages et 4 ha de bassins pour contenir 200 millions de litres d'eau. Il dessert toujours la rive gauche.

▽ Le chantier du réseau Éole (1993 à 1998), éventrant le nord de Paris de Pont-Cardinet à la gare de l'Est. Le sous-sol de Paris est en constante transformation.

◁ **La station Arts-et-Métiers évoque le** *Nautilus* **de** *Vingt Mille lieues sous les mers.*

△ **Partie couverte du canal St-Martin (tracé des boulevards Richard-Lenoir et Jules-Ferry).**

à Achères, près de Saint-Germain-en-Laye ; elle atteint la station d'épuration en dix-neuf jours, pour être ramenée par camion à son point de départ.

VINGT MILLE LIEUX SOUS LA TERRE

Une grouillante circulation souterraine s'effectue dans un réseau serré de tunnels qui serpentent sous la ville.

Les premiers passages souterrains s'ouvrent en 1936 porte Maillot et porte Dauphine, bientôt suivis par les parkings publics ou privés. L'un d'eux, aménagé dans les caves de l'Opéra, est d'un genre un peu spécial : on y faisait stationner les chevaux du spectacle !

Les premiers tunnels, construits en 1854, sont destinés au chemin de fer de la petite ceinture. Il en subsiste deux, l'un sous le parc Montsouris, l'autre sous les Buttes-Chaumont. Puis naît le métro, dont la première ligne est inaugurée pour l'Exposition universelle de 1900. La mise en service du réseau express régional (RER) date de 1964. Il adopte des tracés rectilignes, à une très grande profondeur.

Le premier tronçon du réseau Météore – complètement automatique –, Tolbiac-Madeleine, sera achevé en 1997. Il se fraie un chemin entre lignes de métro et de RER, parcs de stationnement et collecteurs d'égouts. Après être passé sous la Seine, il s'enfonce au niveau du boulevard de la Bastille sous la nappe phréatique, à une profondeur de 25 mètres, et évite ainsi tous les obstacles. Un énorme « tunnelier » creuse dans un sous-sol vierge et crache les déblais, qui sont évacués par péniche.

Les stations souterraines du futur seront plus humaines. La RATP promet de tout envisager pour supprimer l'impression de claustrophobie : espace, couleurs et lumière, escaliers et ascenseurs transparents groupés dans des puits verticaux, température agréable… Pour l'heure, la nouvelle station de métro Arts-et-Métiers accentue au contraire l'idée de souterrain en se métamorphosant en sous-marin. Par les hublots du quai, le voyageur regarde des évocations du temps passé et oublie que la rame suivante va l'arracher au monde merveilleux de Jules Verne…

LA PUISSANCE DES MOINES DE SAINT-GERMAIN-DES-PRÉS ▽ ▷

3, place Saint-Germain-des-Prés (VIᵉ)

Selon la légende, c'est pour abriter les reliques de saint Vincent qu'il a rapportées de Saragosse que Childebert Iᵉʳ, fils de Clovis, fonde la basilique de Saint-Germain-des-Prés. Consacrée vers 558, elle fut la nécropole de plusieurs rois mérovingiens et prit en 754 le nom de l'évêque de Paris saint Germain, mort en 576, lorsque les restes de celui-ci y furent déposés.

C'est alors un des édifices les plus prestigieux du royaume des Francs : le chroniqueur Gislemar écrit qu'elle « étincelait de telle sorte que les regards étaient éblouis et qu'on lui donna le surnom de Saint-Germain-le-Doré ». Richement dotée par Charlemagne et Charles le Chauve, l'abbaye compte cent vingt moines et possède des biens s'étendant sur plus de 30 000 hectares.

UN DES PLUS ANCIENS CLOCHERS-PORCHES

Vers l'an mille, suite aux destructions normandes, l'abbé Morard entreprend la reconstruction de l'église. La nef est flanquée de trois tours, deux encadrant le chevet, la troisième étant le clocher-porche qui subsiste aujourd'hui, l'un des plus anciens existant en France. Il est formé d'un porche, d'une chapelle haute qui, avant la pose de l'orgue, communiquait avec la nef, et de deux autres étages. Cette austère tour carrée, soutenue par quatre contreforts d'angle et dont le seul ornement réside dans les baies ornées de tessons, est représentative des débuts de l'art roman. Elle a été surmontée au XIIᵉ siècle par un étage à arcades coiffé d'une flèche.

La nef, achevée vers 1050, annonce les formules romanes, avec son vaisseau central sur deux niveaux, grandes arcades et fenêtres hautes, et ses bas-côtés probablement voûtés d'arêtes. Ses chapiteaux – il en reste aujourd'hui vingt-deux – ont probablement exercé un rôle déterminant dans l'histoire des débuts de la sculpture romane.

LE GOTHIQUE APPARAÎT DANS LE CHŒUR

Avec le chœur, reconstruit vers 1145, apparaît une formule architecturale appelée à un grand avenir dans le monde gothique : déambulatoire entouré de chapelles contiguës séparées par une cloison portant la culée des arcs-boutants extérieurs, système de contrebutement qui permet le percement du vaisseau central sur trois niveaux – grandes arcades, tribunes sous comble et fenêtres hautes.

C'est à l'occasion de sa consécration en 1163 par le pape Alexandre III que les moines obtiennent du souverain pontife l'interdiction de l'accès de l'abbaye à l'évêque de Paris, Maurice de Sully. Ainsi Saint-Germain-des-Prés voit-elle son indépendance nettement marquée à l'égard de l'archevêché de Paris, dont elle ne dépendait plus depuis 1107, date à laquelle le pape Pascal II lui avait accordé cette prérogative. Située en dehors de l'enceinte de Philippe Auguste, l'abbaye possède alors ses propres murailles, et le bourg Saint-Germain, qui s'est développé autour d'elle, constitue une agglomération autonome dont les habitants jouissent de chartes de franchises accordées par les abbés.

L'aspect actuel de la nef et du chœur résulte des transformations effectuées par les Mauristes au XVIIᵉ siècle : abaissement des tribunes afin d'agrandir les fenêtres hautes dans le chœur, voûtes d'ogives sur la nef, originellement charpentée. À la Révolution, les bâtiments gothiques sont dévastés par un incendie et ne subsistent plus de la prestigieuse abbaye que l'église et le palais abbatial.
VOIR AUSSI LE PALAIS ABBATIAL, p. 67.

Le clocher-porche comportait un portail à statues-colonnes, détruites à la Révolution.

Chapiteau roman provenant de Saint-Germain-des-Prés et conservé au musée des Thermes et de l'hôtel de Cluny. Un Christ en gloire est sculpté sur une de ses faces.

C'est à Saint-Germain-des-Prés que l'on a résolu pour la première fois le problème de la voûte tournante du déambulatoire.

Le quartier des éditeurs

C'est une petite capitale de l'esprit qui a son siège autour du clocher de Saint-Germain-des-Prés. Là, depuis des lustres, à quelques pas de la Sorbonne, des éditeurs publient des essais, des pensées, des romans. Car, dès le XIIIe siècle, l'Université a voulu tenir près d'elle, sous sa coupe, les libraires et les stationnaires (ancêtres des éditeurs) : agrégés à l'université, ils sont tenus de prêter serment entre les mains du recteur. Le premier livre imprimé à Paris l'est dans les bâtiments de la Sorbonne, en 1470. Petit à petit, les éditeurs s'égaient dans tout le Paris d'alors, mais il leur faut revenir dans le Quartier latin en 1616 à la suite d'une ordonnance royale.

Ils ne le quitteront plus. Aujourd'hui, c'est là que se trouvent les maisons les plus influentes du pays. Gallimard, Le Seuil, Fayard, Les Éditions de Minuit, Grasset, Flammarion grandissent à l'ombre de Saint-Germain-des-Prés. Les vingt-deux éditeurs les plus importants, qui publient plus de 250 titres par an, sont tous installés à Paris et dix-sept d'entre eux ont leur siège dans les Ve, VIe et VIIe arrondissements. C'est également là que des clubs de pensée se sont réunis (rue Jacob, rue des Saints-Pères, rue Saint-Benoît, rue Visconti), que se rencontrent des librairies prestigieuses (La Hune) et que les cafés sont devenus des hauts lieux de la pensée (Le Flore, Les Deux Magots).

Depuis quelques années, le coût de l'immobilier dans ce quartier, allié aux difficultés financières de bon nombre de maisons, en a découragé plus d'un. Ainsi, le groupe des Presses de la Cité a quitté l'ombre tutélaire de Saint-Sulpice et la rue Garancière pour de nouveaux locaux, rue du Faubourg-Saint-Honoré et avenue d'Italie, et Hachette le pâté de maisons qu'il occupait à l'intersection des boulevards Saint-Michel et Saint-Germain.

RENDEZ-VOUS AMOUREUX À LA CHAPELLE SAINT-AIGNAN ▷

19, rue des Ursins (IVe)

🔒 Unique vestige des vingt-trois chapelles et petites églises qui s'entassaient dans l'île de la Cité autour de Notre-Dame et de la Sainte-Chapelle, la chapelle Saint-Aignan fut fondée vers 1116 par Étienne de Garlande, doyen de Saint-Aignan d'Orléans, puissant personnage qui fut archidiacre de Notre-Dame et chancelier du roi Louis VI le Gros. Logée à proximité de la chapelle chez son oncle, le chanoine Fulbert, dans le cloître Notre-Dame, Héloïse vint prier dans ce sanctuaire et y donna sûrement rendez-vous à son amant, Abélard.
Saint Bernard, qui fréquenta aussi cet endroit quelques années plus tard, se lamentait sur les mœurs dissolues des étudiants de l'époque, « qui préféraient ouïr le cliquetis des ceintures dorées et des boucles des ribaudes au corps gent plutôt que les psalmodies des moines ».
La chapelle Saint-Aignan constitue un rare témoignage de l'architecture romane parisienne.

Chapiteaux romans de la chapelle Saint-Aignan.
Le personnage nu, qui saisit acrobatiquement ses
chevilles, et les feuilles d'acanthe, motif du répertoire
antique très employé par les sculpteurs romans,
épousent parfaitement la forme des chapiteaux.

La ville médiévale

L'ABBATIALE DES ROIS DE FRANCE ▷ ▽

Abbatiale Saint-Denis, place Victor-Hugo, Saint-Denis

C'est à l'emplacement de la tombe de saint Denis que sainte Geneviève fait bâtir vers 475 la basilique consacrée au premier évêque de Paris. Le roi Dagobert s'y fait enterrer après avoir comblé de bienfaits les religieux qui desservent l'église. Devenue l'un des plus riches monastères du royaume mérovingien, l'abbaye de Saint-Denis profite également des faveurs des Carolingiens : Charles Martel y est inhumé, son fils Pépin le Bref et ses deux petits-fils, Carloman et Charlemagne, s'y font sacrer le 28 juillet 754 par le pape Étienne II. Un majestueux édifice remplace l'église primitive en 775. Les Capétiens confirmeront la prééminence de Saint-Denis. L'abbaye devient la sépulture officielle des rois de France. Mais les moines assument aussi le rôle d'historiographes de la monarchie en rédigeant les Chroniques de Saint-Denis ou Grandes Chroniques de France. L'abbé Suger va encore plus loin : ne pouvant ravir à Reims le privilège du sacre, il obtient de conserver les symboles du pouvoir, la couronne et l'épée dite de Charlemagne. C'est encore lui qui, en 1124, fait adopter à Louis VI le Gros l'oriflamme rouge de Saint-Denis comme enseigne de guerre et comme cri de ralliement de l'armée : « Montjoie Saint-Denis ! » Jamais Saint-Denis ne retrouvera la splendeur de ces deux siècles d'or. Louis XIV lui porte un coup fatal en affectant ses revenus aux dames de Saint-Cyr, protégées de Mme de Maintenon. En octobre 1793, les révolutionnaires profanent les tombes royales et la basilique n'évite la démolition que grâce à Viollet-le-Duc, qui travaille trente-deux ans à sa restauration.

UN MANIFESTE DE L'ART GOTHIQUE

C'est durant l'abbatiat exceptionnel de Suger que débute la reconstruction de la basilique. Avec la façade et le double déambulatoire (seules parties demeurant de l'édifice de Suger) s'affirme le nouvel art gothique : façade à deux tours élevées au-dessus de trois portails ornés de statues-colonnes (détruites); déambulatoire à couronne de chapelles rayonnantes, où les volumes intérieurs sont intégrés dans un même espace grâce à la légèreté des minces colonnes posées en délit et à la virtuosité du voûtement en ogives, et où s'illustre une conception particulière de la lumière, grâce aux vastes fenêtres colorées de verrières.
La nef prévue par Suger, qui eût, avec son double collatéral et son transept non saillant, préfiguré Notre-Dame, ne vit pas le jour. La nef actuelle (1265), attribuée à Pierre de Montreuil, est un des premiers exemples du style gothique rayonnant, avec son triforium ajouré, ses hautes fenêtres composées et ses minces supports le long des parois.

Les verrières lumineuses du double déambulatoire de Saint-Denis sont les premiers jalons de l'art du vitrail dans l'architecture gothique.

Les monuments funéraires de nombreux membres de la famille royale et de grands du royaume sont exposés dans le transept et le chœur de la basilique. Ici, gisant de Philippe le Bel.

La légende de saint Denis

C'est vers 250 que Grégoire de Tours, évêque du VIe siècle, situe l'arrivée en Gaule de Denis, évêque d'Athènes. Il rapporte ainsi une tradition admise dès le début de l'époque méro-

L'ÉGLISE DE CES DAMES ▷

Saint-Pierre-de-Montmartre,
2, rue du Mont-Cenis (XVIIIe)

👁 C'est à l'emplacement d'une chapelle dédiée à saint Denis sur le sommet du mont des Martyrs, ainsi dénommé en souvenir de saint Denis et de ses deux compagnons suppliciés au bas de la colline, que Louis VI le Gros et son épouse Adélaïde de Savoie fondent en 1134 une abbaye de femmes avec des religieuses bénédictines venues de Saint-Pierre-des-Dames de Reims, ce qui explique le vocable pris par le sanctuaire. En 1147, le pape Eugène III dédicace l'église et confirme à l'abbesse les privilèges et les biens considérables acquis par la communauté.

En 1686, les religieuses s'installent dans une nouvelle abbaye, à mi-pente de la butte, à l'emplacement de l'église du Saint-Martyr – vers la place actuelle des Abbesses –, dont la crypte, redécouverte en 1622, fait alors l'objet d'un fructueux pèlerinage. Les pierres des bâtiments de la première abbaye servent alors à édifier « l'abbaye d'en bas ».

L'abbaye d'en bas est démolie à la Révolution et il ne subsiste plus du couvent du XIIe siècle que l'église Saint-Pierre, dont le chœur est surmonté en 1794 d'une tour supportant le télégraphe Chappe reliant Paris à Lille. Cette église, construite au milieu du XIIe siècle, restaurée entre 1889 et 1905, fut pourvue en 1688 d'une austère façade classique. La nef a gardé, pour l'essentiel, son aspect d'origine, avec ses grandes arcades en cintre brisé dont la mouluration se lie au tailloir des chapiteaux qui couronnent les colonnes cylindriques et reçoivent aussi les voûtes des bas-côtés.
VOIR AUSSI L'ÉGLISE MÉROVINGIENNE, p. 14.

Pierre tombale de la reine Adélaïde de Savoie, fondatrice de l'abbaye des Dames de Montmartre. Elle s'y retira en 1153 et fut inhumée en 1154 devant le maître-autel du chœur.

---

vingienne, selon laquelle Denis reçut du pape Clément, premier successeur de saint Pierre, la mission d'évangéliser la Gaule en compagnie de six autres missionnaires et fut le premier évêque de Paris. Denis aurait construit une église, prêché et accompli des miracles. Ayant refusé d'abjurer sa foi, il aurait été supplicié avec ses compagnons, le prêtre Rustique et l'archidiacre Éleuthère. Sainte Geneviève fit édifier une église vers 475 à Catulliacus, lieu où il avait été enterré et origine de la basilique de Saint-Denis.

C'est au IXe siècle, peut-être grâce à Hilduin, alors abbé de Saint-Denis, qu'est née la légende de la céphalophorie : le martyr décapité à mi-pente de la butte Montmartre aurait ramassé sa tête et l'aurait lavée dans une fontaine (rue Girardon) puis, continuant de porter sa tête dans ses bras, aurait marché jusqu'à Catulliacus (Saint-Denis), où il fut inhumé. S'il n'est pas établi qu'Hilduin ait fabriqué cette édifiante légende, il est certainement l'auteur de l'imposture visant à identifier Denis, apôtre de Paris, à Denis l'Aréopagite, premier évêque d'Athènes. Le pèlerinage de Saint-Denis était le plus populaire des pèlerinages parisiens et comptait sept stations, de Notre-Dame-des-Champs à la basilique.

LE LOUVRE DE PHILIPPE AUGUSTE ▽

Musée du Louvre, cour Napoléon (Ier)

👁 En 1190, au moment de partir pour la croisade, Philippe Auguste ordonne la construction d'une enceinte pour protéger Paris. Son principal adversaire est alors le roi d'Angleterre, duc de Normandie, dont les possessions débutent à Vernon, à moins de 80 kilomètres de la capitale. Aussi le roi juge-t-il indispensable de renforcer les défenses de la ville à l'ouest par la construction d'un château. Le Louvre, terminé en 1202, est une impressionnante forteresse munie de huit tours, entourée de fossés remplis d'eau et pourvue en son centre d'un énorme donjon de 32 mètres de haut et de 15 mètres de diamètre, où le roi conserve son trésor et son armement. L'édification d'une nouvelle enceinte sous Charles V incorpore le Louvre dans la ville et lui fait perdre sa fonction militaire. Malgré des efforts de rénovation, les bâtiments demeurent trop austères au goût de Charles V, qui leur préfère l'hôtel Saint-Paul, près de la Bastille. Le Louvre cesse alors d'être habité par les rois, moins de deux siècles après sa construction.
LA CONSTRUCTION DU LOUVRE S'ÉTANT ÉTALÉE AU COURS DES SIÈCLES, VOIR AUSSI pp. 63, 86, 130, 220, 228, 269.

Soubassement du donjon du Louvre, visible dans la crypte archéologique de la cour Carrée.

Les potaches célèbres du lycée Henri-IV

C'est en 1795 que l'abbaye Sainte-Geneviève devient un établissement scolaire. Successivement appelé école centrale du Panthéon, puis lycée Napoléon, collège Henri-IV, lycée Corneille et enfin lycée Henri-IV en 1873, cet établissement, perché sur la montagne Sainte-Geneviève, semble planer sur le paysage scolaire parisien. Louis-Philippe, en lui confiant ses cinq fils, confirma sa notoriété.

Accueillant plus de deux mille élèves – c'est le troisième lycée parisien par le nombre, après les lycées Paul-Valéry et Montaigne –, il possède vingt classes de collège, vingt classes de second cycle et vingt-deux classes préparatoires aux grandes écoles, dont la célèbre khâgne,

pépinière de normaliens, où enseignèrent Bergson et Alain et où étudièrent Jean-Paul Sartre, Paul Nizan, Michel Foucault, Jean Mistler, Jean d'Ormesson, Maurice Schumann et bien d'autres. Victor Duruy, les frères Ampère, Léon Brunschvicg, Jean Guéhenno, Georges Pompidou y furent professeurs. Nombre d'élèves s'illustrèrent dans les domaines les plus variés : les frères Musset, Eugène Scribe, Prosper Mérimée, Victorien Sardou, Alfred Jarry, Pierre Loti pour la littérature, le chimiste Marcellin Berthelot et le physicien Francis Perrin pour les sciences, Pierre Puvis de Chavannes pour les arts, ou encore le baron Haussmann, Eugène Viollet-le-Duc et Ferdinand de Lesseps.

Proche de la Sorbonne, de la faculté de droit, du Collège de France, environné de grandes écoles et d'établissements scientifiques prestigieux, le lycée Henri-IV est pour bon nombre d'élèves le premier pas vers une brillante carrière.

MOINES TURBULENTS À L'ABBAYE SAINTE-GENEVIÈVE
Actuel lycée Henri-IV, 23, rue Clovis (Ve) △ ▷

C'est vers 507 que débute la construction de la basilique des Saints-Apôtres, au sommet du mont Leucotitius, au cœur de l'ancienne ville gallo-romaine. Elle prend au IXe siècle le nom de sainte Geneviève, qui y avait été inhumée ainsi que Clovis, fondateur de l'abbaye, et son épouse Clotilde. L'abbaye Sainte-Geneviève, dont les possessions couvraient toute la montagne et les deux tiers de l'actuel Ve arrondissement, a joué un rôle éminent dans la vie spirituelle et intellectuelle de Paris. En 1147, à la suite d'une rixe entre moines en présence du pape Eugène III et du roi Louis VII – qui reçut des coups ! –, les chanoines de Saint-Victor furent chargés de réformer l'abbaye et en firent le principal centre d'enseignement de l'Université naissante.

UN JOYAU DE L'ARCHITECTURE MONASTIQUE

Fortement dégradés par de nouvelles constructions aux XVIIe et XVIIIe siècles, les bâtiments médiévaux souffrirent aussi de leur transformation en établissement scolaire dès 1795. L'actuel lycée Henri-IV conserve cependant de beaux vestiges. Le cloître, des XIIe-XIIIe siècles, subsiste dans l'aile ouest de la cour d'honneur : ses six travées de baies en arc brisé séparées par des contreforts et surmontées d'oculi quadrilobés se déploient le long de la rue Clotilde. Au-dessus de deux niveaux de caves gothiques, sous lesquelles des catacombes recevaient les tombes des moines génovéfains, se trouve l'ancienne cuisine à croisées d'ogives, portées par de gros piliers centraux à pied griffu. À l'étage, le réfectoire du XIIIe siècle, transformé en chapelle, forme un remarquable vaisseau unique de plus de 30 mètres de long et 8 de large. Les nervures des voûtes d'arêtes reposent sur des faisceaux de colonnettes engagées dans les parois, entre lesquelles s'appuient les doubleaux sur des culs-de-lampe sculptés. Des têtes d'anges ornent les clés de voûte.

VOIR AUSSI LE CLOCHER, p. 38, L'ESCALIER DES PROPHÈTES ET L'ORATOIRE DE L'ABBÉ, p. 132.

Ci-dessus, réfectoire gothique de l'abbaye, actuelle chapelle du lycée Henri-IV. Ci-contre, sculpture du musée du Louvre provenant du trumeau de l'église disparue, évoquant un épisode célèbre de la vie de sainte Geneviève : un diable s'efforce d'éteindre le cierge qu'un ange a miraculeusement allumé lors d'une procession.

UN FOYER DE CONTESTATION ▷
Église Saint-Julien-le-Pauvre,1, rue Saint-Julien-le-Pauvre (V^e)

Saint-Julien-le-Pauvre est une des six basiliques mérovingiennes mentionnées en 582 par Grégoire de Tours. Située au débouché du Petit-Pont, sur la route d'Orléans, elle offre un hospice aux voyageurs.
Ruinée par les Normands, elle est reconstruite à partir de 1160-1165 par des moines bénédictins venus de Longpont, près de Montlhéry. L'église sert alors de lieu de réunion aux étudiants et aux maîtres de l'Université qui ont quitté la Cité pour s'établir sur la rive gauche et ainsi échapper à la tutelle de l'évêque. C'est là que se tiennent les assemblées générales et qu'ont lieu les élections des délégués de la faculté des Arts qui doivent choisir le recteur. Mais la multiplication des collèges au XIVe siècle amorce le déclin de Saint-Julien-le-Pauvre. En 1524, des étudiants qui contestent l'élection du recteur envahissent l'église et la saccagent à tel point que le Parlement doit transférer le lieu de réunion à l'église du couvent des Mathurins.

PERMANENCE DU ROMAN

L'édifice du XIIe siècle, dont le plan sans transept et muni d'un chœur en abside avec deux absidioles orientées est encore roman, avait adopté une élévation à trois niveaux pour le chœur, inspirée par Notre-Dame, qui se bâtissait à proximité en même temps que lui. Ce parti gothique ne fut pas mené à terme. La permanence du roman s'illustre aussi dans les quelque 150 chapiteaux de l'église, qui se distinguent par la richesse et la diversité de leur décor végétal.
Mal entretenue, l'église fut amputée en 1651 des deux premières travées de sa nef, ce qui explique sa situation en retrait. Vendue en 1653 à l'Hôtel-Dieu, devenue simple chapelle de Saint-Séverin, transformée en entrepôt sous la Révolution, elle est restaurée et rendue au culte en 1826. Depuis 1889, elle est affectée au rite grec catholique.

Le chapiteau des harpies, seul chapiteau figuratif de Saint-Julien-le-Pauvre.

DEUX CENT CINQUANTE-TROIS HECTARES CLOS DE MURS ▽
Enceinte de Philippe Auguste, rue des Jardins-Saint-Paul (IVe)

Redoutant les attaques de Richard Cœur de Lion, roi d'Angleterre et duc de Normandie, Philippe Auguste juge prudent de doter Paris d'une enceinte fortifiée au moment de partir pour la croisade. Construite de 1190 à 1208, haute de 9 à 10 mètres, épaisse de 3 mètres à sa base, cette muraille comptait sans doute trente-trois tours sur la rive droite, une tous les 60 mètres environ, et était percée de six portes s'ouvrant sur les rues Saint-Antoine, Vieille-du-Temple, Saint-Martin, Saint-Denis, Saint-Honoré, la dernière porte se situant entre le Louvre et la Seine. L'enceinte de la rive gauche ne fut entreprise qu'en 1209 mais achevée dès 1213. Au total, les murailles délimitaient une ville s'étendant sur 253 hectares.
Le vestige le plus important de l'enceinte de Philippe Auguste se trouve rue des Jardins-Saint-Paul. Rabelais, qui mourut dans cette rue et fut enterré au cimetière Saint-Paul voisin, disait de cette muraille, très délabrée au XVIe siècle et devenue inutile depuis la construction de l'enceinte de Charles V, « qu'une vache avec un pet en abattroit plus de six brasses ». L'enceinte se poursuivait le long de l'actuel lycée Charlemagne vers la rue des Francs-Bourgeois, qu'elle longeait au sud, puis jusqu'à la rue Montmartre, pour redescendre enfin vers le Louvre.
Au numéro 3-7 de la rue Clovis (V^e arrondissement) apparaît, en saillie sur le trottoir, une autre belle portion de cette enceinte. On peut y observer son parement de petit appareil de pierres inégales et blocage de moellons.

Le long de la rue des Jardins-Saint-Paul, sur 120 mètres de courtine, s'inscrivent les restes de deux tours de l'enceinte de Philippe Auguste.

L'AUSTÉRITÉ CISTERCIENNE ▽
Collège des Bernardins, 18-24, rue de Poissy (V^e)

Le cellier du collège des Bernardins.

Pour perfectionner l'instruction religieuse des moines de sa communauté, Étienne de Lexington, abbé de Clairvaux, fonde en 1246 un collège qui prend le nom de collège des Bernardins, en hommage au premier abbé de Clairvaux, saint Bernard.
À partir de 1320, date à laquelle il devient le siège du séminaire général de l'ordre des Cisterciens, le collège connaît un immense prestige. Le pape Benoît XII, qui y avait été élève et professeur, finance largement la reconstruction des bâtiments. En 1338, la reine Jeanne de Bourgogne pose la première pierre d'une église qui aurait dû atteindre des dimensions exceptionnelles mais ne fut jamais terminée.
Vendu à la Révolution, le collège des Bernardins est mutilé, son église détruite. De 1844 à 1993, ses locaux sont occupés par une caserne de pompiers. Une restauration prochaine devrait redonner toute leur splendeur aux salles des XIIIe et XIVe siècles. Au rez-de-chaussée, le réfectoire, où de légères colonnes monolithes dessinent dix-sept travées voûtées sur croisées d'ogives, est la plus longue salle gothique de Paris (17 mètres, sur 13,50 m de large). C'est un remarquable exemple de l'austérité non dépourvue d'élégance de l'architecture gothique cistercienne. Au sous-sol, le cellier, de même plan et de mêmes dimensions que le réfectoire, est également voûté sur croisées d'ogives. Il fut remblayé en 1709 jusqu'à la hauteur des chapiteaux des piliers, car les inondations de la Seine l'avaient rendu inutilisable.

Notre-Dame de Paris

Place du Parvis-Notre-Dame (IVe)

La « paroisse de l'histoire de France ». Ainsi fut appelée Notre-Dame, qui fut associée par les monarques à tous les grands événements de leur règne, qui fut le cadre de leurs mariages et de leurs funérailles. C'est aussi là que se disaient les Te Deum d'actions de grâce, qu'aboutissaient les grandes processions et les réjouissances populaires. En 1549, le 1er mai, y débute l'offrande annuelle à la Vierge de la corporation des Orfèvres : un arbre vert – le « may verdoyant » – qui, pour des raisons de commodité, est remplacé par un autel portatif fait de feuillage, puis, à partir de 1630, par un tableau accroché aux arcades de la nef ou du chœur. Les plus grands peintres du XVIIe siècle apporteront leur contribution à cette œuvre de piété.

Malgré les nombreuses dégradations que subit la cathédrale – destruction au XVIIIe siècle du jubé gothique et du trumeau du portail central, bris de la plupart des statues extérieures (dont les statues des rois de Juda pris pour des rois de France) par les révolutionnaires – et malgré les restaurations souvent erronées de Lassus et Viollet-le-Duc entre 1843 et 1862, Notre-Dame reste un des monuments majeurs de l'art gothique.

Rosace du transept méridional. Quatre cercles composés de 88 médaillons représentant des apôtres, des saints, des martyrs et des anges entourent la figure centrale du Christ de l'Apocalypse et des quatre évangélistes.

L'ŒUVRE DE MAURICE DE SULLY

Élu évêque en 1160, Maurice de Sully décide de doter Paris d'une cathédrale qui puisse rivaliser avec les nouveaux et somptueux édifices de Saint-Denis et de Sens. Le groupe épiscopal de la Cité, attesté dès le IVe siècle, est alors un véritable monastère urbain occupant un vaste terrain qui comprend une imposante basilique (peut-être deux), un baptistère, la résidence de l'évêque et un enclos abritant les maisons indépendantes des chanoines. Au printemps 1163, le pape Eugène III pose la première pierre d'une église majestueuse dont la construction va durer près d'un siècle. La plupart des éléments constitutifs du parti architectural de la cathédrale du XIIe siècle – double déambulatoire, transept non saillant, double collatéral, élévation à quatre étages – ont déjà été employés en Île-de-France dans les monuments que l'on regroupe sous l'appellation de première architecture gothique (Saint-Denis, Sens, Senlis, Noyon, Laon). Mais ils sont à Notre-Dame employés dans un édifice d'une ampleur exceptionnelle (127,50 m de long ; 12,50 m de large pour le vaisseau central ; 33,10 m pour la hauteur maximale sous voûte), liée à l'affirmation politique de Paris à la fin du XIIe siècle. Ainsi, l'unification de l'espace caractéristique de l'esprit gothique est-elle d'autant plus réalisée ici qu'aucune excroissance de chapelle ou de transept ne vient briser l'immensité du volume intérieur et que l'architecte a adopté un seul type de piliers, ronds, qui ne se différencient qu'au niveau des parties hautes par des colonnettes et des pilastres en délit.

INNOVATIONS DU STYLE RAYONNANT

Mais cette immense église aux murs encore épais était mal éclairée, ce qui explique qu'au XIIIe siècle l'étage des roses primitives ait été supprimé pour augmenter la taille des fenêtres hautes et que les ouvertures des tribunes aient été agrandies. C'est aussi au XIIIe siècle que sont construites des chapelles entre les contreforts derrière un mur continu qui donne à la cathédrale un contour si particulier, plusieurs fois imité dans les églises parisiennes, et que sont lancés de grands arcs-boutants. Au cours de cette phase architecturale, qui se rattache au courant du gothique rayonnant, de nouvelles façades sont édifiées aux extrémités du transept, qui constituent des créations sur le plan décoratif : une immense rosace est enchâssée dans un réseau d'architectures feintes où se succèdent gables, arcatures aveugles et clochetons.

L'ÉLÉGANCE PARISIENNE

Un si long chantier, et de cette ampleur, ne pouvait manquer de susciter la créativité des sculpteurs gothiques.
La porte droite de la façade occidentale, ou portail Sainte-Anne, est un remploi dans l'église du début du XIIIe siècle, après modifications (rajout du linteau inférieur et des scènes des extrémités du linteau supérieur), d'une porte à statues-colonnes dédiée à la Vierge et provenant de l'ancienne cathédrale. Elle est caractéristique d'un style qui régnait à Paris dans les années 1150, où les plis des personnages, d'une merveilleuse liberté, sont taillés à fleur de pierre pour créer l'impression du repoussé obtenu dans le travail du métal. Du XIIIe siècle datent également la porte gauche, ou porte de la Vierge, la porte centrale de la façade occidentale, dite du Jugement dernier, et la galerie des rois de Juda. La sculpture se fait plus monumentale, avec un accent sur des formes simples parfaitement tranchées, puis laisse apparaître, vers 1240, une tendance maniériste où l'emporte le souci du détail et de l'élégance, tendance très parisienne qui se poursuivra dans les portails des transepts et se répandra ensuite dans de nombreux monuments d'Île-de-France.

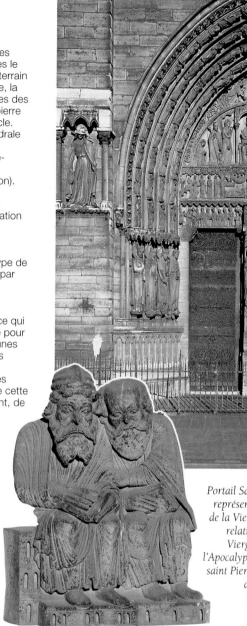

Portail Sainte-Anne. La Vierge en majesté est représentée au tympan ; des scènes de la vie de la Vierge au linteau supérieur ; des scènes relatives à sainte Anne, à Joachim et à la Vierge au linteau inférieur ; vieillards de l'Apocalypse, rois et prophètes aux voussures ; saint Pierre et saint Paul, les rois et les reines de l'Ancien Testament aux piédroits, encadrant saint Marcel au trumeau (refaits au XIXe).

Tête de roi de Juda, conservée au musée de Cluny. Vingt et une des vingt-huit têtes des statues des rois provenant de la galerie des rois de Juda, sur la façade, furent retrouvées en avril 1977 au cours d'un chantier rue de la Chaussée-d'Antin. Furent aussi découverts d'importants vestiges des statues-colonnes du portail Sainte-Anne.

Quasimodo et Notre-Dame

« La présence de cet être extraordinaire faisait circuler dans toute la cathédrale je ne sais quel souffle de vie. Il semblait qu'il s'échappât de lui, du moins au dire des superstitions grossissantes de la foule, une émanation mystérieuse qui animait toutes les pierres de Notre-Dame et faisait palpiter les profondes entrailles de la vieille église. Il suffisait qu'on le sût là pour que l'on crût voir vivre et remuer les mille statues des galeries et des portails. Et, de fait, la cathédrale semblait une créature docile et obéissante sous sa main ; elle attendait sa volonté pour élever sa grosse voix ; elle était possédée et remplie de Quasimodo comme d'un génie familier. On eût dit qu'il faisait respirer l'immense édifice. Il y était partout en effet, il se multipliait sur tous les points du monument. Tantôt on apercevait avec effroi au plus haut d'une des tours un nain bizarre qui grimpait, serpentait, rampait à quatre pattes, descendait en dehors sur l'abîme, sautelait de saillie en saillie et allait fouiller dans le ventre de quelque gorgone sculptée ; c'était Quasimodo dénichant des corbeaux. Tantôt on se heurtait dans un coin obscur de l'église à une sorte de chimère vivante, accroupie et renfrognée ; c'était Quasimodo pensant. Tantôt on avisait sous un clocher une tête énorme et un paquet de membres désordonnés se balançant avec fureur au bout d'une corde ; c'était Quasimodo sonnant les vêpres ou l'angélus. Souvent, la nuit, on voyait errer une forme hideuse sur la frêle balustrade découpée en dentelle qui couronne les tours et borde le pourtour de l'abside ; c'était encore le bossu de Notre-Dame. »
Victor Hugo, *Notre-Dame de Paris*.

LA SAINTE-CHAPELLE

4, boulevard du Palais (Ier)

La chapelle haute.

De passage en France en 1237, l'empereur franc de Constantinople Baudouin de Courtenay propose au pieux roi Louis IX de lui vendre, pour l'énorme somme de cent trente-cinq mille livres, la plus précieuse relique de la Passion du Christ, la couronne d'épines. En 1241, de nouveau désargenté, Baudouin propose à son riche et crédule client un fragment de la Vraie Croix du Christ, les clous ayant servi à l'y fixer, du sang de Jésus, la sainte lance, la non moins sainte éponge, un morceau du saint suaire et un fragment du manteau de pourpre dont le Christ avait été affublé par dérision. Rapportées de Constantinople, ces reliques vénérées sont placées à côté de la couronne d'épines, dans la basilique de Saint-Denis.

UN ÉCRIN POUR LES RELIQUES

Dépensant sans compter, Louis IX fait aussitôt entreprendre la construction d'une chapelle reliquaire. Menés sans relâche, les travaux sont achevés au début de 1248, et le 26 avril a lieu la consécration de la Sainte-Chapelle.
Sa nef élancée, prodige de l'architecture gothique, surplombe les bâtiments du Palais de justice, palais du roi à l'origine, mais occupé dès cette époque par l'Administration monarchique, le Parlement, qui se constitue définitivement vers le milieu du XIIIe siècle. Ce chef-d'œuvre a vivement impressionné les contemporains et, un siècle plus tard, Jean de Jandun la décrit d'« un tel degré de beauté qu'en y entrant on se croit ravi au ciel et que l'on s'imagine avec raison être introduit dans une des plus belles chambres du paradis ».
Chapelle palatine et lieu de prière privé du roi, la Sainte-Chapelle est aussi chapelle collégiale – un collège de chanoines est chargé de veiller nuit et jour sur les reliques, car les risques de vol sont importants –, et enfin chapelle paroissiale, puisque s'y déroulent les offices destinés au personnel administratif du Palais.

CHAPELLE HAUTE ET CHAPELLE BASSE

La chapelle haute abrite les reliques et c'est là que le roi se retire pour faire ses dévotions. Elle est aussi utilisée une fois par an par le Parlement pour la messe de rentrée de novembre, la

« messe rouge ». Le renfoncement de la troisième travée du côté nord est réservé au souverain, les stalles des chanoines étant disposées sur le côté sud. L'architecte, peut-être Pierre de Montreuil, a réduit au strict minimum les murs de pierre – seuls des contreforts saillants assurent la stabilité de l'édifice – pour laisser place à d'immenses fenêtres aux vitraux chatoyants, qui inondent de lumière ce vaisseau unique de 20,50 m voûté d'ogives sexpartites qui retombent sur de minces faisceaux de colonnettes.

La chapelle basse, réservée au personnel du Palais, doit se contenter d'une faible élévation (6,60 m) afin d'assurer à la chapelle supérieure un solide support. Elle évoquerait une crypte si l'impression d'écrasement n'était habilement effacée par l'élégance et la finesse des formes architecturales, notamment les fines colonnettes latérales contrebutées par des sortes d'arcs-boutants intérieurs, qui créent l'illusion de bas-côtés. La somptueuse polychromie de la décoration contribue aussi à faire oublier la faiblesse de l'éclairage naturel.

UNE BIBLE EN IMAGES

Haut lieu de la dynastie capétienne, la Sainte-Chapelle fut la cible des révolutionnaires, qui détruisirent les sculptures des portails de la façade occidentale mais épargnèrent les statues des apôtres de la chapelle haute qui, adossées aux piles, symbolisent les piliers de l'Église.

Les vitraux de la chapelle haute, éblouissant mur d'images, racontent l'histoire du peuple juif de la Création à l'installation en Israël jusqu'au livre des Rois. L'abside est en partie consacrée à la vie du Christ, avec la Passion figurant dans la verrière d'axe. Sur le côté sud, à proximité de la rose, le dernier vitrail met en scène Saint Louis et raconte l'histoire des reliques du Christ, avec leur translation de Constantinople à Paris. La grande rose, refaite à la fin du XVe siècle, est consacrée à l'Apocalypse, vision eschatologique des temps futurs.

Par la possession des plus prestigieuses reliques de la Passion, par leur installation dans sa chapelle personnelle, Saint Louis a voulu signifier symboliquement au reste de la Chrétienté la primauté de la royauté française.

Le musée de Cluny conserve les originaux des apôtres de la chapelle haute, dont ce saint Jean. Des copies du XIXe siècle les ont remplacés dans l'église.

La chapelle basse.

Maigret et le quai des Orfèvres

On le devine poussiéreux : il l'est. Le seul atout du bureau du commissaire Maigret, quai des Orfèvres, c'est qu'il donne sur la Seine. De là le commissaire, tirant sur sa bouffarde, contemple Paris, à qui il est marié autant qu'à sa femme. Hiver comme été, c'est là qu'il réfléchit, qu'il fait le point sur ses enquêtes. La pendule fin XIXe siècle d'un certain F. Ledent égrène les heures. Le poêle – Maigret est le seul de la police judiciaire qui ait pu garder un poêle, parce qu'il a « toujours aimé les poêles » – ronronne. De temps en temps, il change de pipe, avant de remettre son gros pardessus pour rejoindre la brasserie Dauphine, où l'attend l'inspecteur Janvier. Il n'a pas de voiture et, quand il rentre pour déguster le pot-au-feu de Mme Maigret, il rejoint à pied son bus, place du Châtelet. Certains matins il se lève à sept heures pour goûter au plaisir de la marche de son appartement du boulevard Richard-Lenoir à son bureau du quai des Orfèvres.

Né en 1929 de l'imagination du Belge Georges Simenon, Jules Maigret est un pur Parisien. Il aime le Paris populaire et dédaigne volontiers les endroits chics de la capitale. Son quartier, c'est le pourtour d'une place des Vosges alors peuplée d'immigrés d'Europe centrale, où les métiers populaires sont légion. Il en aime les rues, les cafés, les quais et certains de ses restaurants, dans lesquels encore aujourd'hui, en hommage à son génie, une plaque de laiton vissée à une banquette rappelle son passage imaginaire. Son ombre colle tellement à Paris que beaucoup croient qu'il a vraiment existé.

De la fenêtre de son bureau, Jules Maigret regarde aussi le Louvre. Un monument de papier admire un chef-d'œuvre de pierre.

Un cellier pour les récoltes ◁

Maison de ville de l'abbaye d'Ourscamp, 44-46, rue François-Miron (IVe)

Fille de Clairvaux, l'abbaye d'Ourscamp, située au nord de la forêt de Compiègne, a été fondée en 1128 par Simon de Vermandois, évêque de Noyon et cousin du roi Louis VI le Gros. L'abbaye connaît un essor très rapide : dès 1154, elle compte plus de cinq cents moines. Un établissement d'une telle importance possède les moyens de se faire bâtir une maison de ville à Paris pour accueillir le père abbé lors de ses séjours dans la capitale et pour héberger les jeunes moines venus étudier la théologie à l'université. Cette maison de ville fait aussi fonction d'entrepôt et de magasin de vente des récoltes de l'opulente abbaye. Sa construction a été entreprise vers 1167 au coin des rues Saint-Antoine (tronçon ancien de la rue Saint-Antoine devenu la rue François-Miron) et Geoffroy-l'Asnier.

De l'époque médiévale, la maison de ville de l'abbé d'Ourscamp a conservé une vaste salle souterraine de près de 200 mètres carrés, sans doute un cellier, datant du XIIIe siècle, possédant trois nefs élégamment voûtées d'ogives portées par six colonnes. Vestige qui a été sauvé de la destruction, ainsi que la maison Renaissance, par un groupe de défenseurs du vieux Paris qui est aussi à l'origine du festival du Marais. L'Association pour la sauvegarde et la mise en valeur du Paris historique a restauré à ses frais la maison de la rue François-Miron et y a installé son siège.
Voir aussi la maison Renaissance, p. 53.

Un complexe monastique sur la rive droite ▷

Prieuré Saint-Martin-des-Champs
(Actuel Conservatoire national des arts et métiers), 270-292, rue Saint-Martin (IIIe)

Attesté à l'époque mérovingienne puis détruit lors des invasions normandes, le prieuré Saint-Martin-des-Champs est reconstruit par Henri Ier et, en 1079, il est remis entre les mains d'Hugues, abbé de Cluny. Durant les deux siècles suivants, Saint-Martin-des-Champs est le plus important prieuré clunisien du nord de la Loire.
De l'énorme complexe monastique ceinturé de murs que formait l'abbaye il subsiste l'église, gothique sur des bases romanes (la façade, néoflamboyante, date de la fin du XIXe siècle), dont le chœur, bâti vers 1130, est la partie la plus intéressante : largement ouvert sur la chapelle d'axe, à double déambulatoire et chapelles contiguës, en partie voûté d'ogives, il compte parmi les premières réalisations de l'architecture gothique naissante et a probablement inspiré le chœur de Saint-Denis, construit quelques années plus tard.

LE RÉFECTOIRE

Subsistent également la tour du Vert-Bois et des restes de l'enceinte fortifiée du XIIIe siècle, le cloître, transformé au XVIIIe siècle en galerie néoclassique, et surtout le réfectoire, un des plus beaux témoins de l'architecture monastique du XIIIe siècle.
Attribué, sans doute abusivement, à Pierre de Montreuil, c'est le plus vaste réfectoire monastique de France, avec près de 43 mètres de long sur 12 de large. Il se distingue par l'audace de sa conception – double vaisseau couvert de voûtes d'ogives retombant sur une file de fines colonnes qui donnent à l'édifice une légèreté quasi aérienne – et la qualité de son décor, manifeste dans la chaire, destinée à la lecture durant les repas, dans les clés de voûte et les chapiteaux, aux élégants motifs végétaux.

Ci-contre, le réfectoire, actuelle bibliothèque du Conservatoire national des arts et métiers. Ci-dessus, cul-de-lampe d'un de ses chapiteaux, figurant un visage en qui certains ont voulu reconnaître l'architecte.

Le CNAM

Avant d'être une école polyvalente de formation permanente, le Conservatoire national des arts et métiers (CNAM) est une des plus grandes écoles d'ingénieurs et surtout un esprit, celui des quat'zarts. Sa fondation remonte à 1791, date à laquelle Léonard Bourdon crée la Société des jeunes Français, institution destinée à dispenser une éducation « intellectuelle, morale et professionnelle ». La Société des anciens élèves date pour sa part de 1847. Elle est animée par un idéal – fraternité, solidarité, esprit de corps – et a pour but d'aider les malchanceux et de trouver un emploi aux jeunes diplômés. Mais ce parrainage se paie par un bizutage sévère, et le franc-tireur qui le refuse s'expose à l'exclusion de sa promotion. Ce régime draconien n'a pourtant pas empêché les effectifs de grimper en flèche : de 225 en 1847, les élèves sont aujourd'hui plus de vingt mille. Et le CNAM ne cesse de se développer, renouvelant ses cursus traditionnels et multipliant les filières en province et à l'étranger. Peut-être bon nombre de ces auditeurs rejoindront-ils la cohorte des quat'zarts célèbres : l'inventeur d'objectifs photographiques Pierre Angénieux, les créateurs d'autos Delahaye et Delage, le couturier Jacques Esterel, le cinéaste Henri Verneuil et bien d'autres encore...

LE PALAIS DES CAPÉTIENS Δ ▷
Conciergerie, 1, quai de l'Horloge (Ier)

Cœur de Paris, l'île de la Cité a été, dès l'origine, le centre du pouvoir. C'est sans doute à l'emplacement de l'actuel Palais de justice que s'élevait le siège administratif et militaire du gouverneur romain. Les rois mérovingiens y habitaient lors de leurs séjours à Paris. Les souverains capétiens y vécurent aussi longtemps et, malgré la construction du Louvre par Philippe Auguste, Saint Louis et Philippe le Bel continuèrent à y loger. L'Administration royale, installée à proximité immédiate du souverain, de plus en plus nombreuse, finit par envahir le Palais, qui, à partir de 1360, devint le siège définitif de la cour de justice, le Parlement, et n'a cessé depuis d'être le Palais de justice.

DU PALAIS À LA PRISON

Ensemble complexe de bâtiments grouillant d'activité, le Palais a été constamment modifié. De graves incendies en 1618, 1630, 1737 et 1776 l'ont ravagé, et il ne reste plus du Moyen Âge que la Sainte-Chapelle et des parties de l'ancien palais capétien (tour Bonbec, salle des gens d'armes, salle des gardes, cantonnée par les tours César et d'Argent, cuisines dites de Saint Louis et tour de l'Horloge) ou Conciergerie, appellation héritée de l'époque où Jean le Bon, abandonnant définitivement le Palais, vers 1350, en confie la garde à un haut fonctionnaire, le concierge du Palais, qui s'y installe avec la charge d'y faire régner l'ordre. Les locaux du rez-de-chaussée sont alors convertis en prison à l'usage du concierge et aussi du Parlement, afin d'y loger les prisonniers du Châtelet voisin durant l'instruction de leur procès. Communiquant par des escaliers avec les chambres de justice du premier étage, ces cachots humides et très mal aérés avaient une déplorable réputation. Ils reçurent des hôtes illustres, d'Enguerrand de Marigny, conseiller de Philippe le Bel, à la comtesse de La Motte, héroïne de l'affaire du Collier de la reine, en passant par Ravaillac, la marquise de Brinvilliers et le bandit Cartouche.
Mais c'est sous la Terreur que la prison reçoit sa prisonnière la plus célèbre, la reine Marie-Antoinette, qui y séjourne durant son procès et ne la quitte que pour monter sur l'échafaud, le 16 octobre 1793. La prison a servi jusqu'aux grands travaux d'Haussmann, qui ont remodelé l'île de la Cité. Devenue musée, la Conciergerie a ouvert ses portes au public en 1864.

LA SALLE DES GENS D'ARMES

Pour assurer la sécurité du Palais et la surveillance des prisonniers, une troupe de gardes stationnaient en permanence dans la salle qui porte leur nom. Il ne faut pas la confondre avec celle qui la jouxte, la grande salle basse ou salle des gens d'armes, construite entre 1302 et 1312, la plus belle salle gothique de Paris, divisée en quatre nefs de neuf travées par soixante-neuf piliers, qui supportent la salle des pas perdus du premier étage. Cette salle servait de lieu de passage entre la cour du Mai et la cour des Magasins, actuelle cour d'entrée de la Conciergerie. Les quatre dernières travées de la salle des gens d'armes forment la « rue de Paris », ancien cachot qui, sous la Révolution, servait à loger sur des paillasses ceux qui ne pouvaient s'offrir une cellule.

VOIR AUSSI L'HORLOGE DU PALAIS, p. 70, LA COUR DE MAI, p. 196, ET LA FAÇADE RUE DE HARLAY, p. 282.

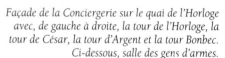

Façade de la Conciergerie sur le quai de l'Horloge avec, de gauche à droite, la tour de l'Horloge, la tour de César, la tour d'Argent et la tour Bonbec. Ci-dessous, salle des gens d'armes.

31

LA PAROISSE DU LOUVRE ◁

Église Saint-Germain-l'Auxerrois,
2, place du Louvre (Ier)

👁 C'est sans doute du VIIe siècle que date la première église dédiée à saint Germain, évêque d'Auxerre, appelée alors Saint-Germain-le-Rond. Incendiée par les Normands lors du siège de Paris, rebâtie au début du XIe siècle, l'église est à nouveau reconstruite à partir de 1250.
De l'édifice roman reste la base du clocher, de l'édifice du XIIIe siècle subsistent le portail, le chœur – largement restauré au début du XVIe siècle –, le premier bas-côté nord et la chapelle de la Vierge. Le porche et la nef ont été reconstruits entre 1420 et 1440, ainsi que le transept et les chapelles latérales situées au nord de la nef. Celles qui se trouvent au sud n'ont été terminées qu'au début du XVIe siècle, la chapelle axiale en 1531.
Malgré les remaniements dont il a été l'objet à diverses reprises, l'intérieur de l'église forme un ensemble harmonieux, caractéristique de ce style flamboyant si mesuré des églises parisiennes de la fin du XVe siècle.

SANGLANTS ÉVÉNEMENTS

Paroisse du Louvre, paroisse du roi, Saint-Germain-l'Auxerrois est intimement associée à l'histoire de France. Sa cloche donna le signal du massacre de la Saint-Barthélemy, le 24 août 1572, et c'est sous ses grandes orgues que le corps de Concini, favori de Marie de Médicis massacré le 24 avril 1617 face à l'église, fut enseveli à la hâte. Mais la foule l'exhuma quelques heures plus tard et le mit en pièces. Les légitimistes y firent dire une messe à la mémoire du duc de Berry le 13 février 1831, qui provoqua une émeute et le saccage de l'église. Elle échappa de peu à la démolition et ne fut restaurée et rendue au culte qu'en 1837.
VOIR AUSSI LE PORTAIL ET LES VITRAUX DU XVIe SIÈCLE, p. 55.

ENCEINTE DE CHARLES V △

Sous la place du Carrousel (Ier)

👁 Suite aux défaites infligées au royaume de France par les Anglais au milieu du XIVe siècle, Charles V fait élever de 1358 à 1383 une nouvelle enceinte sur la rive droite, longue de près de 5 kilomètres, afin de protéger les nouveaux quartiers bâtis au-delà de l'enceinte de Philippe Auguste. Son tracé correspond à peu près à la partie des actuels Grands Boulevards comprise entre le boulevard Bourdon et la porte Saint-Denis, puis longe la rue d'Aboukir, pour se poursuivre à travers le Palais-Royal jusqu'au Carrousel et à la Seine. La vieille forteresse du Louvre se trouve donc intra-muros, perdant sa valeur militaire d'origine, et Charles V entreprend alors sa transformation en palais.
L'enceinte de Charles V est beaucoup plus complexe que la muraille de Philippe Auguste : large de 80 mètres, elle comporte une courtine de 13 mètres de haut, et deux fossés, larges respectivement de 30 et 15 mètres, et profonds de 8 et 5 mètres. Les portes sont de véritables forteresses : Bastille ou bastide Saint-Antoine, portes du Temple, Saint-Denis, Saint-Martin, Montmartre et Saint-Honoré.

Sonnez, carillonneur !

Ici le religieux côtoie le civil. Le dos tourné au Louvre, le passant hésite : la tour qu'il aperçoit est-elle collée à l'église Saint-Germain-l'Auxerrois ou à la mairie voisine du Ier arrondissement ?
Cette tour est un beffroi, dans la plus pure lignée de ceux du nord de la France. Depuis 1979, tous les mercredis, les cloches y sonnent pendant une demi-heure, de 13 h 30 à 14 heures. Renaud Gagneux, seul carillonneur de la ville de Paris, offre aux passants du parvis un concert. Et tout à coup la musique remplace le bruit des véhicules à moteur.
C'est en 1862, un peu moins de trois siècles après que la grosse cloche de Saint-Germain eut sonné le début du massacre de la Saint-Barthélemy, que furent fondues les trente-huit cloches du beffroi. La plus grave pèse 2 tonnes, la plus aiguë 15 kilos. Électrifiées depuis, elles permettent au carillonneur, lui-même compositeur de musique contemporaine, de faire connaître à un public non averti des œuvres commandées tout spécialement à des musiciens d'aujourd'hui, comme Maurice Ohana, Marius Constant ou Betsy Jolas.
Quand la cloche de Saint-Germain voisine bat la volée, c'est pour appeler à l'office. Certains paroissiens se souviennent qu'à cet autel vinrent s'agenouiller les rois. Et l'ancienne paroisse royale accueille encore aujourd'hui les mariages de l'aristocratie.

CHAPELLE SAINT-JEAN-DE-BEAUVAIS ◁
Actuelle église orthodoxe roumaine,
9 bis, rue Jean-de-Beauvais (Ve)

👁 En 1370, Jean de Dormans, évêque de
Beauvais, chancelier de France et cardinal,
finance l'ouverture d'un collège dit de Dormans-
Beauvais, destiné à douze puis vingt-quatre
étudiants originaires du diocèse de Soissons et,
de préférence, de Dormans. Il n'en subsiste
aujourd'hui que la chapelle, devenue l'église
orthodoxe roumaine de Paris, dont la façade,
déjà modifiée au XVIIIe siècle, fut à nouveau
transformée en 1890 et 1925, ce qui a fait
perdre tout intérêt au portail actuel.

L'ŒUVRE DE RAYMOND DU TEMPLE
De l'œuvre abondante et d'exceptionnelle qualité
de Raymond du Temple, architecte des rois
Charles V et Charles VI qui œuvra durant la
seconde moitié du XIVe siècle, ne subsiste
aujourd'hui que la chapelle du collège de
Dormans-Beauvais. Charles V en posa la
première pierre le 30 janvier 1375, et elle fut
achevée et consacrée à saint Jean l'Évangéliste
le 29 avril 1380.
Outre le nom de l'architecte, on a la chance de
connaître ceux des trois autres artistes célèbres
qui y ont travaillé : le charpentier Jacques de
Chartres, le sculpteur Jean de Liège, le peintre
Nicolas de Vertus. Le plan de la chapelle est
d'une grande simplicité : une nef de cinq travées
se terminant par une abside à cinq pans.
L'élévation est d'une égale sobriété : au-dessus
d'un soubassement nu, de hautes baies en tiers-
point aux remplages caractéristiques du
gothique rayonnant. Cette chapelle a été
construite rapidement et à l'économie.
Le vaisseau est couvert d'une charpente en
berceau brisé et l'abside d'une voûte d'ogives
sexpartite. Les poutres transversales qui la
soutiennent reposent sur une corniche à
consoles sous laquelle court une frise sculptée
de pampres et de feuillages.

*L'intérieur de la chapelle Saint-Jean-de-Beauvais
frappe par la richesse de sa décoration moderne :
tapis, stalles, cathèdre et surtout iconostase
néogothique à quatre panneaux d'argent.*

CRIMES POLITIQUES À L'HÔTEL DE CLISSON ▽ ▷
Actuelles Archives nationales, 58, rue des Archives (IIIe)

👁 Dans la nuit du 13 au 14 juin 1392, à deux pas de chez
lui, Olivier de Clisson n'échappe que d'extrême justesse
aux tueurs lancés par Pierre de Craon. Et c'est dans l'hôtel de
Clisson même, devenu propriété des Guises, que fut
probablement organisé le massacre de la Saint-Barthélemy.
L'hôtel d'Olivier de Clisson, connétable de France, est
édifié à partir de 1371 rue du Chaume (actuelle rue des
Archives), en bordure de l'enceinte de Charles V, dans
un quartier où – le roi ayant fixé sa résidence à l'hôtel
Saint-Paul – vinrent alors s'élever de nombreuses
demeures seigneuriales. Somptueusement meublé,
l'hôtel se composait de deux corps de logis, l'un en
façade sur la rue, l'autre entre cour et jardin. Il n'en
subsiste que la porte d'entrée, flanquée de tourelles,
un des très rares vestiges de l'architecture
civile parisienne du XIVe siècle.

*Les trois Guises, Henri, duc de Guise, Louis,
cardinal de Lorraine, Charles, duc de Mayenne.*

Durant la présence anglaise à Paris, de 1420 à 1436, l'hôtel confisqué appartint au duc de Clarence
puis au duc de Bedford, régent de France au nom d'Henri VI. Un temps propriété de la famille d'Albret,
l'hôtel fut acquis en 1553 par Anne d'Este, femme de François de Lorraine, duc de Guise. La famille de
Guise y vécut sur un grand pied jusqu'en 1688, rénovant luxueusement l'intérieur de l'hôtel tout en
conservant l'austère façade. Propriété des princes de Soubise de 1700 à la Révolution, il fut alors
transformé en un superbe palais. Avec l'hôtel de Rohan, l'hôtel de Soubise fait partie des Archives
nationales.
VOIR AUSSI L'HÔTEL DE ROHAN-SOUBISE, p. 152, 169, ET L'HÔTEL DE ROHAN-STRASBOURG, p. 153, 168.

Porte d'entrée de l'hôtel de Clisson.

La ville médiévale

UN DUC ASSASSIN ▽ ▷

Tour de Jean sans Peur, 20, rue Étienne-Marcel (IIe)

🔒 Le 23 novembre 1407, les assassins de Louis d'Orléans, frère du roi Charles VI, se réfugient dans la résidence de leur commanditaire, le duc de Bourgogne Jean sans Peur. Une fois démasqué, Jean sans Peur doit s'enfuir de la capitale. Il regagne Paris dès l'année suivante et, bravant ses ennemis – cet assassinat devait déclencher près de trente ans de guerre civile entre les Armagnacs, partisans du duc d'Orléans, et les Bourguignons –, il multiplie les signes revendiquant son geste criminel. Ainsi fait-il effectuer d'importants travaux et ajouter à sa résidence, entre 1409 et 1411, un nouveau corps de logis et une tour. La tour de Jean sans Peur est le seul vestige de la résidence parisienne des ducs de Bourgogne, qui englobait le vaste périmètre que délimitent aujourd'hui les rues Saint-Denis, Montorgueil, Étienne-Marcel et Pavée-Saint-Sauveur, où se situait l'entrée principale. Cet important hôtel avait été édifié à partir de 1270 par Robert d'Artois et était devenu propriété de la maison de Bourgogne en 1369 par le mariage de Philippe le Hardi avec Marguerite, comtesse de Flandre et d'Artois. Jean sans Peur, leur fils, habitait cet hôtel depuis la mort de Philippe le Hardi.

UNE TOUR EMBLÉMATIQUE

Vers la rue Étienne-Marcel, la tour comporte trois pièces superposées qui permettaient d'accéder à l'enceinte de Philippe Auguste ainsi qu'à d'autres bâtiments. Du côté du pignon, un escalier à vis dessert les étages. De façon révélatrice, les armes de Jean sans Peur sont plusieurs fois représentées sur la tour et ses créneaux symboliquement placés le plus haut possible, afin de montrer sa puissance (un comble dissimule la plate-forme à créneaux d'origine). Au sommet de ses quatre étages, elle possède deux chambres fortes pour se prémunir d'un éventuel coup de main. Le tympan de la porte du premier étage donnant sur la rue Étienne-Marcel est orné d'un niveau de maçon et de deux petits rabots, allégorie du triomphe bourguignon sur Louis d'Orléans, dont l'emblème était le bâton noueux.

Ci-contre, les nervures de la voûte de l'escalier à vis, couvertes de branches de chêne étendant leur ramure.
Ci-dessous, la tour, avec sa plate-forme à créneaux.

LA PLUS ANCIENNE MAISON ▷ DE PARIS

Maison de Nicolas Flamel, 51, rue de Montmorency (IIIe)

🔒 À la mort de sa femme, en 1397, Nicolas Flamel décida de consacrer une partie de ses biens à des fondations charitables. En 1407 – ainsi qu'en font foi l'acte de fondation du 17 novembre 1406 et l'inscription de 1407 qui court sous le larmier protégeant le rez-de-chaussée –, il fait édifier cette maison pour servir d'hospice à des indigents. Depuis qu'il a été prouvé que les maisons de la rue Volta n'avaient été édifiées qu'au XVIIe siècle, la maison de Nicolas Flamel est reconnue comme la plus ancienne maison de

Paris. Abîmée par le temps et des restaurations abusives à la fin du XIXe siècle, la bâtisse a perdu le haut pignon pointu surmontant le troisième étage qui lui avait valu le nom de « Grand Pignon ». Le rez-de-chaussée a conservé sa disposition d'origine, avec trois portes et deux fenêtres encadrées par six piliers décorés dans leur partie supérieure de figures gravées dans la pierre, anges, saints ou vieillards. Sur les deuxième et cinquième piliers figurent aussi les lettres N et F, initiales de Nicolas Flamel.

LA LÉGENDE DE L'ALCHIMISTE

La légende a fait de Nicolas Flamel un homme se livrant à l'alchimie qui aurait amassé une fortune fabuleuse grâce à la découverte de la pierre philosophale ; c'est dans sa cave qu'il aurait transformé en or les vils métaux. Plus prosaïquement, Nicolas Flamel a sans doute accumulé une fortune, qui était loin d'être aussi considérable que la rumeur le colportait, grâce à ses multiples métiers d'épitaphier, d'enlumineur, de libraire et d'écrivain-juré de l'Université. C'est peut-être lui qui est représenté sur le sixième pilier, assis et tenant un livre ouvert sur ses genoux.

LE MIRACLE DE L'HOSTIE ▽
Cloître des Billettes, 24, rue des Archives (IVᵉ)

Le dimanche de Pâques 1290, un juif nommé Jonathas aurait profané une hostie consacrée en la transperçant d'un « canivet ». Celle-ci aurait alors tant saigné qu'elle aurait rempli de sang la cuve d'eau bouillante où il l'avait jetée. Le profanateur fut condamné au bûcher et, à l'emplacement de la maison du sacrilège, une chapelle expiatoire fut édifiée pour rappeler le miracle de l'hostie. Le nouveau sanctuaire devint très vite un lieu de pèlerinage et les dons affluèrent. En 1299, Philippe le Bel confia la chapelle aux frères hospitaliers de la Charité Notre-Dame, appelés Billettes. En 1347, cette congrégation est réunie aux Augustins. Transformée en prieuré, la chapelle est reconstruite en 1408 et dotée d'un cloître achevé en 1427. En 1631, les Carmes remplacent les Augustins et reconstruisent à nouveau l'église entre 1755 et 1758. Il ne subsiste donc du prieuré médiéval que le cloître, partiellement restauré en 1885 et débarrassé en 1968 des couches de plâtre et de peinture qui le dénaturaient.
De modestes dimensions, comportant seulement quatre travées en longueur et trois en largeur, il possède d'élégantes arcades en tiers-point dont les voûtes ogivales retombent sur des piles polygonales. Toutes les clés de voûte, sauf une, ont été mutilées. Quelques culs-de-lampe ont été épargnés. Le cloître est assombri par les affreuses constructions qui ont été édifiées au-dessus au XIXᵉ siècle. C'est le seul cloître médiéval de Paris qui n'ait pas été détruit.

Le cloître des Billettes est souvent le cadre d'expositions temporaires.

COUVENT DES CORDELIERS ▽
15, rue de l'École-de-Médecine (VIᵉ)

C'est sur un terrain concédé par l'abbé de Saint-Germain-des-Prés que les Franciscains, ou Cordeliers, commencent en 1230 à édifier leur couvent. Il devient rapidement un important centre religieux où tout lecteur de l'ordre franciscain se doit de venir acquérir ou compléter sa formation théologique. Grâce à son immense église (105 mètres de long sur 30 de large), ses deux cloîtres, sa salle du chapitre, son école de théologie, sa double infirmerie, ses nombreux dortoirs, sa cuisine et son réfectoire, il abritait souvent plusieurs centaines de religieux venus de toute l'Europe.
En 1790, le club des Cordeliers s'installe dans l'école de théologie. Affecté ensuite à l'école de médecine, le couvent fut peu à peu démoli pour laisser place à des bâtiments modernes. Seul a subsisté le bâtiment du réfectoire.
Sa construction fut entreprise dans la seconde moitié du XIVᵉ siècle grâce aux libéralités de la reine Jeanne d'Évreux, veuve de Charles IV le Bel, grande protectrice des ordres religieux. C'est un immense et sobre bâtiment, épaulé par de robustes contreforts ; la vaste salle de près de 1 000 mètres carrés est divisée dans le sens de la longueur par une file de poteaux de bois, qui soutiennent un plafond à solives apparentes constituant le dessous d'un plancher. Le réfectoire occupait le rez-de-chaussée et à l'étage se tenait le dortoir des novices, surmonté d'un comble très élevé. Une tourelle, à l'angle des façades méridionale et occidentale, abrite un escalier à vis desservant l'étage.

Cul-de-lampe de la chaire du lecteur dans le réfectoire du couvent des Cordeliers.

Le Marais à la mode d'Alaïa

Les boutiques de créateurs et de prêt-à-porter ont changé le visage du Marais. Tout commença par Alaïa...
Né à Tunis, Azzedine Alaïa arrive en France au début des années soixante. Après un bref passage chez Guy Laroche, cet autodidacte passionné de mode s'installe rue de Bellechasse. Très vite, son atelier devient le lieu de rendez-vous secret du Tout-Paris, et les célébrités se disputent les pièces uniques qu'il confectionne. Soutenu par plusieurs amis journalistes (dont Nicole Crassat, alors rédactrice en chef de l'hebdomadaire *Elle*), le jeune couturier lance sa première collection de prêt-à-porter en 1981. Le succès est immédiat. En 1982, le premier défilé Alaïa a lieu aux États-Unis. En 1986, c'est la consécration : Grace Jones, vêtue de la célèbre robe à bandes, remet au couturier les deux oscars de la mode.
Alaïa fut le premier à élire domicile dans le Marais. En 1983, il achète l'hôtel des Voyageurs, rue du Parc-Royal, et en 1987 un ensemble de bâtiments situés entre la rue de Moussy et la rue de la Verrerie, dont l'aménagement révélera la présence d'une halle du XIXᵉ siècle surmontée d'une verrière. Au cours de cette scrupuleuse réhabilitation, des fresques oubliées réapparurent, représentant des allégories de l'Art et de l'Industrie, et d'intrigantes cartes géographiques. S'agissait-il d'une halle d'expédition, du temps où le BHV s'appelait le Bazar de Napoléon III ? Azzedine Alaïa y a installé bureaux et boutiques en 1990. Entre-temps, plusieurs autres grands noms de cette génération à mi-chemin entre haute couture et prêt-à-porter se sont installés dans le Marais : Issey Miyaké et Popy Moreni, place des Vosges ; Roméo Gigli, rue de Sévigné, ainsi que de nombreux créateurs de prêt-à-porter.
Boutiques Alaïa, 18, rue de la Verrerie et 7, rue de Moussy (IVᵉ).

La ville médiévale

LA CITÉ ROYALE DE CHARLES V

Château de Vincennes,
avenue de Paris (Vincennes) ▽ ▷

En 1360, son royaume enfin pacifié mais très éprouvé par les émeutes parisiennes et la révolte d'Étienne Marcel, Charles V décide de doter Paris d'un dispositif de protection dont le château de Vincennes est un élément majeur. Il fait construire autour du manoir capétien de la fin du XIIᵉ siècle, résidence royale depuis Philippe Auguste et agrandi par Louis IX, le plus important ensemble de fortifications européen de l'époque.

LE DONJON ET L'ENCEINTE

Élevé de 1361 à 1369, le donjon carré de 52 mètres de haut, flanqué de quatre tourelles rondes, protégé par un fossé, un haut glacis et un châtelet d'entrée (relié au XVᵉ siècle à une « chemise » qui enveloppe le donjon), est une massive construction – les murs dépassent 3 mètres d'épaisseur – à cinq étages voûtés d'ogives soutenues par un pilier central. Au premier étage se trouve la salle du conseil, au deuxième et au troisième les appartements du roi et de la reine. Depuis la destruction du donjon de Coucy, en 1914, c'est la plus haute construction de ce type en Europe.
La puissante enceinte (1370-1380) est d'une ampleur remarquable : 1,2 km de périmètre, renfermant plus de 8 hectares à destination urbaine aussi bien que défensive ; elle devait abriter une véritable cité royale où Charles V songeait peut-être à établir le siège du gouvernement. Elle se compose d'une courtine de 15 mètres de haut couronnée de mâchicoulis et d'un chemin de ronde, précédée de douves profondes, scandée de neuf tours de 42 mètres de haut, toutes arasées sous le Premier Empire, à l'exception de la tour du Village, qui sert d'accès au château. Comme le donjon, elles se terminaient en terrasse d'artillerie et constituaient des unités défensives autonomes tout en commandant la courtine, selon les conceptions militaires du XIVᵉ siècle. Leurs salles basses servirent sans doute dès l'origine de prison, affectation transférée au donjon dès le début du XVIIᵉ siècle.

LA SAINTE-CHAPELLE

Le projet de Charles V, en partie réalisé par

L'enceinte et le donjon vus du sud-ouest.

Charles VI, n'est achevé qu'en 1552, sous la conduite de Philibert De L'Orme. C'est à ce grand artiste de la Renaissance, qui conserva le style de la fin du XIVᵉ siècle, que l'on doit l'unité architecturale de la chapelle. Comme toutes les chapelles palatines, la sainte-chapelle de Vincennes a un plan très simple : vaisseau unique à cinq travées, chœur d'une seule travée et abside à cinq pans. À la différence de la Sainte-Chapelle de Paris, celle de Vincennes ne comporte qu'un seul niveau, mais les proportions sont presque identiques. L'élévation intérieure est d'une grande sobriété : haut soubassement nu, interrompu par un cordon de feuillage, hautes fenêtres occupant la presque totalité de l'espace et séparées par les colonnettes qui retombent sur des consoles en saillie recevant les retombées des voûtes. Libéré de tout support intérieur, le vaisseau apparaît dans toute son élégante finesse. Une évolution caractéristique de l'architecture gothique de la fin du XIVᵉ siècle, qui se manifeste aussi dans la façade de style flamboyant aux deux gables superposés dominés par le pignon de la nef.
VOIR AUSSI LA COUR ROYALE, p. 127.

La sainte-chapelle du château de Vincennes s'élève en face de l'entrée du donjon.

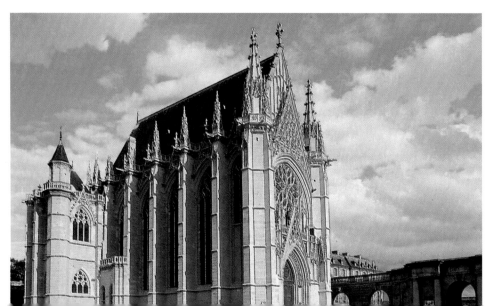

La foire du Trône

La foire du Trône a plus de mille ans… En 957, une terrible famine sévit dans la région. Les moines de l'ordre de Saint-Antoine confectionnent alors des petits pains d'épice au miel et au seigle (en souvenir de leur saint patron, qui se nourrissait de miel et de lait dans le désert) pour les distribuer à tous les habitants du village de Picpus.

L'abbaye de Saint-Antoine-des-Champs conserva longtemps le privilège de fabriquer et de vendre ces petits pains durant la semaine de Pâques. Dès 1719, forains et bateleurs grossissent cette foire aux pains d'épice, qui déménage place du Trône. Avant d'être baptisée place de la Nation, en 1880, le lieu avait pour nom place du Throsne en raison du dais royal qui y avait été édifié en 1660 pour célébrer l'entrée à Paris de Louis XIV et de l'infante Marie-Thérèse. La foire connut une expansion extraordinaire : plus de deux mille forains venus de la France entière envahissaient les avenues avoisinantes durant plusieurs semaines.

Depuis 1964, la plus grande fête foraine de France s'installe pour le printemps sur les 10 hectares de la pelouse de Reuilly. Elle ouvre ses portes de la fin du mois de mars au début du mois de juin, pour le plaisir des petits et des grands : plus de cinq millions de visiteurs s'y pressent chaque année ! Toutes les attractions foraines, des plus classiques aux plus sophistiquées, sont présentes, ponctuées de multiples échoppes gourmandes. Et, le soir, la grande roue qui surplombe l'ensemble illumine l'est de Paris de son anneau géant.

Foire du Trône, pelouse de Reuilly, bois de Vincennes.

MAISONS À PIGNON △
31 et 33, rue Galande (Ve)

Maisons des 31 et 33, rue Galande et bas-relief du numéro 42.

La rue Galande possède un bel ensemble de quatre maisons à pignon, aux numéros 31, 33-33 bis, 35-37 et 39-41. Elles datent peut-être du XVe siècle, mais les premiers actes les concernant ne remontent qu'au XVIe. Étroites et serrées les unes contre les autres, elles épousent les parcelles en lanière caractéristiques de l'habitat médiéval.

La maison du 31, dite des Trois-Pucelles puis des Trois-Pourcelets, se distingue par la ferme débordante du pignon qui la coiffe, soutenue par deux paires de consoles de bois sculpté. Elle a conservé son lien, ses arbalétriers, son faux extrait et son poinçon raccourci.

Connue sous l'enseigne de la Levrette jusqu'au milieu du XVIIe siècle, la maison du 33 possède aussi quatre étages, dont un sous comble. Ses baies ont conservé un type de châssis à l'ancienne s'apparentant à celui des meneaux. Les petites fenêtres plus basses et plus étroites sont une pratique de la fin du XVIe siècle et les bandeaux moulurés séparant les étages sont bien postérieurs à la construction.

Au numéro 42, un bas-relief en pierre encastré dans la façade illustre la légende de saint Jean l'Hospitalier, qui, avec sa femme, fait traverser au Christ une rivière dans sa barque. C'est la plus ancienne enseigne subsistant à Paris : elle est mentionnée dès 1380.

L'ÉGLISE DE BEAU-BOURG ▷
Église Saint-Merri, 78, rue Saint-Martin (IVe)

À la fin du IXe siècle, une chapelle est édifiée à l'emplacement de l'ermitage où vécut l'abbé Médéric (forme ancienne de Merri), abbé de Saint-Martin-d'Autun. Devenue chapelle paroissiale, elle est reconstruite à la fin du XIIe, la paroisse s'étant fortement développée à l'abri de l'enceinte de Philippe Auguste.

Avec la création et l'extension du quartier des Halles et l'accroissement du village de Beau-Bourg (village compris entre les rues Saint-Merri, Grenier-Saint-Lazarre, Saint-Martin et du Temple, nommé ainsi par dérision car il était mal fréquenté), l'église, devenue trop petite et vétuste, est à nouveau reconstruite entre 1510 et 1553. C'est l'édifice actuel. Le chœur est construit sur un terrain offert par le roi et l'édifice couvre, une fois fini, le double de sa surface primitive. Les arcs-boutants à l'extérieur de l'église ont été en partie utilisés pour loger des chapelles. Les remaniements du chœur et sa décoration baroque datent du XVIIIe siècle.

UN GOTHIQUE TARDIF ET SAGE

Malgré sa date tardive, Saint-Merri a l'aspect d'une église de style gothique très simple. La sculpture se limite à une frise de feuillage sous les fenêtres hautes où figurent, allongés au milieu de la végétation, saint Merri et Moïse au nord, saint Pierre et Aaron au sud. Seuls la clé pendant à la croisée du transept, autour de laquelle arcs de la voûte et réseau de nervures dessinent une rosace, et le décor foisonnant d'arcatures, dais, baldaquins, frises de feuillage et animaux fantastiques de la façade sont caractéristiques du gothique flamboyant.

VOIR AUSSI LE CHŒUR, p. 169.

Bas-côté nord de l'église avec ses cinq chapelles logées entre les arcs-boutants.

La ville médiévale

LA PAROISSE DE LA RIVE GAUCHE
Église Saint-Séverin,
1, rue des Prêtres-Saint-Séverin (Ve) ▽

C'est à un sanctuaire élevé à l'emplacement de l'ermitage de saint Séverin, qui vivait au VIe siècle près de la rue Saint-Jacques, que Saint-Séverin doit sans doute son origine. Au XIIe siècle, l'église servait de paroisse à toute l'agglomération de la rive gauche ; en 1180, Foulques de Neuilly y prêcha la quatrième croisade. Une importance qui ira grandissant en raison de l'accroissement de la population du quartier et du développement de l'Université (qui y tenait ses assemblées générales) et qui entraînera une reconstruction de l'église. Mais c'est à un incendie que nous devons la majeure partie de l'édifice actuel, construit dans la seconde moitié du XVe siècle.

L'APOGÉE DU STYLE FLAMBOYANT
De l'église des XIIIe et XIVe siècles ne sont restées que la tour et les trois premières travées, reconnaissables à leurs gros piliers cylindriques, caractéristiques du premier art gothique. Dans le reste de l'église, le style gothique flamboyant connaît un remarquable développement.

« La palmeraie » du déambulatoire de Saint-Séverin.

Partout règne une riche ornementation, entrelacs de feuillages et d'animaux grotesques, nombreux personnages – anges, prophètes, saints, marmousets… Dans la nef, les nervures complexes de la voûte à dix-huit compartiments, faites de contre-courbes sinueuses, descendent sans interruption jusqu'aux piliers, dont les chapiteaux sont remplacés par des moulures à pénétration. Dans le double déambulatoire, les multiples arêtes des voûtes semblent se fondre dans les piles, et d'un extraordinaire pilier central s'élancent, enroulées autour du fût comme des lianes, les quatorze arêtes de la voûte de l'abside. Joris Karl Huysmans l'a comparé à une futaie de palmiers et l'a qualifié d'« une des plus étonnantes ombelles que les artisans aient jamais brodées pour abriter le Saint-Sacrement ».

MAISONS À PAN DE BOIS △
11 et 13, rue François-Miron (IVe)

À l'angle de la rue Cloche-Perce, la maison à l'enseigne du Mouton et sa voisine, la maison à l'enseigne du Faucheur, présentent l'aspect de maisons typiquement médiévales. Ces deux bâtisses pourraient remonter au XIVe siècle, leur construction appartenant au genre dit à bois longs, qui fut abandonné dans le courant du XVe siècle. Excessivement restaurés en 1967, ces deux édifices ont cependant gardé leur aspect primitif, la grande ferme débordante qui abrite le pignon du numéro 13 ayant été reconstruite à l'identique d'après les éléments anciens. Le dessin d'origine des pans de bois a été conservé et tient dans le béton grâce à des fers.
Chaque étage a été consolidé par une dalle en béton et les poutres de ciment dans les façades ont été dissimulées sous un placage de bois.
Le rez-de-chaussée des deux maisons est un pastiche en fausses pierres de taille réalisé à partir de documents anciens, et la porte du 11 a été refaite d'après un élément de moulure retrouvé durant les travaux.

LA TOUR DES FAUCONS ▷
Tour Clovis, abbaye Sainte-Geneviève
(Lycée Henri-IV), 23, rue Clovis (Ve)

Dominant les bâtiments du lycée Henri-IV et fréquentée uniquement par des faucons crécerelles, la tour Clovis est l'unique vestige de l'église de l'abbaye Sainte-Geneviève, dont elle constituait le clocher. Le reste du bâtiment a été détruit en 1807, lors du percement de la rue Clovis. Autrefois couverte d'une haute flèche, elle comporte une base romane tandis que sa partie supérieure, gothique, date du XVe siècle. Cent légendes courent à son propos. Ainsi, l'une d'elles, la plus vraisemblable, raconte que, entre 1470 et 1480, le réformateur du collège de Montaigu, Jean Standonck, alors marmiton à Sainte-Geneviève pour payer ses études, y montait au clair de lune pour travailler afin de se présenter au doctorat en théologie.

Le clocher de l'église de l'abbaye Saint-Geneviève, ou tour Clovis.

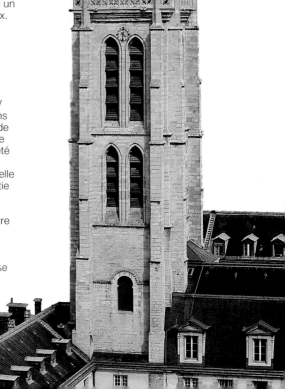

La rue Mouffetard

C'est au mot mofettes, qualifiant les exhalaisons nauséabondes de la Bièvre et celles des industries de ses tanneurs, écorcheurs et tripiers, que la rue Mouffetard doit probablement son nom. C'est une rue maigre et droite qui grimpe au flanc du Panthéon. On dit « la Mouffe » comme on parle du « Boul'Mich » ou de « Ménilmuche ». Le Parigot l'aime parce que dans sa jeunesse, après guerre, il y a goûté du vin à douze francs le verre. Vieille comme Lutèce, elle collectionne les styles comme d'autres accumulent les meubles : ici une lucarne du XVIe siècle, là une façade Louis XV, plus loin un porche XIXe. Elle prend sa source sur une petite place de comédie, la

Contrescarpe, concentré de Paris à elle seule. Là même où, au XVIe siècle, les poètes de la Pléiade tenaient cabaret. Puis elle mue. En descendant, le piéton entre dans une petite république grecque au cœur du Quartier latin. Les devantures bleu cyclade des restaurants cachent les ambassades gastronomiques de Cnossos, de Rhodes ou de Mykonos. Fréquentée aujourd'hui par tout ce que Paris attire de touristes, la Mouffe se couche donc tard, assommée de bouzouki enregistré et de résiné. Et, quand elle se lève, à l'aube, elle ne se ressemble plus. De vieux Parisiens ont repris d'assaut le pavé et l'arpentent un panier à la main pour rejoindre un village de toiles bariolées adossé à l'église Saint-Médard, le marché Mouffetard, un petit ventre de Paris.

LES CONVULSIONNAIRES DE SAINT-MÉDARD ▷

Église Saint-Médard, 141, rue Mouffetard (Ve)

Le 27 décembre 1561, en pleine guerre de Religion, l'église Saint-Médard est le théâtre d'un épisode sanglant, le « tumulte de Saint-Médard » : exaspérés de ne pouvoir entendre le prêche de leur pasteur en raison des cloches de l'église sonnant pour les vêpres, des réformés se jettent sur les catholiques et déclenchent une sanglante bagarre.
Plus d'un siècle plus tard, de 1727 à 1732, dans le petit cimetière de moins de 1 000 mètres carrés qui borde l'église au sud, les foules se pressent sur la tombe du diacre janséniste Pâris, où, dit-on, se produisent des miracles. Elles s'abandonnent à d'étranges extases et se livrent à des manifestations collectives d'hystérie et de masochisme. Le 27 janvier 1732, le cimetière est fermé par la police et un homme d'esprit inscrit sur une pancarte placée à l'entrée :
De par le Roi, défense à Dieu
De faire miracle en ce lieu.

UN GOTHIQUE HÉTÉROGÈNE

C'est sur la rive gauche de la Bièvre, face au bourg Saint-Marcel, que se développe à l'époque mérovingienne le bourg Saint-Médard, autour d'une chapelle dédiée à saint Médard, évêque de Tournai mort en 545. Détruite par les Normands, l'église est reconstruite ; elle est attestée au XIIe siècle.
L'église actuelle a sans doute été reconstruite sur les fondations de l'église du XIIe. Les parties les plus anciennes, la façade (sauf le porche) et les trois premières travées de la nef, qui relèvent du style gothique flamboyant, remontent à la première moitié du XVe siècle.
Saccagée lors du tumulte évoqué plus haut, l'église est rénovée à la fin du XVIe siècle. Les amendes imposées aux séditieux servirent d'ailleurs à financer les travaux du chœur et de ses chapelles, de style Renaissance. Sous Louis XVI, l'église est rhabillée dans le style antique alors à la mode : les piliers du chœur sont ainsi transformés en colonnes doriques cannelées.

La façade de l'église, à trois travées séparées par des contreforts surmontés de pinacles à crochet, donne sur le marché de la rue Mouffetard.

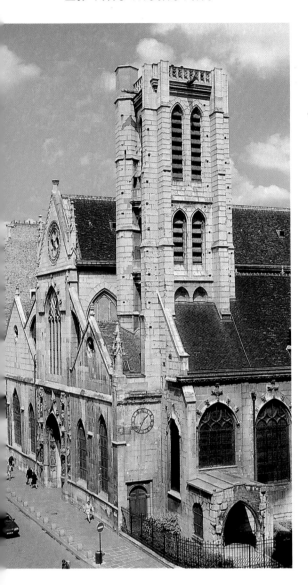

L'église du Bourg Saint-Martin ◁

Saint-Nicolas-des-Champs,
254, rue Saint-Martin (IIIe)

L'église Saint-Nicolas-des-Champs est à l'origine la chapelle du bourg qui s'est développé à côté du prieuré de Saint-Martin-des-Champs, bourg né de la population d'agriculteurs et d'artisans venus profiter de la protection de l'abbaye. Mentionnée dès 1119, la chapelle est reconstruite au début du XIIIe siècle. Une autre reconstruction, commencée en 1420, n'a concerné que la façade, la tour-clocher, déjà implantée au XIIIe siècle et hors œuvre comme dans la plupart des églises médiévales d'Île-de-France, et le vaisseau central de la nef. Sans entrer dans le détail des campagnes qui se sont succédé jusqu'au début du XVIIe siècle, date à laquelle l'église acquiert pratiquement son aspect actuel, il faut remarquer que le parti général est inspiré de la cathédrale Notre-Dame, que l'on continue à reproduire dans certaines églises parisiennes : collatéraux et déambulatoire doubles, inscription des chapelles latérales dans un mur continu, voûtement des déambulatoires.
La façade sur la rue Saint-Martin est de style gothique flamboyant : accolade ornée d'animaux fantastiques qui surmonte son portail, niches à baldaquin qui l'encadrent, grande baie à remplage du pignon central. La nef voûtée d'ogives et dépourvue de transept donne une impression d'ampleur et d'élégance, avec ses travées aux piliers fasciculés, sans chapiteau, pour la partie de style gothique flamboyant. Le reste a été habillé au XVIIIe siècle selon la mode antiquisante de l'époque, avec des colonnes cannelées aux chapiteaux doriques.
VOIR AUSSI LE PORTAIL LATÉRAL, p. 67 ET LE RETABLE DU MAITRE-AUTEL, p. 101.

La façade de l'église Saint-Nicolas-des-Champs, du XVe siècle, est implantée de biais pour suivre le tracé de la rue Saint-Martin.

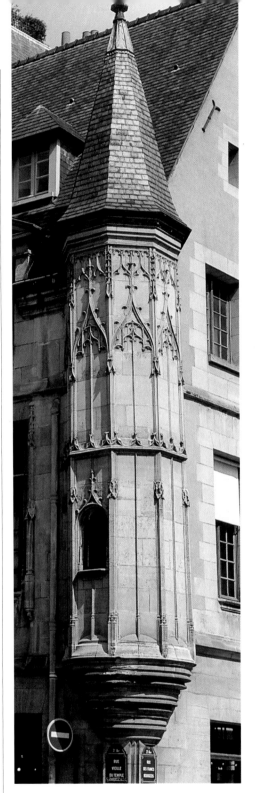

Un Chinatown discret

Trois ou quatre rues à la hauteur du métro Arts-et-Métiers, derrière l'église Saint-Nicolas-des-Champs : rue des Vertus, rue au Maire, rue des Gravilliers et un court morceau de la rue du Temple. Peut-on encore parler d'un quartier ? Là vit la communauté chinoise la plus ancienne de Paris, venue de la ville de Wenzhou, dans la province de Zhejiang, en Chine continentale. On appelle ces Chinois les Wenzhou.
C'est dans les années 1910 que des orfèvres parisiens font appel à l'habileté manuelle légendaire de ces Chinois, alors connus pour la production de figurines représentant trois petits singes qui se bouchent les yeux, les oreilles et la bouche. Une figure confucéenne de la discrétion qui correspond d'ailleurs à cette population qui n'aime pas faire parler d'elle. Le quartier Wenzhou n'offre en effet aucun des signes apparents d'une Chinatown. On n'y trouve pas de restaurants pour Européens comme dans le XIIIe arrondissement, et les enseignes n'y sont guère visibles. La communauté vit refermée sur elle-même et reste très attachée au dialecte du Zhejiang, que les autres Chinois ne comprennent pas. Elle envoie cependant ses enfants dans les écoles du quartier, dont elle représente la population

étrangère la plus importante. Les services sociaux ont d'ailleurs dû se doter d'interprètes pour répondre aux besoins d'un groupe dont il est difficile d'évaluer le nombre tant les allers-retours entre Paris et la région d'origine sont nombreux. La plupart des Wenzhou travaillent aujourd'hui dans la maroquinerie.

Tourelle de l'hôtel Hérouet

54, rue Vieille-du-Temple (IIIe)
Δ

Vers 1499, Jean Malingre, conseiller du roi au Parlement, se fait construire un hôtel digne de sa richesse et de sa récente noblesse. Sa fille Marie épouse Jean Hérouet, secrétaire du duc d'Orléans (futur Louis XII), qui acquiert l'hôtel et lui laisse son nom.
L'édifice subit sans trop de dommages l'outrage de plus de quatre siècles, avant d'être anéanti par le bombardement aérien du 6 août 1944. Seule la ravissante tourelle en encorbellement qui faisait l'originalité et une partie du charme de cette demeure a pu être sauvée. Octogonale et coiffée d'un toit en poivrière, percée d'une petite fenêtre trilobée, elle arbore un lacis de fines nervures qui entremêlent arabesques et accolades dans le goût flamboyant. Elle s'accroche encore, modèle de légèreté et d'élégance, au pastiche grossier qui a été édifié sur l'emplacement de l'hôtel détruit.

ÉGLISE SAINT-LAURENT ◁
68, boulevard de Strasbourg (X^e)

Mentionnée en 583 par Grégoire de Tours, l'église Saint-Laurent est une des plus anciennes églises de Paris. Détruite par les Normands, elle est reconstruite en style roman et érigée en église paroissiale en 1180. Saint-Laurent est alors un lieu de pèlerinage, et une foire se tient à proximité en août, lors de la fête du saint patron. Devenu trop exigu, le sanctuaire est rebâti à partir de 1420 et consacré le 19 juin 1429. Le clocher de l'ancienne église a été sauvegardé, surélevé et intégré au nouvel édifice. Des agrandissements successifs n'ont laissé subsister de la construction en gothique flamboyant que le chœur et le chevet, ainsi que la nef centrale, qui fut flanquée au XVIe siècle de collatéraux et de chapelles.

La façade, avec son portail richement sculpté, sa balustrade ajourée et ses deux tourelles, est un pastiche de style gothique flamboyant érigé au milieu du XIXe siècle lorsque furent percés les boulevards de Strasbourg et Magenta.

VOIR AUSSI LA NEF ET LE TRANSEPT, p. 94.

LE « PALAIS D'AMBOISE » ▷
Hôtel de Cluny (actuel Musée national du Moyen Âge et des thermes de Cluny), 6, place Paul-Painlevé (V^e)

C'est au fastueux Jacques d'Amboise, frère aîné du cardinal et ministre de Louis XII, abbé de Cluny de 1485 à 1510, que l'on doit cet élégant hôtel, appuyé à la partie orientale des thermes. Jusqu'à la Révolution, les riches abbés de Cluny y résident lors de leurs séjours à Paris. Une résidence de prestige qui reçut souvent des hôtes royaux : Marie d'Angleterre, qui s'y maria avec le duc de Suffolk en 1515, Jacques d'Écosse, qui y épousa une fille de François Ier, Mazarin, qui y logea en 1634.

UN PETIT CHÂTEAU EN VILLE

Le « palais d'Amboise », ainsi que le nommaient ses contemporains éblouis par sa splendeur, est un des rares monuments d'architecture civile de l'extrême fin du Moyen Âge à Paris. Son décor flamboyant, peuplé d'animaux et de personnages, parsemé çà et là des armoiries de Jacques d'Amboise et des emblèmes de saint Jacques, court à foison sur les arcs, les gables, les balustrades. L'hôtel affecte la forme d'un U : une aile en fond de cour, au nord, prolongée par deux courtes ailes en équerre d'inégale longueur réunies, au sud, par un mur crénelé autrefois pourvu d'un chemin de ronde qui délimite une cour trapézoïdale. Dans l'aile gauche donnant sur la cour, la galerie surmontant le portique servait probablement de promenoir et de salle des fêtes. Vers le nord, côté jardin, une autre aile comprend une salle et la chapelle. C'est là un des premiers exemples de l'hôtel entre cour et jardin appelé à un grand avenir aux XVIe, XVIIe et XVIIIe siècles. Et c'est la première fois qu'une demeure de dimensions importantes est constituée par un seul bâtiment, les résidences édifiées auparavant à Paris étant composées de plusieurs corps presque indépendants, disposés autour de cours et de jardins.

Un escalier à vis dans une tour hors œuvre dessert le corps de logis principal. La petite châsse de Thomas Beckett, en cuivre doré et émaillé, est une pièce majeure de la collection d'émaux limousins du musée de Cluny.

AU FIL DE L'EAU

Sans la Seine, Paris ne serait pas Paris. D'abord parce que Paris est né de la Seine. Ensuite parce que Paris doit à la Seine son paysage, beaucoup de son histoire et de son activité, ainsi qu'une part essentielle de son âme. Une étonnante symbiose avec son fleuve, que reflète sa devise, Fluctuat nec mergitur (« elle est ballottée par les flots mais ne sombre pas »), et que traduit aujourd'hui l'espoir insensé de nager à nouveau dans ses eaux dépolluées !

◁ **La statue du *Zouave* du pont de l'Alma, sculptée en 1857 par Georges Diebolt.**

▽ **La passerelle des Arts, reconstruite en 1982, est réservée aux seuls piétons.**

Du IXe au XIXe siècle, la ville va multiplier les ponts, annexer les grèves, les berges et les marais et substituer peu à peu au lit naturel du fleuve un lit artificiel. La rivière s'encaisse et se rétrécit, mais elle reste le centre de l'activité urbaine : le long de ses rives se concentrent les métiers liés à l'eau ou à la navigation, les marchés ourlent ses berges, les habitations s'y pressent. Il faut imaginer un pullulement humain, un déploiement de petits métiers, dont beaucoup ont disparu, et le désordre des embarcations de toutes sortes.

Aujourd'hui encore, certains noms témoignent de cette effervescence : le quai de la Mégisserie, où les tanneurs mégissaient les peaux ; le pont au Change, siège des changeurs et des orfèvres...

EN FLÂNANT SUR LES QUAIS

Si le commerce s'est éloigné de l'eau avec le développement d'autres voies d'accès, si cette agitation fluviale est aujourd'hui très réduite et très policée et qu'une grande partie des berges sont dévolues à la communication routière, le charme exercé par le cours du fleuve ne s'est jamais rompu : les quais demeurent des lieux privilégiés de promenade, de rencontre ou de farniente. Le quai aux Fleurs ouvre toujours son marché aux amoureux des plantes, le quai Saint-Bernard s'est transformé en un très beau musée de la sculpture en plein air, les berges de l'île de la Cité et de l'île Saint-Louis, les quais des Tuileries et du Louvre abritent les peintres et prennent en été des allures de

△ Au pied de l'Opéra Bastille, le port de plaisance aménagé dans le bassin de l'Arsenal.

▷ Du Pont-Neuf au pont Marie, cinq ponts enjambent le bras droit de la Seine.

△ ◁ Le canal Saint-Martin et l'un de ses éclusiers en plein travail.

plage, où viennent s'entasser les Parisiens en mal de soleil, tandis que les restaurants du bord de l'eau, du plus simple au plus chic – Institut du monde arabe, La Tour d'argent –, offrent le précieux privilège d'une vue sur le fleuve, qui, la nuit, ourle son ruban sombre des mille lumières des quais.

En 1811, pour faire face aux pénuries d'eau, Bonaparte fit construire le canal de l'Ourq (106 kilomètres de long), qui fournit 70 000 mètres cubes d'eau par jour aux Parisiens. Le canal Saint-Denis (6,6 km) rejoint celui de l'Ourq ; le canal Saint-Martin relie le bassin de la Villette à l'Arsenal de la Bastille, avec neuf écluses et une partie souterraine.

Cette longue voie d'eau lisse et plate étend encore ses longues marches aquatiques entre la porte de la Villette et le port de plaisance de la Bastille. Quand le temps est clément, les berges deviennent le lieu de rendez-vous des boulistes et des pêcheurs, qui taquinent le gardon et retirent parfois même de l'eau des écrevisses américaines ! Dans le virage du quai de Jemmapes, l'eau du canal surplombe les rues comme un long miroir courbe. Les passerelles métalliques, les impressionnantes écluses et les manœuvres des rares éclusiers encore en activité – la plupart des écluses sont maintenant commandées par un système électronique – attirent inlassablement les badauds qui regardent passer les bateaux. Enfin, les passionnés de la petite reine peuvent remonter ce parcours sur plus de 24 kilomètres de piste cyclable, en partant du bassin de la Villette, direction la campagne !

LA RIVIÈRE DOMPTÉE

Trente ponts, deux passerelles et un viaduc (Austerlitz) enjambent le cours du fleuve, dont le débit ne connaît que de faibles variations. Mais la Seine fut une rivière sauvage, dangereuse pour la navigation et pour les riverains, qui en craignaient les étiages et les crues. Lors de ses dernières spectaculaires inondations, en 1910 et en 1924, les Parisiens durent se déplacer sur des passerelles de bois aménagées sur les chaussées.

L'étape décisive dans la maîtrise des eaux du fleuve a lieu en 1820, lorsque l'ingénieur Poirée décide d'établir des barrages mobiles sur la Seine (il en existe six entre Paris et la mer), auxquels il adjoint rapidement une écluse. Jusque-là, la Seine avait deux visages. En été, lorsque ses eaux étaient basses et la circulation réduite, les bateaux-lavoirs, les embarcations destinées aux bains, les bateaux vendant du poisson envahissaient les abords du fleuve ; le quai de Javel doit ainsi son nom aux lavandières, qui en rapportaient un linge particulièrement blanc. En hiver, quand le fleuve redevenait gros, la navigation battait son plein.

Avant 1870, la Seine n'était navigable que cent soixante jours par an pour des bateaux d'enfoncement de 1 mètre environ. Les mariniers devaient savoir prendre les rapides et jouer des courants pour éviter de s'écraser contre l'arche du Diable du pont au Change. L'invention du barrage mobile a fait de la Seine la voie navigable la plus fréquentée d'Europe de l'Ouest après le Rhin.

La création en amont et sur ses affluents (Marne, Yonne, Aube) d'immenses barrages qui préviennent les crues et servent de réservoirs en période de sécheresse a achevé de régulariser le cours de la Seine.

À l'aplomb de l'une des piles du pont de l'Alma, le *Zouave*, seul rescapé des quatre soldats du Second Empire qui ornaient l'ancien pont emporté par la Seine, est devenu le témoin du niveau des eaux : lorsque la Seine enfle, ses flots taquinent tantôt les bottes, tantôt la veste ou même, comme en 1910, la barbe du *Zouave* !

UN PORT POUR PARIS

Si, jusqu'au XIXᵉ siècle, la Seine fut le principal organe de ravitaillement de la ville en blé, en bois et en charbon, péniches et chalands, moins utilisés aujourd'hui, demeurent cependant un mode de convoyage de choix pour les matériaux lourds et encombrants – une seule péniche peut transporter l'équivalent en charge de deux cents poids lourds !

Institué en 1968, le Port autonome de Paris regroupe toutes les installations portuaires d'Île-de-France, soit 40 kilomètres de quais, à l'exclusion des canaux de Paris. Il est actuellement le cinquième

△ **En randonnée nocturne ou diurne, les bateaux-promenades emmènent paisiblement les curieux d'un siècle à l'autre de la capitale.**

▽ **Des péniches marchandes rejoignent la Seine au quai de la Rapée.**

La pointe ouest de l'île de la Cité. Véritable cœur de Paris depuis le Moyen Âge, l'île est reliée à la rive droite de la ville par trois ponts, et par quatre à la rive gauche. Un huitième, le pont Saint-Louis, reconstruit pour la septième fois en 1970, la relie à l'île du même nom.

port de France et assure un trafic important. En plein cœur de l'agglomération parisienne se trouvent les ports de desserte directe (Javel, Bercy et Austerlitz), les ports de desserte indirecte et les ports industriels, qui disposent d'aires de stockage et de traitement des matériaux, étant installés à Gennevilliers et à Bonneuil-sur-Marne.

ET VOGUE LA GALÈRE...

Croisant les routes larges et tranquilles des chalands profondément enfoncés dans l'eau, d'autres bateaux, plats et vitrés, qui la nuit lèchent de leurs gros phares les arches des ponts et les pieds des quais, circulent quotidiennement sur la Seine : les bateaux-mouches (du nom du quartier de la Mouche, à Lyon, où les premiers bateaux-bus mécaniques furent fabriqués pour l'Exposition universelle de 1867) entraînent les touristes dans la plus ancienne balade parisienne. Les bateaux-promenades, les bateaux-restaurants, les bateaux-concerts ainsi que les bateaux-bus, qui effectuent paisiblement de plus ou moins longs périples sur le fleuve et, pour certains, sur le canal Saint-Martin, portent encore des noms – *Patache, Coche d'eau...* – évoquant leurs lointaines origines. Au XVIe siècle, les galiotes, larges bateaux de rivière couverts, pouvaient transporter jusqu'à deux cent cinquante personnes ; plus modestes, les pataches et les coches d'eau n'en chargeaient que cent. Pour cinq sols, on se rendait de Paris à Sèvres ou à Saint-Cloud. Les mâts encordés permettaient aux chevaux de halage de remorquer les embarcations depuis les berges. De nombreux bachoteurs servaient de taxis sur l'eau. Au XVIIIe siècle, les coches d'eau permettaient de rejoindre le canal de Bourgogne et celui de la Loire. Au XIXe siècle, les bateaux à aubes, ou bateaux à vapeur – comme le *Ville-de-Montereau*, qui ouvre l'*Éducation sentimentale*, de Gustave Flaubert –, quittaient les quais parisiens pour se rendre en province, lourdement chargés

▷ **Artistes, rêveurs et poètes anonymes viennent chercher le calme et l'inspiration sur les berges de la Seine. En arrière-plan, le pont du Carrousel et le pont Royal.**

▽ **La bergeronnette printanière est l'une des nombreuses espèces d'oiseaux nichant à Paris.**

AU FIL DE L'EAU

de voyageurs et de marchandises. Aujourd'hui, le fleuve n'ouvre plus ses méandres aux destinations lointaines et seuls les Balabus relient timidement, d'avril à septembre, le pont de Saint-Cloud à la gare de Lyon en cinq escales, ainsi que le bassin de la Villette à la Cité des sciences.

LES HABITANTS DE L'ONDE

Plus de vingt-cinq espèces de poissons, parmi lesquelles des brochets, des gardons, des goujons, des brèmes, des chevesnes, ainsi que quelques respectables silures qui se déplacent sur le fond de son lit – ils peuvent peser 40 kilos et mesurer 1,60 m –, ont élu domicile dans le fleuve. Le long de ses rives empierrées, le rubanier étend ses longs cheveux filandreux sous les rides de la surface, quelques jeunes saules hardis, des séneçons et de la vergerette se dressent entre les pavés. Le fleuve attire aussi certains volatiles voyageurs, en quête d'une halte ou d'un habitat plus clément.

△ Le grand bassin de la Villette fait 700 mètres de long sur 70 de large.

Goélands argentés et leucophés abandonnent les brises marines et réveillent le ciel d'hiver de leurs cris brefs et perçants. Les mouettes rieuses et les canards colverts s'ébattent sur la Seine ou sur le canal Saint-Martin, certains y élisent même domicile pour l'année entière. La bergeronnette des ruisseaux glisse, elle aussi, ses jolies pattes fines sur le bord de l'eau et il arrive même que l'on aperçoive l'éclair lumineux des ailes colorées du martin-pêcheur.

PLAISIRS DE L'EAU

C'est dans les années 1830 que naît l'engouement pour les loisirs aquatiques (la Société des régates parisiennes date de 1853, la Fédération de l'aviron de 1890): canotage, natation, navigation de plaisance, promenades fleurissent alors le long des berges ; les Parisiens emmènent leurs belles passer le dimanche au bord de l'eau. Kermesses, bals populaires et fêtes se multiplient en bord de Marne et de Seine ; à Asnières, les privilégiés disposent d'un chalet avec ponton.
Aujourd'hui, on pratique la voile, l'aviron, le canoë-kayak et le ski nautique aux abords de l'île aux Cygnes et entre Boulogne, Neuilly, Suresnes et Meudon ; une nuée de frêles embarcations anime également le bassin de la Villette d'avril à

△ Sur une berge parisienne, le tournage de *Frantic,* un film de Roman Polanski.

▽ Les mouettes rieuses et les pigeons n'ont que faire du brouhaha de la capitale.

△ Massés sur le pont du Carrousel, des milliers de spectateurs assistent au grandiose feu d'artifice tiré sur les eaux de la Seine, en l'honneur du cinquantenaire de la libération de Paris.

▽ Du haut de ses deux tours, Notre-Dame veille sur le sommeil des Parisiens. Plantée au centre de la ville – l'île de la Cité – , la cathédrale de Paris est le symbole indestructible de sa longue histoire.

Jemmapes), des expositions temporaires ou des concerts, d'autres ouvrent un espace d'accueil aux sans-abri.

FÉERIES AQUATIQUES

La fête publique avait connu ses heures de gloire aux XVIIᵉ et XVIIIᵉ siècles, lorsque le roi puis la Ville offraient aux Parisiens d'étonnants spectacles sur la Seine : d'immenses architectures éphémères se mouvaient en musique au milieu de feux d'artifice pour composer d'originales chorégraphies. Elle réapparaît sous la forme des Expositions universelles qui, outre qu'elles laisseront chacune de prestigieux bâtiments le long du fleuve – en 1889, on avait même envisagé d'installer la tour Eiffel à cheval sur l'eau ! –, font de la Seine le centre du spectacle : aux péniches et remorqueurs ordinaires s'adjoignent des gondoles, des sampans, des yachts et des chalutiers décorés, et les pavillons de tous les pays se pressent sur les berges. Deux cent cinquante fontaines lumineuses et des milliers de projecteurs immergés sont commandés par un piano lumière installé sur un ponton au Trocadéro. La Seine a gardé depuis le goût des fêtes et des grandes manifestations : les feux d'artifice du 14 juillet sont chaque année tirés sur ses rives.

Les rives et les ponts sont aussi devenus le décor privilégié de nombreux tournages, en milieu naturel (*Frantic*, de Roman Polanski, par exemple) ou en reconstitution, comme *les Amants du Pont-Neuf*, de Leos Carax, pour lequel le Pont-Neuf et ses abords furent entièrement réédifiés dans le sud de la France. Le canal Saint-Martin est devenu lui aussi célèbre depuis la fameuse scène entre Louis Jouvet et Arletty sur la passerelle de l'Hôtel du Nord.

septembre. On peut aussi louer, sans permis, de petits bateaux de plaisance pour remonter, le temps d'un week-end, le cours des canaux.

HABITER AU BORD DU FLEUVE

Nostalgie des rives animées et des ports ou promesse d'une vie nomade, quelques Parisiens tentés par la désaffection de nombreuses péniches marchandes ont transformé leurs cales ventrues en larges espaces habitables. Durant les années soixante, les péniches-habitations se sont multipliées ; mais le règlement de la Ville de Paris est strict et les places de stationnement limitées le long des berges : les bateaux sont regroupés au Touring-club de la Concorde, quai Saint-Bernard, quai d'Austerlitz et au bassin de l'Arsenal, au pied des jardins et des pergolas.

D'autres bateaux stationnent sur le fleuve : la plupart sont aménagés pour des spectacles (le bateau de Magie, quai de

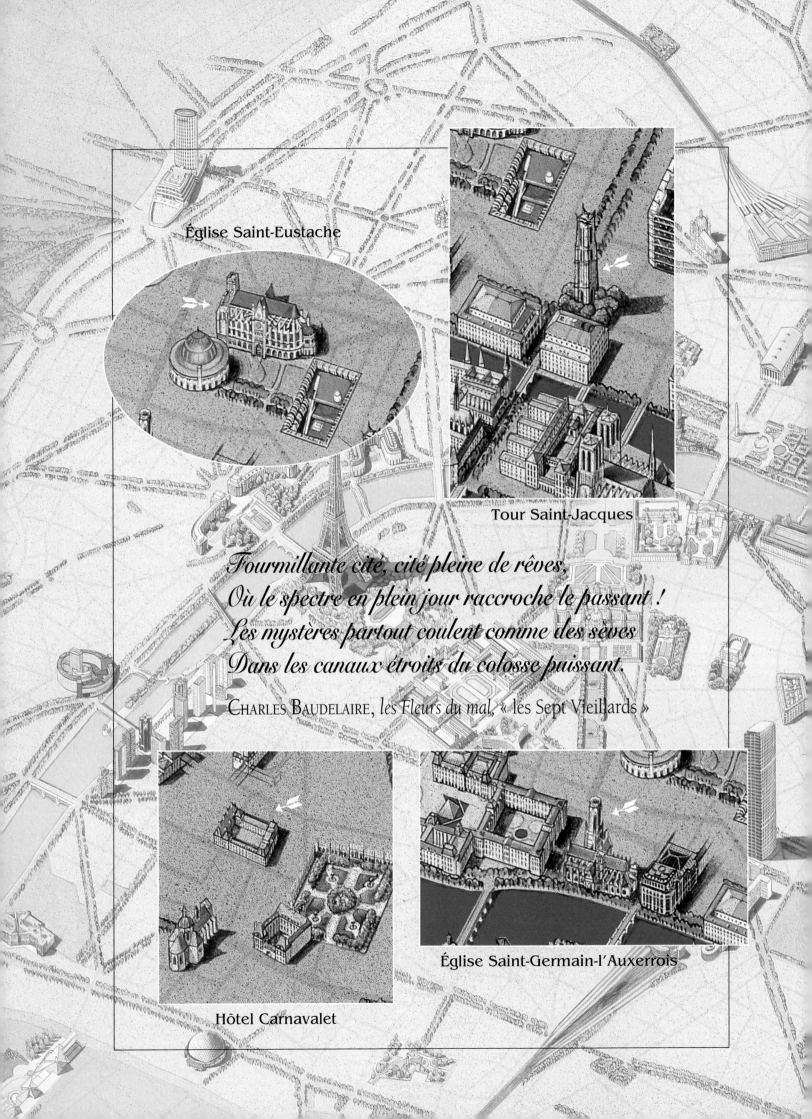

Église Saint-Eustache

Tour Saint-Jacques

Fourmillante cité, cité pleine de rêves,
Où le spectre en plein jour raccroche le passant !
Les mystères partout coulent comme des sèves
Dans les canaux étroits du colosse puissant.

CHARLES BAUDELAIRE, *les Fleurs du mal*, « les Sept Vieillards »

Hôtel Carnavalet

Église Saint-Germain-l'Auxerrois

LA CAPITALE RENAISSANTE

Le temps des Valois (1483-1589)

La Renaissance prend à Paris un essor tardif. La construction traditionnelle ne cède que peu à peu devant le goût nouveau importé d'Italie via le Val de Loire. Délaissée par les monarques du siècle précédent, la capitale voit de nouveau se manifester l'intérêt royal, avec la reconstruction en 1500-1512 du pont Notre-Dame – confiée par Louis XII à l'Italien Fra Giocondo –, dont l'ordonnance régulière rompt avec les habitudes médiévales.

L'impulsion déterminante est donnée par François Ier, qui en 1528 annonce sa décision de fixer la cour à Paris et s'attache à faire de la ville une vraie cité royale, digne des résidences de ses rivaux européens. Il finance les projets, prodigue ses conseils aux architectes qu'il désigne – le Boccador pour l'Hôtel de Ville, Pierre Lescot pour les nouveaux bâtiments du Louvre. À partir de 1530, l'architecture connaît une période d'intense activité ; elle se ralentit dans les années 1540, mais reprend avec un éclat manifeste sous Henri II.

Succédant à la fantaisie et à l'exubérance ornemaniste italianisante, plaquée sur le gothique, de la première Renaissance (premier tiers du siècle), l'esthétique de la seconde Renaissance s'applique à marier au génie français le vocabulaire et les canons antiques des architectes italiens et français commentateurs de Vitruve : Serlio, Philibert De l'Orme, Jean Bullant ou Jacques Androuet Du Cerceau. La juxtaposition des ordres antiques, des arcs de triomphe, des allégories et de la mythologie, d'ornements sculptés épurés et parfois même colossaux annoncent le classicisme, parfois teinté de maniérisme. Les nombreuses églises de Paris reconstruites au cours du XVIe siècle, dans un style encore flamboyant, intègrent progressivement ces mutations du goût. L'architecture princière et aristocratique, celle des « hôtels », produit des édifices qui deviendront des modèles, tels le Louvre, les Tuileries et les premières grandes demeures du Marais. Et, si la ville dans son ensemble reste médiévale, sillonnée de rues étroites et sinueuses et de maisons à pignons droits, ces constructions prestigieuses confèrent à Paris un rôle essentiel de foyer de création architecturale, qu'Henri III et ses successeurs confirmeront en lançant les premiers grands projets d'urbanisme moderne.

La rue Saint-Denis

Lorsque l'on se promène rue Saint-Denis, une des rues les plus chaudes de Paris, peut-on imaginer que par cette voie nos souverains, fraîchement sacrés en la basilique de Saint-Denis, faisaient leur entrée solennelle dans leur bonne ville de Paris ?
Une folle animation régnait alors le long de cette voie dite royale, et les fenêtres se

MAISONS À PIGNONS △
174 et 176, rue Saint-Denis (IIᵉ)

Les traditionnels pignons en dents de scie, caractéristiques de l'habitat médiéval.

Au XVIᵉ siècle, Paris n'abandonne pas sa physionomie médiévale, bien au contraire. La plupart des maisons du cœur commerçant de la ville sont encore construites à la manière traditionnelle : épousant les parcelles « en lanière » caractéristiques de l'habitat urbain, elles sont très étroites, serrées les unes contre les autres, et présentent sur la rue leur petit côté. La succession de ces pignons pointus donne aux alignements de toitures cette allure de dents de scie encore visible dans certaines villes de province, à Rouen par exemple.
Paris ne possède plus aujourd'hui qu'une vingtaine de ces maisons à pignons sur rue.
Le numéro 176 de la rue Saint-Denis a conservé sa fenêtre unique par étage : chaque maison était conçue pour l'usage d'une seule famille, logée verticalement, avec une pièce par étage, de la boutique du rez-de-chaussée au grenier en soupente dans le comble. Les travées étant des plus étroites (parfois 2 mètres seulement), on peut imaginer dans quel entassement vivaient les familles nombreuses des marchands parisiens.

LA FUITE DE CALVIN ▷
Collège de Fortet, 19-21, rue Valette (Vᵉ)

Les lycées Henri-IV et Louis-le-Grand et le collège Sainte-Barbe sont aujourd'hui les derniers établissements d'enseignement supérieur situés sur la montagne Sainte-Geneviève. Au XVIᵉ siècle, plus de quarante collèges financés par des âmes charitables et destinés à loger les étudiants pauvres (les boursiers) y étaient installés afin de leur prodiguer, ainsi qu'aux étudiants externes (les martinets), l'enseignement de l'Université.
Seul subsiste aujourd'hui le bâtiment du collège de Fortet, avec cette haute tour d'escalier surmontée d'une chambre haute à pans de bois, disposée en encorbellement et étayée à grand renfort d'aisselles de bois.
Moins célèbre que le collège de Navarre, dont l'enseignement était très réputé, moins redouté que le collège de Montaigu, où, dit Rabelais, « mieux sont traités les forçats chez les Maures et Tartares », le collège de Fortet est resté à la postérité pour avoir abrité Calvin dans ses jeunes années.
Venu compléter ses études à Paris, le futur réformateur était martinet, et c'est sans doute dans ces murs qu'il écrivit un discours inspiré des doctrines luthériennes dont la lecture par son ami Nicolas Cop fit scandale, le 2 novembre 1533.
Poursuivi, Calvin ne dut son salut qu'à une fuite précipitée par la fenêtre d'une chambre, s'aidant des draps de son lit et de toute l'agilité de ses vingt-quatre ans. Cet épisode rocambolesque a valu son nom à la tourelle d'escalier qui en fut le témoin.
Plus tard, le collège devint le berceau de la Ligue, puisque Jean Boucher, l'un des premiers ligueurs, y eut son quartier général : ainsi Fortet est-il associé autant à la réforme protestante des années 1530 qu'à la plus violente des réactions catholiques des guerres de Religion.

La « tour de Calvin », au collège de Fortet, et son illustre pensionnaire.

louaient très cher pour assister au spectacle. C'est surtout la proximité de la Prévôté (au Châtelet) et des Halles qui faisait de la rue Saint-Denis, à toute heure du jour et de la nuit, une rue très commerçante et très populeuse, où le commerce des charmes avait élu domicile. Et les petits studios que louent aujourd'hui les prostituées étaient autrefois des baraques en planches, « en bords », disait-on alors. De là est né le mot bordel.

Aux abords du Forum des Halles, où la rue est piétonne, des boutiques de toutes sortes, de mode, de fripes, de gadgets… ont remplacé les maraîchers, bouchers, poissonniers, mareyeurs, qui faisaient l'âme de ce quartier avant le départ des Halles à Rungis. Et c'est dans sa portion nord, qui rejoint les grands boulevards, que tendent à se cantonner les maisons de passe, les « magasins » et cinémas porno qui, la nuit, illuminent à leur manière l'une des plus vieilles rues de la capitale.

UN ARCHEVÊQUE CHEVALIER ▽

Hôtel de Sens (actuelle bibliothèque Forney), 2, rue du Figuier (IVe)

Pour leurs fréquents séjours dans la capitale, les archevêques de Sens – dont l'évêché de Paris relève jusqu'en 1622 – se font construire cette superbe résidence entre 1475 et 1507. Annonciateur des demeures aristocratiques de la Renaissance, l'hôtel de Sens est cependant encore fortement gothique, hérissé de tourelles défensives et refermé, comme une place forte, sur une cour intérieure. Il faut dire que l'archevêque bâtisseur, Tristan de Salazar, est bien plus qu'un homme d'Église. Son père a sauvé la vie du roi Louis XI à la bataille de Montlhéry, et c'est en remerciement de cet acte de courage que le roi donne l'archevêché à l'aîné des fils Salazar. À trente-deux ans, Tristan est un négociateur renommé, déjà maintes fois envoyé dans les cours européennes, et qui préféra toujours la guerre à la liturgie, allant jusqu'à accompagner le roi Louis XII à la bataille de Gênes, « armé de toutes pièces, une grosse javeline au poing », ce qui fit dire aux chroniqueurs qu'il était aussi digne d'être archevêque que le Turc d'être pape…

ENTRE SÉVÉRITÉ ET AGRÉMENT

L'hôtel parisien reflète bien la personnalité belliqueuse de son premier occupant, avec son porche imposant à deux portes sous ogives, flanqué de deux tourelles en encorbellement et où se voient encore d'étroites meurtrières. À l'intérieur, la cour est de forme irrégulière, sans angle droit ; au défaut d'alignement des baies, on constate que les niveaux des corps de logis étaient des plus divers, comme le voulait l'usage des constructions médiévales. Pourtant, le grand escalier ménagé dans la tourelle suspendue au donjon comme le grand jardin à parterres ouvert à l'ouest sont déjà des aménagements inspirés d'une nouvelle esthétique. Quant aux gargouilles, lucarnes surchargées d'ornements, balcons à mâchicoulis, ils sont dus à l'imagination des restaurateurs des années vingt, lorsque la Ville de Paris racheta l'hôtel avant d'y installer, en 1961, la bibliothèque Forney, consacrée aux arts décoratifs et techniques.

Façade sur jardin de l'hôtel de Sens.

La capitale renaissante

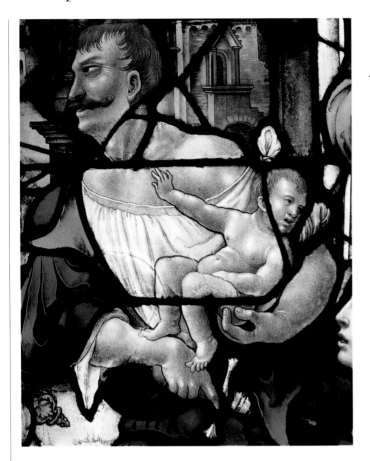

Assemblées sous l'orme de Saint-Gervais
Église Saint-Gervais-Saint-Protais, place Saint-Gervais (IVᵉ)

Le parvis de Saint-Gervais était cher aux Parisiens du Moyen Âge qui, sur le modèle de Saint Louis et de son chêne de Vincennes, s'assemblaient sous un arbre, « l'orme de Saint-Gervais », pour y régler leurs disputes et leurs créances. L'orme fut converti en affûts de canon à la Révolution, et avec lui disparut l'une des plus jolies coutumes de la vie communautaire parisienne. L'église médiévale à l'ombre de laquelle s'étaient tenues ces assemblées, devenue trop petite à la fin du xvᵉ siècle, fut reconstruite très lentement à partir de 1494 et achevée sous Louis XIII seulement, tant les paroissiens peinèrent dans le financement des travaux. Le résultat en est un curieux assemblage de parties médiévales – comme le clocher, au nord –, d'accroissements réalisés dans les parties latérales à l'époque de la Renaissance et enfin d'une façade classique et de mobilier intérieur de style Louis XIII. À l'intérieur, on pourra suivre chaque étape de la construction en observant les inscriptions des clés de voûte (la couronne pendante de la chapelle de la Vierge porte par exemple la mention « parfaite en l'an 1517, fus peinte en 1552 »). Peu de mobilier contemporain de la construction a subsisté, hormis un ensemble intéressant de stalles de bois sculpté (1556), dont les miséricordes sont prétextes à une belle profusion décorative ou, parfois, à quelques propos moralisants sur le thème du *memento mori* ou de la vertu.

LA DIMENSION DRAMATIQUE DES VITRAUX

Ce qui fait de Saint-Gervais une étape importante dans le décor religieux de la Renaissance est la qualité exceptionnelle des vitraux du chevet et des chapelles latérales. Dans le chœur, par exemple, le *Martyre de saint Laurent* et *Saint Pierre guérissant le paralytique* sont attribués aux cartons du grand peintre Jean Cousin. Au sud du déambulatoire, dans la chapelle Saint-Jean-Baptiste, la verrière de la *Sagesse de Salomon* (1531) est aussi précise et subtile qu'une peinture tant les visages sont expressifs et la tension dramatique perceptible.
VOIR AUSSI LA FAÇADE ET LA CHAPELLE DORÉE, p. 96.

Détail de la verrière de la Sagesse de Salomon : lorsque Salomon ordonne que l'enfant soit partagé en deux – ici, il est emporté par le bourreau –, la vraie mère préfère y renoncer. La perspicacité de Salomon permit ainsi de confondre la seconde femme, qui se prétendait aussi la mère de l'enfant.

Une des stalles en bois sculpté du chœur : l'Amour côtoyant la Mort, figurée par un crâne.

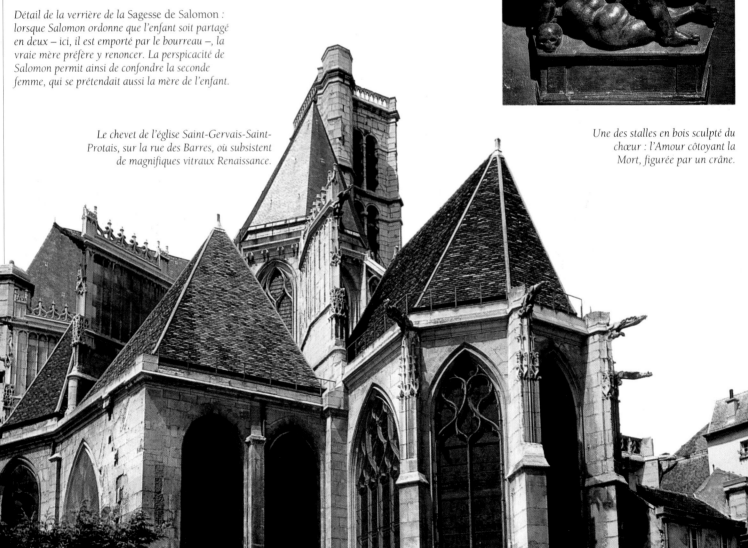

Le chevet de l'église Saint-Gervais-Saint-Protais, sur la rue des Barres, où subsistent de magnifiques vitraux Renaissance.

Un tour du monde des épices

À deux pas de la maison de ville de l'abbaye d'Ourscamp, la rue François-Miron est égayée par un drôle de magasin exotique, aux abords duquel flotte, entêtant et poivré, un savant cocktail d'odeurs d'épices. Une fois franchi le seuil de chez Izraël, c'est toute l'atmosphère des bazars d'autrefois, avec sa magie de couleurs et son délicieux désordre. Thés, huiles, épices, alcools, olives, pâtisseries, fruits confits… y évoquent les contrées les plus lointaines. Sans oublier les provinces françaises, dont on découvre des richesses inconnues. On apprend, par exemple, que la moutarde à la violette est une spécialité de Brive-la-Gaillarde.

Lorsque, dans les années soixante, les époux Izraël reprirent l'épicerie de quartier créée par le père de madame, ils décidèrent d'assouvir leur curiosité en vendant des produits en provenance du monde entier : bassin méditerranéen, Proche-Orient, Asie, Europe centrale… La soixantaine bonhomme, le patron est aussi intarissable sur les saveurs des cornichons polonais que sur celles des olives du Maroc et ne cache pas sa fierté de voir réunis chez lui les symboles de tant de coutumes et de traditions.
Izraël, 30, rue François-Miron (IIIᵉ).

LA PAROISSE DES BOUCHERS ▷

Tour Saint-Jacques, square de la Tour-Saint-Jacques (IVᵉ)

Élevée de 1508 à 1522 dans un style gothique flamboyant, la tour Saint-Jacques est le dernier vestige de l'église Saint-Jacques-de-la-Boucherie, paroisse de la puissante corporation des bouchers, qui devint bien national en 1789 et fut démolie en 1797. Haute de 58 mètres, elle est construite sur quatre piliers supportant une voûte sur croisée d'ogives. En élévation, elle est percée de deux étages de baies jumelles épaulées par des contreforts d'angle très saillants à niches, dais, frontons en accolades et rinceaux sculptés montant jusqu'à la corniche, et s'achève par une terrasse dont les quatre angles portent les figures des évangélistes. Au sommet, au-dessus de la tourelle de l'escalier intérieur, le visiteur trouvera la statue de saint Jacques le Majeur. C'est là en effet que les pèlerins parisiens de Saint-Jacques-de-Compostelle commençaient leur voyage, en montant les 298 marches de la tour pour faire bénir au sommet leurs bourdons de pèlerin.

UNE VOCATION SCIENTIFIQUE

Autre curiosité de l'édifice, la statue de Pascal par Pierre Cavelier, qui accueille le visiteur au rez-de-chaussée et rappelle les expériences sur l'élévation du mercure réalisées par le grand savant en 1648. En fait, n'en déplaise à cette légende tenace, Pascal fit ses expériences barométriques à Rouen et non à Paris, et c'est du haut des tours de Notre-Dame qu'un savant parisien, Rohault, les vérifia dans la capitale. La tour demeure pourtant un excellent observatoire scientifique, puisque son sommet abrite aujourd'hui l'une des 54 stations de contrôle de la pollution de l'air parisien.

Courette intérieure de la maison de ville de l'abbaye d'Ourscamp.

MAISON DE VILLE DE L'ABBAYE D'OURSCAMP △

44-46, rue François-Miron (IIIᵉ)

L'Association pour la sauvegarde et la mise en valeur du Paris historique a très judicieusement élu domicile dans cette jolie maison d'allure Renaissance.
À cet emplacement se trouvait au Moyen Âge l'entrepôt des produits agricoles vendus en ville par les moines cisterciens de l'abbaye d'Ourscamp, près de Compiègne. Rebâtie au XVIᵉ siècle, la maison est dotée d'une élégante façade en pierre à deux étages dont le toit est percé de deux fenêtres à frontons triangulaires et pilastres cannelés à l'antique. Les façades en pierre de taille, plus propices au décor architectural à l'italienne et moins susceptibles d'incendie, tendent en effet à se développer, par mesure de sécurité, au cours du siècle.
La minuscule courette intérieure est d'une conception moins moderne, avec ses pans de bois et ses deux tourelles en encorbellement, l'une carrée, l'autre en quart de cercle. Louée par la suite à des artisans (dont un loueur de carrosses), vendue à la Révolution puis divisée en appartements, la maison vient de faire l'objet d'une heureuse restauration. L'intérieur a été réaménagé avec des éléments récupérés ; les poutres peintes viennent, par exemple, de l'hôtel Lamoignon.
VOIR AUSSI LE CELLIER, p. 30.

La tour Saint-Jacques émerge de la forêt des toits de Paris. On aperçoit au sommet la station de contrôle de l'air.

La capitale renaissante

Église Saint-Eustache, 2, rue du Jour (Ier)

Le roi François Ier l'a financée, le prévôt de Paris Jean de La Barre en a posé en 1532 la première pierre : c'est dire si Saint-Eustache fut conçue comme la grande construction religieuse parisienne du premier XVIe siècle. Ses architectes l'ont voulue colossale (105 m de long, 35 m de haut), espérant ainsi retrouver le souffle des cathédrales gothiques. Et il est significatif que le plan de l'édifice constitue la réplique la plus fidèle de la cathédrale Notre-Dame, avec ses cinq vaisseaux, son transept non saillant, son abside, son périmètre continu enveloppant les chapelles de la nef comme du chœur. L'église avoisinait les trois principales rues du commerce alimentaire de la capitale regroupées sous le nom de pointe Saint-Eustache (rues Coquillière, Montmartre et Montorgueil), au cœur d'un quartier aussi populaire qu'aristocratique. D'où l'importance de la paroisse et de ses curés successifs : l'un d'eux, René Benoist (1568-1608), fut même surnommé le pape des Halles au temps de la Ligue.

UN MANIFESTE DE L'ART NOUVEAU

Il fallut plus d'un siècle pour achever l'édifice, dont les Parisiens du XVIe siècle ne connurent que les chapelles du chœur, qui englobaient l'ancienne église, les collatéraux et le monumental portail sud. Les détails de cette construction grandiose sont une illustration minutieuse des théories architecturales de la Renaissance : les piliers cruciformes de la nef, à pilastres cannelés, dont les chapiteaux sont doriques au rez-de-chaussée, ioniques au-dessus, corinthiens au niveau des baies ; les grandes arcades, surmontées d'une galerie à jour ; le portail sud enfin, véritable manifeste de l'art religieux de la Renaissance, encadré de pilastres à chapiteaux ioniques creusés de niches et accostés de rinceaux sculptés, dont le linteau nu soutient un tympan en plein cintre vitré sous arcades, que surmontent deux étages de galeries et une rosace coiffée d'un pignon droit. Au siècle dernier, sensible à cette profusion décorative, Viollet-le-Duc y ressentait comme une « affectation théâtrale », et comparait Saint-Eustache à « un palais de fées » !
VOIR AUSSI LA FAÇADE, p. 172.

La masse imposante de Saint-Eustache sur les bassins du Forum des Halles et, ci-dessous, le portail sud.

La rue du Jour

L'église Saint-Eustache ouvre majestueusement la toute petite rue du Jour, actuel paradis des lolitas et des minets de la capitale. C'est là que, en 1370, Charles V décida de construire un pied-à-terre, qui fut appelé le Séjour du roi, origine de l'appellation rue du Séjour, devenue par la suite rue du Jour.
C'est là aussi qu'Agnès B., reine de la mode chic et sobre, a installé plusieurs magasins aux élégantes vitrines. On y trouve également un drôle de magasin, La Droguerie, qui ne désemplit pas depuis bientôt vingt ans : avec ses perles et ses boutons de plastique, de verre, de nacre ou de métal – que l'on achète au poids –, chacune invente à loisir ses propres parures.
La nuit, la rue du Jour ne dort que d'un œil. Les noctambules assoiffés qui s'attablent au Quigliz's Point sont bercés certains soirs par les échos des concerts de musique classique qui se déploient grâce à la merveilleuse acoustique de l'église Saint-Eustache.

LA PAROISSE DES VALOIS ◁ ▽

Église Saint-Germain-l'Auxerrois, 2, place du
Louvre (Ier)

Église canoniale « fille » du chapitre de
Notre-Dame, Saint-Germain-l'Auxerrois
était aussi la paroisse du Louvre, et devint tout
naturellement celle des rois Valois lorsqu'ils
quittèrent les châteaux de la Loire pour s'installer
à Paris : François Ier allait y entendre la messe,
Henri II y fit baptiser ses enfants, Henri III s'en
déclara « premier paroissien ». Ce redoutable
honneur valut quelques améliorations à l'édifice,
notamment les chapelles privées autour du
chœur, un célèbre jubé dû au grand sculpteur
Jean Goujon en 1541, dont certains bas-reliefs
sont au musée du Louvre, quelques beaux
vitraux, tel celui de *l'Incrédulité de saint Thomas*
(1533), réalisé par le peintre verrier parisien Jean
Chastelain, enfin le portail nord (1570), par lequel
les chanoines allaient de l'église à leur enclos,
flanqué de deux pilastres cannelés et surmonté
d'un fronton triangulaire.

LA CLOCHE MARIE

Mais, dans la mémoire collective, Saint-Germain-
l'Auxerrois est associée au souvenir sinistre de la
Saint-Barthélemy : c'est de l'enclos canonial que
partit le coup d'arquebuse qui tua l'amiral
Coligny, et c'est la cloche actuelle de l'église,
« Marie », qui donna le signal du massacre des
huguenots au soir du 23 août 1572 ; pendant
trois jours, crimes et atrocités ne cessèrent dans
les rues de la ville, à tel point que les témoins
pouvaient dire sans exagération que les rives de
la Seine charriaient « un fleuve de sang ».
VOIR AUSSI LA NEF, p. 33.

*Les deux curiosités Renaissance de l'église Saint-Germain-l'Auxerrois :
la verrière de l'Incrédulité de saint Thomas et le portail nord.*

MAISON À PANS DE BOIS △

12, rue des Barres (IVe)

Embellir Paris, obtenir des rues « nettes,
claires et aisées » fut un souci constant des
souverains du XVIe siècle. Ils avaient fort à faire :
débarrasser les rues des échoppes, établis et
comptoirs qui entravaient la circulation des
carrosses et des charrettes, abattre les saillies
de bois qui débordaient en encorbellement aux
étages et assombrissaient considérablement la
rue, supprimer le bois des façades au profit de la
brique et de la pierre de taille…
L'exemple très restauré de cet angle de la rue
des Barres et de la rue du Grenier-sur-l'Eau,
avec ses façades à colombages et son étage en
saillie, montre combien les directives royales
eurent peu d'effet. Les mesures d'hygiène
furent, elles, davantage respectées : les
propriétaires commencent à paver devant
leur maison, à laver chaque jour à grande eau le
pas de leur porte, à verser leurs immondices
dans le ruisseau d'égout qui serpente au milieu
de la rue. Et lorsqu'ils s'obstinent à jeter leurs
eaux usées par la fenêtre, ils n'oublient pas de
crier : « Gare à l'eau ! Gare à l'eau ! » avant de
déverser leur seau.

LA JOYEUSE ENTRÉE D'HENRI II △ ▷

Fontaine des Innocents, place Joachim-du-Bellay (Ier)

Les nymphes de Goujon sont sculptées en très bas-relief entre les pilastres des arcades.

Quand les rois de France, après leur sacre, faisaient leur « joyeuse entrée » à Paris, le prévôt des marchands et ses échevins avaient à cœur de pavoiser le trajet du cortège royal et de dresser aux carrefours des rues portes triomphales, arcs de triomphe ou portiques de bois peints aux couleurs de la ville et aux armes royales. Aux portes de son palais, le souverain recevait son cadeau d'entrée, le plus souvent une superbe pièce d'orfèvrerie. Ces fêtes urbaines, inspirées des triomphes de l'Antiquité, sont une des caractéristiques de la civilisation de la Renaissance. Mais, comme toutes ces constructions étaient éphémères, nous n'en avons plus que les récits éblouis des contemporains. La fontaine des Innocents constitue une exception : le sculpteur et architecte Jean Goujon la dessina et la fit réaliser « en belle pierre blanche » pour la joyeuse entrée d'Henri II, le 16 juin 1549.

DES NYMPHES AUX ALLURES DE DANSEUSES

La fontaine avait l'aspect d'une élégante loggia destinée à servir de tribune particulière aux notables qui assistaient au passage du cortège, et son décor parut si novateur aux Parisiens que, dirent-ils, « c'étoit une grande beauté ». Elle formait un édicule d'angle avec deux arcades sur la rue aux Fers (actuelle rue Berger) et une troisième sur la rue Saint-Denis, portées par un stylobate à frise et surmontées d'un attique à fronton triangulaire. Frise d'acanthes et de dauphins, cinq figures de nymphes, divinités des eaux, sculptures héraldiques (fleurs de lis royales ou double croissant d'Henri II) ou décoratives (rinceaux, chapiteaux corinthiens) constituaient son décor. Les nymphes de Goujon, aux allures de danseuses, souples et voluptueuses, semblent se mouvoir entre les pilastres et comme s'y reposer ; les drapés impalpables et la beauté des visages et des corps sont une réussite inégalée.

En 1787, lorsque l'église et le cimetière des Innocents furent supprimés, la fontaine, elle, fut conservée et réédifiée à quelques pas de là sur un plan carré ; le sculpteur Pajou, qui dut ajouter une face et trois nouvelles nymphes à la fontaine, fit mouler certains détails de Goujon par fidélité au style de l'artiste.

Le cimetière des Innocents

Que reste-t-il du cimetière des Innocents, sinon les sinistres alignements d'ossements des catacombes, place Denfert-Rochereau ? C'était pourtant le plus grand cimetière de Paris, installé au cœur de la ville, près des Halles et le long de la rue Saint-Denis, et, pendant huit siècles, on y enterra plus de deux millions de Parisiens. Son état au XVIe siècle nous est restitué par le tableau reproduit ci-dessous. Lieu d'inhumation, avec ses fosses communes ouvertes au vent et régulièrement arrosées de chaux vive, le cimetière des Innocents est aussi lieu de prière, avec le prêchoir, ce bâtiment à toit carré d'où les prédicateurs échauffent les foules ; c'est également un lieu de méditation devant la célèbre danse macabre des charniers, sous les voûtes desquels on dépose les corps à peine décomposés, tant les sépultures sont

nombreuses ; enfin, le cimetière est un lieu de promenade où l'animation est intense, car tout un peuple d'écrivains publics, de marchands d'images, de promeneurs, de lingères, d'entremetteurs et de fripons officie dans les galeries des charniers.

S'il attire du monde, le cimetière n'a cependant pas bonne presse, pour des raisons tant morales qu'hygiéniques, ces dernières prévalant fortement au XVIIIe siècle. Les légendes les plus folles circulent : on raconte que la terre est gourmande et y mange un cadavre en neuf jours. Les médecins dénoncent les gaz cadavéreux qui se dégagent dans ce quartier où se tient le principal marché de Paris. Un soir de 1776, un cordonnier tomba dans une fosse, passa la nuit dans ce cloaque, et fut retrouvé mort d'horreur ou de contagion le lendemain matin. C'en était trop : en 1780, l'église est démolie, le cimetière muré et ses ossements transportés dans les carrières souterraines de la Tombe-Issoire, nos catacombes actuelles.

Le repaire de la Brinvilliers ▷
Tourelle d'angle de l'hôtel des abbés de Fécamp, 5, rue Hautefeuille (VIe)

🔑 En 1292, les abbés de Fécamp se firent construire une demeure parisienne. Reconstruit au XVIe siècle, l'hôtel, dont il reste la tourelle, aurait été habité par Diane de Poitiers avant qu'elle ne devienne la maîtresse en titre du jeune Henri II. Au XVIIe siècle, la maison abrita un locataire sulfureux en la personne du chevalier Godin de Sainte-Croix, amant de la marquise de Brinvilliers et son initiateur au maniement des poisons. La Brinvilliers empoisonna son domestique, son père, ses frères, jusqu'aux malades des hôpitaux qu'elle visitait sous prétexte de charité. Pour avoir fréquenté assidûment la maison de la rue Hautefeuille, l'empoisonneuse fut arrêtée, livrée à la justice royale, enfin décapitée et brûlée en place de Grève le 16 juillet 1676.

VOIR SANS ÊTRE VU

Pendant toute la Renaissance, les tourelles d'angle, ces enrichissements d'encoignure tantôt carrés, tantôt ronds comme des donjons miniatures, posés sur un cul-de-lampe ou une simple console, plaisent beaucoup à la bourgeoisie parisienne : de ces observatoires privilégiés d'où le regard s'échappe, on peut regarder la foule sans être vu ou assister au passage des cortèges royaux. C'est pourquoi beaucoup de tourelles sont alors sculptées d'ornements triomphaux aux armes du roi. Celle de l'hôtel des abbés de Fécamp était décorée jusqu'au XIXe siècle de la salamandre emblématique de François Ier. On aperçoit encore à la corniche et à l'encorbellement de fines sculptures en dentelle et broderie à l'antique caractéristiques des années 1520.

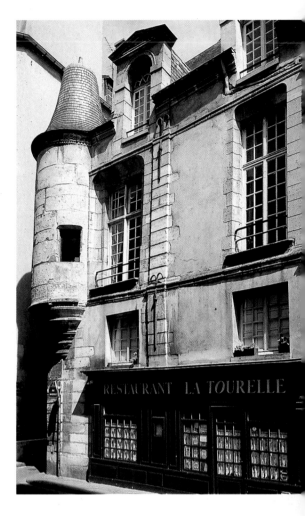

Hôtes illustres au Petit Luxembourg ▽
17-17 bis, rue de Vaugirard (VIe)

🔑 On a peine à imaginer ce que fut le quartier du Luxembourg au XVIe siècle : des terres de vignobles bâties de quelques rares maisons agricoles et, au sud, l'immense enclos du couvent des Chartreux de Vauvert. L'hôtel que nous appelons le Petit Luxembourg fut l'une des premières constructions aristocratiques du quartier : le conseiller Alexandre de La Tourette l'avait fait édifier en 1546 mais, faute d'argent, ne put l'achever. Saisi, l'hôtel fut vendu aux enchères et passa finalement aux mains de François de Luxembourg, prince de Tingry, qui lui donna son nom. De cette époque l'hôtel a gardé le bel ordonnancement de sa façade sur jardin à un étage et ses fenêtres mansardées à fronton triangulaire au comble.

En 1612, la famille de Luxembourg le vendit à Marie de Médicis, et l'hôtel devint le Petit Luxembourg, par opposition au palais du Luxembourg nouvellement édifié, où la reine s'installa. Au fil des siècles, l'hôtel s'enrichit d'un jardin en terrasse (démoli) et surtout, entre 1709 et 1716, d'un monumental escalier et d'appartements rocaille, conçus par Germain Boffrand, qui sont parmi les plus beaux de Paris. On ne saurait énumérer tous les illustres occupants de l'hôtel, parmi lesquels on trouve les plus grandes figures historiques de la France : Richelieu (1625), le Grand Condé (1674), la princesse Palatine (1701), le comte de Provence jusqu'à son départ pour l'émigration, Napoléon Bonaparte après le 18 Brumaire et, depuis 1816, le président du Sénat, qui est le deuxième personnage de l'État.

La façade sur jardin du Petit Luxembourg.

La capitale renaissante

Un passage dans le palais de justice ▷

Arc de Nazareth, façade sud du musée Carnavalet, rue des Francs-Bourgeois (IIIe)

De l'ancien Palais de la Cité, ville dans la ville « fermant à porte » comme une maison forte, il ne reste que le joyau de la Sainte-Chapelle ou les murailles de la Conciergerie. Mais le Palais n'était pas que la résidence royale : il abritait le Parlement et les autres cours souveraines, la grande galerie des merciers où se pressaient une foule de petits marchands et de curieux, et jusqu'aux étuves royales, à la pointe occidentale de l'île. La Chambre des comptes, ancêtre de notre Cour des comptes, y avait sa place.

Pour se rendre au bâtiment où ils gardaient leurs archives, les maîtres des comptes empruntaient le passage couvert de l'arc de Nazareth, en fait un petit pavillon construit par Guillaume Le Breton de 1552 à 1556 pour enjamber la rue de Nazareth. Le XIXe siècle a vu les destructions des ruelles et des anciens bâtiments du Palais, notamment après les incendies de la Commune. Plutôt que de démolir l'arc, ses consoles ornées de volutes à rinceaux, palmettes et croissants de lune, ses masques féminins et autres délicates sculptures, la Ville de Paris a pris l'initiative de l'offrir aux regards des passants en l'encastrant dans la façade sud du musée Carnavalet.

L'arc de Nazareth, sur la rue des Francs-Bourgeois.

La puissante corporation des orfèvres ◁ ▽

Chapelle Saint-Éloi, 8, rue des Orfèvres (Ier)

Au XVIe siècle, chaque paroisse de Paris vivait au rythme des cérémonies et des fêtes des confréries d'artisans dont elle abritait la chapelle. Mais les plus puissantes des corporations avaient leur propre lieu de culte : la chapelle Saint-Éloi fut construite à grands frais vers 1550 sur les plans de Philibert De l'Orme par la riche corporation des orfèvres.

La chapelle Saint-Éloi est située non loin du pont au Change, où vivaient la plupart des orfèvres – et des changeurs – depuis qu'un décret de Louis VII le Jeune les avaient obligés à s'y établir. Le coffret présenté ci-dessous fut sans doute monté dans un de leurs ateliers.

C'était d'ailleurs une des promenades favorites des souverains du XVIe siècle que d'arpenter en personne le pont au Change, à la recherche de bijoux ou des somptueuses vaisselles dont ils aimaient garnir leur table. La chapelle dut son décor aux sculpteurs Ponce Jacquiou et Germain Pilon. Les orfèvres s'y rassemblaient chaque mois pour leur messe corporative et, le jour de la Saint-Éloi, pour l'élection des gardes. Au XVIIIe siècle, les étrangers venaient encore admirer sa charpente en forme de coquille et la gracieuse verrière de la façade, décorée d'un arbre de Jessé. Que reste-t-il de tout ce luxe, sinon l'étonnante façade à pilastres et arcatures du 8 de la rue des Orfèvres ? Beaucoup des constructions anciennes de Paris sont de nos jours, comme celle-ci, cachées derrière une façade lépreuse ou remaniée, et il faut un peu de poésie et beaucoup d'imagination pour en recréer le souvenir.

À gauche, façade de l'ancienne chapelle Saint-Éloi. À droite, coffret de jaspe et vermeil d'inspiration maniériste (1540), aux pieds en forme de tortue, avec quatre soldats romains aux angles, qui fit partie de la collection personnelle de Louis XIV (musée du Louvre).

ouvert ses portes au public il y a seulement une dizaine d'années. On peut y acheter au détail plus de 450 thés en provenance de 32 pays dans un fabuleux décor colonial. Un salon de thé niché sous une verrière et envahi de plantes exotiques permet de profiter de ce lieu magique où, au fil du temps, les délicates senteurs du thé ont imprégné les boiseries et les murs.

Les Enfants gâtés, 43, rue des Francs-Bourgeois (IVe).
Le Loir dans la théière, 3, rue des Rosiers (IVe).
Mariage Frères, 30, rue du Bourg-Tibourg (IVe).

À LA MODE ITALIENNE ▽

Hôtel Carnavalet (musée Carnavalet), 23, rue de Sévigné (IIIe)

C'est à partir de 1548 que Jacques des Ligneris, président au parlement de Paris, se fit construire un des plus beaux hôtels de la Renaissance parisienne, non loin de l'hôtel royal des Tournelles. On entrait dans la cour d'honneur par l'actuelle rue de Sévigné en passant sous un portail triomphal surmonté d'un fronton triangulaire. La cour ouvrait au sud sur une galerie à arcades ouvertes à la mode italienne ; à l'ouest sur le corps de logis principal, flanqué de deux petits pavillons abritant les escaliers ; au nord, à l'emplacement du bâtiment actuel, sur la cour des écuries. Un plan et une articulation des volumes qui en firent le modèle de l'hôtel classique entre cour et jardin.

Après la mort de Jacques des Ligneris, l'hôtel passa à la famille de Kernevenoy, dont le nom, plaisamment déformé en Carnavalet, lui resta. Il fut profondément remanié dans la seconde moitié du XVIIe siècle par François Mansart, qui éleva de nouveaux bâtiments et fit sculpter par le Flamand Van Obstal les figures allégoriques des quatre éléments à l'aile sud de la cour. Les aménagements de l'hôtel à cette époque sont bien connus grâce au témoignage de Mme de Sévigné, qui y fut une locataire heureuse et écrivit souvent dans ses lettres à sa fille, Mme de Grignan, combien elle appréciait « cette belle cour, ce beau jardin, ce beau quartier ».

LA RONDE DES SAISONS DANS LA COUR D'HONNEUR

L'hôtel des Ligneris, qui assimilait avec bonheur l'apport italien, donnait une place de choix à la sculpture décorative : on notera les dimensions impressionnantes du superbe décor allégorique des saisons, attribué à l'atelier de Jean Goujon, sculpté aux trumeaux de l'étage sur la façade du corps de logis. Au centre, l'Été et l'Automne, sous les traits des divinités antiques Cérès et Bacchus ; à gauche, le Printemps, incarné par un jeune homme coiffé de guirlandes et portant des couronnes de fleurs ; à droite, l'Hiver, sous la forme d'une vieille femme recroquevillée sous son manteau. Au-dessus de chaque figure, le signe du zodiaque correspondant, allusion aux croyances astrologiques dont le président des Ligneris était sans doute très imprégné, comme tous ses contemporains.

Cour d'honneur du musée Carnavalet, où une statue en pied de Louis XIV, par Antoine Coysevox, accueille les visiteurs.
En détail, l'Été, sous les traits de Cérès, sur la façade du corps de logis.

La capitale renaissante

DE ROUEN À ROHAN ▷

Maison Renaissance, cour de Rohan (VIᵉ)

🔑 Près du boulevard Saint-Germain, une discrète ruelle, la rue du Jardinet, se termine en cul-de-sac dans la cour de Rohan. Appellation qui est une altération de Rouen, puisque là demeuraient les archevêques de cette ville lorsqu'ils venaient à Paris.
Les archevêques du XVIᵉ siècle boudèrent leur résidence sous prétexte qu'elle était « ruineuse [en ruine] et incommode ». Les vestiges actuels, de 1545, sont donc dus à l'intervention de locataires avisés : une belle maison Renaissance à grandes lucarnes sous fronton triangulaire avec, au rez-de-chaussée, les armoiries des archevêques encore visibles. Petit détail amusant, dans la cour à gauche, un pas-de-mule ou « montoir » dont se servaient autrefois les dames, les ecclésiastiques en robe ou les vieillards pour se hisser sur leurs montures.
Deux autres cours, à l'abri du regard, font suite à la première. Dans la dernière, on découvre un morceau d'une tour et du mur du rempart de Philippe Auguste encastré dans les habitations : cet amalgame des époques et des styles, si fréquent à Rome, par exemple, devient rare à Paris et mérite qu'on s'y arrête.

La demeure Renaissance
des archevêques de Rouen,
dans la cour de Rohan.

La rue de Buci

Le petit air de province qui se dégage de la cour de Rohan se prolonge si l'on s'engage à deux pas de là dans la célèbre rue de Buci. Comprise entre la porte de l'enceinte de Philippe Auguste (angle de la rue Saint-André-des-Arts et de la cour du Commerce-Saint-André) et l'actuel boulevard Saint-Germain, où se trouvait le pilori de l'abbaye de Saint-Germain-des-Prés, elle fut appelée au XIVᵉ siècle « la rue qui tend du pilori à la porte de Buci » (Simon de Buci, premier président du Parlement, ayant acheté la porte) et acquit son appellation de rue de Buci au XVIᵉ siècle. Jusqu'au XVIIᵉ siècle, elle était le centre vital de la rive gauche.
Les Parisiens sont aujourd'hui nombreux à savourer, les samedi et dimanche matin, cette douce intimité perdue au beau milieu d'un quartier aujourd'hui envahi de boutiques de mode. On peut y faire quotidiennement son marché, s'approvisionner chez un traiteur alsacien ou chez deux excellents pâtissiers, l'un connu pour ses tartes au citron et l'autre pour ses spécialités viennoises. On peut enfin boire un verre à l'une des nombreuses terrasses de café et goûter ainsi au spectacle qu'offre la rue : cadres branchés, personnalités du quartier, baladins, clochards, on trouve là un concentré de la population de Paris. Sans oublier les nombreux touristes qui quittent parfois leur guide des yeux pour admirer çà et là (numéros 12, 16 et 18) quelques jolies façades. À noter aussi, au bout de la rue, un magasin fréquenté par tous les mondains fauchés : on loue au Cor de chasse des habits ou smokings (environ mille francs pour trois jours) sans oublier le chapeau (trois cents francs) et même les chaussures (des Churchs, bien sûr !).

LA TRISTE FIN D'UN MIGNON ◁ ▽

Hôtel de Mayenne, 21, rue Saint-Antoine (IVe)

🔑 Les élèves de l'école des Francs-Bourgeois qui aujourd'hui fréquentent les lieux et empruntent l'escalier d'honneur pour se rendre à la cantine ignorent sans doute que l'hôtel fut le cadre d'un épisode sanglant du règne d'Henri III. Le 27 avril 1578, Quélus, l'un des mignons du roi, fut transporté ici après le fameux « duel des mignons » qui défraya la chronique et entama sérieusement la réputation d'Henri III. Blessé à mort de dix-neuf coups de dague, Quélus languit pendant trente-trois jours dans des souffrances terribles, ne cessant de murmurer : « Ah ! Mon Roy, mon Roy ! », avant d'expirer dans les bras du souverain, le 29 mai 1578. Fou de douleur, Henri III avait promis cent mille écus aux médecins qui guériraient son ami et, pour ménager quelque repos au mourant, avait fait répandre de la paille dans la rue Saint-Antoine afin d'amortir le bruit des sabots des chevaux.

LA DEMEURE D'UN GRAND ÉCUYER DU ROI

Avant d'appartenir en 1605 à Charles de Lorraine, duc de Mayenne, qui lui donna son nom, l'hôtel fut la résidence d'un grand seigneur de la cour d'Henri II, François de Vendôme, qui y organisa de brillants tournois, puis en 1560 de son oncle Claude Gouffier, grand écuyer de Charles IX et l'un des courtisans les plus accomplis et les plus opulents du siècle. Il y entassa les trésors de sa bibliothèque, ses tableaux, ses tapisseries de haute lisse et ses splendides tentures de cuir doré.

Il faut entrer dans la cour pour retrouver les bâtiments contemporains de Gouffier, contruits par le maçon Mathieu Jacquet : à droite, la tourelle à encorbellement, qui masquait un passage de quelques marches, l'ancienne galerie à arcades, où Gouffier avait installé une galerie de portraits des empereurs, des rois de France et des grands seigneurs européens, enfin le grand escalier d'honneur, voûté d'arêtes en brique et pierre, ouvert par une arcade à chaque extrémité. À l'arrière, l'hôtel donnait sur un merveilleux jardin planté de thym et de lavande, dont les parterres dessinaient les armes ducales des Gouffier. La disposition des lieux répondait ainsi à l'usage de l'époque selon lequel les habitations étaient au nord, et les locaux d'agrément au sud.

Tourelle et escalier d'honneur de l'hôtel de Mayenne.

Rare escalier Renaissance en bois sculpté conservé à Paris.

UN MENUISIER INSPIRÉ Δ

Escalier en bois, 8, rue Boutebrie (Ve)

🔑 Si l'on parvient à entrer dans cette maison privée, on pourra admirer l'un des plus beaux escaliers Renaissance de Paris. Son dessin robuste n'a rien de luxueux ; le menuisier qui l'a sculpté n'était pas un virtuose. Mais les reliefs maladroits de frises, de palmettes et d'acanthes rappellent les motifs « en chou bourguignon » du sculpteur dijonnais Hugues Sambin (1518-1601), dont ils s'inspirent sans doute. Rares sont à Paris les escaliers anciens conservés in situ : au musée de la Renaissance d'Écouen, par exemple, est présenté l'escalier de bois de la Chambre des comptes de Paris, qui date du règne de Louis XII (1498-1515) et qui fut démonté au XIXe siècle. Les escaliers des immeubles populaires ont rarement bénéficié d'un tel respect, c'est pourquoi la Commission du vieux Paris a demandé le classement de celui-ci dès qu'il fut repéré, en 1924.

61

LE LOUVRE DU XVIe SIÈCLE

Musée du Louvre, cour Napoléon (Ier)

L'aile Lescot, vue de la cour Carrée.

La puissance évocatrice des captifs de Jean Goujon.

Nous devons le Louvre de la Renaissance à la volonté du roi François Ier. En 1528, au retour de sa longue captivité en Italie après la défaite de Pavie, le roi décide de s'installer à Paris et de s'offrir un palais à la mesure de ses ambitions européennes. Jusque-là, les souverains et la cour avaient préféré les riantes résidences du Val de Loire aux demeures parisiennes. Le Louvre, avec son gros donjon médiéval, ne pouvait rivaliser avec les somptueux palais du Vatican, de Grenade ou d'Hampton Court, élevés au même moment par les princes étrangers. Très vite, François Ier fait raser le donjon, monter un quai le long de la Seine, puis prend les avis de deux Bolonais, Serlio et Vignole, avant de s'en remettre finalement au goût sûr et savant d'un humaniste et architecte français de son entourage, Pierre Lescot, qui est aussi son conseiller et son aumônier. Les travaux de Lescot ne sont d'abord que des ajouts accrochés au vieux Louvre ; le nouveau palais s'élèvera très progressivement, tout au long du siècle.

À LA GLOIRE DE FRANÇOIS Ier, L'AILE LESCOT

Faisant équipe avec le sculpteur Jean Goujon, Pierre Lescot monte le corps de logis principal de 1546 à 1553, sur l'emplacement du bâtiment ouest de l'ancien château, dont on garde les caves : c'est l'aile dite Lescot (ouest de la cour Carrée, actuelle aile gauche du pavillon de l'Horloge), bâtiment à trois avant-corps composé d'un rez-de-chaussée, d'un étage et d'un attique. Les pilastres et les grandes baies du rez-de-chaussée veulent y donner l'illusion d'un portique d'arcades à l'italienne, sans que l'on craigne les inconvénients du climat septentrional. Le style corinthien, les fenêtres à linteau bombé et la variété des frontons vont faire école dans la France entière. À l'attique, les bas-reliefs de Goujon, surtout, sont particulièrement remarquables : le sculpteur y met en scène tout un panthéon antique de proportions grandioses, digne de Michel-Ange, fait de victoires, de trophées et d'allégories de la Guerre et de la Paix, comme ces puissants captifs dont la vigueur même est tout à la gloire de la France. Jamais palais royal n'a connu décor si évidemment politique.

François Ier meurt en 1547, sans avoir vu l'achèvement de son projet. Son fils Henri II le reprend par la construction d'une aile sur le côté sud de la cour Carrée (actuelle aile droite du pavillon des Arts), sur le même modèle que l'aile Lescot. Cette nouvelle aile, qui donne au midi, était destinée aux reines et fut achevée sous Henri IV seulement. À la rencontre des deux nouvelles ailes, Lescot élève un pavillon, achevé en 1556. De là, la vue sur la Seine était magnifique : on y plaça l'appartement du roi.

LE FASTE DES APPARTEMENTS INTÉRIEURS

Une seule grande salle de bal, propice aux fêtes de la cour, occupe tout le rez-de-chaussée du logis construit par Lescot : c'est la salle dite des Cariatides, dominée par une immense tribune de musiciens portée par des cariatides monumentales, œuvre de Jean Goujon, à laquelle fait face un « tribunal »,

sorte d'estrade royale surélevée de cinq marches (cette surélévation a disparu). On emprunte ensuite un escalier d'honneur à caissons sculptés pour rejoindre la salle haute ou salle des gardes, qui précède l'appartement royal, constitué d'une antichambre – dont le plafond subsiste en place –, d'une chambre d'apparat et de pièces privées. Le remarquable plafond de bois sculpté de la chambre d'apparat (1558) ainsi que les portes ont été remontés dans l'aile de la colonnade. Les lambris du plafond, partiellement dorés, sont l'œuvre du menuisier Francisque Scibec de Carpi, qui s'était auparavant illustré sur le chantier du château de Fontainebleau.

UN CHEMIN ENTRE DEUX PALAIS : LA PETITE GALERIE

Pour se rendre au palais des Tuileries, dans lequel venait d'emménager sa mère après la mort d'Henri II, ou tout simplement jouir des jardins le long du quai de la Seine, Charles IX fait construire la Petite Galerie, vers 1566 : quittant sa chambre, le roi enjambait le fossé par une étroite galerie, gagnait ainsi la terrasse de la Petite Galerie, puis, par le rempart longeant la Seine, pouvait atteindre facilement le palais de la reine mère.

À cette époque, la Petite Galerie était un simple rez-de-chaussée surmonté d'une terrasse, perpendiculaire à l'aile sud et au pavillon du roi. Sa façade ouest était aveugle, sa belle ordonnance à sept arcades ouvertes donnant à l'est sur les mêmes jardins que l'aile des reines. Pour ce bâtiment, dont l'étage fut élevé ultérieurement, Lescot avait eu recours au talent du maçon Pierre Chambiges. Les pilastres doriques, à bossages de marbre noir, les figures allégoriques nichées aux écoinçons sont d'une inspiration bien différente des premiers décors du Louvre.

LA CONSTRUCTION DU LOUVRE S'ÉTANT ÉTALÉE AU COURS DES SIÈCLES, VOIR AUSSI LES PAGES 23, 86, 130, 220, 228, 269.

Le Louvre en fête

Fêtes de la couleur, fêtes de la matière, fêtes de la création… Le Louvre se prête merveilleusement aux défilés de mode qui se déroulent régulièrement au carrousel, sous la place du même nom. Les plus grands créateurs y présentent leurs collections, dans des mises en scène toujours sophistiquées. C'est dans un brouhaha mondain, sous des applaudissements professionnels, que l'on peut y admirer les plus belles filles du monde.

En servant de cadre à ces merveilleuses fêtes de la mode, le musée maintient une ancienne tradition. Car, s'il servit à travers les siècles de prison, d'arsenal, de trésor, de palais ou de ministère, il fut aussi un lieu de grandes festivités. Ainsi aux XVIe et XVIIe siècles, la vie de la cour y était régulièrement ponctuée de grandes fêtes : ballets – les bals « à l'italienne » furent introduits à la cour de France sous l'influence de Catherine de Médicis –, mascarades, carrousels et comédies. Souverains, princes et princesses, mais aussi nains et même singes revêtaient de somptueux déguisements. Avec superbe, le roi et la reine incarnaient des personnages fort éloignés de leurs propres rôles. Et, dans la cour du Louvre ou sur la Seine, on pouvait admirer d'immenses tableaux vivants représentant l'eau, la guerre, la paix…

La capitale renaissante

PORTAIL DE L'HÔTEL DE MARLE ▷

Musée national du Moyen Âge et des thermes de Cluny, 6, place Paul-Painlevé (Vᵉ)

👁 Les hôtels que les grands seigneurs se font construire à Paris ont tous une vocation d'apparat et d'ostentation sociale, d'où l'importance des cours d'honneur, sur lesquelles donnent des façades à décor héraldique et ouvrent des galeries à l'italienne. Sur la rue, point de décor : les architectes respectent les usages des palais italiens dont les façades sur rue sont presque aveugles. Le portail, seul, annonce la qualité de l'occupant des lieux, et prend des proportions monumentales. Il faut aux grands seigneurs (ou à ceux qui se piquent de l'être) des entrées d'hôtel qui leur évoquent les portes triomphales chères aux architectures antiques. Remonté dans le mur de l'hôtel de Cluny, le portail de l'ancien hôtel de Marle, demeure des années 1530 autrefois située rue Boutebrie (Vᵉ), est un bon exemple du soin apporté à ces entrées d'hôtel, avec ses deux colonnes composites et son fronton sculpté d'acanthes et de masques.

La galerie sur cour de l'hôtel Scipion Sardini et l'un de ses médaillons à la mode florentine.

L'HÔTEL D'UN ITALIEN FORTUNÉ, SCIPION SARDINI ▽ ◁

13, rue Scipion (Vᵉ)

🔑 Dès le règne de Charles VIII, mais surtout sous celui de François Iᵉʳ, le pouvoir politique favorise la pénétration de la culture italienne. La volonté de Catherine de Médicis accentue ce mouvement et l'influence des Italiens à la cour de France se fait particulièrement sentir. On y rencontre des courtisans, des artistes, mais aussi de riches banquiers bien utiles au roi, dont la politique guerrière nécessite l'emprunt de fortes sommes d'argent. Scipion Sardini est l'un de ces financiers. Ce Lucquois d'origine, qui fit à Paris sa fortune, est aussi riche qu'impopulaire. De violents pamphlets le désignent alors sous le nom de « petite sardine devenue grosse baleine ».

UN BEAU MARIAGE

Ce barbon fit un beau mariage. Isabeau de Limeuil était une ravissante fille d'honneur de Catherine de Médicis et l'un de ses instrument de pouvoir… La « douce Limeuil », amie de Ronsard, défraya la chronique en accouchant peu discrètement, durant un voyage de la cour à Dijon, de l'enfant que lui avait fait le prince de Condé lors de négociations fort peu politiques. Pour réparer son déshonneur, Isabeau convint d'épouser, en 1569, le riche Sardini, dont elle méprisait pourtant ouvertement l'origine.
La vie conjugale orageuse des deux époux a fait le bonheur des chroniqueurs indiscrets. Pourtant, le cadre de vie du couple était à la dimension de la fortune du mari : l'élégant hôtel de la rue Scipion, construit vers 1530 pour Maurice de Bullioud, doyen de Saint-Marcel, ouvrait sur un logis en briques rouge sombre porté sur six larges arcades cintrées. Six médaillons de terre cuite disposés à la mode florentine sur un bandeau de brique en sont le seul ornement : on y voit encore deux bustes d'hommes barbus et deux très beaux bustes de femmes auxquelles on prêterait volontiers le visage de la ravissante Isabeau.

ils craignent plus que tout les dates limites des concours d'architecture, avec leur lot de candidats exténués tenant à tout prix à poster leur projet à minuit moins dix. Sans parler des termes fiscaux et leur cohorte de contribuables étourdis qui rédigent leur déclaration de revenus sur les marches de la rue du Louvre.

LA FAVORITE DE CHARLES IX ▽

Maison de Marie Touchet,
22 bis, rue du Pont-Louis-Philippe (IVe)

🔑 Cette maison a été longtemps datée du XVe siècle du fait de sa construction encore traditionnelle à pans de bois et remplissage de brique. Aujourd'hui, la brique est couverte d'un crépi clair qui met en valeur les pilastres de bois cannelés à chapiteaux corinthiens. Les poitrails (grosses poutres servant de linteau) taillés de cartouches doubles à fleurs de lys, palmettes et quintefeuilles sont aussi des éléments d'origine de ce logis Renaissance encore simple, que la tradition donne comme la maison de Marie Touchet, passion de jeunesse du roi Charles IX. Forte de son succès, la favorite avait choisi l'anagramme « je charme tout ». Quand se répandit le bruit du mariage de Charles IX et d'Élisabeth d'Autriche, Marie se fit montrer le portrait de la fiancée et laissa tomber ce laconique commentaire : « L'Allemagne ne me fait point peur.» Elle donna deux fils au roi, épousa François de Balzac d'Entragues, et mourut bien après son royal amant, en 1638, à quatre-vingt-neuf ans.

Façade sur cour de la maison de Marie Touchet.

UNE REINE FÉRUE D'ASTROLOGIE △

Colonne astrologique de l'hôtel de la Reine,
située près de la Bourse du commerce, rue de Viarmes (Ier)

*La colonne astrologique,
devant la Bourse du commerce.*

👁 En 1572, Catherine de Médicis cherche à Paris un terrain propice à la construction d'un hôtel destiné à abriter ses vieux jours. Se fiant aux prédictions de ses astrologues, qui prétendent que le nom de Saint-Germain lui porterait malheur, elle renonce à la rive gauche et au quartier Saint-Germain-l'Auxerrois, pourtant proche du Louvre, et jette son dévolu sur des terrains encore peu bâtis, au sud-ouest de la nouvelle église Saint-Eustache. En quelques années, son architecte, Jean Bullant, y édifie un grand hôtel pourvu d'une chapelle et d'un immense jardin. À la demande de la reine, Bullant dresse en 1576 dans la cour de l'hôtel cette grande colonne haute de 31 mètres, à fût cannelé dorique et chapiteau toscan. C'est aujourd'hui le seul vestige de la maison de Catherine de Médicis, dont les murs furent abattus en 1749.

TOUR DE GUET OU OBSERVATOIRE ?

La signification de cette colonne, monument étonnant dans le Paris d'alors, divise toujours les historiens. Bullant s'est-il inspiré de la colonne Trajane, qu'il avait pu voir à Rome dans sa jeunesse ? Est-ce une colonne votive dédiée au défunt roi Henri II ? Le chagrin de la reine mère, veuve inconsolable depuis 1559, se lit en effet sur les sculptures du fût, des miroirs cassés, des lacs d'amour déchirés, des chiffres aux initiales du couple royal. Est-ce enfin, parce qu'elle est creuse et pourvue d'un escalier à vis permettant d'accéder à la plate-forme supérieure, une monumentale tour de guet ? C'est dans la personnalité de la reine, férue d'astrologie et collectionneuse de talismans, qu'il faut sans doute chercher une explication. Un indice nous est fourni dans la présence, sur la plate-forme supérieure de la colonne, d'une sorte de campanile de fer ajouré surmonté d'une sphère. La reine, impotente et corpulente, ne pouvait entreprendre l'ascension des 147 marches ; cet observatoire était sans doute réservé à ses astrologues, comme le Florentin Ruggieri, qu'elle avait amené en France à sa suite. Nostradamus et ses émules jouissaient d'ailleurs d'une véritable vénération de la part de la famille royale.

La capitale renaissante

UNE CHARPENTE MODÈLE ▷

Hôtel de Marle (actuel centre culturel suédois), 11, rue Payenne et 10, rue Elzévir (IIIᵉ)

👁 Le nom du grand architecte Philibert De l'Orme est associé à ce bel hôtel, où vécut de 1572 à 1604 le parlementaire Christophe Hector de Marle. De cette époque date la splendide charpente en forme de carène renversée dite « impériale » ou encore « à la Philibert De l'Orme », puisque ce dernier en avait diffusé le modèle dans ses livres d'architecture. L'hôtel ouvrait alors rue Payenne par une cour d'honneur et rue Elzévir par un jardin.
Pour casser l'effet monumental de la façade sur jardin, Christophe Hector de Marle l'avait fait flanquer de deux petits pavillons en saillie sur arcades aménagés en cabinets, encore visibles aujourd'hui. La restauration a dégagé récemment un ensemble de poutres peintes de toute beauté, au premier étage, que la présence du monogramme d'Hector de Marle permet de rattacher à l'époque de la Renaissance.
Les Duret de Chevry, propriétaires de l'hôtel au XVIIᵉ siècle, y laissèrent aussi leur marque : l'abondant décor peint des poutres du rez-de-chaussée, enrichi des devises de Charles Duret de Chevry, familier de Sully et président de la Chambre des comptes, « homme d'esprit mais sans cervelle », disait Tallemant des Réaux, mémorialiste acerbe des règnes d'Henri IV et de Louis XIII ; les ailes sur la cour, coiffées d'un comble droit, dues probablement aux aménagements de Charles II Duret de Chevry.
À l'occasion d'une exposition ou d'un concert, une visite au centre culturel suédois – l'actuel occupant des lieux – permettra d'apprécier le style déjà classique de cette belle construction des années 1570.

L'hôtel de Marle, dont le bâtiment central et les deux ailes délimitent une petite cour pavée.

Ouvert le dimanche

C'est dimanche, la ville se repose. Comment assouvir cette envie subite de s'offrir une paire d'escarpins, une chemise en soie, un bijou design... ? Il suffit de se précipiter dans le Marais. Et là, tout autour de la rue des Francs-Bourgeois, de luxueuses boutiques de mode sont autant d'invites. C'est illégal. Et pourtant, chaque dimanche, ces commerçants font fi des poursuites et amendes qu'ils risquent, profitant de l'indulgence de l'inspection du travail, qui a choisi depuis longtemps de fermer les yeux. Défier cette institution n'est pas négligeable : ces boutiques réalisent environ 60 % de leur chiffre d'affaires le week-end. Elles tirent ainsi parti de l'animation qui règne dans la rue des Rosiers au lendemain du shabbat, traditionnelle journée de repos. Ce petit carré de vie qui attire une foule de badauds comble les goûts de chacun. C'est en effet au milieu de musées, de centres culturels et de salons de thé que les créateurs de mode ont choisi de s'exposer. Mais, si certains ont eu la bonne idée de préserver les devantures rococo de boulangeries du début du siècle, comment ne pas regretter que l'un des plus vieux hammams de Paris ait été transformé il y a quelques années, au grand dam de nombreux Parisiens, en un magasin de vêtements aux fausses allures américaines ?

Portique de l'hôtel Du Faur ◁
Jardin de l'École des beaux-arts (VIe)

Nous devons à l'architecte Charles Percier d'avoir veillé à la conservation de ce fragment d'architecture lorsque l'hôtel Du Faur, qui se trouvait rue des Bernardins, près de Saint-Nicolas-du-Chardonnet, fut démoli en 1830. Jacques Du Faur, membre du conseil privé de Charles IX, fit construire cet hôtel en 1567 et y mourut en 1571.

Il ne reste donc que ce portique qui courait le long du rez-de-chaussée du corps de logis. Formé de six arcades et de trois portes surmontées de curieuses consoles cannelées, il est enrichi d'un remarquable décor sculpté : cartouches, moulures, frises et cuirs, mais aussi têtes de lion timbrant les consoles, faunes accroupis ornant les clés de voûte, chimères, victoires, captifs, renommées. C'est tout un monde burlesque qui côtoie la sérénité des grandes allégories antiques. Quel est donc l'auteur inspiré de ces reliefs ? Le mystère reste entier, mais on sait d'ores et déjà que cet illustre inconnu connaissait les cartouches de Fontainebleau aussi bien que les façades du Louvre et que sa main était celle d'un maître.

Le portique de l'hôtel Du Faur, remonté dans le jardin de l'École des beaux-arts.

Une leçon d'architecture ▽
Portail latéral de Saint-Nicolas-des-Champs, 254, rue Saint-Martin (IIIe)

Le portail ouvrant au centre de la façade sud de l'église Saint-Nicolas-des-Champs a été réalisé au cours de la campagne de travaux des années 1576-1578. Fait rare, on sait à quelle source les sculpteurs du portail ont puisé leur inspiration, puisque l'architecte Philibert De l'Orme, dans un traité d'architecture (publié en 1567), avait dessiné cette porte en 1559 pour le carrousel du palais des Tournelles, au cours duquel Henri II trouva la mort. C'est donc une véritable leçon d'architecture Renaissance. La baie en plein cintre est encadrée de quatre pilastres cannelés composites portant un entablement sculpté de superbes rinceaux sous un fronton triangulaire à deux anges musiciens. Bien qu'incomplètement conservé, l'ensemble est d'une exceptionnelle richesse.
VOIR AUSSI L'ÉGLISE MÉDIÉVALE, p. 40, ET LE RETABLE DU MAÎTRE-AUTEL, p. 101.

Façade du palais abbatial de Saint-Germain-des-Prés.

Abbé et grand seigneur △
Palais abbatial de Saint-Germain-des-Prés, 3-5, rue de l'Abbaye (VIe)

On imagine mal, aujourd'hui, ce que représentait encore le quartier Saint-Germain-des-Prés au XVIe siècle : une communauté bien distincte de Paris, avec ses rues commerçantes et ses tripots mal famés, dominée par la présence de l'abbaye. L'abbé, rappelons-le, était une figure politique – plus que religieuse – d'importance, mais également un seigneur justicier redouté dont les prisons ne désemplissaient pas.

Pour loger ce haut personnage, l'abbaye fut dotée d'un véritable palais, construit par Guillaume Marchant en 1586 sous l'abbatiat du cardinal Charles de Bourbon. C'était l'une des premières grandes constructions de brique et de pierre du Paris de la Renaissance, articulée comme un palais et comportant une cour, une basse-cour, des écuries, une tour, des chapelles et des communs. Il en reste l'imposant bâtiment de la rue de l'Abbaye, avec ses deux étages percés de neuf fenêtres à meneaux surmontées de frontons alternativement curvilignes et triangulaires. Plus élevé, le pavillon en retour sur le passage de la Petite-Boucherie a gardé son fronton sculpté d'un personnage allégorique féminin accosté de cornes d'abondance.

À vrai dire, le palais et l'abbaye communiquaient peu, si ce n'est par quelques doubles portes soigneusement fermées de part et d'autre. C'est à ce prix, dit-on, que l'abbé et ses moines entretinrent toujours des relations de bon voisinage.
VOIR AUSSI L'ÉGLISE SAINT-GERMAIN-DES-PRÉS, p. 20.

Poutres peintes de l'hôtel d'Angoulême-Lamoignon (actuelle salle de lecture de la bibliothèque).

Tourelle en encorbellement, à l'angle de la rue Pavée et de la rue des Francs-Bourgeois.

DIANE DE FRANCE, PRINCESSE LETTRÉE

Hôtel d'Angoulême-Lamoignon (Bibliothèque historique de la Ville de Paris), 24, rue Pavée (IVe)

Au cours d'une campagne d'Italie, en 1538, le futur Henri II se prend d'une passion ravageuse pour une jeune Piémontaise, Philippa Desducs. Comme la belle restait sourde à ses prières, on raconte que le prince fit incendier sa maison et, dans l'affolement général, enleva la jeune fille. De ce rapt romanesque naît Diane de France, qu'Henri fait élever en France avec le même soin que ses autres enfants. La fillette parle le français, l'italien et l'espagnol, joue du luth et aime les belles-lettres. Elle prend le titre de duchesse d'Angoulême, épouse Horace Farnèse puis François de Montmorency, et reçoit de Charles IX – son demi-frère – le duché de Châtellerault.
Devenue veuve en 1579, elle s'établit à Paris dans l'un des plus majestueux hôtels du quartier, le grand hôtel d'Angoulême, dont la construction se poursuit jusqu'en 1611.

APPARITION DE L'ORDRE COLOSSAL

Le corps de logis s'élève entre une cour d'honneur, face à la rue Pavée, et un jardin. C'est peut-être le premier monument parisien où apparaît l'ordre colossal (c'est-à-dire un seul ordre et non deux ordres superposés comme le voulait la tradition) : six pilastres corinthiens s'élèvent sur toute sa hauteur et un petit fronton le couronne au centre. L'effet de verticalité est accentué par l'engagement dans le comble de hautes lucarnes de pierre sommées de frontons triangulaires. De part et d'autre, deux pavillons de plan carré sont surmontés de frontons curvilignes sculptés de cerfs et des emblèmes de Diane. Les appartements intérieurs, somptueusement réchauffés par des tentures de cuir doré et des tapisseries des Flandres, s'organisaient autour d'un monumental escalier aujourd'hui disparu. On a retrouvé en revanche au rez-de-chaussée de superbes solives peintes aux chiffres de Diane et de motifs ayant trait à la chasse sur fond de cartouches dorés, rouges, jaunes et bleus.

LA BIBLIOTHÈQUE HISTORIQUE DE LA VILLE DE PARIS

Avant de mourir, en 1619, à plus de quatre-vingts ans, la duchesse lègue son hôtel à son « neveu » préféré, Charles de Valois – le fils naturel de Charles IX et de Marie Touchet –, qui fait élever l'aile gauche de la cour d'honneur, avec sa tourelle en encorbellement portée par trois trompes (angle avec la rue des Francs-Bourgeois). De 1688 à 1774, l'hôtel est propriété des Lamoignon, dont il gardera le nom et le beau fronton du portail sur rue.
En 1762, l'hôtel abrite la première bibliothèque publique de Paris, qui ouvre alors deux après-midi par semaine et dont le fonds provient du legs d'Antoine Moriau, grand amateur de livres et un temps locataire d'une partie de l'hôtel. En 1928, l'hôtel est acheté par la Ville de Paris ; il abrite depuis 1968 la Bibliothèque historique de la Ville de Paris.

Façade sur cour du corps de logis principal de l'hôtel d'Angoulême-Lamoignon.

Diane de France, duchesse d'Angoulême.

La rue des Rosiers

À deux pas de l'hôtel d'Angoulême, la rue Pavée croise la rue des Rosiers. Formée à partir d'un chemin de ronde intérieur de l'enceinte de Philippe Auguste, elle est attestée dès le XIIIe siècle et doit son nom aux rosiers des jardins qui l'environnaient.

Dès cette époque, une des principales juiveries parisiennes y était établie. À la veille de la Révolution, on dénombre à Paris plus de 2 500 juifs, principalement localisés dans le Marais et dont les boucheries kasher se trouvent rue des Rosiers.
Dans les années 1830, on peut y voir traîner misérablement une petite fille toute brune, fille d'un colporteur, qui vit dans cette rue avec sa tribu d'enfants : la petite Rachel deviendra quelques années plus tard l'une des reines du théâtre. À la Belle Époque, Chez Marianne, l'un des bordels de la rue des Rosiers, une belle fille rousse fait ses débuts : elle sera surnommée Casque d'or.
La rue des Rosiers est aujourd'hui le centre d'un petit quartier où cohabitent des ashkénazes, juifs du nord et de l'est de l'Europe (essentiellement Pologne et Hongrie) venus rejoindre au XXe siècle les anciens juifs de Paris, et des séfarades rapatriés d'Afrique du Nord. Le 16 juillet 1942, les juifs du *platzél* (Marais en yiddish) furent les victimes de la rafle du Vel' d'hiv', une des pages les plus noires de notre histoire.
Une promenade rue des Rosiers mérite quelques haltes gourmandes, chez Finkelsztajn, Goldenberg ou même dans les snacks à falafels (sandwichs). On y découvre avec délices les raffinements de la cuisine yiddish.

Hôtel de Donon ▽
Actuel musée Cognacq-Jay, 8, rue Elzévir (IIIe)

Comme l'hôtel d'Angoulême-Lamoignon, l'hôtel de Donon fut bâti dans le dernier quart du XVIe siècle sur d'anciennes terres monastiques (la culture Sainte-Catherine) où venaient alors s'établir les grands serviteurs du roi. Ce sont ces riches financiers et ces grands seigneurs qui ont donné son aspect aristocratique au quartier que nous appelons aujourd'hui le Marais.
Médéric de Donon, marié à Constance de La Robbia, la fille du grand sculpteur italien, était contrôleur des Bâtiments du roi Henri III. La maison qu'il fit construire est à l'image de cette charge prestigieuse qui le mettait en relations avec les plus grands architectes du royaume. Elle est d'ailleurs très semblable à la maison que Philibert De l'Orme s'était fait construire rue de la Cerisaie, et que seule une gravure nous permet de connaître.
On entrait directement sur une petite cour carrée (le bâtiment sur rue est une adjonction du XVIIe siècle) ouvrant sur un corps de logis flanqué, côté cour comme côté jardin, de deux pavillons à étages. La beauté de la maison vient de son austérité, de cet immense comble – une des plus belles charpentes de Paris – et du large fronton qui, côté cour, coiffe les deux mansardes.
On peut aujourd'hui visiter l'hôtel, propriété de la Ville de Paris, qui y a transféré les collections du musée Cognacq-Jay.

Façade sur cour de l'hôtel de Donon.

L'hôtel entre cour et jardin

Après les tâtonnements de la première Renaissance, qui voit fleurir des hôtels aristocratiques ou épiscopaux de structure encore médiévale mais enrichis de sculptures à l'antique ou de galeries à l'italienne, les hôtels des années 1560-1580 ont adopté un plan presque définitif, qui marquera l'architecture nobiliaire jusqu'au XIXe siècle.
On y retrouve à chaque fois le grand portail décoré et blasonné, la cour d'honneur pavée ouvrant parfois latéralement sur une cour des écuries, la masse rectangulaire du corps de logis, souvent prolongé par des pavillons d'angle ; enfin le vaste jardin de fleurs situé derrière le logis, comme si cet agrément visuel devenait, en soi, une définition du mode de vie aristocratique. C'est l'accumulation, rue des Francs-Bourgeois, d'une dizaine d'hôtels répondant à ces critères qui a fait dire au grand historien Jean-Pierre Babelon que ce quartier neuf du Marais était, en quelque sorte, « le Neuilly des derniers Valois ».

La capitale renaissante

L'AMBITIEUX NOTAIRE ET SECRÉTAIRE DU ROI ▽
Hôtel Mortier (actuel hôtel de Sandreville), 26, rue des Francs-Bourgeois (IIIe)

Qui soupçonnerait que la belle façade Louis XVI de la rue des Francs-Bourgeois cache, après une première cour, les restes d'un monumental hôtel Henri III ? Claude Mortier, qui le fit construire entre 1572 et 1586, était notaire et secrétaire du roi, ce qui lui valait assurément fortune et considération… Peut-être aussi un peu d'orgueil, à en juger les dimensions colossales de sa maison ! Hélas, sa succession fut fatale à l'hôtel, qu'un malheureux partage coupa en deux dès 1604 : c'est bien dommage car, prolongé en outre par un immense jardin, il était plus grand que son voisin Carnavalet !

On prend encore la mesure de l'édifice en se plaçant côté jardin, face à ce qui fut du temps de sa splendeur la moitié gauche de la façade. On apprécie alors le vigoureux décor de claveaux et de bossages en table, l'alternance des frontons triangulaires et courbes, l'ingéniosité avec laquelle l'architecte a ménagé des avant-corps et, à l'inverse, des corps de logis en retrait, pour casser l'effet de masse de cette façade impressionnante. L'exemple venait de haut, puisque Pierre Lescot avait fait de même au Louvre. Enfin, le clin d'œil de cette composition savante, c'est le jeu des œils-de-bœuf (on disait alors « les O »), qui se répondent d'un avant-corps à l'autre. Assurément, voici une architecture savante, pleine de ressources et de surprises, dans le plus beau style maniériste.

C'est à Alphonse Le Berche, seigneur de Sandreville, propriétaire en 1635, que l'hôtel doit son nom actuel.
VOIR AUSSI LA FAÇADE SUR RUE, p. 111.

Façade sur jardin de l'hôtel Mortier.

HORLOGE DU PALAIS △
Tour de l'Horloge, boulevard du Palais (IVe)

En 1370, le roi Charles V fit poser par l'horloger allemand Henri de Vic la première grosse horloge du Palais, et institua la charge de gouverneur de l'Horloge, réservée par la suite aux meilleurs horlogers de la ville. En 1585, le mécanisme était si fâcheusement grippé qu'Henri III en ordonna la réparation. Germain Pilon, le grand sculpteur de l'époque avec Jean Goujon, décora le mur du cadran d'un riche encadrement timbré des armes royales et sculpté des allégories de la Justice et de la Loi. On y lit encore une inscription latine signifiant : « Cette machine, qui partage si équitablement les heures en douze, enseigne à respecter la justice et à obéir aux lois. » Il est probable que ce texte date de restaurations plus récentes, puisque l'horloge fut mutilée à la Révolution. Et hélas, aujourd'hui, elle n'est plus que décorative.

Voyage chez ma tante

À quelques pas de l'hôtel de Sandreville, un hôtel particulier abrite le crédit municipal, ou mont-de-piété. Créé par Louis XVI en 1777 afin de combattre l'activité des prêteurs sur gages, il rend service depuis plus de deux siècles à nombre d'aristocrates fauchés, bourgeois endettés, joueurs insatiables et artistes méconnus… Si les aristocrates furent les premiers à recourir au crédit municipal – ce qui leur permettait de couvrir leurs dettes de jeu ou d'entretenir une danseuse –, très vite les pauvres gens ainsi que la joyeuse bohème parisienne affluèrent chez « ma tante ». Cette curieuse appellation a pour origine l'expression « Mon oncle me prêtera la somme… », employée par de jeunes aristocrates dans un souci de discrétion, expression dont on attribue la féminisation au prince de Joinville. À la reine Amélie qui s'étonnait de ne plus voir sa montre pendre sur son gilet, il répondit : « Je l'ai portée chez ma tante. »

La vénérable institution, crise oblige, connaît depuis dix ans une renaissance inespérée : chômeurs et Rmistes, stars déchues ou héri-

LA VIE PAISIBLE DES CHANOINES ▷ DE NOTRE-DAME

Maison du cloître Notre-Dame, 24, rue Chanoinesse (IVe)

🔑 On appelait cloître Notre-Dame un enclos situé à l'est de l'île de la Cité, entre la Seine et le mur nord de la cathédrale. Dans ce quartier tranquille réservé au personnel masculin du chapitre vivaient les chanoines, logés dans de confortables maisonnettes dont les plus belles, aujourd'hui disparues, se prolongeaient en bord de Seine par de jolis jardins arborés.
Les chanoines de la rue Chanoinesse étaient moins heureux, puisque leurs maisons donnaient à l'arrière sur celles du port Saint-Landry, un des lieux mal famés de la Cité, peuplé de portefaix querelleurs, de truands et de prostituées. L'écho de ces vies misérables devait arriver bien assourdi aux oreilles du locataire de la maison du numéro 24, si tranquille avec sa voûte d'entrée en anse de panier, son vieux puits dans la cour et ses deux mansardes en léger avant-corps.
On ignore quel fut son occupant au XVIe siècle, probablement un pieux lettré, peut-être l'un de ces chanoines médecins du roi, ou encore un poète comme Joachim du Bellay, ou un artiste comme Philibert De l'Orme : tous deux passèrent pieusement dans cet enclos les dernières années de leur existence.
Le musée de Notre-Dame, tout proche, est la mémoire de ce quartier chargé d'histoire.

*Le porche d'entrée
de la maison du 24,
rue Chanoinesse.*

tiers en panne peuvent y mettre au clou leur trésor et obtenir un prêt d'au moins 30 % de sa valeur initiale, avec taux d'intérêt, bien sûr !
« Ma tante » a su s'adapter à l'époque en diversifiant ses services autour de l'art et de la finance. Outre les cent mille prêts octroyés chaque année, le crédit municipal organise chaque semaine des ventes aux enchères d'œuvres d'art. Question d'entraide !
Crédit municipal, 55, rue des Francs-Bourgeois (IVe).

L'HABILE PLAGIAT D'UN ITALIEN ▽

Hôtel de Savourny, 3, rue Payenne et 4, rue Elzévir (IIIe)

🔑 Cette demeure d'un gentilhomme italien servant le roi, Charles de Savornini (qui fera franciser son nom en Savourny), est située à deux pas de l'hôtel Mortier : la précision n'est pas vaine, puisque l'Italien fit construire sa maison en 1585 sur le modèle de son voisin, comme le précisent les marchés passés avec les maçons Nicolas Aubeau et Noël Cressy. En effet, si la façade de six travées sans ressaut adopte un profil plus simple, on retrouve aux baies de l'étage des encadrements semblables à ceux de l'hôtel Mortier, et aux lucarnes les mêmes frontons cintrés.
À voir la filiation esthétique des hôtels de la rue des Francs-Bourgeois, on comprend combien elle a dû impressionner les contemporains, et combien l'achat d'une parcelle de ces terrains devait être synonyme de réussite sociale. Pourtant, cinquante ans auparavant, la rue n'avait rien de glorieux ; elle hébergeait même depuis le XIVe siècle une sorte d'hospice, ou de cité de transit, financé par les bourgeois du quartier et destiné aux indigents, hébergés là par charité et exempts (« francs ») de taxes du fait de leur misère. Ce sont ces habitants peu reluisants qui lui ont donné son nom de Francs-Bourgeois, et jusqu'à la fermeture de l'hospice, vers 1550, la rue était davantage le repaire d'une bande de gueux que la résidence dorée des grands du royaume.

Façade sur jardin de l'hôtel de Savourny.

SAINT-ÉTIENNE-DU-MONT

Place Sainte-Geneviève (Ve)

La nef, avec la chaire moderne et l'ancien jubé.

L'église, sur la place Sainte-Geneviève.

Tout comme le bourg Saint-Germain vivait à l'ombre de l'abbaye de Saint-Germain-des-Prés, le bourg Sainte-Geneviève dépendait étroitement de la puissante abbaye Sainte-Geneviève. Il fallut la forte pression démographique du quartier des collèges, au XVe siècle, pour que les Génovéfains acceptent la reconstruction de l'église paroissiale médiévale, devenue trop exiguë. Les religieux se montrèrent sourcilleux et jaloux de leurs prérogatives, accordant chichement leurs terrains à la nouvelle construction et exigeant, entre autres, que le nouveau clocher ne dépasse pas la hauteur de celui de leur église abbatiale. Si proches des fidèles qu'elles les assourdissaient, les cloches furent tout de même remontées d'un étage en 1624, grâce à la surélévation du clocher.

UNE FAÇADE « À TIROIRS »

La construction de l'église, qui avait débuté en 1492, s'achèvera sous Louis XIII seulement, en 1626. C'est dire si l'église présente un style hybride : le chœur et le clocher, dont Étienne Viguier fut le maître d'œuvre à la fin du XVe siècle, sont de beaux exemples d'un gothique flamboyant enrichi de détails décoratifs à l'italienne, tandis que la façade, dont la reine Margot posa la première pierre en 1610, porte la marque définitive des acquis techniques et esthétiques de la Renaissance. Édifiée par Christophe Bardou, elle se compose de trois frontons superposés en retrait l'un sur l'autre. Au rez-de-chaussée, un portail triomphal en avant-corps flanqué de deux portes latérales ; au premier étage, une rose circulaire surmontée d'un tympan cintré ; au second, une petite rose à feuillages sous un pignon très aigu. Viollet-le-Duc, qui détestait ce style, comparait la façade à un cabinet à tiroirs.

Partie d'un des vitraux de la nef représentant la Trinité (1540).

Le jubé, avec ses merveilleuses sculptures en dentelle.

LE DERNIER JUBÉ DE PARIS

L'église offre le plan traditionnel bien qu'assez irrégulier d'une nef de cinq travées flanquée de bas-côtés simples et de chapelles, d'un transept sans saillie et d'un chœur à déambulatoire et chapelles. Séparant le chœur et la nef subsiste un magnifique jubé, joyau d'architecture Renaissance. Les jubés, qui tirent leur nom du chant *Jube, Domine, Benedicere*, sont des galeries surélevées, sortes de tribunes transversales, du haut desquelles se faisait autrefois la lecture de l'épître et de l'évangile. La plupart des jubés conservés sont gothiques, comme à la cathédrale d'Albi, et s'ils sont si rares aujourd'hui, c'est que la mode des chaires à prêcher, moins imposantes et moins coûteuses, leur a valu d'être détruits dès le XVIIe siècle. Celui de Saint-Étienne-du-Mont est unique à Paris. C'est une galerie portée par trois voûtes (celle du centre, en étoile, est sculptée de ravissantes clés à entrelacs) encadrées d'arcs en anse de panier séparés par de petits piliers. De part et d'autre, un escalier tournant à deux étages donne accès à la tribune et à la coursière du chœur. La richesse de la décoration est éblouissante : les chapiteaux et corniches corinthiens sont sculptés de feuilles d'acanthe, de trèfles et de rinceaux ; les moulures sont taillées d'oves, de frises de feuilles et de grotesques. L'inspiration antique règne aussi dans le décor des écoinçons : comme dans une porte de triomphe, ceux-ci sont sculptés de deux élégantes Renommées ailées tenant des palmes, des feuilles de laurier ou des couronnes. Cet ensemble extraordinaire par sa profusion décorative fut exécuté dès l'achèvement du chœur (1538), et légèrement remanié par l'ajout de portes aux bas-côtés au début du XVIIe siècle.

DE REMARQUABLES VITRAUX

Les vitraux de la nef et du transept justifient pleinement la visite de l'église, que l'on fera de préférence équipé de jumelles afin de mieux saisir les détails des verrières. *Les Quatre Saints* et la *Résurrection* (dans le transept), *l'Incrédulité de saint Thomas*, *les Saintes Femmes au tombeau*, *l'Ascension* (dans la nef) sont des œuvres de maturité du grand maître verrier parisien Nicolas Pinaigrier (fin du XVIe siècle), dont on mesure ici le talent à l'élégance des figures, aux compositions architecturées, à l'emploi intensif de la grisaille ou des bleus profonds. Derrière le chœur, dans les galeries des anciens charniers, un ensemble de vitraux du début du XVIIe siècle habille encore les baies, à hauteur d'homme, ce qui permet une vision précise des visages ou des somptueux vêtements des personnages.

Le lycée Louis-le-Grand

Le lycée Louis-le-Grand, à deux pas de Saint-Étienne-du-Mont, peut se prévaloir d'avoir accueilli les plus grands esprits français : Voltaire, Diderot, Robespierre, Saint-Just, Delacroix, Baudelaire, Hugo, Claudel, Kessel... Une tradition qui demeure : c'est aujourd'hui encore une pépinière de premiers prix au concours général.

Le collège de Clermont – il deviendra le collège Louis-le-Grand à la suite d'une visite officielle de Louis XIV en 1674 – fut créé par les Jésuites en 1560. Malgré les difficultés qu'ils rencontrèrent – l'Université était alors furieusement jalouse de ses privilèges –, l'établissement connut un grand succès : les méthodes pédagogiques modernes des Jésuites, ses représentations théâtrales et sa bibliothèque y attiraient un large public. Et c'est là que s'instruisirent les grands noms de l'aristocratie, les Rohan, les Soubise, les Conti... La grande offensive lancée au XVIIIe siècle contre les Jésuites entraîna leur départ en 1763, et le collège fut dévolu à l'Université. Mêlé aux luttes religieuses et littéraires, il fut marqué plus que d'autres par la Révolution : une partie du collège servit de prison sous la Terreur et, en 1794, seul collège maintenu ouvert, il fut baptisé collège de l'Égalité.

En 1803, il fut le premier lycée, sous le nom de lycée de Paris. Il reste aujourd'hui, au cœur du Quartier latin, un fier témoignage de l'histoire scolaire et universitaire de la ville.

PARCS ET JARDINS

Paris n'est pas tout entier voué à la pierre, au béton et au bitume. Toujours vivants, parfois éphémères comme les fleurs ou mobiles comme les graines, ses jardins sont en constante évolution. Ils ont accompagné la ville dans sa croissance.

À chaque pas, la bonne terre d'Île-de-France surgit du minéral, qui n'a jamais voulu la laisser disparaître tant il sait qu'elle le met en valeur, l'anime, le cache lorsqu'il se fait trop lourd ou le remplace quand il est par trop envahissant. C'est cette mémoire vivante de Paris que les jardiniers d'aujourd'hui s'attachent à faire revivre à travers restaurations et créations.

VESTIGES DE JARDINS D'ANTAN

Des jardins médiévaux ne reste que le souvenir des plus beaux, tels ceux de l'hôtel Saint-Paul, où résidait le roi Charles V. Ainsi, la rue des Jardins-Saint-Paul rappelle les huit jardins qui s'étendaient entre la rue Saint-Antoine et la Seine, de la Bastille à l'église Saint-Paul ; la rue de la Cerisaie garde un parfum du grand verger planté de pommiers, poiriers, amandiers, pêchers et cerisiers ; la rue Beautreillis se souvient des mille sept cents pieds de vigne soutenus par un berceau de charpente légère. Et des textes du XVᵉ siècle nous parlent de ces jardiniers-charpentiers allant par la ville proposer leurs services aux « habitants ayant jardins ».

De tous les jardins de l'époque moderne (XVIᵉ au XVIIIᵉ siècle) ne reste bien souvent que ce que le XIXᵉ siècle nous a transmis, profondément modifié par les modes de vie nouveaux (c'est le cas des jardins du Luxembourg ou du parc Monceau, par exemple).

Les jardins d'hôpitaux furent ainsi agrandis ou aménagés pour, disait-on, « lutter contre les microbes par l'hygiène et l'air pur ». Ceux de la Salpêtrière sont classés monument historique en raison de leur ancienneté – on pense qu'il furent tracés par Le Nôtre – et de leur beauté. Leur dessin actuel allie parterres fleuris à la française et jardin paysager à l'anglaise. Les jardins de l'Hôtel-Dieu ont été reconstruits en 1878, avec des arcades et des balustrades qui leur donnent une allure florentine.

Certains jardins ont aujourd'hui retrouvé leur aspect d'origine : le jardin de l'Intendant, aux Invalides, qui fut planté en 1980 d'après les plans dressés au XVIIIᵉ siècle mais jamais sortis de leurs cartons auparavant ; celui du cloître de l'abbaye du Val-de-Grâce, du XVIIᵉ siècle, dans lequel, en creusant, les jardiniers ont récemment retrouvé le bassin central intact, à l'endroit même où il était tracé sur un dessin de l'époque.

Depuis peu, dans les jardins neufs s'affiche une volonté croissante de retrouver la campagne des villages d'autrefois :

△ Au jardin du Luxembourg, la partie « à l'anglaise », le long de la rue Guynemer, offre un charme particulier.

◁ Ce platane d'Orient fut planté au Jardin des Plantes en 1785 par Buffon. Il s'élève à près de 20 mètres.

▽ Le jardin de Belleville, situé sur un point culminant de la capitale, possède la plus grande fontaine en cascade de Paris (100 mètres de long).

△ **Dévalant les jardins de Belleville, des escaliers ombragés de tonnelles.**

◁ *La Harde de cerfs*, **un bronze de Le Duc (1886) au jardin du Luxembourg.**

▽ **Le Jardin des Plantes vu de la gloriette de Buffon.**

dans le parc de Belleville, par exemple, une vigne plantée de deux cent quinze ceps de gamay-magny et un escalier ombragé d'un treillis fleuri évoquent la campagne du village de Belleville.

TOUTES LES ESPÈCES DE LA TERRE

Le seul jardin de Paris qui a traversé les siècles sans bouleversements notoires et avec une vocation inchangée, le Jardin des Plantes, fut créé en 1635 à l'instigation du médecin de Louis XIII, Gui de La Brosse, afin qu'étudiants en médecine et apothicaires puissent travailler sur les végétaux.

Les voyages du XVIIIe siècle et la longue présence du naturaliste Buffon, intendant du jardin de 1739 à 1788, lui donnèrent une formidable impulsion. C'est en effet à Buffon que l'on doit la gloriette qui porte son nom, le plus vieil édifice métallique de Paris, construit en 1786 au sommet d'une ancienne décharge publique, ainsi que la plantation de nombreux arbres remarquables, dont certains sont encore bien vivants (arbre de Judée, platane d'Orient, arbre aux quarante écus, cèdre du Liban, sophora…).

Le Jardin des Plantes n'a pas perdu sa vocation pédagogique, basée sur l'observation et l'expérimentation, et participe aux grandes missions de recherche à travers le monde. Aux fameuses serres chaudes, construites de 1834 à 1836 – serre australienne et serre mexicaine –, fut ajouté en 1937 le jardin d'hiver, une vaste et luxuriante forêt tropicale. L'ensemble des serres permet de présenter quelque quinze mille espèces, qui sont réparties sur plus de 5 000 mètres carrés. Le jardin alpin, quant à lui, date de 1930.

LE PEUPLE DE PARIS AU JARDIN DU LUXEMBOURG

Le jardin du Luxembourg n'a qu'un rapport lointain avec celui dessiné pour Marie de Médicis en 1612 par Salomon de Brosse à l'imitation des jardins italiens. Ne subsistent guère que l'orangerie et la fontaine Médicis, dernier vestige d'une grotte à l'architecture typiquement florentine.

Gaston d'Orléans, le frère cadet de Louis XIII, hérite du domaine en 1642 et l'ouvre au public. Les premiers habitués sont des bourgeois du quartier, des ecclésiastiques, des gens de lettres et des bonnes d'enfants. On loue des chaises à une loueuse devant le palais afin de regarder confortablement défiler le « beau monde » qui, les dimanches et les jours de fête, se pavane dans les grandes allées.

À la Révolution, le palais du Luxembourg est transformé en manufacture puis en prison ; on cesse d'entretenir le jardin. En 1801, l'architecte Chalgrin reçoit pour mission de le remettre en état ; c'est alors qu'est ouverte la majestueuse perspective vers les jardins de l'Observatoire. Le lieu retrouve très vite son public et ses loueuses de chaises. Sa vocation populaire s'affirme au Second Empire : sur l'ancien jardin du couvent des Chartreux, on plante un verger-école, on ouvre un cours d'apiculture, on commande aux grands sculpteurs de l'époque les statues de reines de France afin de raconter l'histoire aux enfants du peuple ; en 1879, sur les plans de Charles Garnier, architecte de l'Opéra, on construit un kiosque à musique et un manège de chevaux de bois. La vocation populaire de ces jardins perdure aujourd'hui, avec les concerts programmés sous le kiosque, les deux cafés-glaciers, les six courts de tennis, les terrains de boules, de jeux de ballon, de longue paume et de croquet, les nombreux espaces ludiques réservés aux enfants, sans oublier le théâtre de marionnettes, les locations de bateaux, les promenades à dos de poney…

JARDIN FANTASTIQUE À MONCEAU

C'est de la folie (propriété à la campagne) voulue par le duc de Chartres en 1774 au village de Monceau qu'est né le parc Monceau. Son créateur et maître d'œuvre, le dessinateur Carmontelle, y imagina un jardin pittoresque dans un décor où règne l'illusion, propice à la fête et à l'amusement. Il subsiste plusieurs éléments de ce jardin fantastique, le plus important étant la naumachie, un bassin ovale évoquant ceux qui servaient aux joutes navales dans les cirques romains. La colonnade qui l'entoure et en accentue le côté « ruine antique » provient de l'abbaye de Saint-Denis.

En 1783 est inclus dans le jardin, à titre d'élément décoratif, l'un des pavillons d'octroi dont l'architecte Ledoux ornait le mur des fermiers généraux qui commençait d'enserrer Paris. Ce pavillon rond fait encore saillie sur le boulevard de Courcelles. Le jardin acquiert son aspect actuel sous le Second Empire : un parc à l'anglaise, enserré dans les hôtels particuliers que fit construire le financier Pereire, où s'ébat la bourgeoisie cossue du VIIIe arrondissement.

◁ △ **Le charme et la grâce des sculptures du parc Monceau.**

▽ **Deux lacs artificiels agrémentent le bois de Boulogne. Ici, le lac inférieur.**

△ **La roseraie du parc de Bagatelle fut créée par J.-C.-N. Forestier en 1905, quand la Ville de Paris devint propriétaire du domaine.**

▷ **De chaque côté du perron, une sphinge – femelle du sphinx – surveille l'entrée de la façade nord du château de Bagatelle.**

CRÉATIONS DU SECOND EMPIRE

Pour intégrer dans le tissu urbain les villages périphériques nouvellement annexés en 1860, le Second Empire entreprend à chacun des quatre points cardinaux une grande réalisation paysagée, à vocation esthétique certes, mais aussi hygiénique et sociale. Réconcilier les classes et canaliser la classe ouvrière étant les préoccupations primordiales des générations du XIXᵉ siècle, le jardin public est considéré comme un palliatif efficace des cabarets, où se contractent fièvre révolutionnaire et alcoolisme, et comme un traitement préventif contre la tuberculose.

Dès 1853, Napoléon III confie le soin de rénover Paris à Haussmann, qui s'adjoint deux de ses anciens collaborateurs bordelais, l'ingénieur Alphand, passionné par l'art des jardins, et un modeste paysagiste, Barillet-Deschamps. Les travaux commencent dès avant le rattachement officiel des communes à Paris.

HYDE PARK À PARIS

Le bois de Boulogne doit son nom au village de Boulogne, qui avait troqué son ancien nom de Menuz-les-Saint-Cloud contre celui de son église, nommée Notre-Dame-de-Boulogne-la-Petite, construite au XIXᵉ siècle sur le modèle du grand sanctuaire de pèlerinage de Boulogne-sur-Mer. Napoléon III voulut que ce parc, à l'image des jardins paysagers qu'il avait découverts lors de son exil en Angleterre, soit agencé autour de routes sinueuses desservant chalets, kiosques, restaurants, lacs, rochers et cascades. Longchamp et Bagatelle sont annexés au cours d'une seconde campagne de travaux.

En 1856, une enclave appelée le Pré-Catelan, concédée à un particulier, est aménagée en parc d'attractions : théâtre de marionnettes, antre de sorcier, atelier de photographe, brasseries, orchestres. La pièce maîtresse est le théâtre des Fleurs, dont l'avant-scène est de jasmin, les loges de chèvrefeuille, les parterres de violettes, et la scène garnie d'arbres, de roches, d'un pont et d'une grotte. Recréé en 1952, ce théâtre est devenu le jardin Shakespeare : avec ses plantes mentionnées dans l'œuvre théâtrale du poète, il restitue un peu de la magie anglaise d'antan.

Le bois de Vincennes, « la forêt du peuple » censée régénérer les mœurs, est conçu à l'imitation du bois de Boulogne, pour les classes populaires.

AU PAYS DE L'IMAGINAIRE

Le parc des Buttes-Chaumont est né d'un site escarpé, inculte et malodorant, les carrières de plâtre creusées pour la construction des immeubles parisiens et servant de dépôt d'ordures et de refuge à la pègre chassée du centre. Les concepteurs décident d'utiliser les accidents de terrain en les accentuant plutôt qu'en cherchant à les masquer et créent un décor alpestre d'une sauvage beauté dont le sommet, à 30 mètres, se reflète dans un grand lac paisible. Ils ouvrent

des grottes, construisent deux ponts, dont le seul nom donne le vertige : le pont des Suicidés et le Pont suspendu… Au sommet de la falaise, le temple de la Sibylle, prêtresse d'Apollon, domine le parc. Tout ce décor reprend les grands thèmes chers à la littérature médiévale, redevenue à la mode, où le preux chevalier perdu dans les Alpes cherche et trouve l'amour éternel… au prix de mille dangers. Qu'importe si l'ouvrier ne connaît pas la légende, cette mise en scène veut stimuler son imagination.

Pratique autant que poète, Alphand installe des réservoirs d'eau potable pour la ville et fait de la ligne de chemin de fer de la petite ceinture un élément décoratif – le chemin de fer n'est pas encore considéré comme une nuisance, et quantité de propriétaires sont ravis de voir leur terrain coupé en deux par des rails ! Le parc est inauguré en 1867 lors de l'Exposition universelle. Sa récente restauration – la végétation masquait une partie des points de vue – lui a restitué son aspect d'antan.

▽ **Le Parc floral de Paris, dans le bois de Vincennes.**

△ **Imité du temple de Tivoli, le temple de la Sibylle domine le parc des Buttes-Chaumont.**

◁ **C'est au parc Montsouris que fut tourné le film d'Agnès Varda *Cléo de 5 à 7*. Véritable jardin à l'anglaise, ce parc très boisé contient plusieurs arbres centenaires.**

▽ **Soigneusement tracé sur les contours d'une colline, le parc de la Butte-du-Chapeau-Rouge fut inauguré en 1939. Sa fontaine monumentale est surmontée d'une Ève, œuvre de Raymond Couvègnes (1938).**

Le parc Montsouris est une pâle réplique des Buttes-Chaumont. D'une vaste étendue inculte et déserte, entaillée par deux lignes de chemin de fer et couronnée en 1806 d'un obélisque servant de mire à la lunette méridienne de l'Observatoire, naquit, après la guerre de 1870, un jardin paysager auquel le lac ajoute un charme quelque peu artificiel.

JARDINS ARTS DÉCO

Les jardins de la mosquée sont conçus vers 1925 comme une série de petits enclos enserrés dans la mosaïque, alors très à la mode.

Très peu connus et fort peu fréquentés, les jardins de la cité universitaire, dans le sud de Paris, sont composés en 1922 dans l'esprit des cités-jardins par l'architecte Louis Azéma, associé à Forestier et Bechmann. Près de la Maison internationale, un enchaînement de séquences végétales et de dallages cubistes conduit au restaurant et au théâtre. Le jardin est planté de sept cents espèces d'arbres rapportées de toutes les régions du monde par le créateur de la cité, André Honorat. Il donne une unité à l'architecture particulièrement cosmopolite des pavillons, construits par chaque pays sans aucune directive d'ensemble.

Dans le nord de Paris, le parc de la Butte-du-Chapeau-Rouge, dessiné vers 1930 par Azéma et soigneusement entretenu depuis, a gardé toute la pureté de son style, avec sa décoration florale, son escalier d'eau dominé par deux groupes de statues de femme, ses abris... et même son chalet de nécessité.

R. COUVÈGNES

JARDINS-MUSÉES

Depuis la fin de la Seconde Guerre mondiale, le jardin public a des visées plus pédagogiques : là mise en valeur d'œuvres sculptées monumentales – c'est d'ailleurs là une tradition ancienne de l'art des jardins – ou de vestiges de monuments disparus est ainsi le moyen d'initier le citadin à l'art et à l'histoire de la ville. Un effort tout particulier a été déployé depuis 1968. Plusieurs squares qui, autour du musée Carnavalet, de l'église Saint-Germain-des-Prés ou des arènes de Lutèce, avaient servi d'asile à des vestiges de monuments disparus ont été réhabilités ; et les entassements plus ou moins recouverts de végétation grimpante qui composent au fil du temps des tableaux très romantiques incitent à la rêverie. Rénovés, les jardins de l'hôtel Biron forment l'écrin poétique des statues que Rodin y avait placées, à l'image des jardins d'hôtels particuliers du XVIIIe siècle. Aux Halles, les deux jardins réservés aux enfants sont gardés par les éléphants et les rhinocéros topiaires sculptés par Claude Lalanne. Ouvert en 1977 sur le quai Saint-Bernard, le jardin Tino-Rossi s'est fait en 1980 musée de sculpture en plein air de la Ville de Paris. Le patrimoine industriel n'est pas en reste avec le parc Georges-

Brassens, qui intègre des vestiges des anciens abattoirs de Vaugirard – les deux pavillons d'entrée, le beffroi, la halle aux chevaux, qui abrite en fin de semaine une foire aux livres anciens – et le parc de la Villette : 35 des 55 hectares dévolus autrefois aux abattoirs de la Villette y constituent, autour du canal de l'Ourcq, entre la cité des Sciences et de l'Industrie, la Grande Halle et la toute récente cité de la Musique, le plus grand parc de Paris. En 1978, en s'ouvrant au public à la suite d'une convention passée entre la compagnie des Filles de la Charité et la Ville de Paris, le jardin de Babylone a donné aux Parisiens un aperçu de cet autre patrimoine que constituent les jardins de couvent cachés derrière de hauts murs.

◁ Les Halles, 5 hectares de jardin au cœur de Paris.

▷ Au jardin de Babylone, l'ancien potager-verger des religieuses a conservé ses arbres fruitiers, à l'ombre d'une longue pergola.

▷ L'une des deux serres de verre au sommet du parc André-Citroën, placées de chaque côté du péristyle d'eau. Leur vocation dans le paysage est double : côté sud, elles encadrent majestueusement l'entrée principale, côté nord, elles ferment la perspective qui monte en pente douce depuis la Seine. À l'intérieur, une orangerie et un jardin méditerranéen exhalent leurs délicates senteurs.

▽ Le jardin de Babylone se distingue par ses arbres fruitiers en cordon, ses pelouses libres d'accès et ses « Ateliers verts », où l'on dévoile les mystères de la nature aux enfants.

DES SYMBOLES ET DES PLANTES

On venait il y a fort longtemps en bande prendre l'air de la campagne quai de Javel, regarder tourner la roue du moulin… Puis vinrent successivement une manufacture, où était fabriquée de l'eau de Javel, et des usines automobiles. Aujourd'hui, la nature a presque repris ses droits au parc André-Citroën, un jardin encore très minéral parce que très jeune, mais où tout est symbole. Le jardin Blanc, ouvert aux jeux et à la promenade, tire son nom du petit enclos de plantes vivaces aménagé au centre. Le jardin Noir, planté de végétaux aux coloris plus sombres, cascade sur des gradins conduisant à une placette bordée de soixante-quatre petits jets d'eau.

Deux serres de verre, un canal et de multiples fontaines, le jardin des Métamorphoses, six jardins dont la couleur dominante est associée à un métal, les jardins en mouvement et le jardin de roches composent le grand parc central.

Planté sur la dalle de béton qui recouvre les voies SNCF entre la gare Montparnasse et la gare de Vaugirard, entre deux austères rangées d'immeubles, le jardin Atlantique est tout autant d'avant-garde. Un magnifique jardin suspendu où trône une île météorologique, vaste pièce d'eau dont les jets imitent l'ondulation des vagues et où sont rassemblées les espèces originaires des pays qui s'étendent de part et d'autre de l'Atlantique.

Enfin, sur le tracé du chemin de fer qui reliait la place de la Bastille à la Varenne-Saint-Maur, une coulée verte suspendue à 9 mètres au-dessus de la chaussée fait alterner la végétation spontanée qui bordait les rails avec des plantations plus sophistiquées. Avec près de quatre cents parcs, jardins, squares et promenades, le patrimoine végétal de Paris est immense et 103 hectares de nouveaux jardins ont été aménagés depuis 1977. Ainsi pourrait-on encore dire, comme Boileau au XVIIe siècle, qu'à Paris, « sans sortir de la ville, on trouve la campagne ».

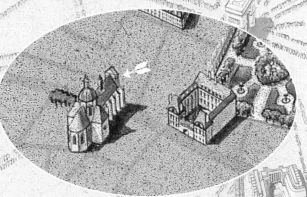

Église Saint-Paul-Saint-Louis

Hôpital Saint-Louis

Si le soleil jette ses flots de lumière sur cette face de Paris [...] ; si le ciel est d'azur, la terre frémissante, et si les cloches parlent, alors de là vous admirerez une de ces féeries éloquentes que l'imagination n'oublie jamais, dont vous serez idolâtre, affolé comme d'un merveilleux aspect de Naples, de Stamboul ou des Florides.

HONORÉ DE BALZAC, *la Femme de trente ans*

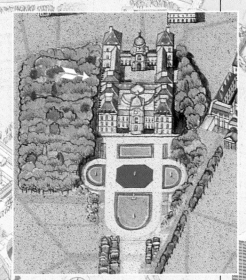

Palais du Luxembourg

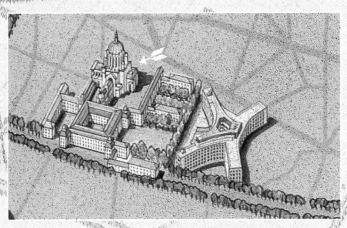

Abbaye du Val-de-Grâce

Place des Vosges

LA CAPITALE FLORISSANTE

Henri IV, Louis XIII et la régence d'Anne d'Autriche (1589-1661)

Au terme d'une série de sièges (1589-1594), Henri IV entre dans une ville dépeuplée, très éprouvée par la guerre civile et d'aspect encore médiéval. Commencent alors de longues années de paix et de prospérité, jusqu'aux troubles de la Fronde (1648-1652).

« Sitôt qu'il fut maître de Paris, on ne vit que maçons et besogne », note *le Mercure français* à propos de ce règne, durant lequel ont lieu les premières opérations d'urbanisme, programmées par le roi. Soucieux tant de moderniser et d'embellir la capitale que d'y affirmer sa puissance, Henri IV poursuit l'œuvre des derniers Valois, au Louvre et au Pont-Neuf, donnant pour la première fois à la Seine son rôle de grand axe urbain, et lance un programme d'espaces publics, promenades et places – place Dauphine, place Royale (des Vosges) –, où il impose une conception de la perspective et du site urbain, une géométrie et une unité de style qui donneront naissance à l'urbanisme classique.

Grands amateurs de bâtiment comme le roi Henri IV, la régente Marie de Médicis (1610-1624) et les ministres Richelieu (1624-1642) et Mazarin (1643-1660) se feront construire les somptueuses résidences du Luxembourg, du Palais-Royal et du palais Mazarin.

Si le souverain est le principal artisan de l'urbanisme dans la capitale, les spéculateurs sont ses partenaires avides. L'initiative privée atteint sa plus grande ampleur sous le règne personnel de Louis XIII (1624-1643), qui voit s'accélérer le mouvement de construction et la métamorphose de la ville. Dans les quartiers nouvellement lotis – le Marais, l'île Saint-Louis, le Pré-aux-Clercs (partie du faubourg Saint-Germain, entre l'abbaye Saint-Germain-des-Prés et la Seine), le quartier des Fossés-Jaunes ou quartier Richelieu –, éclosent une floraison d'hôtels nobles et bourgeois : aux jeux polychromes de la brique, de la pierre et de l'ardoise succèdent peu à peu les compositions dépouillées et rigoureuses de la seule pierre de taille. L'aménagement de l'hôtel parisien se perfectionne et son décor s'enrichit.

En cette période de renouveau catholique, le gothique survit dans la construction des églises, mais le fait dominant est l'apparition du dôme et du modèle italien, dit jésuite ou de la Contre-Réforme, ou encore baroque français. De nombreuses églises et fondations religieuses sont mises en chantier. La majestueuse abbaye du Val-de-Grâce, élevée pendant la régence d'Anne d'Autriche (1643-1661), est l'une des plus belles illustrations de ce style.

La capitale florissante

LOGER PRÈS DU PALAIS ▷

Place Dauphine (Ier)

Pour combler le bras d'eau qui séparait le jardin du Palais de justice du récent Pont-Neuf, un vaste terrain de 6 000 mètres carrés fut formé à la fin du XVIe siècle. En 1607, Henri IV le concède à Achille de Harlay, premier président du Parlement, afin d'y construire une place destinée « aux banquiers et marchands pour faire plus aisément leur commerce à la sortie du Palais ». Ses premiers habitants furent en effet des boutiquiers de la galerie du Palais, des gens de justice et des orfèvres.

C'est la topographie qui impose à la place Dauphine sa forme triangulaire, unique à Paris. Le roi détermine son programme architectural : trente-deux maisons à deux étages sur rez-de-chaussée à arcades, en brique à chaînage de pierre et couvertes d'un toit d'ardoise, ouvrant sur l'intérieur du triangle et sur le quai extérieur. L'aspect originel de cet ensemble, attribué à Louis Métezeau, a été considérablement modifié par des surélévations et par la démolition, en 1874, de la base du triangle afin de dégager la nouvelle façade du Palais de justice sur la rue de Harlay.

CONCERT POUR UNE INFANTE

Bien que l'espace quasi clos de la place la protégeât du trafic intense qui animait le pont, celle-ci fut aux premières loges des événements qui agitèrent à maintes reprises le Pont-Neuf, des émeutes des journées des Barricades de 1648 (26, 27 et 28 août), prémisses de la Fronde, à l'enrôlement tumultueux des cent vingt volontaires du bataillon du Pont-Neuf en 1792.

Le 26 août 1660, elle accueillit le cortège triomphal de Louis XIV et de l'infante Marie-Thérèse et reçut alors un extraordinaire décor éphémère conçu par Charles Le Brun : à l'entrée de la place, face au cheval de bronze d'Henri IV, un arc de triomphe coiffé d'un grand obélisque resplendissant de peintures en trompe-l'œil imitant l'or et le marbre blanc et orné de statues colossales ; au centre des maisons, brillamment pavoisées, un vaste amphithéâtre ovale où vingt-quatre violons jouèrent pour le roi et sa jeune épouse avant qu'ils ne reprennent leur route vers le Louvre, sous les ovations. « La reine dut se coucher assez contente du mari qu'elle a choisi », conclut, dans une lettre à une amie, la future Mme de Maintenon.

Les deux pavillons encadrant la petite rue Henri-Robert, au débouché de la place Dauphine vers le Pont-Neuf, sont les seuls exemples de maisons de la place qui ont conservé leur aspect originel.

À la jonction des deux parties du Pont-Neuf, Henri IV, caracolant sur son cheval de bronze, regarde vers l'entrée de la place Dauphine. Les quatre esclaves de bronze, œuvres de Pierre de Franqueville, qui ornaient le piédestal de la statue d'origine sont aujourd'hui au Louvre.

Les bouquinistes

Juchées sur les murets qui longent les quais de la Seine entre Saint-Michel et le Louvre, d'insolites boîtes vertes remplies de livres s'entre-bâillent par beau temps : ce sont les malles à trésors des bouquinistes. Prenant la suite des colporteurs du XVIIᵉ siècle, qui vendaient à la criée fascicules, abécédaires, chansons et périodiques et furent chassés par Mazarin, les bouquinistes bénéficient d'une autorisation de stationnement de la préfecture de police de Paris depuis 1859. Les places sont rares et convoitées : quelque deux cent cinquante concessions de 8 mètres de parapet le long des rives de la Seine, quais Saint-Michel, des Grands-Augustins et de Conti, quais du Louvre, de l'Hôtel-de-Ville, des Tournelles et Voltaire.
Le métier est dur. D'abord réservés aux pupilles de la Nation, aux veuves de guerre et aux handicapés, les emplacements, aujourd'hui accessibles sur dépôt de candidature à la Mairie de Paris, ne se valent pas tous. De plus, cette forme de vente en plein air est soumise aux aléas météorologiques. Le métier se trouve aussi menacé par la faiblesse des revenus qu'il procure. Quelques puristes pratiquent encore leur art avec conviction : ils guettent, depuis leurs fauteuils pliants, les amateurs de livres anciens et dégotent pour eux des éditions originales ou confidentielles ; mais nombreux sont ceux qui, pour augmenter leurs bénéfices, ont transformé ces boîtes à livres rares en tristes bazars de souvenirs parisiens…

« LE CŒUR BATTANT DE PARIS » ▽ ▷

Le Pont-Neuf (Iᵉʳ et VIᵉ)

« La belle structure du Pont-Neuf de notre ville. » Ainsi parle Montaigne du plus ancien pont subsistant à Paris, avec ses douze arches reposant sur des piles en éperon couronnées par des demi-lunes et sa corniche portée par des consoles et 381 mascarons grotesques.
Sa grande largeur et ses trottoirs – deux nouveautés – en font rapidement l'un des lieux de promenade favoris des Parisiens et « le cœur battant de Paris ». La foule pressée autour des échoppes attire des filous de toute espèce, tire-laine, crocheteurs et charlatans, parmi lesquels le duo célèbre de Tabarin et Mondor, Turlupin, Gautier Garguille, Gilles le Niais, le baron de Grattelard et l'arracheur de dents Grand Thomas, qui y officie, accompagné par un orchestre, de 1711 à 1754.

LE PREMIER PONT NON CONSTRUIT

C'est en 1578 qu'Henri III décide la construction du Pont-Neuf pour favoriser la communication entre le bourg Saint-Germain et le Louvre : deux ponts distincts se rejoignent sur le terre-plein central, situé à la pointe aval de l'île de la Cité.
Les travaux, sous la direction de Baptiste Androuet du Cerceau et de Pierre des Illes, puis de Guillaume Marchant, se poursuivirent pendant une trentaine d'années, interrompus entre 1588 et 1599 par les désordres politiques et les guerres de Religion.
Henri IV reprend le projet – il suit la construction de très près et cause une belle frayeur à son entourage en se hasardant dès juin 1603 sur les piles encore mal assurées –, qu'il achève en 1606. Et, innovation capitale, qui témoigne de la volonté du roi de créer un site exceptionnel complété par l'aménagement de la pointe et la construction de la place Dauphine, Henri IV refuse, pour préserver la perspective sur le Louvre, où de grands travaux étaient en cours, que soient érigées sur le pont les deux rangées de maisons initialement prévues, comme à l'ordinaire (on continuera pourtant à construire des ponts bordés de maisons jusqu'en 1635).
En 1602, l'ingénieur Lintlaër adosse au Pont-Neuf une pompe, dont les grands magasins de la Samaritaine pérennisent le nom, qui alimente en eau le Louvre et les Tuileries. Son carillon de vingt cloches et son jaquemart rythmèrent la vie parisienne jusqu'à la Révolution. Elle fut démolie en 1813.

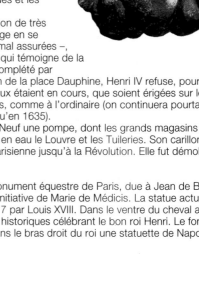

LE BON ROI HENRI

Une statue équestre d'Henri IV, le premier monument équestre de Paris, due à Jean de Bologne, est installée au centre du Pont-Neuf en 1614 à l'initiative de Marie de Médicis. La statue actuelle, œuvre de François Lemot, est inaugurée le 28 août 1817 par Louis XVIII. Dans le ventre du cheval avaient été insérés vingt-cinq médailles et trois ouvrages historiques célébrant le bon roi Henri. Le fondeur Mesnel, bonapartiste, se vanta d'avoir aussi caché dans le bras droit du roi une statuette de Napoléon.

La pointe de l'île de la Cité avec le Pont-Neuf et, en détail, l'un des mascarons du Pont-Neuf.

LE GRAND DESSEIN D'HENRI IV ◁ ▽

Palais du Louvre (musée du Louvre),
cour Napoléon (Iᵉʳ)

Les grands travaux du Louvre furent pour Henri IV le moyen d'affirmer son pouvoir et de prouver la bonne santé du royaume. Son « grand dessein » est de quadrupler la surface de la cour Carrée pour y loger les quelque 1 500 personnes de la cour et de relier le palais aux Tuileries. Dès 1594, Jacques II Androuet du Cerceau et Louis Métezeau achèvent à l'identique l'aile sud, commencée par Pierre Lescot. Puis la Petite Galerie est surélevée d'un étage (actuelle galerie d'Apollon) orné d'un riche décor sculpté. Dans son prolongement vient s'élever de 1595 à 1610 la somptueuse Grande Galerie, ou galerie du Bord-de-l'Eau, longue de 450 mètres, à trois niveaux scandés de pilastres cannelés et de cent quinze baies à fronton séparées par des niches abritant des statues. Le 1ᵉʳ janvier 1608, Henri IV peut enfin passer du Louvre au pavillon de Flore des Tuileries « en pantoufles » par cette « promenade » et « voir ce qui se passe sur la Seine ».
Henri IV a laissé son nom à l'escalier par lequel, au début de l'après-midi du 14 mai 1610, son corps ensanglanté par le couteau de Ravaillac fut ramené au palais. Le corps du seul roi décédé au Louvre resta exposé dix jours dans la salle des Cariatides, où tout Paris défila dans une oppressante atmosphère. Louis XIII, qui vécut dès 1617 plus à Versailles qu'au Louvre, se contenta de poursuivre la construction de la cour Carrée, qui ne présentait encore que deux façades, à l'ouest et au sud : de 1624 à 1643, Jacques Le Mercier édifia au nord une aile symétrique à celle de Lescot et de même style et, à l'est, le pavillon de l'Horloge, premier exemple du pavillon central en avant-corps reposant sur trois arcades, caractéristique de la période classique.

UNE CITÉ DES ARTISTES

L'entresol et l'étage de la Grande Galerie restèrent longtemps vides. C'est là que, quatre fois par an, se déroula jusqu'à Charles X la cérémonie du toucher des écrouelles. Le jeune dauphin, futur Louis XIII, y jouait et y fit courir un chameau qu'on lui avait offert ; Henri IV y exerçait ses chiens et y donna en 1606 une chasse au renard. En 1609, il y installa des logements et des ateliers pour les artistes et artisans qu'il employait, qui bénéficiaient d'un statut spécial leur permettant d'échapper aux contraintes des corporations. Charles Le Brun y fonda en 1648 l'Académie royale de peinture et de sculpture.

LES AMÉNAGEMENTS DES REINES

L'intérieur du Louvre manquait encore de confort. Lorsqu'elle arriva au Louvre, en 1601, Marie de Médicis, habituée au luxe de sa demeure florentine, pensa qu'on l'avait conduite, par raillerie, dans une demeure inhabitable ! Elle prit une part importante aux embellissements intérieurs, notamment à la décoration de la Petite Galerie, et se plut à surveiller l'aménagement des appartements de Louis XIII et d'Anne d'Autriche dans l'aile sud de la cour Carrée. En 1643, la régente Anne d'Autriche quittait avec ses deux fils ce chantier permanent pour le palais Cardinal, plus confortable, que Richelieu avait légué à Louis XIII. Inquiétée par la Fronde, elle devait revenir au Louvre en 1652 et se faire aménager par Le Vau, de 1655 à 1658, au rez-de-chaussée de la Petite Galerie, un appartement d'été : cinq salles dont le décor de peintures mythologiques de Romanelli et de stucs de Michel Anguier a été conservé.
LA CONSTRUCTION DU LOUVRE S'ÉTANT ÉTALÉE AU COURS DES SIÈCLES, VOIR AUSSI LES pp. 23, 62, 130, 220, 228, 269.

Le pavillon de l'Horloge, construit de 1624 à 1627 par Jacques Le Mercier.

La sobre façade construite par Le Vau sur la cour de la Reine, dite cour du Sphinx, à l'extrémité nord de la Petite Galerie.

Une frise délicate court tout au long du rez-de-chaussée de la Grande Galerie.

Ci-dessus, peinture anonyme du XVIIᵉ siècle conservée au Louvre, représentant le palais des Tuileries. Ci-contre, colonne baguée provenant du palais disparu.

LE PALAIS DES TUILERIES ◁ △

Jardins des Tuileries (Iᵉʳ)

Il ne reste du magnifique château commencé par Philibert De l'Orme pour Catherine de Médicis en 1564 au lieu-dit les Tuileries qu'un vaste jardin, les pavillons de Flore et de Marsan ainsi que des vestiges dispersés dans l'Europe entière. Le vestige le plus important se trouve au château de Ponta, en Corse. On peut en voir plusieurs dans Paris, et d'abord dans le jardin des Tuileries.

De l'Orme avait laissé son grandiose projet – cinq cours inscrites dans un quadrilatère de 188 mètres de long sur 118 de large – inachevé, mais il avait édifié dans le pavillon central un escalier suspendu sur voûte, qui fut considéré comme un chef-d'œuvre de la stéréotomie. Henri IV ne fit bâtir que l'une des deux longues ailes destinées à le réunir au Louvre, la Grande Galerie, la mort l'ayant empêché de construire la seconde, qui se fût élevée en bordure de la rue de Rivoli.

Louis XV puis Louis XVI habitèrent les Tuileries. Le palais semble alors voué à un destin tragique. Les troubles révolutionnaires y culminèrent avec la mise à sac du château par les émeutiers le 10 août 1792, le massacre des Suisses qui le gardaient et l'enfermement de la famille royale au Temple.

En juillet 1830, le peuple envahit à nouveau les Tuileries et en chasse Charles X. Le 24 février 1848, Louis-Philippe doit s'en échapper par un passage souterrain. Enfin, le 28 mars 1871, les insurgés de la Commune l'incendient. En décidant, en 1882, de faire raser les Tuileries, c'est le spectre de l'émeute populaire, du divorce entre les Parisiens et le pouvoir tout autant que le souvenir des fastes monarchiques que la République voulait exorciser.

La restauration des jardins des Tuileries

La réfection des jardins du Carrousel et des Tuileries (30 hectares) est l'œuvre de Pascal Cribier, Louis Bénech, François Roubaud et Jacques Wirtz. Elle s'intègre dans le projet du Grand Louvre et doit s'achever en 1997. Les jardins sont agencés selon la tradition des jardins classiques, en allant du peigné vers le sauvage : un parterre de végétaux taillés est suivi d'un autre, de taille plus libre, semé de fleurs et de gazon, pour mener aux tailles architecturées, puis au couvert, planté de grands arbres et troué de chambres de verdure.

La réhabilitation de la partie boisée suit la trame établie au XIXᵉ siècle : 7 000 nouveaux marronniers, résistants et âgés en moyenne de dix-sept ans, doivent remplacer les 1 600 marronniers, les 600 tilleuls et les 190 platanes rongés par les champignons, asphyxiés par un sol trop dense, affaiblis par la pollution. Une fois le sol aéré par des herses rotatives et les sujets dessouchés, les jeunes arbres sont installés dans des fosses remplies de terre acide empêchant la venue des champignons nocifs, et des drains permettent l'arrosage, l'apport de fumier, de compost…

LA PESTE VAINCUE ▽ ▷

Hôpital Saint-Louis, 2, place du Docteur-Alfred-Fournier (Xᵉ)

La lutte contre les épidémies fut toujours une préoccupation majeure à Paris. Jusqu'au début du XVIIᵉ siècle, les malades de la peste, fléau qui ne cesse de sévir, sont soignés à l'Hôtel-Dieu, en plein centre de la ville. Des mesures d'isolement draconiennes avaient cependant été prises dès le siècle précédent, lors d'épidémies particulièrement sévères : en 1580, on avait établi un village de tentes dans le faubourg Saint-Martin, quasiment désert, puis un camp de « loges » ou baraques en bois, gardé par des archers, dans la plaine de Grenelle. L'épidémie de 1606 détermine Henri IV à faire construire un hôpital spécialisé sur un emplacement choisi par Claude Vellefaux, architecte de l'Hôtel-Dieu, hors les murs, non loin du gibet de Montfaucon.

L'ISOLEMENT DES MALADES

Le plan, sans doute dû à Claude Chastillon, illustre une nouvelle volonté d'enfermement, en rupture avec la tradition hospitalière médiévale. Des bâtiments d'un étage aux grandes fenêtres étroites forment un vaste quadrilatère de 120 mètres de côté, entouré d'une allée de 40 mètres de large, elle-même enclose dans une enceinte, aujourd'hui disparue, aux angles de laquelle quatre pavillons isolés servaient de logement au personnel. Les immenses salles des malades se trouvaient à l'étage du quadrilatère, donc isolées du sol, et les communications se faisaient par quelques galeries à arcades. La jolie petite chapelle à façade classique, élevée à la limite du périmètre hospitalier, n'était accessible que de l'extérieur de l'hôpital. Il subsiste un autre beau bâtiment du XVIIᵉ siècle, légèrement excentré, où furent soignés Verlaine, Strindberg et Henri Murger.

UN MUSÉE TRÈS SPÉCIAL

C'est en 1801 que l'hôpital Saint-Louis fut affecté au traitement des maladies dermatologiques et vénériennes, qui allait devenir sa spécialité avec, plus tard, l'hématologie. Les docteurs Alibert, spécialiste de la gale, Ernest Bazin, qui étudia la teigne, Lailler, qui créa une école pour enfants teigneux, Jean-Alfred Fournier, syphiligraphe, en firent la renommée, ainsi que Devergie, qui fut à l'origine du célèbre musée de cires dermatologiques ouvert en 1889. Jules Baretta, autrefois fabricant de fruits en pâte colorée passage Jouffroy, prenait des moulages en creux des parties malades et des pathologies chirurgicales directement sur les patients. Des milliers de moulages furent ainsi effectués et mis en vitrine. Dangereux métier : le maître cirier Charles Lumelin mourut, rapporte-t-on, « pour s'être mouché par erreur dans le linge dont il avait enveloppé le foie fraîchement prélevé d'un malade ».

L'architecture de brique et de pierre du quadrilatère de l'hôpital Saint-Louis est caractéristique du début du XVIIᵉ siècle.

Au centre du quadrilatère, le parterre en forme de croix de Malte rappelle l'ordre des chevaliers de Malte, qui se vouaient au soin des lépreux.

L'Assistance publique

L'administration des secours publics à Paris est née avec l'Hôtel-Dieu – type de l'hôpital-hospice accueillant dans un entassement indifférencié orphelins, vieillards, pauvres, malades ou prostituées –, dont la tradition fait remonter les origines à saint Landry vers 654. En 1544, François Iᵉʳ crée le Grand Bureau des pauvres, qui, sous la houlette de l'administration minicipale, est chargé de l'assistance à domicile. Louis XIV fonde en 1656 l'Hôpital général, ensemble d'hospices et de lieux de détention pour les indigents, dont il confie la gestion au parlement de Paris. La Révolution a supprimé ces institutions, remplacées en 1801 par un

conseil général des hospices présidé par le préfet de la Seine, tandis qu'est institué le concours de l'internat. La loi du 10 janvier 1849 crée l'Administration générale de l'Assistance publique, avec un directeur à sa tête. Son budget a bondi de 4 millions de francs en 1802 à 50 millions en 1900. Depuis 1961, une série de réformes administratives a enlevé à l'Assistance publique sa fonction d'assistance aux plus démunis, confiée aux bureaux d'aide sociale, mais lui a rattaché tous les hôpitaux publics de Paris et d'Île-de-France, soit quarante-neuf établissements et les trois quarts des cinquante-huit mille lits de la région.

ÉGLISE DES PETITS-AUGUSTINS ▷

École nationale supérieure des beaux-arts,
14, rue Bonaparte (VIᵉ)

🔒 Mécontente des augustins italiens qui desservaient son oratoire particulier (la chapelle des Louanges, voir ci-dessous), la reine Marguerite de Valois, première femme d'Henri IV, les remplace en 1613 par des augustins réformés de la congrégation de Bourges, dits petits augustins. Elle leur donne un vaste terrain en bordure de l'actuelle rue Bonaparte et promet de faire construire une église et un couvent. Mais elle meurt en 1615, les travaux à peine entamés. C'est la reine Anne d'Autriche qui pose, en 1617, la première pierre d'une église à nef unique, construite contre la chapelle des Louanges, avec laquelle elle communique. En 1791, l'église et le couvent sont utilisés par Alexandre Lenoir pour abriter les œuvres d'art qu'il parvient à soustraire au vandalisme révolutionnaire. En 1795, le dépôt des Petits-Augustins devient le musée des Monuments français ; à la fermeture du musée, en 1816, les locaux sont affectés à l'École des beaux-arts. Il ne reste que trois arcades du cloître, dans la cour dite du Mûrier, mais l'église subsiste, la façade cachée par l'avant-corps central du château d'Anet, construit par Philibert De l'Orme au milieu du XVIᵉ siècle et acheté par Lenoir au moment de la vente du château comme bien national.

VOIR AUSSI LE PALAIS DES ÉTUDES, p. 250 ET LA COUR COUVERTE, p. 288.

La nef de l'église conventuelle des Petits-Augustins abrite aujourd'hui un dépôt de moulages.

À LA BONNE EAU ! △

Enseigne, 122, rue Mouffetard (Vᵉ)

En 1592, Pierre Dupuy, marchand de vin, s'installe rue Mouffetard et donne pour enseigne à sa boutique un joli bas-relief en pierre peinte, protégé par un auvent, représentant un puits et deux puiseurs d'eau en costume Henri IV. Simple rébus ou subtile invitation à préférer le vin à l'eau fangeuse captée à 10 mètres de profondeur que fournissaient alors les puits parisiens, à peine plus saine que celle du grand collecteur (ou égout en plein air) ? Cette enseigne, que l'on appelle toujours « À la bonne eau » ou « À la bonne source », est l'une des rares enseignes parisiennes toujours en place. On en trouve un autre exemple, plus tardif, l'enseigne du Vieux Chêne, au numéro 69 de la même rue.

LES DÉVOTIONS DE MARGUERITE DE VALOIS ▷

Chapelle des Louanges, École nationale supérieure des beaux-arts, 14, rue Bonaparte (VIᵉ)

🔒 Exilée par son frère Henri III en 1587 pour conduite indécente, séparée d'Henri IV depuis 1599, Marguerite de Valois revient à Paris en 1604, réside quelque temps à l'hôtel de Sens puis s'établit dans le faubourg Saint-Germain. Elle y acquiert un immense domaine – loti après sa mort, en 1615, il donnera naissance au « noble faubourg » –, et se fait construire un magnifique hôtel à l'entrée de la rue de Seine, où elle mène une existence dévote, entendant la messe trois fois par jour… sans renoncer toutefois à ses coutumières aventures amoureuses, au grand dam de son confesseur. En 1608, elle fait construire dans le parc un oratoire desservi par des augustins déchaux d'origine italienne qui y chantent nuit et jour les louanges du Seigneur. Cette petite chapelle hexagonale, œuvre de Jean Autissier, constitue une étape capitale dans l'histoire de l'architecture parisienne : elle est coiffée du premier dôme élevé à Paris, de taille modeste et de conception encore rudimentaire, mais dont la technique ne cessera de se perfectionner jusqu'aux grands dômes de l'âge classique.

VOIR AUSSI LE PALAIS DES ÉTUDES, p. 250 ET LA COUR COUVERTE, p. 288.

Le dôme de la chapelle des Louanges, niché au cœur des bâtiments de l'École des beaux-arts.

LA PLACE DES VOSGES

(IVe arrondissement)

C'est un magnifique carrousel, donné du 5 au 7 avril 1612 en l'honneur des mariages de Louis XIII avec Anne d'Autriche et d'Élisabeth de France, sœur du roi, avec le futur Philippe IV d'Espagne, qui inaugure la toute nouvelle place qu'Henri IV a nommée place Royale. Des cortèges de pages, d'estafiers, de cavaliers vêtus de couleurs chatoyantes défilèrent devant les tribunes sur des montures caparaçonnées d'or et d'argent, conduits par des trompettes à cheval et précédant des chariots de triomphe. Les gentilshommes rivalisèrent à la quintaine, coururent la bague et rompirent en lice dans les jeux du « roman des Chevaliers de la gloire » et du « camp de la place Royale ». La fête culmina avec la prise d'un château de bois – le palais de la Félicité –, une retraite aux flambeaux accompagnée de mousquetades et des canons de la Bastille, et un grand feu d'artifice.

LE PROJET D'HENRI IV

La place Royale occupe l'emplacement de l'hôtel royal des Tournelles, rasé en 1559 après le tournoi fatal où périt Henri II. En 1604, Henri IV y a installé une manufacture « de soye, or et argent filés à la façon de Milan », qui a périclité. En 1605, il décide alors la construction d'une vaste place ordonnancée, dont il détermine avec Sully, voyer de Paris, le dessin d'ensemble : sur un quadrilatère de 140 mètres de côté, dont trois côtés comporteraient une galerie d'arcades marchandes, se succéderaient des pavillons identiques (des concessions furent données à cet effet à des particuliers), le roi se réservant le côté sud (le côté nord sera complété en 1608-1609). Ainsi la nouvelle place « serait à la fois un promenoir pour les habitants de Paris qui sont fort pressés en leurs maisons… et un lieu de réjouissances quand il se fait de grandes assemblées ».
Au XVIIe siècle, la place Royale est simplement appelée la Place ; elle sera baptisée place des Vosges en 1800, en l'honneur du département qui fut le premier à payer contribution.

UN FOYER DU BEL ESPRIT

Proche de la grande rue Saint-Antoine, mais à l'écart de l'agitation, la place Royale devient le séjour d'élection de la noblesse et de la riche bourgeoisie, le cœur du Marais, le foyer du bel esprit et de la galanterie. Ainsi la plupart de ses pavillons sont-ils hantés par les grandes familles qui les ont habités. Mme de Sévigné naquit en 1626 au numéro 1 *bis*, demeure de son grand-

« Au centre de la place, un feuillage tremblant
Laissait à demi voir un grand fantôme blanc ;
C'était un cavalier de marbre. »
Ainsi Victor Hugo décrivait-il la statue équestre
de Louis XIII, au centre de la place des Vosges.

Ci-dessus, posé en agrafe sur l'arcade centrale du pavillon de la Reine, le soleil, emblème des Médicis. Ci-contre, les galeries voûtées de la place.

père, Philippe de Coulanges, où vécurent ensuite les Noailles. Marion de Lorme aurait mené commerce galant au numéro 11. Des précieuses y tenaient ruelle : Mme de Blérancourt au numéro 26, Mme de Sablé au numéro 5 (hôtel de Rotrou), Galatée, bru du maréchal de Saint-Géran, au numéro 24 et Galinte, princesse de Rohan-Guéménė, au numéro 6 (hôtel de Chaulnes), où Victor Hugo habita de 1832 à 1848 et qui est devenu le musée Victor-Hugo.

LE PARANGON DES PLACES ROYALES

Le plan de la place serait dû à Claude Chastillon, celui des pavillons à Louis Métezeau ou à Jacques Androuet du Cerceau. L'architecture de brique rose à chaînages de pierre blanche atteint ici sa forme la plus achevée. La place forme un carré de trente-sept pavillons presque identiques, de deux étages de haut et de quatre travées de large chacun, reposant sur quatre arcades en plein cintre et coiffés de hauts toits d'ardoise. Plus élevés, les pavillons dits du Roi – les rois en furent propriétaires jusqu'à la fin de l'Ancien Régime mais n'y habitèrent jamais – et de la Reine (appelé ainsi pour la symétrie) se détachent au centre des côtés sud et nord.
Cette ordonnance régulière programmée, sur plan quasiment fermé, était chose nouvelle à Paris. En 1639, Richelieu installe au centre de la place une statue équestre en bronze doré de Louis le Juste (Louis XIII), renversée à la Révolution et remplacée en 1829 par une œuvre en pierre de Cortot et Dupaty. Il fixe ainsi le modèle de la place royale du Grand Siècle, de plan géométrique et d'élévation régulière, conçue dès l'origine pour servir de cadre à la statue du roi.
Le jardin, créé sous Louis XIV à l'usage des riverains, fut entouré de grilles de fer forgé en 1682, planté de tilleuls en 1783, doté de fontaines et de nouvelles grilles en 1838, converti en jardin public en 1905. Il n'est pas l'un des moindres charmes de cette place, négligée aux XVIIIe et XIXe siècles, mais redevenue l'un des « promenoirs » favoris des Parisiens du XXe siècle.

Champ clos pour motif d'honneur

La place Royale, vaste esplanade sablée bordée de maisons appartenant aux plus grandes familles, était le lieu idéal pour vider les querelles sous les yeux d'un public aristocratique. En 1614, Philippe de Hurault, le marquis de Rouillac et leurs seconds s'y battirent l'épée dans une main, le flambeau dans l'autre. Il n'y eut qu'un rescapé. Le 12 mai 1627, en plein midi, le comte de Montmorency-Bouteville y livre son vingt-troisième duel en affrontant Bussy d'Amboise. Il parvient à s'enfuir avec son second, des Chapelles, mais il sera rattrapé et décapité peu après en place de Grève. Car les duellistes sont passibles de mort depuis 1547 : Henri II, après la mort de son favori, La Châtaigneraie, lors d'un duel célèbre avec Jarnac, que son coup rendit immortel, déclara en effet les duellistes coupables de lèse-majesté. Les duels n'en ont pas moins continué dans une demi-clandestinité…
En 1643 encore, Henri II de Guise et Maurice de Coligny réglaient par les armes, sur la place Royale, les comptes de la Saint-Barthelémy. La duchesse de Longueville observait la rencontre des fenêtres de l'hôtel de Marguerite de Béthune, fille de Sully, au numéro 18.

Dix ans plus tard, *le Cid*, de Corneille, ravivera la question du duel. Plus timorée que la noblesse, la bourgeoisie a cependant renoncé au duel, mais quelques personnages pointilleux y ont eu recours récemment : le chorégraphe Serge Lifar a affronté le marquis de Cuevas et, en dernier lieu, ce sont les députés Gaston Defferre et René Ribière qui ont réglé leur différend par les armes, le 21 avril 1967.

La capitale florissante

MARIE DE MÉDICIS AU PALAIS DU LUXEMBOURG ▽ ▷

Actuel siège du Sénat, 15, rue de Vaugirard (VIᵉ)

🔒 À la majorité de Louis XIII, la reine mère, Marie de Médicis, décide de quitter le Louvre et de se faire construire à côté du Petit-Luxembourg un palais qui lui rappelle le palais Pitti de sa jeunesse. Dès 1611 elle a dépêché à Florence l'architecte Métezeau pour effectuer des relevés de son plan et de ses façades. Les travaux sont confiés à Salomon de Brosse en 1615.

UN CHÂTEAU FRANÇAIS ITALIANISÉ

À la manière italienne, le Luxembourg s'offre vigoureusement au regard des passants, avec ses six puissants pavillons d'angle et son monumental corps d'entrée surmonté d'un tambour octogonal orné de statues et d'un dôme. Les bossages recouvrant murs et colonnes sont directement empruntés au palais Pitti, ainsi que la superposition rustique des ordres toscan, dorique et ionique. Le plan entre cour et jardin, que de Brosse reprend de ses châteaux d'Île-de-France, est cependant typiquement français, avec son corps de logis principal encadré d'ailes basses, pourvu en son centre d'un avant-corps, lui aussi couronné d'un dôme, renfermant le grand escalier et la chapelle.

Fidèle à la tradition de mécénat des Médicis, Marie fait appel à des artistes italiens et flamands pour la décoration intérieure. Il n'en reste quasiment rien. La célèbre série des vingt-quatre tableaux exécutés par Rubens entre 1622 et 1625 pour la « galerie de la vie de Marie de Médicis », autrefois sise dans l'aile est de la cour d'honneur, est maintenant conservée au Louvre. Sur les 8 hectares du domaine du Luxembourg, Jacques Boyceau créa un vaste jardin sur le modèle du jardin Boboli du palais Pitti, avec des allées rectilignes plantées d'ormes et agrémentées de terrasses, de balustres de marbre, statues, rocailles et jeux d'eau. La fontaine Médicis est à l'origine une grotte dessinée par Alexandre Francine, ornée de congélations et de sculptures, dont les figures de la Saône et du Rhône, sculptées par Biard ; elle fut mise en eau et déplacée au XIXᵉ siècle. En 1866, le sculpteur Ottin l'a ornée d'un Polyphème surprenant Acis et Galatée.

LA JOURNÉE DES DUPES

Marie s'installe en 1625 dans son palais encore inachevé. De Brosse meurt en 1626, et le Luxembourg est terminé en 1630 par Jacques Le Mercier. La reine n'en profita guère. Depuis longtemps, elle s'opposait à son ancien protégé, Richelieu, sur des questions d'alliances étrangères. En juillet 1630, elle avait pressé le roi, gravement malade, de le renvoyer et, se croyant mourant, Louis XIII n'avait pas refusé. Le 10 novembre 1630 au matin, Marie reçut son fils à sa toilette, dans son cabinet du Luxembourg, et le somma violemment de tenir ses engagements. Alerté, Richelieu accourut. La reine déversa sur lui, nous dit Saint-Simon, « les injures très assénées d'ingrat, de fourbe, de perfide et autres gentillesses ». Louis XIII partit aussitôt pour son rendez-vous de chasse de Versailles, où il convoqua Richelieu dans l'après-midi, tandis que les courtisans affluaient au Luxembourg autour de la présumée triomphatrice, prêts à se partager les charges. Mais, le lendemain, le roi rendit toute sa confiance à son ministre. Le Luxembourg se vida. Peu après, Marie de Médicis prenait le chemin de l'exil.

VOIR AUSSI LA SALLE DES SÉANCES DU SÉNAT, p. 244, ET LA GALERIE DU TRÔNE, p. 270.

Ci-dessus, la fontaine Médicis.
Ci-contre, l'Attribution de la régence, tableau de Rubens conservé au Louvre.
Ci-dessous, façade sur jardin du palais du Luxembourg, reconstruite en 1835 par Alphonse de Gisors, à l'imitation de celle de Salomon de Brosse.

L'HÔTEL DU FINANCIER ▷
D'ALMÉRAS
30, rue des Francs-Bourgeois (IIIe)

🔓 L'acquisition par Pierre d'Alméras, en 1611, d'un vaste terrain sur la rue des Francs-Bourgeois déplut fort au sieur Bourgouin, auteur en 1618 d'une *Facile démonstration des grands larcins des financiers* : « Le sieur Almeras, ci-devant trésorier des Ligues, lequel ayant mené les mains à tort et à travers et profité audit office tout son saoul (si de telles gens se peuvent rassasier), s'est mis à bâtir, à acquérir… Et où est-il logé ?… en la rue des Francs-Bourgeois ! Oh, on ne la nomme plus ainsi, c'est la rue des Francs-Larrons, c'est la rue du Charron-d'Or… Financiers, grands dépensiers, Financiers, grands berlandiers [gaspilleurs]. »

SERVITEUR DE L'ÉTAT

D'Alméras, qui avait fait partie sous Henri IV d'un cercle de grands seigneurs, était alors conseiller et secrétaire du roi. Il ne s'est pourtant pas contenté de faire fortune, puisque, ayant acheté en 1615 pour 400 000 livres la charge de contrôleur général des Postes et Relais, il améliora le service public de la poste aux lettres, créé par Henri IV, en établissant la fixité des itinéraires, des horaires et des tarifs.
On doit l'hôtel d'Alméras au célèbre architecte Louis Métezeau, dont c'est la première œuvre à destination privée connue dans la capitale. Achevé en 1613, c'est l'un des rares exemples conservés à Paris de construction privée en brique et pierre et l'un des plus harmonieux. Il se signale par son portail de grandes dimensions, de style maniériste, couronné par un curieux fronton percé d'une niche.

Le portail de l'hôtel d'Alméras est un portail d'apparat où s'imbriquent tous les éléments du registre décoratif du début du XVIIe siècle.

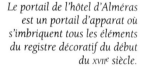

Faire le guignol au Luxembourg

C'est en 1933 qu'un comédien, clown et prestidigitateur, Robert Desarthis, décide d'implanter en plein cœur de Paris la tradition lyonnaise du guignol. Les observateurs ne donnent pas cher de la tentative. Il faut dire que Robert Desarthis voit grand : un théâtre en dur pour jouer hiver comme été devant trois cents jeunes spectateurs. Le guignol du Luxembourg, éloigné du personnage des origines et de son goût pour la contestation politique, vise un public jeune. Le marionnettiste adapte donc les contes de fées les plus célèbres – *le Chat botté, Cendrillon* et bien d'autres – et introduit dans chacune de ces intrigues Guignol, Gnafron et le gendarme.
Le succès ne se fait pas attendre, si bien qu'aujourd'hui le fils du fondateur, Francis Claude Desarthis, possède un répertoire de deux cents pièces, dont quatre-vingts sont jouées régulièrement dans des décors dignes d'un théâtre d'opérette miniature. Trois mille marionnettes ont été créées depuis les origines, et chaque spectacle mobilise de trois à dix marionnettistes. Il faut deux ans pour faire naître un nouveau spectacle dans ce que tout le monde surnomme aujourd'hui le Châtelet de la marionnette.

Avec 4 360 mètres, c'est la plus longue rue de Paris. Elle suit le tracé d'une voie romaine reliant Lutèce à Dreux et provient de la fusion, en 1868, de la rue de Vaugirard située intra-muros avec la grande rue de la commune de Vaugirard au-delà du mur des Fermiers-Généraux. Elle naît porte de Versailles, dans le Paris longtemps populaire des habitations à bon marché, copies d'immeubles haussmanniens début de siècle construites en des matériaux moins nobles, comme la brique. Cette partie du XVe arrondissement est aujourd'hui recherchée des classes moyenne et supérieure.

En remontant cette voie, le promeneur ne remarque aucun bâtiment exceptionnel. Et pourtant ce quartier ne se quitte pas facilement. Il a une ambiance, un caractère. L'ancien village de Vaugirard se distingue encore de ses voisins. Des commerces nombreux et populaires y subsistent et contribuent à la vie de quartier. Ensuite la voie se resserre, passe le boulevard Pasteur et se fait plus triste en longeant les murs de l'hôpital Necker. Après avoir traversé le boulevard Montparnasse, la rue de Vaugirard pénètre alors dans le quartier plus feutré du VIe arrondissement. Les commerces d'alimentation cèdent la place aux encadreurs, aux libraires d'occasion, aux galeries d'art. La rue se resserre à nouveau et retrouve la taille des voies les plus anciennes de Paris. De temps en temps, un hôtel particulier, puis c'est l'immense Luxembourg, sur la droite. Enfin, Vaugirard s'achève dans le classicisme pierre de taille, juste en face de la place de la Sorbonne.

LA CONTRE-RÉFORME À PARIS △
Église Saint-Joseph-des-Carmes et couvent des Carmes (actuel Institut catholique), 70, rue de Vaugirard (VIe)

Sur la coupole et les pendentifs, une fresque retrace la vie d'Élie, patron des Carmes.

Les premiers carmes déchaux (ou déchaussés, qui suivent la règle réformée par Thérèse d'Avila), venus de Gênes, s'établissent rue de Vaugirard en 1611. Ils apportent deux spécialités, dont le couvent, édifié en 1613-1616, fait commerce : le blanc des Carmes (une peinture blanche très lumineuse, dont les bâtiments étaient revêtus) et l'eau de mélisse. Mais, surtout, avec la chapelle Saint-Joseph, ils introduisent à Paris le style dit de la Contre-Réforme (ou jésuite, parce que inspiré de l'église du Gesù à Rome), en le simplifiant pour obéir au vœu de modestie de l'ordre : façade à deux niveaux, avec pilastres, frontons et ailerons – la première de ce type à Paris –, nef unique voûtée en berceau et bordée de chapelles, dont la plupart ont gardé leur décor du XVIIe siècle, telle la chapelle aux anges musiciens peints par Simon Vouet. La tour de croisée, à coupole et dôme, est également la première à Paris ; encore étriqué, le dôme, de bois et de plâtre, est en revanche le deuxième exemple de dôme à l'italienne après la petite coupole de la chapelle de Marguerite de Valois, à l'École des beaux-arts.

MASSACRE DE PRÊTRES RÉFRACTAIRES
Gravée au pied de l'escalier dit des Martyrs, l'inscription *Hic ceciderunt* (« C'est ici qu'ils tombèrent ») perpétue, ainsi que la chambre des Épées, dont les murs conservent la marque de trois épées ensanglantées, le souvenir des tragiques massacres de la Révolution. Le 2 septembre 1792, à 4 heures de l'après-midi, les septembriseurs envahissent le couvent où sont emprisonnés cent soixante prêtres réfractaires. Après un simulacre de jugement, cent quinze d'entre eux sont sommairement exécutés. Les corps, jetés dans un puits, furent retrouvés en 1853 et déposés dans l'ossuaire de la crypte de l'église.

UN HAUT LIEU INTELLECTUEL CATHOLIQUE
L'École des hautes études ecclésiastiques, futur Institut catholique, fut créée en 1845 dans les anciens bâtiments des Carmes pour faire pièce à l'enseignement universitaire laïque, alors vigoureusement anticatholique. Henri Lacordaire, qui rétablit l'ordre dominicain en France en 1849 – il y était interdit depuis Napoléon –, y installa un couvent de frères prêcheurs. Et Frédéric Ozanam, autre artisan du renouveau catholique du XIXe siècle, fondateur en 1833 de la Conférence Saint-Vincent-de-Paul, association caritative d'étudiants chrétiens, repose, selon ses vœux, dans la crypte, « au milieu de la jeunesse studieuse ».

L'une des sept clés de voûte richement historiées du transept.

ÉGLISE SAINT-LAURENT △
68, boulevard de Magenta (Xe)

La construction de nombreuses églises entreprise aux XVe et XVIe siècles se poursuit après les guerres de Religion. Antoine le Pautre, architecte de Saint-Laurent, dote l'église d'une façade de style jésuite en 1621 (détruite) et remanie le chœur dans le goût classique. Mais le gothique persiste : la nef et le transept, achevés en 1659, sont voûtés d'ogives et reçoivent de splendides clés pendantes du plus pur flamboyant.

VOIR AUSSI LE CHŒUR, p. 41.

Le mystère de l'hôtel de Chalons-Luxembourg ▷

Actuel Institut d'histoire de Paris, 26, rue Geoffroy-l'Asnier (IVe)

Cet hôtel possède l'un des plus saisissants portails du Marais, aux vantaux richement sculptés et pourvus d'élégants heurtoirs ciselés ornés de chevaux marins. Sous une large guirlande en arcade, soutenue par des pilastres ioniques, un mufle de lion, au centre d'une coquille évasée, tient le cartouche qui porte le nom de l'hôtel. Celui-ci reste pour partie une énigme. On sait qu'il fut bâti vers 1626, par un architecte inconnu, peut-être Jean Thiriot, pour Guillaume Perrochel, auditeur à la Chambre des comptes, et sa femme Françoise Buisson, dont le monogramme figure sur la façade, et qu'il fut vendu en 1658 à Marie Amelot, épouse de Charles de Béon-Luxembourg. Mais on ignore d'où provient le nom de Chalons (ou Châlon), pourtant gravé sur le cartouche avec celui de Luxembourg dès 1659. L'hôtel est curieusement composé de deux corps de logis accolés, surmontés chacun d'un haut comble d'ardoise percé de lucarnes en chapeau de gendarme. Les façades sont animées de masques et de tables de pierre saillantes sur des pans de brique. Il s'agit d'un emploi tardif, car la combinaison de brique et de pierre commence à se raréfier à partir de 1620. Gabriele D'Annunzio, exilé d'Italie, y habita d'octobre 1914 à mai 1915.

Une île neuve pour Paris ▽

Pont Marie (IVe)

En 1613, l'entrepreneur Christophe Marie soumet à Richelieu un projet de réunification de deux îlots appartenant au chapitre de Notre-Dame, l'île Notre-Dame et l'île aux Vaches, pour former la future île Saint-Louis, et propose de construire, à ses frais, moyennant les droits de péage et tous les bénéfices du lotissement, un pont tout en pierre la reliant aux quais des Ormes (des Célestins) et de la Tournelle. Ce sera l'une des plus importantes opérations d'urbanisme de l'époque.

La première pierre du pont est posée par le jeune Louis XIII le 11 octobre 1614. Marie s'associe avec Lugles Poulletier, commissaire des guerres, et François Le Regrattier, trésorier du régiment des cent-suisses. Mais la mort de ce dernier, les dettes, les procès et les brouilles ruinent les deux associés restants et retardent les travaux. D'autant que les chanoines de Notre-Dame, n'ayant pas été dédommagés, tentent d'empêcher l'entreprise par tous les moyens, allant jusqu'à publier une *Remontrance du chapitre refusant de consentir à l'aliénation des Îles comme chose préjudiciable à la commodité publique*, nourrie d'arguments bibliques, puis s'opposent à la construction de maisons sur le pont au prétexte qu'elles risquent de gêner la circulation de l'air vers l'Hôtel-Dieu !

Achevé en 1635, le pont est pourtant couvert – rentabilité oblige – de cinquante maisons identiques. Dans la nuit du 1er mars 1658, vingt-deux d'entre elles sont emportées, avec deux arches du pont, par une effroyable inondation qui cause en outre la mort de cent vingt personnes. Elles ne furent jamais reconstruites, mais les dernières maisons ne disparurent qu'en 1786.

La façade sur jardin de l'hôtel de Chalons, avec ses deux petites ailes en retour, et le portail, d'allure quasi baroque.

Les puissants rostres, surmontés de niches, du pont Marie.

LE FIEF DES COUPERIN ◁ Δ

Église Saint-Gervais-Saint-Protais, place Saint-Gervais (IVe)

Pendant près d'un siècle, la dynastie des Couperin attira les amateurs autour du grand orgue de l'église Saint-Gervais-Saint-Protais (1628), encore visible au revers de la façade. Après son oncle Louis et son père Charles, François, le Grand Couperin, en fut titulaire de 1685 à 1723 et y composa notamment ses deux messes. Il naquit à deux pas de là, dans une maison datant du XVe siècle. Reconstruite en 1732, la demeure des Couperin existe toujours, au 2-4, rue François-Miron.

LE PREMIER PORTAIL DE STYLE CLASSIQUE

C'est le portail de l'église (1616-1621) qui fait sa principale renommée au XVIIe siècle. Refusant le mélange des styles qui caractérise la façade de Saint-Étienne-du-Mont, l'architecte Salomon de Brosse a adopté un parti délibérément nouveau en s'inspirant d'un élément d'architecture civile, la façade du château d'Anet par Philibert De l'Orme. Ainsi fut-il l'initiateur du premier portail de style classique parisien. Un parti qui contrastait avec la nef, édifiée à la même époque (1620) dans le style gothique flamboyant. Appuyée sur la dernière travée arrondie de la nef, la façade superpose sur les trois étages de sa travée centrale les trois ordres antiques – dorique, ionique et corinthien – et deux frontons, l'un triangulaire et l'autre curviligne. Les colonnes redoublées, non porteuses, et les pilastres encadrent de grandes baies cintrées. Cette composition fut accueillie avec enthousiasme par les contemporains et citée comme modèle dans tous les recueils d'architecture. VOIR AUSSI LE CHEVET ET LES VITRAUX RENAISSANCE, p. 52.

Ci-contre, la façade de l'église. Ci-dessus, la curieuse chapelle Dorée, en forme de tombeau, construite en 1628 pour le conseiller d'État Antoine Goussault ; une série de petits tableaux de style flamand y représentent la vie et la passion du Christ.

Les compagnons du Devoir

Si la légende fait remonter le compagnonnage à la construction du temple de Jérusalem, la tradition historique en situe les origines aux grands chantiers des cathédrales médiévales. En garantissant une forme de solidarité dans un monde du travail difficile, ces associations d'ouvriers se sont affirmées comme une forme d'assurance mutuelle, une école d'instruction professionnelle et de morale.

Après une période de probation, où il doit faire ses preuves tant sur le chantier, à l'usine, à l'atelier que dans sa vie communautaire, le candidat devient aspirant au cours d'un rituel d'initiation. Pour devenir compagnon, il doit effectuer un tour de France, qui s'accomplit au hasard des opportunités d'embauche. À chaque étape, il est reçu dans un centre d'hébergement (qui a remplacé le foyer tenu par la « mère »), où il bénéficie d'une formation professionnelle.

L'aspirant est intronisé compagnon après la présentation et l'examen d'un chef-d'œuvre témoignant d'une parfaite maîtrise des techniques et matériaux de son métier.

Le compagnonnage a su s'adapter aux évolutions historiques en participant par exemple à la création des premières mutuelles et caisses de retraite artisanale, en organisant l'embauche sur les chantiers, tout en conservant ses traditions très ritualisées.

*Les compagnons du Devoir,
1, place Saint-Gervais (IVe).*

Pied-à-terre luxueux pour ministre en retraite

Hôtel de Sully (actuelle Caisse nationale des monuments historiques), 62, rue Saint-Antoine (IVe)

Le financier Mesmes Gallet, sieur du Petit-Thouars et contrôleur des Finances, était grand joueur. En 1624, il gagna au jeu l'hôtel de Charles Huault de Montmagny, le fit démolir et commanda les dessins d'un nouvel hôtel à Jean Androuet du Cerceau. Mais, ayant perdu, dit-on, toute sa fortune sur un coup de dés, il dut, dès 1627, revendre le bâtiment inachevé à son créancier. Les propriétaires suivants firent terminer les deux grands pavillons sur la rue Saint-Antoine en 1628-1630.

LES FRASQUES DU VIEUX SULLY

En 1634, l'hôtel fut acheté par Maximilien de Béthune, duc de Sully, ancien ministre d'Henri IV récemment promu maréchal de France. Ce ne fut en réalité qu'un pied-à-terre, Sully préférant le séjour campagnard de son château de Villebon, mais qu'il décora fastueusement. On rapporte que l'austère ministre, alors âgé de soixante-quatorze ou soixante-quinze ans, avait bien changé et qu'il venait à Paris pour mener joyeuse vie tandis que sa seconde femme, Rachel de Cochefilet, le trompait allègrement. Tallemant des Réaux – écrivain caustique sur la société parisienne de ce temps –, qui l'avait qualifié de « surintendant rébarbatif » et de « plus sale homme du monde en paroles », ironise alors à son sujet : « Ce bonhomme, plus de vingt-cinq ans après que tout le monde avait cessé de porter des chaînes et des enseignes de diamant, en mettait tous les jours pour se parer, et se promenait en cet équipage sous les porches de la place Royale, qui est près de son hôtel. Tous les passants s'amusaient à le regarder. » L'hôtel communiquait en effet directement avec la place Royale par un pavillon de la belle orangerie établie en fond de jardin.

ABONDANCE ET LUXURIANCE DU DÉCOR

Comme son illustre propriétaire, l'hôtel était à l'ancienne mode, bien qu'entièrement construit en pierre de taille blonde et non plus en brique et pierre : corps de logis principal s'élevant entre cour et jardin, deux hautes ailes sur cour, deux larges pavillons encadrant un petit corps d'entrée portant terrasse, grand escalier central à volées droites et plafond sculpté. Et son décor sculpté, par sa profusion, son style maniériste et ses thèmes, est proche de la Renaissance avec ses huit statues nichées aux trumeaux des façades (représentant les éléments sur les ailes, et les saisons sur le corps principal), inspirées de l'hôtel Carnavalet, ses lucarnes ouvragées et ses baies ornées de frontons. Du décor intérieur subsistent des plafonds à poutres peintes et, dans l'aile gauche sur le jardin ajoutée en 1661, les boiseries des appartements de la troisième duchesse de Sully, Charlotte Séguier, ainsi que le plafond peint à l'italienne de la grande chambre, dû à Antoine Paillet.

L'hôtel, qui resta dans la famille Sully jusqu'en 1752, était l'une des plus brillantes demeures de Paris. Mme de Sévigné le fréquentait et, le 23 février 1680, au milieu de dames de distinction, regarda d'une fenêtre passer le cortège qui emmenait la Voisin au supplice. Il est resté l'un des plus charmants hôtels du Marais et abrite à présent la Caisse nationale des monuments historiques.

*Ci-dessus, la cour d'honneur de l'hôtel de Sully.
En détail, la Terre, représentée sur l'aile droite.
Ci-dessous, les solives peintes
de la grande salle du rez-de-chaussée.*

La capitale florissante

LE CARDINAL EN SON PALAIS ▷
Galerie des Proues, Palais-Royal (Ier)

En 1624, Richelieu acquiert dans le faubourg Saint-Honoré, tout près du Louvre, l'hôtel de la célèbre marquise de Rambouillet ainsi que des terrains voisins, englobés dans la ville à partir de 1630 par la construction d'une nouvelle enceinte, dite de Louis XIII. C'est la naissance du quartier Richelieu et le début de l'extension de la capitale vers l'ouest.
De 1625 à 1639, Jacques Le Mercier y édifie le Palais-Cardinal, ancêtre embryonnaire du Palais-Royal. L'hôtel formait un double quadrilatère autour de deux vastes cours, prolongé par un grand jardin. Il n'en subsiste que les dispositions générales et les trophées sculptés de la galerie des Proues, dans la galerie orientale de la seconde cour. Collectionneur et mécène, Richelieu y avait accumulé des œuvres d'art, dont vingt-cinq portraits dus à Philippe de Champaigne et Simon Vouet (aujourd'hui dispersés), fleuron de la célèbre galerie des Hommes illustres. Et à l'étage de l'aile orientale de la première cour était aménagée une grande salle de spectacle, exceptionnelle à une époque où les théâtres permanents étaient rares et où l'on se contentait d'une simple estrade. C'est le berceau du Théâtre-Français. Le Cid de Corneille y fut donné en 1636.
En 1636, Richelieu légua son palais au roi et à ses descendants. Peut-être pour prévenir la jalousie que risquait de provoquer chez Louis XIII ce déploiement de richesses et certainement pour fixer le centre du pouvoir en un lieu qu'il avait conçu. Mais le Palais-Cardinal resta un lieu annexe du pouvoir : Anne d'Autriche y exerça la régence de 1643 à 1661 – le palais fut alors rebaptisé Palais-Royal –, puis Philippe d'Orléans de 1715 à 1723.
VOIR AUSSI LE PALAIS-ROYAL AU XVIIIᵉ SIÈCLE, p. 176.

Les rostres, ancres et cordages de la galerie des Proues : Richelieu était surintendant de la Navigation et grand amiral de France.

Des caves pleines de secrets

Le sol du village Saint-Paul recèle un secret : le musée de la Curiosité et de la Magie s'y déploie sur plus de 1 500 mètres carrés de caves voûtées drapées de rideaux de velours. Georges Proust, directeur de ces cavernes d'Ali Baba, est épris de magie depuis son plus jeune âge : il a patiemment collectionné plus de trois cents affiches, gravures, objets truqués et accessoires de scène ou de fête foraine, qui sont autant d'objets insolites aux noms évocateurs – le miroir magique et celui du diable, la femme sans corps et la femme sciée, la boîte infidèle, le précipice optique, la lorgnette passe-muraille, etc.
Ce bien étrange musée est ouvert depuis le 10 avril 1993. Une cartomancienne enturbannée, célèbre automate fabriqué dans les années 1930 et qui trôna longtemps place Pigalle, ouvre la visite par un « Bonjour » mécanique. On contemple volontiers l'automate qui fume et les boîtes à secrets, on se laisse guider par les animateurs magiciens qui expliquent l'histoire de la magie par le biais des illusions d'optique, des phénomènes électriques et paranormaux, on se penche sur les expériences de physique amusante, on frissonne dans la salle spirite, et l'on achève ce

MAISON PROFESSE DES JÉSUITES ◁
Actuel lycée Charlemagne,
101, rue Saint-Antoine (IVᵉ)

En 1580, le cardinal Charles de Bourbon, oncle du futur Henri IV, installe la maison professe des Jésuites, destinée aux profès (religieux ayant prononcé les quatre vœux de la Compagnie de Jésus), dans un ancien hôtel de la rue Saint-Antoine. Vigoureux opposants à Henri IV, les Jésuites font de cette maison un bastion de la Ligue – le conseil des Seize y tenait ses assemblées.

LE RETOUR EN GRÂCE DES JÉSUITES
Impliqués dans la tentative d'assassinat d'Henri IV par Jean Châtel, un de leurs anciens élèves, les Jésuites sont chassés de France par un arrêt du Parlement au lendemain du supplice du père Quignard, pendu en place de Grève le 7 janvier 1595. Ils sont rappelés par le roi en 1604, retrouvent leur maison professe en 1606, tandis que l'un des leurs, le père Cotton, devient le confesseur d'Henri IV. Faveur royale qui devait se prolonger puisqu'un autre jésuite, le célèbre père Lachaise, ancien supérieur de la maison professe, sera le confesseur de Louis XIV.
Les bâtiments sont agrandis en 1618-1619 par le père Turmel, pour loger notamment une exceptionnelle bibliothèque, riche d'environ vingt-cinq mille volumes. On y accédait par un grand escalier, bien conservé, au plafond orné en 1696 d'une *Apothéose de Saint Louis* par le peintre jésuite italien Giovanni Gherardini. Après la nouvelle expulsion des Jésuites en 1762, une autre bibliothèque, celle de la Ville de Paris, y fut transférée. La Révolution transforma les bâtiments en dépôt littéraire, le Directoire en fit l'École centrale de la rue Saint-Antoine, ancêtre du lycée Charlemagne.

Dominées par le dôme hardi de l'église, les sobres façades des anciens dortoirs de la maison professe des Jésuites encadrent la cour du lycée Charlemagne.

voyage animé en assistant à un petit spectacle de prestidigitation et de magie.

Georges Proust a également ouvert une école, un magasin et une maison d'édition consacrés à la magie et à la prestidigitation.

Musée de la Curiosité et de la Magie, 11, rue Saint-Paul (IVe).

La gloire des Jésuites ◁ △

Église Saint-Paul-Saint-Louis, 99-101, rue Saint-Antoine (IVe)

Fer de lance de la Contre-Réforme, les Jésuites veulent doter leur maison professe d'une église digne de leur puissance et de leur rayonnement et symbole de leur attachement à la monarchie – les armes de France et de Navarre figurent au sommet du portail. La construction est financée par Louis XIII, qui en pose solennellement la première pierre le 7 mars 1627. Richelieu fait don des trois somptueuses portes sculptées aux initiales de la Compagnie de Jésus et célèbre la première messe le 9 mai 1641 en présence du roi, de la cour et des évêques.

Les riches familles du Marais affluent à Saint-Louis-des-Jésuites, attirées par la musique – Marc Antoine Charpentier, Jean-Philippe Rameau et Richard Delalande en tinrent les orgues –, les cérémonies magnifiques, l'art des confesseurs et l'éloquence des grands prédicateurs comme Bourdaloue, Bossuet ou Fléchier. Mme de Sévigné se rend assidûment « en Bourdaloue » et se plaint de ne pouvoir assister à certains prêches du carême tant l'église est pleine de valets venus retenir des places pour leurs maîtres très longtemps à l'avance. Le sermon pouvait durer des heures : le petit vase de nuit dont se munissaient par précaution certaines dévotes s'est ainsi appelé... un bourdaloue.

UN STYLE DIT JÉSUITE

L'édifice, dont les plans sont du frère Étienne Martellange pour la nef et du frère François Derand pour la façade, réunit pour la première fois les trois éléments caractéristiques du style dit jésuite : ample vaisseau unique bordé d'arcades en plein cintre ouvrant sur des chapelles communiquant entre elles et surmontées de tribunes, décoré d'une abondance d'angelots, de rosaces et d'ornements divers dont la vue devait mener les fidèles à la perception de la beauté mystique ; vaste dôme de croisée ; grandiose façade proche du baroque, à triple étage composé d'une superposition de colonnes géminées, de frontons et de statues. Les magnifiques monuments des cœurs de Louis XIII et de Louis XIV et le tombeau du Grand Condé ajoutaient à son caractère quasi royal.

La façade de l'église s'inspire de celles de Saint-Gervais-Saint-Protais et de l'église du Gesù, à Rome. Ci-dessus, aux pendentifs de l'immense coupole de 55 mètres de haut, des médaillons sculptés représentent les quatre évangélistes.

La capitale florissante

L'église des Filles-de-Sainte-Élisabeth ▽ ▷

195, rue du Temple (IIIe)

👁️ En 1594, le père Vincent Mussard entreprend de réformer les communautés franciscaines. Il établit ainsi à Picpus un couvent de frères mineurs, qui observent une règle très austère ; on les appellera les Pénitents réformés du Tiers-Ordre de saint François (c'est-à-dire du troisième ordre fondé par saint François). Puis, en 1613, il ouvre à Paris, devant l'enceinte du Temple, un monastère de douze religieuses de la même observance, que Marie de Médicis prend sous sa protection. La reine pose en 1628 la première pierre de l'église conventuelle, construite par Michel Villedo sur les plans de son gendre Michel Noblet et consacrée en 1645 à sainte Élisabeth de Hongrie, première tertiaire à avoir prononcé des vœux solennels. L'harmonieuse façade aux ordres superposés, ornée de pilastres et couronnée d'un fronton sculpté, s'élève en retrait sur la rue. L'impasse Sainte-Élisabeth, contiguë, marque l'emplacement du couvent supprimé en 1858 par le percement de la rue de Turbigo. L'église a été élargie et son chœur modifié au XIXe siècle.

Cent remarquables panneaux sculptés du XVIIe siècle, à motifs bibliques, couvrent les murs du déambulatoire ; ils proviennent de l'abbaye Saint-Vaast d'Arras.

Les oratoriens du cardinal de Bérulle ◁

Église de l'Oratoire (actuel temple protestant), 145, rue Saint-Honoré (Ier)

👁️ Dans l'esprit de la Contre-Réforme, Pierre de Bérulle fonde, le 11 novembre 1611, l'ordre des Oratoriens de France, consacré à la prédication et à la formation « de jeunes prêtres recommandables par leurs lumières et leurs mœurs ». Les Oratoriens s'installent en 1616 rue Saint-Honoré et construisent une chapelle, remplacée dès 1621 par une église commencée par Clément II Métezeau et achevée par Jacques Le Mercier. Le roi et la cour y assistent aux offices, et Louis XIII, envisageant de rattacher la chapelle au Louvre, ordonne en 1624 de l'orienter dans l'axe du palais, ce qui explique l'obliquité de l'édifice par rapport à la rue. La façade ne sera achevée qu'en 1745. En célébrant la messe le 2 octobre 1628, Bérulle a un malaise et meurt au pied de l'autel. Construite sur le modèle jésuite inspiré du Gesù de Rome – vaisseau unique, tribunes rassemblant les fidèles pour la prédication, chapelles latérales permettant aux prêtres de la congrégation de dire leur messe simultanément, transept non saillant –, l'église des Oratoriens présente les particularités d'une tribune dans les bras du transept, d'une vaste rotonde de chevet et de couloirs latéraux permettant l'accès aux chapelles et aux tribunes sans déranger les fidèles occupant le vaisseau central.

Façade latérale et chevet de l'église de l'Oratoire, où un monument à la mémoire de l'amiral de Coligny a été accolé en 1889.

Le culte de l'ancien

À proximité de l'Oratoire du Louvre, le Louvre des antiquaires rassemble sur trois niveaux de galeries couvertes deux cent cinquante boutiques d'œuvres d'art de toutes les époques depuis l'Antiquité jusqu'aux années cinquante : bijoux, orfèvrerie, peintures et dessins, faïences et porcelaines, horlogerie, livres d'art, mobilier, numismatique, philatélie, poupées, sculptures… Ce bâtiment imposant de six étages a été construit en 1852 par les architectes Fontaine et Percier autour de quatre cours intérieures sous verrières : les cours Marengo, Saint-Honoré, Rivoli et la vaste cour du Palais-Royal. Après avoir longtemps accueilli les magasins du Louvre, en 1978, cette construction a ouvert trois de ses niveaux, réaménagés pour l'occasion dans une dominante bois, aux étalages luxueux des antiquaires. Deux fois par an, des expositions thématiques se déroulent au pre- mier étage ; elles ont pour nom : Marionnettes et ombres d'Asie, Jeux et divertissements de salon, La vigne et le vin, Ivresse de l'art…
Le Louvre des Antiquaires, 2, place du Palais-Royal (Ier).

RETABLE DE SAINT-NICOLAS-DES-CHAMPS ▽

254, rue Saint-Martin (IIIe)

Seul grand retable du XVIIe siècle épargné par la Révolution, celui du maître-autel de Saint-Nicolas-des-Champs, couronné de quatre anges en stuc doré sculptés par Jacques Sarrazin, est orné de deux toiles de Simon Vouet, exécutées en 1629, peu après son retour d'Italie, où il avait travaillé pendant treize ans. *Les Apôtres au tombeau de la Vierge* et *l'Assomption* conjuguent un traitement de la lumière et un sens du mouvement influencés par le baroque italien à une rigueur du modelé proche de l'art classique. C'est un style nouveau dans la peinture française du XVIIe siècle et, pour Vouet, le début d'une brillante carrière et d'une œuvre abondante, tant religieuse que civile, qui fera date dans l'histoire du classicisme.
VOIR AUSSI L'ÉGLISE MÉDIÉVALE, p. 40, ET LE PORTAIL RENAISSANCE, p. 67.

TOURMENTE SPIRITUELLE À PORT-ROYAL △

Le cloître de l'abbaye de Port-Royal, d'une sévérité toute janséniste.

Actuel hôpital Cochin, 123-125, boulevard de Port-Royal (XIVe)

En 1625, les cisterciennes de Port-Royal-des-Champs viennent s'établir à Paris sous la direction de leur abbesse, Angélique Arnauld. Celle-ci impose une dure réforme, rétablit la clôture et prône l'humilité. Grâce aux dons de Marie de Médicis et de Louis XIII, des bâtiments conventuels et un cloître à la rigoureuse ordonnance sont édifiés à partir de 1629. De 1646 à 1648, Antoine Le Pautre élève, sur le quatrième côté du cloître, une chapelle dont le dépouillement est voulu par la mère Angélique, car « tout le plaisir qu'on prend aux choses visibles diminue d'autant la vie de grâce ». Ce climat d'austérité attire à Port-Royal, autour de la famille Arnauld, qui y totalisera douze religieuses, une pléiade de « belles amies » qui viennent y faire retraite, telles la princesse de Guéméné, Marie de Gonzague, future reine de Pologne, et Mme de Sablé. Les frères d'Angélique, Robert Arnauld d'Andilly et Antoine Arnauld, dit le Grand Arnauld (appelés les Solitaires ou les Messieurs de Port-Royal), s'installent près du couvent.

LA CITADELLE DU JANSÉNISME

En 1633, Angélique prend pour confesseur Jean Duvergier de Hauranne, abbé de Saint-Cyran, adepte des théories de Jansénius sur la grâce et la prédestination qui, publiées en 1640 dans l'*Augustinus*, sont violemment attaquées par les Jésuites et condamnées par une bulle papale en 1653 et 1656. Port-Royal est plongé dans la tourmente spirituelle. La sœur de Blaise Pascal, Jacqueline, y a pris le voile ; sa nièce, Marguerite Perier, y connaît une guérison miraculeuse, dont l'escalier du Miracle préserve le souvenir ; Pascal lui-même, converti par une nuit d'extase en novembre 1654, rejoint les Solitaires retournés à Port-Royal-des-Champs, où il écrit les *Provinciales*. Les religieuses refusent de signer le formulaire de condamnation du jansénisme, et les persécutions commencent en 1661. Harcelées par les visites menaçantes du lieutenant de police, elles résistent jusqu'au bout. Angélique, mourante, soutient sa sœur Agnès, devenue abbesse. Le 24 août 1664, l'archevêque de Paris, Hardouin de Péréfixe, fait expulser les soixante-dix religieuses récalcitrantes par vingt exempts et deux cents archers. Le couvent est alors dévolu aux religieuses de la Visitation.

APPARTEMENTS DU GRAND MAÎTRE DE L'ARSENAL ◁

Bibliothèque de l'Arsenal, 1-3, rue de Sully (IVe)

Sully, nommé par Henri IV grand maître de l'artillerie, reprend en main l'Arsenal des rois de France, dont il fait une véritable usine d'armement, et se fait construire une résidence de fonction, qu'il occupe jusqu'en 1634. Il y crée aussi l'une des premières promenades publiques de Paris (1600-1603), le mail de l'Arsenal, en aménageant en terrasse une partie du rempart de la Bastille à la Seine, complétée par une allée plantée et un terrain de jeu de maillet.

UNE CHAMBRE À COUCHER DE RÊVE

Le successeur de Sully à l'Arsenal, Charles de La Porte, duc de La Meilleraye, confie la décoration de ses appartements à deux élèves de Simon Vouet, Noël Quillerier et Charles Poerson. Les deux éblouissantes salles aux lambris peints et dorés de la chambre et du cabinet de la maréchale de La Meilleraye, dont le décor intérieur Louis XIII est le plus complet conservé à Paris, furent exécutées vers 1637. Elles ont été remontées dans le bâtiment reconstruit au XIXe siècle. Sur les panneaux muraux de la chambre s'étagent de merveilleux oiseaux aquatiques, des paysages et des batailles, des grotesques entourant des figures antiques ; aux plafonds, *le Parnasse*, par Simon Vouet, et dans l'alcôve, peut-être la première aménagée dans un appartement parisien, une allégorie du Sommeil. Dans le cabinet, ce sont des scènes à l'antique, des compositions raffinées de figures, de grotesques et de guirlandes, et, à l'attique, les portraits des femmes remarquables de l'Histoire.

LA PAIX DES LIVRES

En 1770, le marquis de Paulmy d'Argenson, grand bibliophile, s'installe à l'Arsenal. Ses collections, rachetées et complétées par le comte d'Artois, futur Charles X, sont à l'origine de la bibliothèque, ouverte au public en 1797. Charles Nodier, bibliothécaire de l'Arsenal de 1824 à 1844, y reçut toute l'intelligentsia romantique dans ses célèbres réceptions du dimanche soir. Les archives de la Bastille, l'acte de décès du Masque de fer et un précieux fonds théâtral y sont conservés parmi d'autres trésors.

La chambre de la maréchale de La Meilleraye.

LES MIRAMIONNES ▷

Hôtel de Miramion (actuel musée de l'Assistance publique), 47, quai de la Tournelle (Ve)

Veuve à seize ans, après sept mois de mariage, de Jean-Jacques de Beauharnais, seigneur de Miramion, Marie Bonneau de Miramion est victime, trois ans après, d'une rocambolesque aventure. Le comte Hugues de Bussy-Rabutin, grand prieur de France, la fait enlever par une troupe de cavaliers sur la route du mont Valérien et emmener dans son château de Sens, puis, vaincu par sa résistance, la relâche au bout de deux jours. Elle consacre le reste de sa vie aux œuvres pieuses et fonde en 1662 une communauté de filles charitables vouées au soin des malades et à l'enseignement, vite surnommées les Miramionnes.
Marie Bonneau de Miramion rachète cet hôtel en 1675, y loge ses Miramionnes et fait aussi aménager cinquante cellules pour loger des dames venues y faire retraite. Elle s'impose comme une figure éminente du renouveau mystique du XVIIe siècle.
L'hôtel de Miramion fut construit en 1630-1631 pour Christophe Marin, conseiller d'État, intendant et contrôleur des Écuries du roi. L'architecte en est resté inconnu, mais les belles proportions, l'alternance savante des lucarnes rondes et carrées couronnées de frontons, l'élégance du décor des baies – fait de moulurations, de masques et de rinceaux, et, à l'étage, de grandes clés sculptées et de masques – ont permis d'évoquer les noms de François Mansart ou de Louis Le Vau.
Réuni à son voisin, l'hôtel de Selve, en 1812, et occupé par la Pharmacie générale des hospices, l'hôtel de Miramion abrite à présent le musée de l'Assistance publique.

L'harmonieux avant-corps central de la façade sur jardin de l'hôtel de Miramion.

LA RETRAITE DE LOUISE DE LA FAYETTE △

Église de la Visitation-Sainte-Marie (actuel temple Sainte-Marie), 17, rue Saint-Antoine (IVe)

L'ordre de la Visitation s'implante en 1621 dans le Marais, avec sa fondatrice, sainte Jeanne de Chantal. Vincent de Paul est, pendant dix-huit ans, l'aumônier du couvent, dont subsistent peu de vestiges. L'église, de plan centré, est construite en 1632-1634 par le maître maçon Michel de Villedo sur des plans de François Mansart, dont c'est l'une des premières œuvres marquantes, en particulier par le traitement des espaces ovoïdes (rotonde centrale et dôme, chapelles ovales ou en ellipse aplatie, porche à toiture bombée), des ouvertures et de la façade. De dimensions restreintes, cette petite église ne manque pas d'audace architecturale, avec ses volumes étagés et resserrés autour d'un espace central. En 1637, Louise de La Fayette, « dont le roi était amoureux à sa mode », prend le voile aux Visitandines. Louis XIII lui rend de fréquentes visites et l'idylle semble se poursuivre malgré la clôture. Le soir du 5 décembre 1637, un violent orage le contraignit à passer la nuit, non à Saint-Maur, où il logeait alors, mais au Louvre, où résidait une reine fort négligée. Et le 5 septembre 1638 naissait le tant attendu petit Louis, futur Roi-Soleil, miracle, dit-on, de la pluie !

Les derniers dinandiers

Entre la rue Saint-Antoine et le quai des Célestins, dans l'obscurité d'un atelier envahi d'objets et d'outils, Georges et Anne Glaser façonnent le cuivre.
Connu de tout le quartier, M. Georges, qui porte casquette, barbiche et tablier de cuir, a un parcours hors du commun. D'origine allemande, il se réfugie en France en 1934, pour fuir le nazisme. Envoyé au front, il reste cinq ans dans les camps, prisonnier des Allemands, et entre chez Renault à la Libération. En 1947, il abandonne sa vie d'ouvrier pour se consacrer à un métier menacé de disparition, celui de dinandier.

L'HOSPICE DES INCURABLES ▷

Actuel hôpital Laennec, 42, rue de Sèvres (VIIe)

Dernier des neuf établissements hospitaliers créés sous Henri IV et Louis XIII, l'hospice des Incurables est fondé en 1633 grâce aux dons de Marguerite de Rouillé et du cardinal François de La Rochefoucauld, dont le cœur et les entrailles reposent dans la chapelle, au pied du maître-autel. L'hospice était destiné aux malades indigents – excepté ceux souffrant « d'humeurs froides, de mal caduc et de maux vénériens » – qui étaient soignés par des gens du monde cherchant à assurer leur salut par l'amour et l'assistance à leur prochain.
La chapelle, en forme de croix latine, a conservé, fait rare, sa flèche en bois et son carillon d'origine. On peut voir à l'intérieur la chaire sculptée où prêcha Bossuet. De part et d'autre de la chapelle, Christophe Gamard éleva de 1634 à 1640 deux bâtiments disposés en croix – bâtiment des hommes et bâtiment des femmes –, aux façades de brique et de pierre, qui donnent aujourd'hui sur la cour d'honneur. Chacun comprenait cinq salles où, pour la première fois à Paris, un lit était donné à chaque malade (à l'Hôtel-Dieu, on comptait alors cinq personnes par lit !).
Depuis 1878, l'hôpital porte le nom de Laennec – bien qu'il ait exercé à Necker –, car, en inventant le stéthoscope, il contribua aux progrès de la phtisiologie, spécialité de l'établissement.

Façade de la chapelle de l'hospice des Incurables : une rose et un pignon d'inspiration médiévale dans un ensemble classique.

Perpétuant la tradition apparue à Dinant, en Belgique, au XIIIe siècle, il martèle sur son enclume le grain doré du cuivre et du laiton pour confectionner enseignes, girouettes, lampes, pièces de vaisselle, plateaux et bijoux. Et, tandis qu'il confectionne des cruches à partir d'une feuille de cuivre, sans soudure, son épouse se consacre aux miniatures. Les enseignes de M. Georges, souvent destinées aux hôtels, aux bottiers et aux négociants en vin, décorent avec poésie plusieurs commerces du quartier. La cathédrale de Bourges abrite une de ses œuvres les plus imposantes : un pélican, haut de 1,60 m et entièrement soudé à l'ancienne, avec des rivets.
Georges et Anne Glaser, 8, rue Beautreillis (IVe).

UN SPÉCULATEUR AVISÉ △ ▷
Hôtel Charron, 15, quai de Bourbon (IVe)

Jean Charron, contrôleur de l'Extraordinaire des guerres de Picardie, est l'un des spéculateurs avisés qui surent mettre à profit le lotissement de l'île Saint-Louis. Il achète en 1642 une très grande parcelle calée entre le quai de Bourbon et la « grande rue traversante », future rue Saint-Louis-en-l'Île, pour construire quatre grandes maisons à but locatif et garde le terrain sur le quai, bénéficiant de la lumière et du soleil, pour son propre hôtel.

Cette imposante demeure, édifiée de 1637 à 1640 par Sébastien Bruand, cache derrière une façade ornée de mascarons une cour pavée considérée comme l'une des plus belles de l'île et des plafonds à solives peintes portant le curieux emblème d'un cœur ailé surmonté d'un croissant. L'hôtel eut ensuite pour propriétaire le petit-fils de Jean Charron, Jean-Jacques Charron, marquis de Ménars, l'une des rares personnes à avoir trouvé grâce aux yeux de l'impitoyable Saint-Simon, qui le décrivait comme un homme « plein d'honneur, de probité, d'équité et de modestie, prodige chez un président à mortier ».

UN REPAIRE D'ARTISTES
Vers les années 1830, de nombreux artistes à la recherche de tranquillité et de loyers modiques s'installent dans l'île Saint-Louis. Un groupe de quatre jeunes artistes impécunieux – trois peintres, Daubigny, Steinheil et Trimolet, et un sculpteur, Geoffroy-Dechaume – vinrent ainsi loger à l'hôtel Charron. Ils fondèrent l'association de l'Île-Saint-Louis, qui pratiquait une forme originale d'entraide : chaque année, tour à tour, l'un des associés se consacrait tout entier à son art, les trois autres effectuant des travaux alimentaires afin d'assurer la subsistance du groupe. Le mariage de Trimolet fut cependant cause de rupture.

De 1838 à 1845, le peintre Jean-Louis Ernest Meissonier, un habitué de la vie de bohème et du club des Haschischins de l'hôtel Lauzun (et beau-frère de Steinheil), eut son atelier au premier étage du corps de logis sur cour.

Dans la cour intérieure de l'hôtel Charron, une surprenante échauguette accrochée en encoignure et une mansarde à poulie.

L'HÔTEL DE BRETONVILLIERS ▷
Pavillon en arcade sur la rue de Bretonvilliers (IVe)

Une vaste arcade surbaissée enjambant la rue de Bretonvilliers, voilà tout ce qu'il nous reste pour évoquer les splendeurs disparues de l'hôtel. Elle formait le centre d'un ensemble de six maisons de rapport édifiées en 1639 pour Claude Le Ragois de Bretonvilliers, secrétaire du conseil des Finances, et permettait d'accéder à son hôtel, qui occupait toute la pointe orientale de l'île Saint-Louis. Situation privilégiée que Tallemant des Réaux comparait à celle du palais du Sérail, à Istanbul, sur la Corne d'Or. Du jardin en terrasse et du grand balcon arrondi surplombant la Seine s'offrait en effet une vue merveilleuse sur le fleuve, s'étendant jusqu'aux campagnes de Charenton.

Construit de 1637 à 1639 sur des plans de Jean Androuet du Cerceau, l'hôtel faisait aussi l'admiration générale pour ses nobles proportions, ses façades ornées de bustes, ses plafonds peints par Simon Vouet et la fameuse galerie de Phaéton, réalisée en 1663 par le peintre Sébastien Bourdon lors d'une seconde campagne de travaux menée par Bénigne, le fils de Claude, mort d'apoplexie en 1642 prodigieusement riche. « C'était un assez bon homme et assez charitable, mais je ne crois pas qu'on puisse gagner légitimement six cent mille livres de rente, comme on dit qu'il avait », conclut Tallemant. Le percement du boulevard Henri-IV, suivi de la construction du pont Sully, a eu raison de l'hôtel, qui disparut en 1866.

Ce pavillon en arcade est le seul vestige de l'hôtel de Bretonvilliers.

Un sport pour tous ▷

Jeu de paume, 54, rue Saint-Louis-en-L'Île (IVe)

🔑 D'origine très ancienne, le jeu de courte paume, ancêtre du tennis, qui se pratiquait dans des salles fermées – tandis que la longue paume se jouait en plein air –, était l'une des distractions favorites de toutes les classes de la population, y compris les femmes. Henri IV en était un fervent adepte : au lendemain même de son entrée solennelle à Paris, le 15 septembre 1594, rapporte le chroniqueur Pierre de l'Étoile, il se rendit au jeu de paume de la Sphère, « où il était endiablé », et joua « tout du long de l'après-dîner ». Il y retournait huit jours plus tard : « Il estoit tout en chemise : encore estoit-elle déchirée sur le dos, et avoit des chausses grises, à jambes de chien. »

SALLE DE JEU ET TRIPOT

Treize paumiers figurent dans *le Livre de la taille de Paris* en 1292. En 1596, il existe deux cent cinquante salles de jeu de paume, appelées aussi « tripots », le jeu faisant généralement bon ménage avec la boisson et les paris.
Le contrat passé entre le roi et l'ingénieur Marie pour l'urbanisation de l'île Saint-Louis prévoit deux équipements collectifs indispensables à la vie des Parisiens au début du XVIIe siècle : « une maison servant à estuves et à bain pour toutes sortes de personnes » et un jeu de paume.
Géré en 1634 par le maître raquettier Pasquier Chaubert, le jeu de paume de l'île Saint-Louis reprenait le modèle habituel : une salle rectangulaire en rez-de-chaussée entourée de piliers de châtaignier formant galerie et à l'étage, aujourd'hui disparu, une taverne et une salle pour se changer. Dans ce jeu souvent violent, accidents et querelles étaient fréquents. Aussi sera-t-il réglementé par la monarchie classique. En 1612, Louis XIII limite le nombre de salles parisiennes. Louis XIV, qui n'aime pas la paume, fait détruire les jeux de paume du Louvre. En 1657, il ne reste que cent quatorze salles, de plus en plus utilisées également comme salles de billard ou de théâtre. La Révolution porte un coup fatal aux quinze salles subsistantes, et le jeu ne connaît que de rares résurgences au XIXe siècle.

Le jeu de paume de l'île Saint-Louis a été aménagé en hôtel de tourisme.

Heureux qui comme Ulysse...

Catherine Domain a fondé dans l'île Saint-Louis, en 1971, une librairie entièrement consacrée au voyage : la librairie Ulysse. Après avoir arpenté le globe pendant dix ans, cette voyageuse acharnée a rassemblé dans sa boutique tout ce qui lui semblait nécessaire « avant, pendant et après un départ ».
Le magasin est étonnant à plus d'un titre : outre des guides et des cartes récents, il propose des ouvrages littéraires, ethnologiques, historiques, géographiques et photographiques, ainsi que des thèses universitaires, des livres anciens ou épuisés et des cartes topographiques anciennes. Pas moins de vingt mille ouvrages occupent l'espace de cette petite librairie et seule la libraire peut servir de guide et traverser les profonds rayonnages pour trouver celui qui éclairera vos projets d'évasion.
C'est avec la même passion que Catherine Domain aborde les provinces proches ou les terres lointaines. De plus, la librairie accueille des auteurs voyageurs, qui viennent signer leurs livres, les œuvres de peintres et aquarellistes nomades et les membres du Cargo Club, qui s'y réunissent le premier mercredi de chaque mois pour parler de leurs pérégrinations insolites.
*Librairie Ulysse,
26, rue Saint-Louis-en-l'Île (IVe).*

La capitale florissante

Un palais à la pointe de l'île ▽ ▷
Hôtel Lambert, 2, rue Saint-Louis-en-l'Île (IVe)

🗝 Jean-Baptiste Lambert de Thorigny, président aux comptes et jouissant d'une immense fortune, achète en 1639 d'importants terrains sur l'île Saint-Louis. De 1642 à 1644, l'architecte Louis Le Vau lui élève un hôtel à la pointe de l'île. Mais Lambert meurt brutalement et il revient à son frère Nicolas, maître des comptes, surnommé Lambert le Riche, d'en achever le magnifique décor intérieur. Par sa recherche dans les formes architecturales (façades à pilastres superposés ou colossaux, variété des toits, brisés ou droits…), par le faste de sa décoration, due aux meilleurs artistes de l'époque, l'hôtel annonce le Grand Siècle. Dans ce cadre digne d'un « souverain qui serait philosophe », Voltaire – ce sont là ses mots – connut avec Gabrielle-Émilie de Breteuil une liaison célèbre.

Dans la seconde moitié du XIXe siècle, la famille Czartoryski en fit le centre aristocratique de l'émigration polonaise, un foyer artistique et intellectuel fréquenté par Chopin et Mickiewicz ; fêtes et bals y étaient somptueux.

PRÉLUDE À VERSAILLES
Le plan ingénieux de l'hôtel Lambert – cour et jardin sont juxtaposés le long de la rue au lieu de se succéder en profondeur selon la formule courante – fut commandé par la forte dénivellation du terrain. Derrière le portail monumental strié de refends, l'escalier d'honneur à cage ouverte formant portique, d'inspiration italienne, occupe tout le pavillon en fond de cour ; c'est l'aile droite qui constitue le corps de logis principal, entre la cour, en contrebas, et le jardin en terrasse, surplombant la Seine. En équerre sur le jardin, la galerie d'Hercule, de 23 mètres de long sur près de 5 de large, terminée en rotonde et garnie de l'un de ces beaux balcons de ferronnerie ouvragée dont naissait alors la mode, est unique à Paris ; elle imitait les galeries des résidences royales et était destinée à la bibliothèque et aux collections de tableaux.

Au rez-de-chaussée, dans les appartements du président, pourvus des premières portes-fenêtres apparues en France, Eustache Le Sueur, « le Raphaël français », orna de peintures galantes le cabinet Doré ou cabinet de l'Amour. Il peignit dans ceux de madame, à l'étage, la chambre des Muses et, plus haut, la chambre des Bains, où aurait logé Voltaire. Si Muses et Cupidons sont aujourd'hui au Louvre, la célèbre galerie d'Hercule, œuvre de Charles Le Brun et prélude à Vaux-le-Vicomte et à Versailles, est restée intacte.

La galerie d'Hercule : au plafond, l'apothéose du héros grec ; aux murs, face aux larges fenêtres donnant sur le fleuve, des médaillons de stuc doré et des paysages comme autant de baies ouvertes sur la campagne.

En médaillon, Uranie, muse de l'astronomie, peinte par Eustache Le Sueur pour le cabinet des Muses.

Ci-dessous, à gauche, le long bâtiment de la galerie d'Hercule et le jardin en terrasse, donnant sur la Seine.

Comment prendre la mouche

Depuis 1934, la maison de la Mouche, tenue de père en fils, exhibe, à la proue de l'île Saint-Louis, deux mille deux cents mouches référencées.

Les mouches ont ici une silhouette d'un raffinement particulier : mêlant poils, plumes et soies, ces leurres servent à piéger les poissons. Pour les initiés, ces mouches patiemment confectionnées à la main par des monteurs français représentent l'appât idoine capable de tenir compte du goût alimentaire des poissons, de la saison et du temps. Elles ont pour nom Panama, Gallica, Andelles ou bien Champignoles, et pour robe des couleurs si chatoyantes qu'à l'instar des anguilles et des salmonidés certaines belles se laissent séduire et se les accrochent à l'oreille.

Les amoureux de ce type particulier de pêche, d'origine anglaise et datant du siècle dernier, viennent d'Italie, d'Allemagne, de Belgique, ou encore du Luxembourg, du Japon et des États-Unis pour acquérir ces précieuses mouches ainsi que des cannes traditionnelles en bambou refendu, dont la vente est devenue très rare en Europe.

La maison de la Mouche assure également la restauration de cannes à pêche anciennes, propose des lignes de soie naturelle et même des cours particuliers pour les pêcheurs novices. La vitrine, rutilante, aligne tout l'attirail du parfait pêcheur : moulinets anciens et modernes, hameçons, plombs, flotteurs et gaules, accessoires et équipements divers, sans oublier les vêtements adaptés à cette pratique contemplative.

La maison de la Mouche, 1, boulevard Henri-IV (IVe).

BIEN MAL ACQUIS... △
Hôtel Lauzun, 17, quai d'Anjou (IVe)

Un balcon chantourné égaie la sobre façade sur le quai de l'hôtel Lauzun.

En 1656-1657, Charles Gruyn des Bordes, commissaire général de la cavalerie, de modeste origine puisque fils du cabaretier de la Pomme de pin, dans l'île de la Cité, mais enrichi dans les fournitures aux armées, fait élever cet opulent hôtel traditionnellement attribué à Louis Le Vau. Condamné pour malversation en 1662, il meurt en prison en 1672. Et c'est un autre prisonnier célèbre, le duc de Lauzun, amant scandaleux et secret époux de la Grande Mademoiselle (la duchesse de Montpensier), qui laisse son nom à la demeure, qu'il n'habite pourtant qu'entre 1682 et 1685, à son retour de Pignerol.

UN LUXE OSTENTATOIRE

L'extraordinaire richesse ornementale des appartements, caractéristique du style Mazarin mais frisant ici l'excessif, est créée par l'accumulation des techniques et des thèmes décoratifs. Des statues d'Apollon et de Minerve, des dessus-de-porte en stuc, *le Temps découvrant la Vérité* peint au plafond ornent l'escalier, reconstitué au XIXe siècle. Au rez-de-chaussée, à une antichambre portant un plafond à solives peintes succède un cabinet tapissé de boiseries et orné de portraits, de fleurs et de paysages ; *le Triomphe de Cérès* forme le centre du plafond à caissons. Au premier étage se suivent en enfilade – disposition soulignée par l'augmentation progressive de la largeur des portes – quatre pièces d'apparat aux lambris foisonnant de dorures, de sculptures et de peintures réparties sur des panneaux de formes variées, encore disposés sur les trois niveaux habituels à l'époque. La dernière pièce possède un remarquable plafond à voussure – formule importée d'Italie au milieu du XVIIe siècle – décoré du *Triomphe de Flore*.

LE CLUB DES HASCHISCHINS

Au XIXe siècle, l'hôtel porte le nom du marquis de Pimodan, puis celui d'hôtel des Teinturiers : une teinturerie s'y est installée, a badigeonné les murs et répand d'infectes odeurs. En 1842, il devient propriété de Jérôme Pichon, bibliophile de renom, et s'ouvre à la bohème artistique et littéraire. Charles Baudelaire, logé sous les combles de 1843 à 1845, Théophile Gautier, Privat d'Anglemont, Musset, le peintre Boissard et le dandy Roger de Beauvoir, dit Coco du Belvédère, y organisent les mystérieuses soirées du club des Haschischins, recherchant des sensations nouvelles dans le « dawamesk », « sorte de confiture verdâtre », raconte Gautier, composée d'extrait de chanvre indien, de miel et de pistaches.

Le salon de musique, au premier étage de l'hôtel Lauzun, avec sa loggia pour les musiciens ; au plafond, le Triomphe de Vénus.

La capitale florissante

LA SORBONNE DE RICHELIEU

Chapelle Sainte-Ursule,
place de la Sorbonne (Vᵉ)

La prestigieuse université de Paris a commencé dans la rue ! Fuyant l'autorité de l'évêque de Paris, qui règne sur la Cité, maîtres et étudiants s'établissent à partir du XIIᵉ siècle sur la rive gauche, auprès des puissantes et indépendantes abbayes de Sainte-Geneviève et de Saint-Victor. Les cours sont souvent dispensés en plein air, autour de Saint-Julien-le-Pauvre, rue du Fouarre et place Maubert, avec des bottes de foin pour tout siège.

DU COLLÈGE À L'UNIVERSITÉ

L'université, communauté ou corporation des maîtres et des écoliers, se constitue en quatre facultés – théologie, droit, arts et lettres, médecine – et se dote de ses premiers statuts en 1215. Les collèges, fondations charitables financées par des donations pieuses, ne sont que des hôtels pour étudiants. Ils se multiplient aux XIIIᵉ et XIVᵉ siècles sur les pentes de la montagne Sainte-Geneviève.

La Sorbonne est l'un de ces collèges, fondé en 1257 par Robert de Sorbon dans un ensemble de maisons disparates, pour seize étudiants pauvres se destinant à la théologie. Théologien et chapelain du roi Saint Louis, Robert de Sorbon décrivait ses « escholiers » comme « des dévorants à la table mais non des dévots à la messe » ! Élue chef-lieu de la faculté de théologie dès 1270, la Sorbonne devient peu à peu la citadelle de la théologie scholastique, s'arrogeant la garde de l'orthodoxie spirituelle et intellectuelle, régissant tout, déclenchant des

La place de la Sorbonne, aménagée par Richelieu pour mettre en valeur la façade de la chapelle Sainte-Ursule. Ci-contre, le tombeau de Richelieu.

querelles homériques, s'imposant aux rois et aux papes, condamnant les hérétiques, puis les calvinistes, les humanistes, les jansénistes…

LA CHAPELLE SAINTE-URSULE

Ancien « hôte et sociétaire » de la Sorbonne en 1606-1607, nommé en 1622 son « proviseur » ou protecteur, Richelieu décide de faire reconstruire le collège médiéval à ses frais. Des bâtiments (aujourd'hui disparus) sont élevés à partir de 1627 sur trois côtés d'un vaste rectangle. Sur le quatrième, Jacques Le Mercier édifie de 1635 à 1642 la chapelle Sainte-Ursule, qui offre deux façades monumentales ornées de statues, l'une sur la cour – espace réservé au collège –, traitée à l'antique avec un portique corinthien s'élevant sur un vaste perron, l'autre sur la place de la Sorbonne, de style jésuite, à deux ordres superposés. À la croisée, la haute tour-lanterne est sommée du premier dôme véritablement classique, entièrement en pierre et non plus charpenté, couvert d'ardoises disposées en écailles et scandé de côtes de plomb Sur les pendentifs de la coupole, richement ornés des armes de Richelieu, quatre médaillons par Philippe de Champaigne (1641) représentent les quatre Pères de l'Église. Richelieu mourut en 1642 sans avoir vu l'achèvement de son œuvre, où il souhaitait être inhumé. Trente-cinq ans plus tard, son héritière fit exécuter par François Girardon un mausolée impressionnant, chef-d'œuvre de l'art funéraire, où le ministre expirant se dresse à demi, soutenu par la Piété et pleuré par la Doctrine chrétienne.
VOIR AUSSI LE GRAND AMPHITHÉÂTRE, p. 316.

Les campeurs du Quartier latin

En 1941, Roger de Rothays, responsable du rayon camping à la Samaritaine, ouvre le magasin Au Vieux Campeur, consacré aux activités de plein air. En 1946, il lance son premier catalogue de vente par correspondance. Le Vieux Campeur prend tout de suite une place bien particulière dans la vie de la capitale, en tant que leader dans le domaine des sports de montagne, des randonnées pédestres, de l'alpinisme, du ski et du camping. Peut-être parce qu'il est né « Vieux », le Campeur se bâtit vite la réputation d'un sage qui offre des produits de qualité à des prix compétitifs. Gardant la tête froide devant le succès, armé de son long bâton de randonneur et la fleur à la bouche, le Vieux Campeur poursuit avec obstination son chemin dans la forêt de pierre du Quartier latin. Parce qu'il a le souci de la proximité et le sens de la trouvaille, une petite marche pour fureter dans ses dix-sept boutiques – 3 500 mètres carrés d'exposition au total – ne donne jamais l'impression de se perdre dans une grande surface anonyme. Chaque magasin a sa spécialité et ses professionnels aux fins conseils pour guider néophytes et initiés dans leurs choix (chaussures, vélo, tente, sac à dos…). Signalons aussi la librairie-cartothèque de la rue Latran, qui propose des cartes marines, des vidéos et des instruments d'orientation, ainsi que le mur d'escalade installé au 48, rue des Écoles. Enfin, les catalogues de vente par correspondance sont régulièrement réédités et un service Minitel est ouvert.
Au Vieux Campeur, magasin principal au 48, rue des Écoles (Vᵉ).

AFFAIRES DE FAMILLE ▽ ▷
Hôtel Colbert de Villacerf,
23, rue de Turenne (IVe)

🔒 En 1643, le marquis d'Esterney achète au couvent de Sainte-Catherine-du-Val-des-Écoliers un assez vaste terrain sur la rue de Turenne, qu'il offre en dot à sa fille Geneviève pour son mariage avec Édouard Colbert, marquis de Villacerf. L'hôtel est construit entre 1643 et 1650.
En 1640, le père d'Édouard, Jean-Baptiste Colbert de Saint-Pouange, avait fait entrer son neveu, le futur grand Colbert, à peine âgé de vingt et un ans, au secrétariat d'État à la Guerre, grâce à l'appui de son beau-frère, Michel Le Tellier, père du grand Louvois. Le Tellier devait diriger le secrétariat à la Guerre avant d'être

nommé chancelier et, en 1677, de céder la place à son propre fils, François-Michel Le Tellier, marquis de Louvois. Si les Saint-Pouange-Villacerf sont à l'origine de la carrière de Colbert, dans la rivalité qui oppose par la suite les deux clans des Colbert et des Louvois – pourtant liés par le sang –, il semble, d'après Saint-Simon, qu'ils choisirent celui des Louvois : « Ils avaient répudié les Colbert pour les Le Tellier, dont ils avaient pris les livrées et suivi la fortune. » Édouard en est récompensé : premier maître d'hôtel de la reine Marie-Thérèse, il reçoit du roi en 1691 la charge de surintendant des Bâtiments du roi, exercée par Colbert de 1661 à 1683, et par Louvois de 1683 à 1691.

UN SOMPTUEUX CABINET
Si la façade de l'hôtel, où l'on note l'emploi de la pierre de taille et la superposition de colonnes et de frontons, démontre les ravages des surélévations et des lourdes restaurations modernes, le cabinet de boiseries peintes remonté au musée Carnavalet nous offre un rare exemple de décor intérieur caractéristique de l'épanouissement de l'art ornemaniste des années 1640. Sur les lambris à la française, divisés en quatre registres horizontaux, se déploie une profusion d'éléments décoratifs – angelots, grotesques, allégories, guirlandes et rinceaux –, peints de couleurs vives sur fond crème. Au plafond, au-dessus d'une très large voussure ornée de tableaux à fond bleu ciel, une toile de l'école de Le Sueur représente Apollon et les divinités des Saisons.

Ci-contre, fontaine de 1881 dans la cour de l'hôtel Colbert de Villacerf. Ci-dessus, dans le cabinet remonté au musée Carnavalet, un portrait de Mazarin rappelle que les années 1640 virent l'affirmation de son pouvoir.

SCARRON EN SA CHAMBRE JAUNE ▷
17, rue Villehardouin et 56, rue de Turenne (IIIe)

🔒 Un bel ensemble de douze maisons borde la rue Villehardouin, au croisement avec la rue de Turenne. Construits entre 1637 et 1639 par les maîtres maçons Michel de Villedo et Noblet sur un modèle uniforme – quatre travées de large, deux étages carrés et un comble percé de lucarnes, parfois modifié postérieurement –, ces bâtiments ont gardé les belles portes cochères qui valurent un temps à la rue le nom de rue des Douze-Portes.
Au numéro 17 (et 56, rue de Turenne) se trouve la maison où s'établirent en 1654 le maître du burlesque Paul Scarron et sa jeune femme Françoise d'Aubigné, future Mme de Maintenon. Le poète était malade et difforme, accablé de difficultés financières qui lui faisaient surnommer son logis « l'hôtel de l'impécuniosité ». Comme la marquise de Rambouillet dans sa chambre bleue, il recevait le meilleur monde dans sa chambre jaune, au lit ou sur sa chaise articulée, et tenait salon et table ouverte. Sur la fin de sa vie, assombrie par de douloureuses crises de hoquet, il se lança dans l'alchimie. Il mourut dans cette demeure, que sa femme, laissée sans le sou, dut immédiatement quitter, le 7 octobre 1660. En 1741, la maison fut occupée par Crébillon père, qui y mourut en 1762.

À l'encoignure des rues Villehardouin et de Turenne, une Vierge à l'Enfant s'abrite dans une niche du XVIIe siècle.

Hôtel d'Avaux ou de Saint-Aignan △ ▷

71, rue du Temple (IIIe)

Quatre Indiens chevelus mordant à belles dents un gros anneau : ce sont les surprenants heurtoirs du porche monumental de l'hôtel d'Avaux. Dans la cour se découvre un saisissant ordre colossal qui ponctue toute la hauteur des façades de pilastres corinthiens. L'aile gauche n'est qu'un « renard », décor plaqué sur une partie de l'enceinte de Philippe Auguste. Cette demeure, chef-d'œuvre du théoricien-architecte Pierre Le Muet – dont l'ouvrage, *Manière de bâtir pour toutes sortes de personnes*, publié en 1623, contribua à la formation de l'idéal classique –, est construite de 1645 à 1648 pour Claude de Mesmes, comte d'Avaux, ancien surintendant des Finances, fin diplomate (il négocia la paix de Westphalie en 1648) et bel esprit. L'hôtel est acheté en 1688 par le duc de Saint-Aignan, Paul de Beauvillier, gendre de Colbert et gouverneur des Enfants de France – c'est lui qui amènera Fénelon au préceptorat du jeune duc de Bourgogne –, qui le remanie et le meuble avec faste.

NAISSANCE D'UN MUSÉE

Occupé par la mairie de l'ex-VIIe arrondissement de 1800 à 1825, l'hôtel ne connaîtra que délabrement et ravages jusqu'à son rachat par la Ville de Paris, en 1962. Restauré, il va accueillir le musée d'Art et d'Histoire du judaïsme, qui, rassemblant les fonds du musée d'Art juif de la rue des Saules, la collection Strauss-Rothschild du musée de Cluny, des stèles funéraires du musée Carnavalet et des objets d'art de provenances diverses, offrira un riche panorama de l'histoire du judaïsme en Europe du Moyen Âge au XXe siècle.

*Façades sur cour de l'hôtel de Saint-Aignan ;
au fronton, les armes de Beauvillier.
Ci-contre, manuscrit hébraïque catalan du XIVe siècle.*

L'esprit de Coluche

En pénétrant dans cette cour pavée, on est d'abord frappé par l'apparente vétusté des lieux. Les façades noircies sont parmi les dernières à n'avoir pas été nettoyées dans le quartier du Marais. Cela n'enlève rien au charme de l'endroit ; bien au contraire. Car ce décor s'allie parfaitement avec l'ambiance foisonnante, vivante et désordonnée qui règne ici.

Parmi tous les publics qui s'y croisent, il y a d'abord les spectateurs du café de la Gare, situé au fond de la cour. Ce théâtre-là fit beaucoup parler de lui dans les années soixante-dix, quand un clown en salopette y inventa le café-théâtre. Il s'appelait Coluche et insuffla à ses prestations un certain esprit, que l'on retrouve encore dans les spectacles que monte aujourd'hui le café de la Gare.

Les soirs d'été, les spectateurs qui font la queue sont entourés des clients du restaurant Le Studio. Ce restaurant tex-mex (texan-mexicain) dresse ses tables à la belle saison dans toute la cour, pour accueillir une faune parisienne branchée. À la tombée de la nuit, qu'éclaire la seule lueur des bougies, on se laisse bercer par le spectacle insolite des danseurs de valse, de tango ou de rock – une école de danse occupe un des bâtiments – que l'on aperçoit aux fenêtres du premier étage.
Café de la Gare et restaurant Le Studio, 41, rue du Temple (IVe).

Une légende du vieux Paris ◁

Maison, 3, rue Volta (IIIe)

🔲 L'aspect médiéval de la maison du 3, rue Volta, élevée sur une étroite parcelle de l'ancienne rue Frépillon, comprenant un rez-de-chaussée de pierre avec deux échoppes à étal et quatre étages en pans de bois, la fit longtemps célébrer comme la plus vieille maison de Paris. On la datait du XIIIe siècle. Elle fut en réalité construite vers 1650 pour Benjamin Dally, maître menuisier, sur le jardin de la maison voisine, qu'il avait acquise en 1644.

Malgré des interdictions maintes fois réitérées à partir du milieu du XVIe siècle, et l'obligation d'enduire entièrement de plâtre les constructions en pans de bois existantes, pour réduire les risques d'incendie, ce type de construction traditionnelle à assemblage de charpente et remplissage de matériaux légers, torchis ou brique, subsista donc jusqu'au XVIIe siècle.

Façade à pans de bois de la maison du 3, rue Volta.

L'ordre Colossal

L'ordre colossal fut inventé à Rome par Michel Ange pour l'un des palais du Capitole, où des pilastres corinthiens de 13 mètres de haut embrassent deux étages ; à Saint-Pierre, ils se dresseront sur 28 mètres ! Fondé sur l'étirement des ordres dorique, ionique ou corinthien, s'élevant d'un seul jet à partir du sol ou d'une base sur toute la hauteur de la façade, il se conjugue souvent avec l'utilisation d'ordres secondaires sur des parties de façade. Il apparaît pour la première fois à Paris à l'hôtel de Lamoignon. On le trouve aussi à l'hôtel de Sourdéac, construit en 1640 : des pilastres colossaux portent de curieux chapiteaux ornés de têtes de bélier. Conférant aux constructions unité, régularité et grandeur, il marque la transition entre l'architecture Renaissance et l'architecture classique. La colonnade du Louvre en sera l'aboutissement.

Une fortune dans le sel ▷

Hôtel Aubert de Fontenay, ou Salé (actuel musée Picasso), 5, rue de Thorigny (IIIe)

🔲 Pour son grandiose hôtel de la rue de Thorigny, Jean Aubert de Fontenay, roturier enrichi à la ferme des gabelles, impôt sur le sel, fit appel en 1656-1659 à un architecte presque inconnu, Jean Boullier de Bourges. Les Parisiens, narquois, surnommèrent d'emblée la demeure hôtel Salé ! Le complaisant et vaniteux Aubert logeait en son hôtel le noble amant de sa femme – « jolie et coquette mais sotte », selon Tallemant des Réaux –, le Gascon César Auguste de Pardaillan, marquis des Termes, un parasite de haute volée qui avait réussi à marier son fils à la nièce (et héritière) des Aubert. Cette situation inspira, dit-on, à Molière son *Bourgeois gentilhomme*. Impliqué dans le procès de Fouquet – surintendant des Finances qui profita de sa situation pour édifier une fortune colossale –, Aubert mourra ruiné en 1668. On voit apparaître ici des dispositions qui s'affirmeront sous le règne de Louis XIV : portail découpé en demi-lune pour faciliter le passage des grands carrosses, ample cour d'honneur en hémicycle complétée d'une basse cour sur laquelle s'étire le principal corps de logis, aux imposantes dimensions, flanqué de pavillons saillants et sommé d'un fronton sculpté aux armes du propriétaire – ce sont celles du marquis de Juigné, qui y habita de 1771 à 1786 –, galerie ornée de sphinges. Le doublement du corps de logis donne tout l'espace au majestueux escalier, merveille de stéréotomie et de ferronnerie, qui s'élève au milieu d'un fantastique décor sculpté dû à Martin Desjardins et aux frères Marsy.

Médaillons de stuc, bustes d'empereurs romains, atlantes, aigles aux ailes déployées composent le décor du magnifique escalier de l'hôtel Salé. En détail, une œuvre de Picasso.

LA COUR AUX BALCONS DE L'HÔTEL DE BEAUVAIS Δ ∇

68, rue François-Miron (IVe)

La cour de l'hôtel de Beauvais, qui évoque un décor de théâtre, et l'escalier de pierre, porté par des colonnes corinthiennes et sculpté de bas-reliefs, avec sa balustrade aux entrelacs ajourés.

🔑 Le 26 août 1660, jour de l'entrée solennelle à Paris de Louis XIV et de Marie-Thérèse après leur mariage, la reine mère Anne d'Autriche, pour observer le cortège, « se plaça sur les balcons de ce magnifique hôtel que la dame de Beauvais a fait bâtir sur la rue Saint-Antoine. [La rue Saint-Antoine était alors la voie la plus large de Paris et le principal axe de circulation est-ouest.] Celui du milieu, qui est aussi le plus grand et le plus avancé, avait été couvert d'un dais à longues queues de velours cramoisi... » Aux côtés d'Anne, la reine Henriette d'Angleterre et sa fille, future épouse de Monsieur, frère du roi. Aux autres balcons, ornés « de très fins tapis de Perse », Mazarin, Turenne et les dames de la cour. Le 5 juin 1662, on s'y pressait encore pour voir passer le Roi-Soleil et les cinq quadrilles du grand carrousel donné aux Tuileries pour célébrer la naissance du Dauphin.

La dame de Beauvais était Catherine Henriette de Bellier, épouse de Pierre de Beauvais, dite Catheau-la-Borgnesse, boiteuse de surcroît, quelque peu espionne et intrigante et, selon Saint-Simon, « première femme de chambre de la reine mère et dans sa plus intime confidence, et à qui tout le monde faisait d'autant plus la cour qu'elle ne s'était pas mise moins bien avec le roi, dont elle passait pour avoir eu le pucelage ». Son hôtel, œuvre maîtresse d'Antoine Lepautre édifiée de 1655 à 1660, fut, semble-t-il, construit avec des pierres destinées au Louvre mais octroyées par la reine mère à sa protégée.

DE L'AUDACE ET DU LUXE

La façade sur rue, qui était la façade principale et comportait des boutiques dans les arcades du rez-de-chaussée, est dépouillée de presque tous ses ornements, et les appartements ont perdu leurs dorures et leurs riches couleurs. Mais la cour frappe par le parti que Lepautre a su tirer d'un terrain biscornu, par la complexité des motifs architecturaux utilisés, par la profusion du décor sculpté. D'une curieuse forme, combinant le cercle et le trapèze pour occuper l'espace au maximum, elle s'ouvre sur un vestibule en rotonde soutenu par huit colonnes doriques et se clôt par un haut entablement porté par deux colonnes. Un escalier monumental conduit à gauche au grand appartement du bel étage occupant le corps de logis sur rue, qui se prolongeait par une grande galerie en retour à droite sur la cour – galerie qui conduisait à une chapelle en fond de cour et ouvrait côté rue de Jouy sur un jardin suspendu bordé d'un appartement de bain. Dans ce parti audacieux, cette distribution étonnante, ce déploiement de luxe, l'hôtel satisfait autant aux traditions de la maison bourgeoise sur rue à vestibule monumental (côté rue François-Miron) qu'à l'hôtel aristocratique entre cour et jardin, inversé (côté rue de Jouy).

LE PREMIER VOYAGE DE MOZART À PARIS

Le souvenir du petit Mozart s'attache à ces pierres. Venu se produire à Versailles en 1763, il y fut logé quelques mois avec sa sœur Marie-Anne et ses parents par le comte Van Eyck, ambassadeur extraordinaire du duc de Bavière. La comtesse avait mis à la disposition du jeune prodige, âgé de sept ans, son clavecin, sur lequel il composa ses quatre premières sonates, dédiées à Mme Victoire, deuxième fille du roi, et à la comtesse de Tessé. Le séjour fut assombri par la mort brutale de la comtesse, à vingt-deux ans, et par la maladie des enfants, mais les concerts organisés par Léopold Mozart dans l'hôtel furent des succès et, rapporte Grimm, « les enfants de M. Mozart ont excité l'admiration de tous ceux qui les ont vus ».

La rue du papier

Entre l'église Saint-Gervais-Saint-Protais et l'hôtel de Beauvais, la rue du Pont-Louis-Philippe abrite les rêveries raffinées des amateurs de beaux papiers. Du côté pair (du numéro 4 au numéro 6), Calligramme présente toutes sortes de papiers recyclés faits à la main, au grain rude, des papiers décoratifs, d'autres plus exotiques (japonais, brésiliens), confectionnés à partir de fibres de bananier ou de mûrier, de nombreux accessoires de bureau, des carnets, enveloppes et cahiers, des crayons et aussi de la cire à cacheter pour sceller les plis les plus secrets. Au numéro 10, si l'on pousse la porte de

112

Un bourgeois bâtisseur ◁ △

Hôtel Amelot de Bisseuil, dit des Ambassadeurs de Hollande, 47, rue Vieille-du-Temple (IIIᵉ)

Le modèle, dit-on, du « bourgeois amateur de bâtiments » de La Bruyère, si impressionné par la munificence des ses appartements qu'il préférait dormir au galetas, était Jean-Baptiste Amelot de Bisseuil, qui fit construire cet hôtel de 1657 à 1660 par Pierre Cottard. La tradition voulant que l'ambassadeur de Hollande – ou son chapelain – y ait été plus tard installé, ce qui expliquerait le nom d'hôtel des Ambassadeurs de Hollande ajouté au milieu du XVIIIᵉ siècle, n'est pas vérifiée. On possède en revanche l'acte de location de l'entreprenant Beaumarchais, qui y vécut de 1776 à 1788, y installa les bureaux de sa société d'armement, y écrivit *le Mariage de Figaro* et le livret de *Tarare* et y créa en 1784 un « Institut de bienfaisance au profit des pauvres mères nourrices ».

SPLENDEUR DU STYLE MAZARIN

L'hôtel possède l'une des plus spectaculaires portes cochères du Marais, aux vantaux sculptés de têtes de méduse et de figures allégoriques et aux vastes tympans décorés de bas-reliefs de Thomas Regnaudin. Il a aussi pour particularité d'être sis entre deux cours, la plus grande se trouvant à l'arrière.
Dans les appartements éclate le style splendide de l'époque Mazarin, dont témoignent la voûte de la grande galerie de l'aile ouest – seule galerie édifiée dans le Marais –, consacrée par Michel Corneille à l'histoire de Psyché, et la chambre à l'italienne surhaussée par un plafond à voussure souligné d'une balustrade de pierre ; le motif central du plafond, dû à Louis Boullongne père, illustre les noces d'Hercule et Hébé.

La chambre à l'italienne de l'hôtel Amelot de Bisseuil. Ci-dessus, le tympan du portail d'entrée, côté cour, où est représenté le Berger Faustulus découvrant Romulus et Rémus, par Regnaudin.

Mélodies graphiques, on peut goûter le luxe teinté de nostalgie de la papeterie sophistiquée et de la calligraphie ancienne (encres, feuillets fins, signets, ex-libris, petits cadres en carton marbré). Enfin, en traversant la chaussée, on franchira le seuil de Papier +, qui offre un choix solide de rames de papiers recyclés teintés, de papier Amalfi, ainsi que des répertoires, des agendas, des cahiers entoilés et des crayons de toutes les couleurs.
Deux pas plus haut (au numéro 11), Kimonoya clôt la promenade avec la douceur de ses pinceaux en poils de lapin et la finesse de ses encres de Chine, qui voisinent avec les kimonos et les accessoires de cuisine.
Rue du Pont-Louis-Philippe (IVᵉ).

LES COLLECTIONS DE MAZARIN ◁

Palais Mazarin (actuelle Bibliothèque nationale), 58, rue Richelieu (IIᵉ)

Comme Richelieu, le cardinal-ministre Mazarin voulut avoir son palais. Il achète en 1649 l'ancien hôtel de Chevry-Tubeuf, bâtiment de brique et de pierre construit en 1635 – on l'aperçoit au 8, rue des Petits-Champs, au fond d'une cour –, et le fait compléter en 1644-1645 dans le même style par François Mansart d'un bâtiment contenant deux galeries superposées. La galerie basse ou galerie Mansart, décorée de stucs et de grisailles – aujourd'hui restaurée et transformée en salle d'exposition –, était destinée à recevoir ses collections : 546 tableaux de maîtres français et étrangers, 241 portraits de papes, des tapisseries, des objets précieux et 326 marbres antiques. La bibliothèque, riche de vingt mille volumes, ouverte au public un jour par semaine, occupait l'étage, ou galerie Mazarine, qui a conservé son plafond à voussure compartimenté peint de scènes mythiques par l'artiste romain Giovanni Romanelli, et ses embrasures de fenêtre ornées de paysages par son compatriote Grimaldi.

En 1649, Mazarin fuit la Fronde. Sa bibliothèque, mise en vente sur ordre du Parlement, est dispersée en 1652. Il semble que Mansart en déroba alors certains précieux traités d'architecture. Cela expliquerait qu'au cours d'une algarade rapportée par la *Mansarade*, pamphlet contre Mansart publié en 1651, Mazarin ait menacé de faire pendre l'architecte et que la carrière de ce dernier ait connu quelque éclipse à partir du retour au pouvoir du ministre, en 1653.

VOIR AUSSI LA COUR D'HONNEUR, p. 163, ET LA SALLE DE LECTURE DE LA BIBLIOTHÈQUE, p. 289.

La galerie Mazarine, où le cardinal avait installé sa bibliothèque.

HÔTEL D'AUMONT ▷

7, rue de Jouy (IVᵉ)

L'hôtel du financier Michel-Antoine Scarron, oncle du poète, achevé en 1651 par Michel de Villedo, peut-être d'après les plans de François Mansart, comportait un seul avant-corps central et onze travées sur jardin qui forment l'actuelle partie gauche du bâtiment. Achetée en 1656 par le maréchal d'Aumont, gouverneur de Paris, la demeure reçut un décor intérieur de Charles Le Brun dont il reste quelques beaux éléments, puis passa à son fils Louis-Marie, qui fit ajouter en 1703 six travées et un second avant-corps.

Menacé dans les années 1940-1950 par la décrépitude et le mépris quasiment général qui entourait alors le quartier du Marais, l'hôtel échappa à la démolition. En 1960-1962, afin d'accueillir le tribunal administratif, il fit l'objet d'une restauration quelque peu abusive : allongement de quatre travées vers l'ouest, modification des toitures, suppression des souches de cheminées, transformation des volumes intérieurs, bétonnage des murs.

La longue façade sur jardin de l'hôtel d'Aumont, animée par un sobre décor sculpté.

Le village Saint-Paul

À proximité de l'hôtel d'Aumont, entre la rue des Jardins-Saint-Paul, la rue Charlemagne, la rue Saint-Paul et la rue de l'Ave-Maria, le village Saint-Paul rassemble quatre-vingts boutiques – antiquaires, galeries d'art et artisanat. Créé à l'initiative de la Mairie de Paris en 1978, cet ensemble architectural récent abrite le long de ruelles paisibles et de cours préservées des cavernes modernes remplies d'objets précieux : petits meubles et curiosités, bibelots et peintures, lampes et argenterie, lutherie et cartes postales anciennes, beau linge et dentelles… La boutique Fuchsia regorge de linge de lit brodé Richelieu, de robes de baptême et de soirée, de jupons et de châles. Les Virtuoses de la Réclame possèdent un stock étonnant de plaques émaillées, Métropolis a choisi l'art nouveau et la porcelaine fine, Éric Dubois se consacre aux objets usuels ou rituels français et africains, Majolique s'est spécialisé dans les faïences émaillées, le Passepartout offre aux curieux toute une collection de clés et de tire-bouchons. Dans une des cours intérieures, l'atelier d'ébénisterie et de décoration de Valérie Delage avoisine le musée de la Poupée et l'antre tapissée de miroirs de Castafiore. Chaque année, des expositions temporaires, des animations thématiques et quatre grands déballages viennent animer le village Saint-Paul : vingt et un marchands extra-muros y exposent alors leurs multiples trésors pendant tout un week-end.

Hotel Guénégaud des Brosses △ ▷
Actuel musée de la Chasse et de la Nature, 60, rue des Archives (IIIᵉ)

C'est à un collectionneur privé, l'industriel François Sommer, que l'on doit l'origine du musée de la Chasse et de la Nature installé depuis 1967 dans les murs de l'hôtel Guénégaud des Brosses. Tous les types d'armes de chasse y sont présentés, des épieux préhistoriques aux joyaux de mécanique du XIXᵉ siècle, ainsi que divers objets ayant trait à la chasse, dont mille cinq cents boutons de vénerie. Gorilles, panthères, lions, élans et ours naturalisés y sont environnés de tableaux de maîtres – Bruegel de Velours, Chardin, Corot, Monet... On a rassemblé également presque tous les ouvrages anciens de chasse en langue française, parmi lesquels le *Miroir des déduits de la chasse des bêtes sauvages et des oiseaux de proie* de Gaston Phébus (XIVᵉ siècle) et des manuels de fauconnerie du XVIᵉ siècle.

APPARITION D'UN STYLE SÉVÈRE
L'hôtel est construit en 1651-1655 par François Mansart pour Jean-François de Guénégaud, sieur des Brosses, conseiller au Parlement. Son fils Claude, nommé par Louis XIV ambassadeur à Lisbonne, le loue quelque temps à un financier, Pierre Reich de Pénaultier, qui est impliqué dans l'affaire des Poisons et ne s'en tire que de justesse : « Le public n'est point content, nota Mme de Sévigné, on dit que tout cela est trouble. »
C'est l'unique construction civile parisienne de François Mansart intégralement préservée et qu'une vigoureuse restauration a particulièrement bien mise en valeur. L'évolution vers un nouveau style plus sévère y est manifeste. Le décor sculpté des façades est très réduit, mais des vases, à présent disparus, ornaient le portail et l'avant-corps central de la façade sur cour. Le rythme des façades est marqué subtilement par des lignes de refend, des moulurations et des corniches plates encadrant de très grandes baies. Alors que les élévations sur cour et sur jardin sont d'inégales dimensions et que l'aile droite sur jardin est plus courte que la gauche, l'ensemble, de plan très simple, parvient à donner une impression de parfaite régularité. Le superbe escalier aux voûtes complexes et aux marches curvilignes est caractéristique de l'art de Mansart.

La restauration de l'hôtel Guénégaud des Brosses, en 1962, a permis de reconstituer les parterres à la française et les treillages en trompe-l'œil du jardin. Ci-contre, l'escalier.

L'abbaye du Val-de-Grâce

Actuel hôpital d'instruction des armées du Val-de-Grâce, 277 *bis*, rue Saint-Jacques (Vᵉ)

L'abbaye du Val-de-Grâce, côté jardin, avec le pavillon d'Anne d'Autriche.

🔑 Très dévote, la jeune reine Anne d'Autriche s'est, dès son arrivée à Paris, en 1616, liée d'amitié avec Marguerite d'Arbouze, prieure de Notre-Dame-de-la-Ville-l'Évêque, au faubourg Saint-Honoré. Elle la fait nommer en 1618 abbesse du couvent des Bénédictines du Val-de-Grâce-de-Notre-Dame-de-la-Crèche, situé dans la vallée de Bièvres, et obtient en 1621 le transfert du couvent à Paris, dans ce faubourg Saint-Jacques déjà peuplé de communautés religieuses où elle a acquis de ses propres deniers l'ancien hôtel du Petit Bourbon, où logent d'abord ses amies.

LE VŒU DE LA REINE

C'est encore la reine qui finance en grande partie, à partir de 1624, la construction d'un cloître où elle a ses appartements. Délaissée par le roi pendant trois longues années au lendemain même de sa nuit de noces, victime d'une fausse couche en 1622, la reine vient en effet deux fois par semaine y faire ses dévotions parmi les religieuses et s'y retire quelques jours pour les grandes fêtes.
Le 5 septembre 1638, enfin, après plus de vingt ans de stérilité, naît Dieudonné, futur Louis XIV.
Deux ans plus tard, la reine donne le jour à un second fils, Philippe. La dynastie est assurée.
Louis XIII meurt en 1642, Richelieu en 1643. À peine devenue régente, la reine mère entreprend d'accomplir le vœu depuis longtemps formulé de faire bâtir « à Dieu un temple magnifique s'il lui envoyait un dauphin ». Le 1ᵉʳ avril 1645, le petit Louis pose la première pierre d'une nouvelle église – avec, inscrit en langue latine : « Pour la grâce d'un roi longtemps désiré… » – et, le 27 avril 1655, son jeune frère Philippe pose celle des nouveaux bâtiments conventuels.

« … *Auguste bâtiment, temple somptueux Dont le dôme superbe, élevé dans la nue, Pare du grand Paris la magnifique vue…* »
(Molière, la Gloire du Val-de-Grâce, 1669.)

Le baldaquin à colonnes, dans le chœur de l'église du Val-de-Grâce.

Les bâtiments claustraux, surélevés en 1655-1656.

ROME À PARIS

C'est un exceptionnel ensemble d'architecture conventuelle du XVIIᵉ siècle, dont il subsiste peu d'exemples aussi complets en France et aucun autre à Paris, qui est édifié en vingt ans. Le modèle en fut l'Escorial, palais-monastère où Anne d'Autriche avait passé son enfance. Jacques Tubeuf, « intendant des Finances et Affaires de la reine », conduit les travaux. François Mansart donne les plans, commence le chantier, mais ne respecte ni les délais ni les marchés prévus et est remplacé dès 1646 par Jacques Le Mercier. Pierre Le Muet et Gabriel Le Duc achèvent la construction, avec certaines modifications, en juin 1667.

La façade toute romaine, précédée d'un parvis, superpose à un portique corinthien un frontispice de quatre colonnes composites accosté d'ailerons en volutes et sommé d'un fronton sculpté d'anges. Le dôme de plomb scandé de bandes dorées, comme plus tard celui des Invalides, s'inspire de Saint-Pierre de Rome ; c'est l'un des plus élevés de Paris. La fresque de la coupole, peinte par Pierre Mignard, d'une composition concentrique de plus de deux cents personnages, stupéfia par son ampleur. Dans la courte nef, un dallage de marbres polychromes très italien reproduit les divisions des voûtes, finement ciselées par Michel et François Anguier. Au fond du chœur se dresse le maître-autel, surmonté d'un magnifique baldaquin à colonnes torses de marbre noir, à l'imitation de celui de Saint-Pierre et peut-être aussi dessiné par Le Bernin. Rarement tant de grandeur et de somptuosité furent égalées. Tandis que s'édifie l'église, l'ancien cloître est surélevé en 1655 et complété de nouveaux bâtiments au sud et à l'ouest, où se déploie face à la pente douce du grand parc à la française une élégante façade ornée d'un balcon de ferronnerie et d'un fronton sculpté aux armes de France et d'Autriche. Quatre grands pavillons marquent les angles du cloître. Dans celui du nord-est, auquel est adossé un curieux petit cabinet-oratoire porté par quatre paires de colonnes baguées, est installé le nouvel appartement de la reine. Il porte pour emblème un pélican nourrissant ses petits.

Le 21 mars 1665, la reine mère, souffrant cruellement d'un cancer du sein depuis plusieurs mois, peut assister à la première messe célébrée sous le dôme. Elle souhaite mourir au Val-de-Grâce mais est ramenée au Louvre, où elle s'éteint le 20 janvier 1666. Son cœur repose jusqu'en 1793 dans la crypte de l'église, avec ceux de quarante-sept princes et princesses de la Maison de France.

Une humiliante perquisition

Le 11 août 1637, Anne d'Autriche remet à son portemanteau Laporte une lettre pour son amie Mme de Chevreuse, exilée par la volonté de Richelieu. Le royaume est en guerre contre l'Espagne et les Pays-Bas et le ministre soupçonne, à juste titre, la reine délaissée d'entretenir une correspondance clandestine avec son frère Philippe IV et sa famille espagnole par l'intermédiaire de ses favorites.

Laporte est intercepté et embastillé, mais il ne parle pas. Le 13 août, le chancelier de France Pierre Séguier, accompagné de l'évêque de Paris, fait fouiller l'appartement de la reine au Val-de-Grâce, ainsi que les cellules des religieuses. Il ne trouve que « haires et disciplines ». Exaspéré, Richelieu envoie l'abbesse, Louise de Milley, dans un couvent de province. Cependant, le 17 août, devant de nouvelles preuves, la reine finit par avouer et signe une accablante confession. Louis XIII lui fait défense de retourner au Val-de-Grâce. Elle doit s'incliner. Mais, le 14 mai 1643, jour même de la mort du roi, elle fait revenir Louise de Milley à Paris.

Paris n'est plus cette ville où la bohème de Montmartre ou Montparnasse faisait les beaux jours d'une vie artistique débridée. La création y est canalisée, institutionnalisée. Mais derrière cet ordre apparent de la ville moderne jaillissent des initiatives originales, des manifestations improvisées : la capitale redevient alors un formidable lieu de rencontre d'où monte le joyeux tumulte de la création.

◁ **Portrait de Mme Zetlin, amie et élève d'Antoine Bourdelle.**

Les lieux de création d'autrefois sont devenus des emblèmes de la capitale, des lieux de rendez-vous auxquels s'attache une histoire particulière.

ATELIERS HISTORIQUES

Certains, qui sont devenus musées (musée Delacroix, musée Henri-Bouchard, musée Gustave-Moreau, musée Bourdelle...), conservent l'atelier où travailla l'artiste. Le musée Rodin fut, lui, le séjour de nombreux artistes : Isadora Duncan y professa la danse, Matisse y peignit, Cocteau y occupa un salon et, bien sûr, Rodin y travailla. D'autres ne sont plus que des immeubles où il faut en imagination faire revivre leurs locataires : l'hôtel particulier du peintre Jollivet (11, cité Malesherbes, IXᵉ), aux foisonnants décors polychromes ; les ateliers Eiffel (4-6, rue Aumont-Thiéville, XVIIᵉ), qui dressent encore leurs splendides structures métalliques ; la villa des Arts (15-17, rue Hégésippe-Moreau, XVIIIᵉ), construite avec des matériaux de récupération de l'Exposition universelle de

1889, qui fut la demeure de Cézanne ; enfin, les séries d'ateliers étagés en gradins de la rue Ganneron (XVIIIᵉ), accessibles par des coursives et des cours intérieures.

ILS ONT PIGNON SUR RUE

Rive gauche, deux cités parisiennes sont dévolues aux artistes. La Cité fleurie (65, boulevard Arago, XIIIᵉ), qui date de 1880, possède trente pavillons avec ateliers en rez-de-chaussée disséminés le long de ses allées arborées. La Ruche (2, passage Dantzig, XVᵉ) fut créée en 1902 par le

△ **Environ soixante artistes – sculpteurs au rez-de-chaussée, peintres à l'étage – travaillent à La Ruche.**

▽ **Dans cet atelier, devenu musée, le sculpteur Henri Bouchard vécut jusqu'en 1960.**

△ **L'un des ateliers de La Cité fleurie, où travaille l'artiste Serge Benoit.**

CRÉATION

Le combat des associations

Progressivement chassés des arrondissements en voie de restructuration, les artistes ont émigré vers la rive droite et le nord de Paris, dans les pâtés de maisons où le hasard pouvait encore, à l'abri d'une cour, dans d'anciens locaux industriels ou commerciaux, leur permettre d'exercer leur art. Des associations sont nées afin de protéger ces lieux de création improvisés et de promouvoir le travail des artistes de chaque quartier. Très délimitées géographiquement, solidement implantées, fort actives et résolument tournées vers la création contemporaine, elles redonnent à Paris son aspect villageois. Une fois par an en moyenne, chacune d'entre elles propose des journées portes ouvertes : amateurs, promeneurs et voisins peuvent ainsi visiter les ateliers.

La Bastille et Belleville

« Paris doit rester un très grand atelier. » Par ces mots, Le Génie de la Bastille, association fondée en 1984, manifeste sa farouche volonté d'ouverture. Plus d'une centaine d'ateliers, auxquels galeries et théâtres ont emboîté le pas, ouvrent leurs portes tous les ans au printemps. Des dissidents créèrent en 1989 Artistes à la Bastille pour saluer le centenaire de la Révolution française ; cette association regroupe deux cent quatre-vingts adhérents (peintres, sculpteurs, écrivains, créateurs textiles) qui ouvrent aussi leurs portes au printemps. Les deux associations ont instauré de nombreux échanges avec des pays étrangers.

△ Près de trente artistes – peintres, sculpteurs, mais aussi trapézistes… – occupent les 400 mètres carrés de l'usine « la forge ».

▷ Exposition de Gilbert Cosset lors de portes ouvertes organisées par l'association des Ateliers du Père-Lachaise associés.

▽ Une ruelle de Belleville lors des portes ouvertes de l'association Artclefs.

sculpteur Alfred Boucher avec des matériaux récupérés de l'Exposition universelle de 1900. Des artistes célèbres – jusqu'à cent quarante, dont Léger, Chagall, Soutine – y ont séjourné. À ces cités anciennes se sont ajoutés de nouveaux ensembles d'ateliers, rue du faubourg Saint-Martin, quai de Seine, auxquels se joindront ceux des zones d'aménagement prévues par la Ville (ZAC Bercy, la Villette, la Moskowa-Pajol, les terrains de la RATP de Montsouris et Denfert-Rochereau…).
Près de la Bastille, les « arcades de la création », arcs du viaduc du chemin de fer désaffecté attribués à des métiers d'art, exposent de luxueuses productions : restauration d'objets précieux et de linge fin, sculpture, fabrication de cadrans solaires…

LES PARIS DE LA CRÉATION

L'association des Ateliers d'artistes de Belleville (AAB) – deux cents plasticiens et photographes – a été fondée en mars 1990. Leurs ateliers, menacés par les projets d'urbanisme, sont âprement défendus par l'association la Bellevilleuse. Ils ouvrent leurs portes au public en mai pour quatre jours qui prennent des allures de fête : les cours se transforment en lieux d'exposition provisoire, une atmosphère bon enfant règne dans les rues étroites où musique, danse et spectacles improvisés ajoutent une note de gaieté.

Il y a trente et un ans, à Belleville, des artistes s'étaient mobilisés pour empêcher la démolition d'une usine de mécanique, « la forge ». Ils gagnèrent et créèrent l'association Artclefs (23-25, rue Ramponeau, XXᵉ), qui prit provisoirement possession des locaux, y accueillit vingt-cinq artistes de nationalités différentes et y organisa toutes sortes de manifestations artistiques. Des ateliers d'arts plastiques et d'écriture gratuits, « Écrire à Babelville », sont ouverts aux enfants chaque semaine et tout l'été.

CRÉATION TOUS AZIMUTS

Voisine immédiate de Belleville, l'association des Ateliers du Père-Lachaise associés (APLA) regroupe plus de quarante photographes et plasticiens résidant entre le Père-Lachaise, le boulevard de Charonne, la rue Saint-Blaise et la rue d'Avron. Ils ouvrent aussi leurs ateliers le premier week-end de mai. Fondée en 1987, l'APLA édite également des ouvrages de qualité, des catalogues pour ses membres et organise des échanges avec des artistes québécois.

Occupée en 1980, à l'occasion d'un carnaval, la menuiserie du 44, avenue Jean-Moulin, connut, avant d'être rasée, de joyeux sculpteurs-squatters. Une compagnie théâtrale s'y créa. Tout ce monde finit par se retrouver pour une solution provisoire qui dure encore, au 29, rue des Orteaux (XXᵉ). L'association des Artistes locataires du 29 a organisé en 1981 sa première manifestation, réunissant une trentaine de peintres, de sculpteurs et de comédiens. Les portes s'ouvrent en mai et l'association compte à présent deux compagnies théâtrales : le Théâtre des Orteaux et le Chœur antique d'Europe.

Les Artistes gervaisiens, au nord-est de l'agglomération parisienne, a un pied dans la capitale, un autre au Pré-Saint-Gervais, et rassemble deux cents plasticiens de tous horizons : peintres, vidéastes, sculpteurs, graveurs, photographes, « performeurs » (artistes se

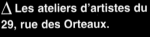

△ Les ateliers d'artistes du 29, rue des Orteaux.

▽ Les « arcades de la création ». Sur le viaduc, la coulée verte, promenade boisée qui conduit à Vincennes.

△ L'exposition du sculpteur Marguarita Caballeros lors de journées portes ouvertes organisées par l'association des Ateliers du Père-Lachaise associés.

◁ Mustapha Cheikh, l'un des peintres travaillant régulièrement à « la forge ».

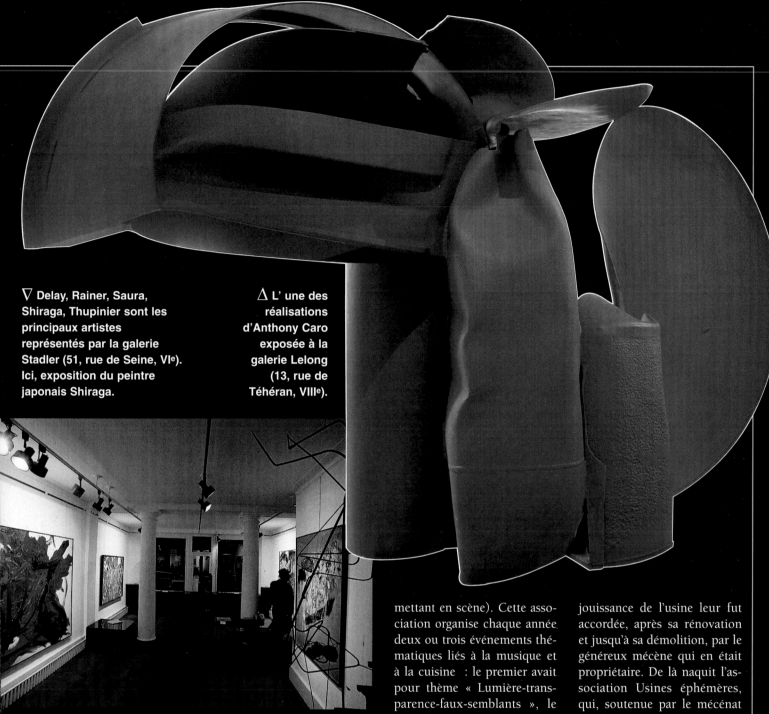

∇ Delay, Rainer, Saura, Shiraga, Thupinier sont les principaux artistes représentés par la galerie Stadler (51, rue de Seine, VIᵉ). Ici, exposition du peintre japonais Shiraga.

Δ L' une des réalisations d'Anthony Caro exposée à la galerie Lelong (13, rue de Téhéran, VIIIᵉ).

mettant en scène). Cette association organise chaque année deux ou trois événements thématiques liés à la musique et à la cuisine : le premier avait pour thème « Lumière-transparence-faux-semblants », le second, « Lieux imaginaires de la littérature ».

Le Carré d'art de la Goutte-d'Or (entre les stations Marcadet-Poissonniers, Château-Rouge, La Chapelle et Marx-Dormoy), association fondée en 1992, regroupe plus de soixante-dix artistes qui ouvrent les portes de leurs ateliers en juin et organisent différentes expositions toute l'année, en particulier dans les stations de métro du périmètre.

En 1987, trente-cinq jeunes créateurs décoraient les palissades entourant l'usine de produits chimiques SEERI, au flanc des Buttes-Chaumont. La jouissance de l'usine leur fut accordée, après sa rénovation et jusqu'à sa démolition, par le généreux mécène qui en était propriétaire. De là naquit l'association Usines éphémères, qui, soutenue par le mécénat d'entreprises privées et d'institutions publiques, aménage dans les espaces voués à la démolition des studios pour loger de jeunes artistes, des salles d'exposition, de répétition et de spectacle. Ce fut le cas par exemple à l'ancien hôpital Bretonneau, et l'expérience dure encore à La Base (Levallois-Perret) et à l'usine Méru (Méru, dans l'Oise).

GALERIES D'ART CONTEMPORAIN

Découvrir des artistes inconnus, s'engager à les soutenir, à les suivre et à exposer leur travail, tel est le rôle des galeries d'art contemporain. C'est ce à quoi s'emploient les célèbres galeries Maeght, Stadler, Krief et Lelong.

Un nombre important de galeries se trouve aujourd'hui concentré dans le triangle qui s'étend entre Beaubourg et la Bastille, englobant le Marais. Daniel Templon fut le premier à exposer, rue Beaubourg, les trans-avant-gardistes comme Schnabel. La vaste Galerie de France, qui expose Pierre Soulages, Nicky de Saint Phalle, Jean-Pierre Bertrand…, a quitté depuis 1981 la rue Saint-Honoré pour la rue de la Verrerie. Et Yvon Lambert (qui expose Twombly, Charleblé, Barceló…), la rue de l'Échaudé pour la rue Vieille-du-Temple en 1986. Ils ont été rejoints par Denise René (rue Charlot), Alain Veinstein (rue de Lappe). La galerie Durand-Dessert est arrivée rue de Lappe en 1990. Liée au mouvement de l'Arte Povera (Anselmo, Penone, Merz…) depuis plus de vingt ans, elle organise des expositions pour plus de trente artistes (Beuys, Boltanski, Garouste…) ; elle a parallèlement ouvert une librairie, spécialisée dans l'art contemporain à partir des années soixante.

LES RUES DE LA MUSIQUE

En 1911, le Conservatoire national supérieur de musique s'établit rue de Madrid. En dix ans, la moitié des luthiers de la ville avaient annexé le quartier – rues de Rome, de Léningrad, de Moscou, de Liège, de Madrid, de Constantinople. Depuis, la rue de Rome est une longue procession de vitrines dédiées aux amoureux de la musique classique ou contemporaine : boutiques d'instruments à cordes et à vent, archetiers, luthiers et librairies musicales (La Flûte de Pan,

Arioso…). Spécialisés dans la restauration, la fabrication ou l'expertise d'instruments (qui n'est assurée que par quelques maîtres), les luthiers sont une trentaine autour de la rue de Rome. La maison Vatelot, rue Portalis, tenue par Étienne Vatelot, fils du fondateur, travaille pour les plus grands virtuoses. Son atelier, qui fut fréquenté par Camille Saint-Saëns, Maurice Ravel et Vincent d'Indy, s'est spécialisé dans la fabrication et la restauration de violons altos et de violoncelles, dans la mise au point sonore des instruments et l'expertise d'instruments anciens. Étienne Vatelot a l'élégance et l'exigence d'un véritable maître, entièrement voué au service de son art ; il se rend depuis plus de cinquante ans quatre ou cinq fois par semaine au concert pour garder l'oreille, a formé plus de cinquante élèves et parle avec amour des quatre cent cinquante stradivarius qui existent encore de par le monde.

La musique électrique – rock, blues, jazz, rap… – a, elle, élu domicile autour des boulevards de Clichy et de Roche-chouart. Amplis, guitares et basses électriques, batteries, pédales et magnétophones multipistes y inventent sans cesse de nouvelles sonorités. Depuis janvier 1995, le Conservatoire national supérieur de musique a quitté la rue de Madrid – à sa place est prévu un nouveau conservatoire régional – pour la Cité de la musique, ouverte à la lisière du parc de la Villette. Autour de l'immense salle de concert se développent en spirale, comme le long d'une trompe amplificatrice, salles de répétitions, logements d'étudiants, musée… Toute l'actualité de la musique – stages, cours, spectacles, organismes officiels,

◁ ▽
Les trompettes de chez Feeling sont célèbres. Mais rien ne saurait égaler les violons et violoncelles d'Étienne Vatelot, l'un des rares maîtres incontestés dans l'expertise d'instruments anciens.

associations, conservatoires, écoles... – est disponible au centre d'information. Et, autour des huit cents instruments exposés au musée, la musique est toujours vivante : reconstitutions d'œuvres clés, parcours sonores, démonstrations et animations, amphithéâtre pour des concerts...

FÊTES DE L'ART

Depuis 1982, le 21 juin, vingt-quatre heures sont dévolues à la musique. Malgré l'abondance croissante de concerts organisés, la fête de la Musique est encore celle de la musique spontanée, qui jaillit au coin des rues, au hasard des rencontres des instruments et des voix, des bistrots et des bars.
Le cinéma se fête du 25 au 27 juin : un premier billet acheté à plein tarif se transforme en passeport pour les entrées suivantes, moyennant dix francs supplémentaires par séance. Au mois de juin encore, les jardins privés entrouvrent leurs portes pour partager leurs secrets fleuris et parfumés avec les amoureux de l'été. Le troisième week-end de septembre, les monuments historiques dévoilent aux passants étonnés des trésors jalousement gardés et, au cours de la deuxième quin-

zaine d'octobre (le Temps des livres), les écrivains rencontrent leur public. Viennent ensuite le festival de la Danse et le festival d'Automne, au cours duquel se produisent des artistes du monde entier. Puis, aux premiers jours du printemps, les coulisses de la Culture se proposent de faire découvrir les « métiers de l'ombre » de la vie artistique au cours de débats, d'ateliers et de parcours découvertes, et les grands théâtres soulèvent leur rideau rouge ; on peut d'ailleurs s'y rendre à deux en achetant une seule place.

△ Les concerts de la Bastille ou de la République attirent les foules lors de la fête de la Musique, et hôtels particuliers ou hôpitaux s'ouvrent parfois le temps d'un récital. Mais de nombreux concerts improvisés animent aussi les quartiers de Paris.

◁ Feeling (61, rue de Rome, VIIIᵉ) est spécialisé dans la vente et la réparation d'instruments à vent.

▽ L'exposition des œuvres de Botero sur les Champs-Élysées fut l'un des événements artistiques de l'hiver 1992-1993.

△ L'une des œuvres de Dalí exposées sur la place Vendôme (1995).

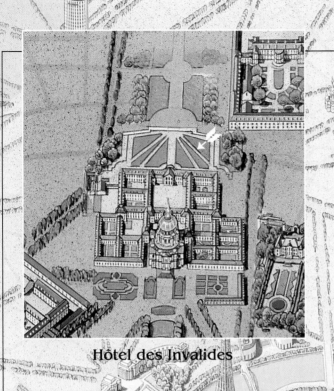

Hôtel des Invalides

Portes Saint-Denis
et Saint-Martin

Aux lueurs du couchant l'eau s'allume, et la Seine
Berce plus de joyaux, certes, que jamais reine
N'en porte à son col les grands jours.

Théophile Gautier, *Notre-Dame*

Collège
des Quatre-Nations

Hôpital de la Salpêtrière

Manufacture des Gobelins

Au temps du Roi-Soleil

Le règne de Louis XIV (1661-1715)

Louis XIV n'a pas oublié les troubles de la Fronde. Il se méfie de Paris. Dès 1661, il fait aménager le château de Versailles et, malgré les travaux effectués à Vincennes, au Louvre et aux Tuileries, délaisse la capitale. Sous l'impulsion de Colbert, surintendant des Bâtiments à partir de 1664, puis de Louvois, le roi dote cependant la capitale de grandes fondations – hôpital de la Salpêtrière, manufacture royale des Gobelins, Observatoire, collège des Quatre-Nations, hôtel royal des Invalides. En 1671, il fait de Paris une ville ouverte en rasant portes médiévales et enceinte pour céder la place à des boulevards plantés, sur lesquels s'élèveront bientôt des portes triomphales. Et, avec le cours planté dans le prolongement du jardin des Tuileries (futurs Champs-Élysées), naît le grand axe est-ouest qui marquera durablement l'urbanisme parisien.

À la fin du XVIIe siècle, un demi-million de Parisiens se répartissent dans vingt « quartiers ». La vieille aristocratie élit domicile dans le faubourg Saint-Germain – son essor est lié à la construction en 1687 du pont Royal –, la noblesse de robe dans le Marais, tandis que de luxueux hôtels s'élèvent dans le faubourg Saint-Honoré. La ville marchande s'étend principalement de la place de Grève (actuelle place de l'Hôtel-de-Ville) au Louvre.

Les architectes de l'Académie d'architecture (1671) et Jules Hardouin-Mansart, premier architecte du roi (1681), affirment leur emprise sur le plan stylistique et contribuent à la naissance du grand style classique français, où dominent symétrie, géométrie et rigueur des proportions. Dans les hôtels, la brique laisse place à la pierre, les façades avec avant-corps central se rythment verticalement de bandes de refends formant pilastres, les toitures s'abaissent et des œils-de-bœuf remplacent les grandes lucarnes de pierre ; les pièces se suivent en enfilade, tandis que l'escalier, à rampe de fer, est rejeté à une extrémité.

Avec ses rues qui s'éclairent – cinq mille cinq cents lanternes en 1714 –, ses places ordonnancées autour d'une statue du souverain (places des Victoires et Vendôme), ses cours plantés, ses monuments prestigieux, Paris, ville ouverte, perd définitivement son aspect médiéval.

Ci-dessus, le bâtiment
où vécut Le Brun.

Ci-contre, buste
de Colbert par
Coyzevox.

Ci-dessous,
côté jardin,
frise de
guirlandes,
motif décoratif
très utilisé à
l'époque.

LE ROYAUME DE LE BRUN

Manufacture des Gobelins, 42, avenue des Gobelins (XIIIe)

C'est au bord de la Bièvre (recouverte depuis 1912 par la rue Berbier-du-Mets), dans le vieux quartier des teinturiers – Jean Gobelin y a établi ses ateliers en 1447 –, que Colbert décide de regrouper les divers ateliers de tapisserie de Paris, ainsi que ceux de Maincy confisqués à Fouquet. Il achète en 1662 la grande maison des Gobelins, où travaillaient encore les descendants des lissiers flamands qu'Henri IV avait fait venir en 1601, et fait édifier divers bâtiments. L'édit de 1667 vient organiser la manufacture royale des meubles de la Couronne, destinée à fournir le mobilier et le décor des résidences royales. Aidé de toute une équipe de peintres, Charles Le Brun, premier directeur de la manufacture, donne les modèles à exécuter aux lissiers, mais aussi aux orfèvres, fondeurs, graveurs, lapidaires et ébénistes, créant, entre autres, la célèbre série de l'*Histoire du roi*.
Instrument de la politique artistique du Roi-Soleil, les Gobelins vont jouer au XVIIe siècle, mais aussi tout au long du XVIIIe, un rôle fondamental dans le rayonnement du goût français.
Charles Le Brun meurt en 1690 dans la maison où il a vécu et qui dresse encore dans la première cour sa façade sobre, ornée seulement, côté jardin, d'une frise sculptée de guirlandes et de trophées. Son grand rival Mignard lui succède. En 1694, les dépenses des guerres royales entraînent la fermeture presque totale de la manufacture ; seuls les ateliers de tapisserie rouvriront cinq ans plus tard.

DES LAINES AUX 14 420 TONS

Le chimiste Chevreul, directeur de 1824 à 1883 des ateliers de teinture, qui occupent encore aujourd'hui le même emplacement qu'en 1665, crée le nuancier de 72 couleurs et 14 420 tons dont on se sert toujours pour teindre les laines destinées au tissage, exclusivement de haute lisse depuis 1826 et, tout comme à l'origine, réservé aux commandes d'État.
L'enclos des Gobelins a gardé à peu près ses contours d'origine et, malgré l'incendie allumé par les communards en 1871, les bâtiments, répartis autour de quatre cours, remontent principalement aux XVIIe et XVIIIe siècles.

L'école Estienne

Dans le quartier dit des Gobelins siège depuis plus de cent ans la célèbre école Estienne. Après la Révolution, l'apprentissage ancien comme les vieilles corporations disparaissent petit à petit. Au lendemain de la guerre de 1870, le conseil municipal de Paris décide la création de plusieurs écoles professionnelles, où sera formée une élite d'ouvriers instruits. Fondée en 1889, l'école Estienne est ainsi née d'un rêve républicain de promotion ouvrière dans le but de « former des élèves habiles et instruits pour les arts du livre ». Elle entretient la mémoire de la dynastie des Estienne, imprimeurs-éditeurs de la Renaissance qui pratiquaient la médecine, parlaient hébreu et lisaient à livre ouvert dans les astres. Depuis sa création, l'établissement prépare des élèves à tous les maillons de la chaîne du livre : maquettistes, graphistes, photocompositeurs… Avec le développement de la publicité et de l'affiche dans les années 30 et l'abandon du plomb vers 1970, l'école connaît des évolutions que bon nombre de nostalgiques lui reprochent aujourd'hui. S'il est vrai que l'on y forme dorénavant de plus en plus de spécialistes de la communication, elle n'en reste pas moins la seule école associant étroitement les cultures professionnelles de l'édition et de l'imprimerie. Et l'on reconnaît facilement, dans de nombreuses maisons d'édition, la fameuse patte Estienne.

HÔTEL DE JASSAUD ▷
19, quai de Bourbon (IVe)

🔑 En 1660, Nicolas Jassaud, seigneur de La Lande, maître des requêtes, achète un hôtel dont les jardins s'étendent jusqu'à la rue Saint-Louis-en-l'Île et y entreprend des travaux. L'hôtel dresse sur le quai sa façade tripartite surmontée de trois frontons à décor de cordons de grotesques à la manière du XVIe siècle. Au premier étage court un balcon soutenu par des consoles anthropomorphes (1727). De 1899 à 1913, Camille Claudel, élève et amante de Rodin, aura son atelier de sculpture au rez-de-chaussée.
Vers 1666, Nicolas Jassaud acquit l'hôtel voisin comme dépendance et fit alors édifier à l'angle une statue de saint Nicolas dont il ne reste aujourd'hui, sans doute depuis la Révolution, que les jambes et les pieds.

Façade sur le quai de l'hôtel de Jassaud.

LES RELIGIEUSES △ DE SAINTE-ANASTASE
Puits de la rue Éginhard (IVe)

Le puits de la rue Éginhard.

👁 Les religieuses de Sainte-Anastase (qui en réalité est un saint...), appelées aussi les Hospitalières de Saint-Gervais, car leur hôpital avait été fondé au XIIe siècle près de cette église, possédaient tout un fief dans le Marais autour des rues Sainte-Anastase et de Thorigny. En 1666, elles chargent le maître maçon Charles de Brécy de construire plusieurs maisons locatives en belles pierres de taille sur le côté pair de la ruelle Saint-Paul, qui prend alors le nom de rue Neuve-Sainte-Anastase – elle ne s'appellera rue Éginhard qu'au XIXe siècle. Cette rue, longue de 39 mètres, dont l'origine remonterait au moins au XIVe siècle, forme un coude reliant la rue Saint-Paul à la rue Charlemagne. Au fond, un puits commun a été récemment reconstitué, avec son décor de volutes évoluant autour d'une niche qui contenait autrefois la statue de saint Anastase. À gauche, la grille en fer forgé d'une imposte trace les initiales de cet ordre supprimé à la Révolution.

LE CHÂTEAU NEUF DE VINCENNES ▽
Avenue de Paris, Vincennes (Val-de-Marne)

👁 En 1654, Mazarin, gouverneur de Vincennes, choisit Louis Le Vau pour édifier, bien à l'abri au cœur de la forteresse médiévale, un nouveau château. Le vieux château de François Ier fait place à deux pavillons identiques aux façades sobres, rythmées par des pilastres doriques et des pots à feu : celui du roi, destiné au jeune Louis XIV, et, en face, celui de la reine, destiné à Anne d'Autriche et à Mazarin, qui y meurt le 9 mars 1661 au milieu de ses collections. Le Vau édifie au nord un portique pour séparer la cour royale du reste de la forteresse ; au sud, il perce d'arcades le rempart, tandis que la tour du Bois, médiévale, est métamorphosée en arc de triomphe, devenant ainsi l'entrée d'honneur du nouveau château par le bois, domaine des chasses royales.
Mais Louis XIV, tourné vers Versailles qu'aménage Le Vau, se détache assez vite de Vincennes, où il ne vient plus qu'épisodiquement – à l'été 1660, pour assister avec sa jeune épouse à quelques comédies de Molière, et à l'automne 1666, pour la naissance de Marie-Anne de Bourbon, fruit de ses amours avec Louise de La Vallière. Bien plus tard, en 1715, son testament stipulera que l'on mène à Vincennes le futur Louis XV, parce que « l'air y était bon ». Mais le Régent n'y fera séjourner la cour qu'un peu plus d'un mois. Vincennes cesse définitivement d'être résidence royale et retourne à l'abandon.
En 1738, le pavillon de la Reine voit se créer dans ses anciennes cuisines une petite fabrique de porcelaine qui, transférée en 1756 à Sèvres, deviendra la célèbre Manufacture.

UN « LIEU DE DÉSESPOIR »
Il ne fait jamais bon s'opposer au roi ou choquer la morale : depuis le temps de la Fronde, la prison royale du donjon de Vincennes voit se succéder des prisonniers célèbres. Louis XIV y fait emprisonner Fouquet, dont la puissance lui faisait de l'ombre, la Voisin et ses complices de l'affaire des Poisons, Mme Guyon, fondatrice du quiétisme, et plusieurs jansénistes, dont l'abbé de Saint-Cyran. Ainsi Vincennes devient-il ce « lieu de désespoir » évoqué par Voltaire, où séjournent également Crébillon fils, Diderot (à la suite de sa *Lettre sur les aveugles*), Sade, Mirabeau (condamné à trois ans d'enfermement pour un duel)... Et ce ne fut pas un hasard si, en 1791, les Parisiens du faubourg Saint-Antoine voulurent démolir ce symbole du despotisme ! La Fayette arriva juste à temps pour les arrêter.
C'est dans l'une des chambres du pavillon du Roi qu'en 1804 le jeune duc d'Enghien passe sa dernière nuit, avant d'être fusillé à l'aube dans les fossés sur ordre de Napoléon. Quatre ans plus tard, le pavillon devient caserne quand l'Empereur transforme Vincennes en arsenal. Depuis 1922, les services historiques de l'armée occupent les deux pavillons.
VOIR AUSSI LE CHÂTEAU MÉDIÉVAL, p. 36.

La cour royale du château de Vincennes.

La grande salle Méridienne de l'Observatoire, appelée aussi salle Cassini.

LE PLUS VIEIL OBSERVATOIRE DU MONDE △ ◁

Observatoire de Paris, 61, avenue de l'Observatoire (XIVe)

Façade sud de l'Observatoire, avec ses bas-reliefs astronomiques.

Hors de Paris, dans une campagne parsemée de moulins et de couvents aux vastes jardins, où rien ne pouvait donc faire obstacle à l'observation des étoiles, Colbert achète 2,5 ha de terrains en 1667 pour y élever un observatoire qui devait être aussi le lieu de séances de la toute nouvelle Académie des sciences. Le 21 juin de cette même année, jour du solstice d'été, les astronomes y tracent la ligne méridienne – futur méridien de Paris – par rapport à laquelle le bâtiment devra être centré. L'architecte et médecin Claude Perrault, frère du célèbre conteur, dresse les plans d'un bâtiment rectangulaire, au second étage exceptionnellement haut de plafond, et flanqué au nord d'une tour carrée et au sud de deux tours octogonales dont les pans donnent la position du Soleil aux solstices et aux équinoxes.

Des murs très épais, de 2 à 2,50 m, renferment de solides salles voûtées et un escalier également voûté, chef-d'œuvre de stéréotomie, qui dessert les paliers et permet d'accéder au sommet du bâtiment, où une terrasse offre une vue impressionnante.

Seuls des bas-reliefs dus à Temporiti décorent d'instruments scientifiques la façade sud de ce bâtiment – l'entrée, jusqu'en 1811, se faisait par le faubourg Saint-Jacques –, dont la géométrie et le plan parfaitement proportionné annoncent un nouveau langage architectural.

QUATRE GÉNÉRATIONS DE CASSINI

Si le gros œuvre est achevé en 1672, l'aménagement intérieur se prolonge jusqu'en 1683, car l'astronome italien Cassini, que Colbert a fait venir en France dès 1669, apporte des modifications au projet initial. Il fait notamment édifier au deuxième étage une grande salle de 33 mètres de long et 11 de haut – dite salle Méridienne car le méridien de Paris y est matérialisé par une ligne de cuivre incrustée dans le sol –, où il installe un gnomon, sorte de cadran solaire, donnant la position exacte du Soleil à midi. Premier de la dynastie des Cassini qui vont diriger l'Observatoire jusqu'à la Révolution, Cassini Ier, qui habite le premier étage, découvre, entre autres, quatre satellites de Saturne ainsi que la division de l'anneau. Sa carte de la Lune ainsi que ses tables sur le mouvement des satellites font date. Cassini II, Cassini III et Cassini IV établissent la première carte topographique de la France (carte dite de Cassini), achevée en 1790, juste avant que les troubles révolutionnaires ne jettent en prison le dernier d'entre eux.

C'est à l'Observatoire que Lavoisier participe à l'élaboration du nouveau système des poids et mesures, qui verra le jour en 1799 pour gagner peu à peu tous les continents.

Au XIXe siècle, l'Observatoire est dirigé par des astronomes célèbres, tel François Arago, qui en 1845 fait couvrir d'une coupole la tour orientale pour y placer la grande lunette équatoriale, de 9 mètres de distance focale. En 1854, Le Verrier, découvreur de la planète Neptune, lui succède. En 1933, Ernest Esclangon crée la fameuse horloge parlante, qui le jour de son lancement ne reçoit pas moins de cent quarante mille appels téléphoniques.

L'Observatoire est aujourd'hui moins utilisé qu'autrefois en raison du manque de clarté du ciel parisien et du halo nocturne provoqué par l'éclairage artificiel. Il reste cependant un grand centre de recherche autour duquel gravitent plusieurs établissements de province et de la région parisienne.

Au royaume du houblon

L'Académie de la bière, à deux pas de l'Observatoire, s'enorgueillit d'avoir été le premier bar à bière de Paris. Créé par une famille d'Auvergnats il y a plus de trente ans, l'établissement a depuis changé de propriétaire, mais l'amour porté à ce breuvage y est toujours le même.

Parmi les soixante-quinze bars à bière de la capitale, l'Académie se distingue par le soin avec lequel ses patrons, Richard et Lydie, conseillent leurs clients. Conseils aux profanes – des femmes le plus souvent –, auxquels il est proposé des bières douces et sucrées comme la Kriek ou la Pêcheresse. Conseils aux amateurs, qui découvrent là des bières peu connues. La vedette de l'endroit,

c'est la Kwak Pauwel, appelée aussi bière du cocher. Le socle en bois maintenant fermement le verre dans lequel elle est servie fut conçu, dit-on, afin que les cochers puissent poursuivre leur chemin tout en se désaltérant. Parmi les deux cents bières qu'ils proposent, les propriétaires ont leurs préférences : la San Nicolas, qu'il faut boire avec modération, concèdent-ils, puisqu'il s'agit, avec un volume d'alcool de 14 %, d'une des bières les plus puissantes ; la trappiste de Rochefort, qu'ils considèrent comme l'une des meilleures. On l'appelle drôlement bonnet de nuit, car on la boit en clôture, après toutes les autres…

*L'Académie de la Bière, 88 bis, boulevard de Port-Royal (V*ᵉ*).*

MAISONS POUR LA SORBONNE △
Rue Champollion (Vᵉ)

🛈 Dans l'étroite rue des Maçons – actuelle rue Champollion –, le maître maçon et architecte Jacques Curabelle, qui a travaillé à la construction de la chapelle de la Sorbonne, édifie sept maisons pour l'Université, vers 1667-1668. La maison du numéro 13 (ci-dessus), tout comme ses voisines, les numéros 15 et 17, appartient encore aujourd'hui à l'Université. Elle a gardé son ordonnance modeste et solide, ses fenêtres de tailles différentes avec leurs ferronneries, sa belle porte cochère aux vantaux décorés de guirlandes en cordon, sa petite porte sur rue menant à la cave, qui possède encore l'anneau de fer par lequel passait la corde permettant de descendre les tonneaux de vin, et enfin, au dernier étage, sa poulie que protège un auvent. L'intérieur est desservi par deux escaliers de belle facture, l'un à rampe de fer et l'autre à rampe de bois.

LE TOUT-PUISSANT LULLY ◁
Hôtel Lully, 45, rue des Petits-Champs et 47, rue Sainte-Anne (Iᵉʳ)

🛈 Fils d'un meunier florentin, Jean-Baptiste Lully débarque à Paris en 1646, à l'âge de quatorze ans. Il parvient dès 1653 à enchanter le jeune roi Louis XIV par ses dons de violoniste et de danseur et connaît alors une ascension éblouissante. Louis XIV lui confie la composition des ballets de cour, puis le nomme surintendant de la Musique ; il collabore alors avec Molière à des comédies-ballets, dont le célèbre *Bourgeois gentilhomme*, en 1670. L'année suivante, il est suffisamment riche pour commander à Daniel Gittard, qui travaille alors à l'église Saint-Sulpice, ce bel hôtel d'angle. Ayant racheté en 1672 le privilège d'opéras accordé à Perrin, ce qui lui permet de museler tous ses rivaux, Lully devient directeur de l'Académie royale de musique et règne ainsi sur toute la musique de son temps. Mais il meurt en 1687 du malheureux coup de canne qu'il se donne en dirigeant son Te Deum !
Une quinzaine d'années après Gittard, Jules Hardouin-Mansart reprendra pour les hôtels de la place des Victoires et de la place Vendôme ce type de façade à l'italienne, rythmée de pilastres, au rez-de-chaussée percé d'arcades surmontées chacune d'un mascaron.

Bas-relief représentant des instruments de musique au-dessus de la fenêtre centrale du premier étage de l'hôtel Lully, et portrait du musicien.

UNE COLONNADE POUR LES APPARTEMENTS ROYAUX ▽
Colonnade du Louvre, place du Louvre (Ier)

Surintendant des Bâtiments à partir de 1664, Colbert reprend le grand dessein d'achèvement du Louvre. Et, afin d'évincer Louis Le Vau, premier architecte du roi, qui aménage le palais depuis 1654 et qui a dessiné des plans pour l'aile orientale donnant sur Saint-Germain-l'Auxerrois, il demande d'autres projets au grand François Mansart, à François Le Vau, frère de Louis, ainsi qu'aux Italiens Pierre de Cortone et le Bernin, ce dernier s'étant rendu célèbre avec la place Saint-Pierre à Rome, qu'il vient d'achever. Le projet du Bernin suscite une telle admiration que Colbert le fait venir à Paris, où il le reçoit avec les plus grands égards. Mais son projet grandiose, très romain, paraît trop audacieux et trop onéreux. Colbert forme alors un petit conseil avec Louis Le Vau, Charles Le Brun, premier peintre du roi, et l'architecte Claude Perrault afin « qu'aucun ne pourrait s'en dire l'auteur particulièrement au préjudice des autres ».

Si bien qu'on ignore encore aujourd'hui l'auteur des plans d'une colonnade qu'approuve le roi en mai 1667, d'autant qu'ils seront modifiés dès l'année suivante. Les pavillons d'angle sont allongés, les fenêtres du premier étage sont transformées en niches, le pavillon central perd son dôme, le fossé est comblé. Le gros œuvre est terminé en 1670, mais les trophées et décors prévus ne seront jamais réalisés, laissant inachevée cette colonnade à l'antique.

Car, Versailles étant un gouffre, Colbert a dû renoncer à acheter les terrains où former, devant la Colonnade, une vaste place sur laquelle devaient donner les appartements royaux. Ils seront aménagés ailleurs, dans l'aile sud, et la colonnade, en perdant sa destination première, s'est figée en un décor de théâtre un peu froid.

LA CONSTRUCTION DU LOUVRE S'ÉTANT ÉTALÉE AU COURS DES SIÈCLES,
VOIR AUSSI pp. 23, 52–63, 86, 220, 228, 269.

Porte cochère à têtes de lions de l'hôtel de La Roque.

HÔTEL DE LA ROQUE △
3, rue des Juges-Consuls (IVe)

L'hôtel de La Roque, à la façade ventrue par le temps, a été édifié en 1667-1669 par Jean Richer, élève de Le Vau, pour Laurent Levesque, sieur de La Roque, premier exempt des gardes du roi. En face se trouvait depuis 1570 la maison des Juges-Consuls – ancêtre du tribunal de commerce –, qui, démolie en 1836, laisse alors son nom à cette courte portion de la rue du Cloître-Saint-Merri. L'édifice, dont les communs sont à gauche et la partie d'habitation à droite, est d'une conception nouvelle pour l'époque avec son étage noble, où vit La Roque (puis ses descendants jusqu'en 1715), et ses logements à louer, plus modestes, aux étages supérieurs. Mais ce qui rend l'hôtel particulièrement remarquable aujourd'hui est sa splendide porte cochère à têtes de lions, que l'on retrouve non loin de là, presque identique, au numéro 91 de la rue Quincampoix.

La longue perspective de la colonnade du Louvre.

Le New Morning

Le New Morning – c'est le titre d'une chanson de Bob Dylan – n'a pas encore quinze ans. C'est pourtant l'une des boîtes de jazz les plus célèbres du monde. Dans cette ancienne salle des rotatives du *Parisien libéré*, on peut écouter chaque soir les plus grands noms du jazz. Peu importe le manque de confort, les chaises dures, les banquettes défoncées et le plafond noir. Ce décor, qui peut faire penser à un loft new-yorkais des années soixante-dix, convient à l'esprit libre, aventureux et cosmopolite qui règne là. L'ambiance est insufflée par la personnalité étonnante de la patronne du lieu. D'origine égyptienne, Eglal Fahri a aujourd'hui plus de soixante-dix ans. Cette dame à l'allure stricte, élevée dans la haute société égyptienne, ancienne journaliste expulsée par Nasser, s'est retrouvée là un peu par hasard. L'aventure démarre mal : la Préfecture interdit l'inauguration en mai 1981 et les voisins portent plainte. Mais, très vite, le « Niou » s'impose et accueille

GLOIRE AUX CONQUÊTES DE LOUIS XIV

Porte Saint-Denis, boulevard Saint-Denis, et porte Saint-Martin,
boulevard Saint-Martin (Xe)

En 1670, Louis XIV, qui vient de conquérir Lille et la Flandre
française, se sent assez puissant pour déclarer la capitale ville
ouverte et ordonne la démolition de la vieille enceinte de Charles V. À
sa place est tracé un cours appelé boulevard (actuel emplacement de
nos Grands Boulevards) qui mène de la porte Saint-Martin à la porte
Saint-Honoré. Formé de trois allées et planté de quatre rangées
d'ormes, il devient la première grande promenade de Paris. Des quatre
portes monumentales qui devaient l'orner il ne reste aujourd'hui que
celles de Saint-Denis et Saint-Martin – les portes Saint-Antoine et
Saint-Bernard, que François Blondel, mathématicien et militaire, avait
seulement rhabillées en arcs de triomphe, ayant été démolies.

ENTRÉES SOLENNELLES PAR LA PORTE SAINT-DENIS

C'est par la porte Saint-Denis que, depuis le Moyen Âge, les rois font
leur entrée solennelle dans Paris en de véritables fêtes populaires.
C'est elle aussi que les cortèges funèbres royaux et princiers
empruntent pour se rendre à la nécropole de Saint-Denis. En 1672,
abandonnant l'architecture éphémère qui servait jusqu'alors de cadre
aux entrées royales, Blondel élève un solide arc de triomphe à
l'antique, à une cinquantaine de mètres au nord de la vieille porte
Saint-Denis. Mais, le roi venant d'entamer la guerre de Hollande et de
franchir brillamment le Rhin, l'arc va glorifier ses récentes conquêtes.
Œuvre mathématiquement calculée, inscrite dans un carré parfait de
23 mètres de côté, l'arc est divisé verticalement en trois parties
égales : une grande arche surmontée de bas-reliefs et deux massifs
ornés de pyramides sculptées de trophées d'armes. Si Girardon
commence la décoration de l'arc – les rosaces de la voûte –,
l'essentiel est dû à Michel Anguier. Une inscription latine rappelle
qu'en moins de soixante jours Louis XIV conquit trois provinces, prit
quarante places fortes et s'empara d'Utrecht.
Mais Louis XIV – pas plus que son cortège funèbre – ne franchit jamais
cette arche conçue à sa gloire. Louis XV en 1722, Louis XVI en 1775,
Charles X en 1825 l'empruntèrent pour rentrer à Paris après le sacre à
Reims. C'est par elle que Louis XVIII fait son entrée dans la capitale en
1814 et que dix ans plus tard son char funèbre est conduit à la
nécropole royale de Saint-Denis. Enfin, c'est devant elle que commence
l'insurrection de juin 1848, qui met définitivement fin à la monarchie.

CONQUÊTE DE LA FRANCHE-COMTÉ

Inscrite tout comme sa voisine dans un carré, la porte Saint-Martin,
qui mesure près de 18 mètres de haut et de large, possède trois
arches, dont une plus grande au milieu. Sur l'attique, qui surmonte
l'entablement dorique, une inscription latine rappelle qu'elle fut élevée
à la gloire des conquêtes de Louis XIV en Franche-Comté. C'est sans
doute d'après les dessins de son maître Blondel que Pierre Bullet
édifie en 1674 cet arc à l'antique à bossages vermiculés, sculpté de
figures allégoriques. En 1745, on lui ajoute un décor triomphal de
bois et de stuc pour accueillir Louis XV après la victoire de Fontenoy.
En janvier 1806, Napoléon passe sous l'arche au retour d'Austerlitz.

*Ci-dessus, le passage du Rhin
sur le bas-relief de la porte
Saint-Denis, côté ville.
Ci-contre, la porte Saint-
Martin, côté ville, avec la
prise de Besançon et Louis XIV
en Hercule nu foulant au pied
la Triple Alliance.*

les plus grands artistes : Stan Getz, Dizzy
Gillespie, Dexter Gordon, Archie Shepp, Elvin
Jones et surtout Chet Baker furent ou sont
encore des adeptes du lieu. Et, comme on s'y
moque bien des chapelles, on y entend également les meilleurs groupes de salsa, de rock, de
raï, de funk ou de musique africaine.
New Morning, 7, rue des Petites-Écuries (Xe).

FONTAINE DU POT-DE-FER ◁
60, rue Mouffetard et 1, rue du Pot-de-Fer (Vᵉ)

La puissante pompe que l'on installe en 1671 au pont Notre-Dame va permettre à la capitale d'être un peu mieux approvisionnée en eau. Le 12 avril de cette même année, une ordonnance décide la création de quinze nouvelles fontaines publiques sur les deux rives ainsi que la réfection des vingt-deux qui existent déjà. La fontaine du Pot-de-Fer, alimentée depuis 1624 par l'aqueduc d'Arcueil, est alors rééditifiée sans doute par l'architecte Michel Noblet qui a dessiné les plans de Saint-Nicolas-du-Chardonnet et qui, de 1657 à 1681, est garde des fontaines de Paris. Ce petit édifice, qui s'arrondit à l'angle de la rue Mouffetard et de la rue du Pot-de-Fer, offre une arcade sur chacune de ses faces et est surmonté d'une frise sculptée. Mais l'eau ne s'en écoule plus que par un simple robinet.

PROSPÉRITÉ RETROUVÉE À L'ABBAYE SAINTE-GENEVIÈVE ▽ ▷
Actuel lycée Henri-IV, 23, rue Clovis (Vᵉ)

Après la réforme menée par le cardinal de La Rochefoucauld en 1619, l'abbaye Sainte-Geneviève devient la maison mère de la congrégation des Génovéfains et retrouve splendeur et prospérité. C'est généralement à Paul de Creil, père génovéfain et architecte, que l'on attribue le somptueux escalier de pierre édifié vers 1670 au centre de l'abbaye et de ses quatre cours. Il est appelé escalier des Prophètes à cause des quatre statues ornant les angles de son vestibule, ou encore l'escalier de la Vierge à l'Enfant car, par un savant arrangement, il semble mener à cette statue avant de se dédoubler en deux volées. Vers 1672, le père de Creil agrandit aussi la bibliothèque – sa forme en croix ainsi que le magnifique décor baroque surchargé d'anges de la coupole datent des années 1720-1730. Et, vers 1699, il achève l'oratoire privé de l'abbé, orné de chapiteaux corinthiens aux cuivres dorés. L'abbaye, déclarée bien national en 1790, laisse place à un établissement d'enseignement qui va changer de nom suivant les régimes : école centrale du Panthéon en 1796, lycée Napoléon de 1804 à 1815, collège Henri-IV avec le retour des rois, de nouveau lycée Napoléon sous le Second Empire, collège Corneille de 1870 à 1872, puis lycée Henri-IV. Les fils de Louis-Philippe ainsi que Musset, Mérimée, Viollet-le-Duc et d'autres personnages célèbres y firent leurs études. Vers 1850, on transféra dans la nouvelle bibliothèque Sainte-Geneviève, place du Panthéon, une partie des collections du cabinet de curiosités ainsi que les volumes de l'ancienne bibliothèque des Génovéfains, qui, sous Louis XV, avait été l'une des plus importantes du royaume, et dont les galeries furent transformées en dortoirs.
VOIR AUSSI LE RÉFECTOIRE ET LA TOUR CLOVIS p. 24 et 38.

Ci-dessus, l'oratoire de l'abbé, à l'abbaye Sainte-Geneviève, dont le savant plafond à caissons atténue les effets de résonance. Ci-dessous, l'escalier des Prophètes.

La Tour d'argent

Ce n'était, à la fin du XVIe siècle, qu'une modeste auberge construite les pieds dans l'eau, sur un terrain vague attenant au couvent des Bernardins. Las de la guerre et des tripots, Henri III prend l'habitude de s'y arrêter, et l'endroit devient vite à la mode. Son propriétaire le baptise La Tour d'argent en raison de la tour du château de la Tournelle, construite à deux pas de là en pierre claire pailletée de mica. Son succès grandissant sous l'Ancien Régime lui vaut d'être classé bien d'émigré et vendu à l'encan à la Révolution. Après des années de fermeture, Lecoq, cuisinier personnel de Napoléon, rachète le restaurant, qui retrouve son prestige. Les sauces prennent alors des noms de victoires – Valmy, Marengo, Magenta – et le monde des lettres – George Sand, Musset, Alexandre Dumas, Balzac… – fréquente assidûment La Tour, devenu un haut lieu de la vie parisienne.

C'est sous la férule de Frédéric Delair, ancien maître d'hôtel, que le célèbre restaurant prend son visage du XXe siècle. C'est lui qui assure la renommée du canard de La Tour d'argent – les volailles ont été dès l'origine une spécialité de l'endroit – en inventant en 1887 la recette du canard au sang ; tous ces volatiles se voient dotés d'un numéro, une tradition qui perdure aujourd'hui. À partir de 1952, chaque trimestre verra d'ailleurs naître une nouvelle recette de canard. André Terrail, originaire du Limousin, prend la relève en 1912, puis c'est le tour de son fils Claude. La Tour se transforme, s'orne de boiseries et ouvre une salle au sixième étage, qui offre aux convives une vue splendide sur la Seine et Notre-Dame, dont on profite pleinement si l'on obtient le rare privilège d'être placé à la table de la rotonde. Sacha Guitry, l'un des habitués du lieu, disait en l'évoquant : « On vient à La Tour pour dîner. Arrivé là, on regarde. »

La Tour d'argent,
15-17, quai de la Tournelle (Ve).

CÉNOTAPHE POUR LE CERVEAU D'UN ROI △ ▽

Collège des Écossais, 65, rue du Cardinal-Lemoine (Ve)

Dans la première moitié du XVIIe siècle, le collège des Écossais – fondé en 1326 par l'évêque de Murray pour des Écossais démunis – est réuni au séminaire créé par l'évêque de Glasgow rue des Amandiers (actuelle rue Laplace) pour les prêtres catholiques écossais fuyant les persécutions religieuses. En 1672, collège et séminaire s'installent dans les nouveaux bâtiments de la rue des Fossés-Saint-Victor (actuelle rue du Cardinal-Lemoine).

En 1688, le roi catholique d'Angleterre Jacques II, renversé de son trône par son gendre le protestant Guillaume d'Orange, s'enfuit en France, où Louis XIV met à sa disposition le château de Saint-Germain-en-Laye. À sa mort, en 1701, sa cervelle est placée dans la chapelle du collège des Écossais, son cœur au couvent des Visitandines de Chaillot, ses entrailles à l'église de Saint-Germain-en-Laye et ce qui reste de son corps au monastère des Bénédictins anglais. Fermé à la Révolution, le collège devient prison sous la Terreur ; Saint-Just y est incarcéré. Restitués aux catholiques écossais sous le Premier Empire, les bâtiments sont loués de 1815 à 1914 à un établissement d'enseignement laïc, avant de redevenir une école religieuse tenue par les Dominicaines.

UNE RUE TROP ESCARPÉE

En 1685, la Ville ordonne l'abaissement du niveau de la rue des Fossés-Saint-Victor afin d'en adoucir la pente, ce qui entraîne la reprise en sous-œuvre des maisons. On édifie alors sous le portail originel du collège, qui devient fenêtre, un second portail. La chapelle, encastrée dans les bâtiments conventuels, se retrouve au premier étage, auquel on accède grâce au rajout d'un bel escalier à balustres de chêne provenant peut-être d'un hôtel voisin, tandis que, côté jardin, elle demeure de plain-pied.

La chapelle du collège des Écossais dans la cour de l'école. Ci-dessous, côté rue, son curieux portail dédoublé.

133

HÔPITAL DE LA SALPÊTRIÈRE

47, boulevard de l'Hôpital (XIIIᵉ)

Dans les années 1650, quarante mille pauvres (7 % de la population parisienne), certains vivant dans les diverses « cours des miracles », errent dans les rues de la capitale. Conséquence de la politique de remise en ordre du cardinal Mazarin, l'édit d'avril 1656, en même temps qu'il interdit la mendicité, crée l'Hôpital général, regroupant cinq maisons : la Pitié, Scipion, l'Hôtel-Dieu pour les malades, Bicêtre pour les hommes et la toute nouvelle Salpêtrière pour les femmes. En 1670 et 1680 s'y ajouteront l'hôpital des Enfants-Trouvés et celui du Saint-Esprit.

LE GRAND ENFERMEMENT DES PAUVRES

Pour sévir contre les mendiants, qui doivent y être menés de gré ou de force, l'Hôpital général est doté d'archers surnommés les chasse-coquins. Il fonctionnera grâce aux dons mais également grâce à diverses taxes sur les spectacles, les corps de métiers, les brevets, les fabriques paroissiales. En 1662, cette loi d'enfermement des pauvres s'étend à la province, où toute grande ville devra posséder un hôpital général. De là, certains vagabonds seront envoyés aux galères, à l'armée, ou iront même peupler les colonies.

Pourtant, ce fut d'abord un souci de charité qui présida à la naissance de la Salpêtrière, à laquelle Vincent de Paul avait prêté son assistance. C'est en 1653 que, appuyée par la puissante compagnie du Saint-Sacrement, la duchesse d'Aiguillon, désireuse de fonder un lieu d'accueil pour les pauvres, reçut du roi cet enclos du faubourg Saint-Victor où était installé depuis 1634 le Petit Arsenal. La fabrication de la poudre à partir du salpêtre – d'où le nom que prit le lieu – venait d'être transférée à Vincennes. Dès les premières semaines qui suivent l'édit de 1656, plusieurs centaines de mendiantes sont menées dans les bâtiments de l'ancien Arsenal, dont il reste aujourd'hui, semble-t-il, la buanderie ; les plus valides doivent y travailler en échange de leur nourriture.

En 1658, l'architecte Antoine Duval dresse les plans du nouvel hôpital. Deux bâtiments parallèles sont alors édifiés, l'aile Sainte-Claire – actuelle division Montyon – et l'aile Mazarin. En 1661, à la mort de Mazarin – qui a légué une somme importante à la Salpêtrière –, Colbert écarte la compagnie du Saint-Sacrement et va renforcer l'Hôpital général dans son rôle de répression.

NE PAS MÊLER LES FIDÈLES

À la fin de 1669, les travaux reprennent. Louis XIV décide de remplacer la chapelle Saint-Denis par une église dédiée à Saint Louis et en confie les plans à Louis Le Vau, qui prévoit en outre une aile – actuelle division Lassay – symétrique à l'aile Mazarin. Elle sera bâtie bien plus tard, en 1756. Mais l'architecte meurt l'année suivante et c'est Libéral Bruant qui va reprendre ses plans, concevoir le dôme à lanterneau et édifier l'église. Financée par le roi et par les aumônes que Bossuet a suscitées – les marchands de la halle aux vins ont offert les lambris de la couverture –, elle est achevée en 1677. Sa forme en croix grecque permet à près de quatre mille fidèles, classés par catégories de pensionnaires, d'entendre la messe en même temps sans se mêler. Car, peu à peu, la Salpêtrière accueille les aveugles, les épileptiques, les incurables, les aliénées, les femmes âgées et les prostituées – raflées par les archers, elles sont marquées au fer rouge et leurs journées sont rythmées par la prière, le dur

Ci-dessus, la chapelle de la Salpêtrière.

Ci-dessous, la façade principale de la Salpêtrière avec, à gauche, la division Mazarin et, à droite, la division Lassay.

labeur, les repas faits de potage, de pain et d'eau –, les épouses adultères et, après la révocation de l'édit de Nantes, les protestantes. Au centre, sous la coupole octogonale, se trouve le chœur, donnant par de grandes arcades en plein cintre sur quatre nefs et quatre chapelles qui, autrefois, communiquaient directement avec l'extérieur par des portes. La pureté des lignes et l'absence de motif décoratif rappellent que l'église était destinée aux pauvres et aux souffrants. En 1793, elle sera fermée, puis servira d'écurie, avant d'être rendue au culte avec le Concordat.

LA MAISON DE FORCE

Vers 1680, Colbert transforme la Salpêtrière en maison de force et Nicolas de Lespine édifie une prison pour femmes, également maison de correction pour enfants – actuelle division Saint-Vincent de Paul –, sinistre bâtisse noircie par le temps. C'est là que sont enfermées la Poupart au temps de l'affaire des Poisons, ou la comtesse de La Motte, inculpée dans la célèbre affaire du Collier de la reine, qui s'en évade en 1785. Trente-cinq détenues périront lors des massacres de septembre 1792. Deux ans plus tard, la prison est fermée.

Longeant l'ancienne prison se trouve la rue des Archers, où logeait vraisemblablement la compagnie chargée de faire régner l'ordre dans cette petite ville. Plus loin, près de l'actuelle clinique de neurologie, sont d'étroites maisons sans étage édifiées par Viel en 1786 pour remplacer les insalubres loges du temps de Louis XIV où les folles, enchaînées au mur comme des prisonnières, étaient exhibées par les gardiens pour quelques sous. C'est probablement là que Théroigne de Méricourt, la révolutionnaire en rébellion contre Robespierre, devenue démente après avoir été fouettée en public, fut enfermée de 1800 à 1817 et mourut.

Ci-dessous, la rue des Archers, qui a gardé son aspect villageois avec ses maisons basses et ses bornes.

En détail, surmontant le portail central de la division Mazarin, le tympan aux armes du cardinal encadrées de l'Espérance et la Charité, par Van Obstal.

Charcot et Freud à la Salpêtrière

C'est en 1795, avec l'arrivée du docteur Pinel puis du docteur Esquirol à la Salpêtrière, que les folles cessent d'être enchaînées et commencent à être traitées comme des malades. La Salpêtrière s'affirme peu à peu comme le plus grand centre de soins et d'étude de la folie. En 1862, Jean-Martin Charcot, père du fameux explorateur, y fonde la neurologie et donne à ce lieu une renommée internationale. Ses célèbres leçons du mardi, dont Freud dira qu'elles étaient un « chef-d'œuvre de construction et d'articulation », attireront non seulement les chercheurs mais aussi le Tout-Paris mondain. En 1876, Charcot fait installer un service photographique pour étudier les aliénées que lui-même, parfois sous l'emprise du haschisch, dessinait, moulait, puis autopsiait. Il est le premier à reconnaître dans l'hystérie une maladie à part entière, chez les femmes mais aussi chez les hommes. Pratiquant

l'hypnose, considérée alors comme une méthode de charlatan, Charcot se sert aussi du pouvoir des métaux, des aimants, des décharges électriques – et même d'une machine à compresser les ovaires –, en une série d'expérimentations qui sera très controversée. C'est dans son service que Sigmund Freud choisit d'être affecté lors d'un séjour d'études de six mois à Paris, où il arrive à la mi-octobre 1885 ; il a vingt-neuf ans. La personnalité du docteur Charcot va profondément le fasciner, l'orienter vers l'observation clinique et le mettre sur la voie de l'étude de l'inconscient. Si Freud devait prendre de la cocaïne pour affronter les grandes soirées – qu'il trouvait si ennuyeuses – que donnait Charcot, il n'oubliera jamais son professeur : il traduira deux de ses livres, cherchera sans cesse à le mettre en avant auprès d'un corps médical autrichien fort méfiant à son égard, et donnera même son prénom à son premier fils.

Ci-dessus, la chapelle des Missions étrangères, environnée des bâtiments conventuels. C'est là qu'eurent lieu les obsèques de Chateaubriand. En haut à droite, portail du numéro 120 de la rue du Bac, où vécut l'écrivain.

MISSIONNAIRES EN EXTRÊME-ORIENT ◁ △

Chapelle des Missions étrangères, 128, rue du Bac (VIIe)

C'est par un sermon de Bossuet qu'est inauguré en 1663 le séminaire des Missions étrangères, destiné à former des missionnaires, principalement pour l'Extrême-Orient. Alexandre de Rhodes, jésuite en Annam, et François Pallu, de la compagnie du Saint-Sacrement, avaient obtenu du pape et de la congrégation de la Propagande l'autorisation de le fonder, et un autre missionnaire, évêque sans évêché de Babylone, leur avait cédé des maisons qu'il avait achetées vingt ans auparavant à l'angle de la rue du Bac et de la rue de La Fresnaye (devenue rue de Babylone en 1673). En 1683 est édifiée une nouvelle chapelle, la chapelle basse – actuelle crypte – et en 1689 la chapelle haute par le maître maçon Lepas-Dubuisson, sur les plans de Pierre Lambert. L'architecte a opté pour un plan centré autour d'une travée oblongue, une exception dans les chapelles des communautés masculines en France, traditionnellement conçues sur un plan basilical pour permettre un grand développement du chœur. La façade est ornée de deux séries superposées de six pilastres ioniques et corinthiens, ainsi que de niches pour des statues. À la mort de Mgr Pallu, en 1684, soixante-neuf missionnaires avaient été envoyés en Extrême-Orient.

DERNIERS SOUPIRS DE CHATEAUBRIAND

En 1713, les pères des Missions achètent des terrains voisins et y font édifier deux petits hôtels presque identiques – actuels numéros 118 et 120 de la rue du Bac – dont les jardins en terrasse donnent sur ceux des Missions ; les médaillons des vantaux de leurs portails (attribués à l'ébéniste Louis Dupin) représentent les quatre parties du monde sur lesquelles s'exerce l'apostolat des Missions étrangères. Destinés dès le départ à être loués, les deux hôtels abritèrent au XVIIIe siècle des grands noms de l'aristocratie, dont, au numéro 120, le comte de Clermont-Tonnerre, qui laissa son nom à l'ensemble. Mais c'est le petit appartement du rez-de-chaussée, où Chateaubriand acheva les *Mémoires d'outre-tombe* et mourut, en 1848, qui fait la renommée de l'hôtel.

La chapelle de la Médaille miraculeuse

Une à une, des personnes s'engouffrent par une porte discrète au numéro 140 de la rue du Bac. À la chapelle de la Médaille miraculeuse on ne vient pas en groupe, mais seul, pour mieux prier.
Ici, en 1830, une fille de la Charité, Catherine Labouré, vit la Vierge Marie entourée d'un cercle en forme de médaille ornée d'une lettre M surmontée d'une croix, avec deux cœurs au-dessous ; l'un est entouré d'une couronne d'épines, l'autre est transpercé d'un glaive. La Vierge demanda à Catherine de faire frapper une médaille à son effigie : « Toutes les personnes qui la porteront au cou recevront de grandes grâces. »
Un siècle plus tard, en 1930, trois cent vingt millions de médailles avaient été émises. Les

pèlerins arrivaient en foule et, peu après, le pape Pie XII béatifia et canonisa Catherine Labouré. Depuis, la chapelle, placée au centre du quartier des congrégations, est devenue le lieu de pèlerinage le plus fréquenté de Paris. Cinq à six mille personnes venant du monde entier y défilent chaque jour, soit près de deux millions par an. Le pape Jean-Paul II s'y est recueilli lors de son premier voyage en France, en 1980. La châsse de la sainte repose dans la chapelle, sous l'autel de la Vierge.
Chapelle de la Médaille miraculeuse, 140, rue du Bac (VIIe).

Vestibule de l'aile du XVIIIᵉ siècle, orné d'une large coquille, qui conduit à un salon Louis XV ainsi qu'à un bel escalier à rampe de fer.

PERSÉCUTÉS
POUR LEUR RELIGION
Monastère des Bénédictins anglais (actuelle Schola cantorum), 269, rue Saint-Jacques (Vᵉ)

Des innombrables couvents qui parsemaient au XVIIᵉ siècle le faubourg Saint-Jacques, il ne reste plus que le Val-de-Grâce et le monastère des Bénédictins anglais, qui a même conservé son jardin. Chassés de leur pays par les persécutions religieuses, les Bénédictins anglais acquièrent en 1640 une maison du faubourg Saint-Jacques. En 1674, Louis XIV leur ayant octroyé les bénéfices de leur ordre, ils font édifier une église et des bâtiments dont la première pierre est posée par la nièce du roi, Marie-Louise d'Orléans, future reine d'Espagne. Dédiée à saint Edmund, roi saxon, l'église, encastrée dans les bâtiments conventuels, est achevée en 1677 et présente une façade à deux arcades superposées. À l'intérieur, la chapelle des Stuarts renferme le corps du roi d'Angleterre Jacques II, mort en exil en 1701. Au XVIIIᵉ siècle fut édifiée l'aile en retour sur le jardin, aux hautes fenêtres cintrées. Le monastère devint vite un centre pour les exilés d'Angleterre. Benjamin Franklin, rédacteur de la Déclaration d'indépendance américaine, y séjourne. Devenu prison sous la Terreur, le monastère, terre étrangère, échappe à la vente et est restitué en 1801 à l'Église catholique d'Angleterre. Depuis 1900, la Schola cantorum, célèbre école de musique, y est installée.

Portail de la chapelle du monastère des Bénédictins anglais.

UNE PAROISSE DE JANSÉNISTES ▷
Saint-Jacques-du-Haut-Pas, 252, rue Saint-Jacques (Vᵉ)

L'unique tour de l'église Saint-Jacques-du-Haut-Pas.

L'hôpital Saint-Jacques-du-Haut-Pas, dans le faubourg Saint-Jacques, accueillait les pèlerins revenant de Saint-Jacques-de-Compostelle. En 1584, les habitants du quartier qui fréquentaient la chapelle de l'hôpital sont autorisés à bâtir leur propre église. Elle est réédifiée en 1630, mais les travaux, faute d'argent, s'enlisent et seul le chœur, gothique, est construit.
En 1675, le chantier reprend. La duchesse de Longueville, qui avait mené la Fronde, pose la première pierre et finance l'édification de la façade, de la nef et du transept, raccordés au chœur de 1630 – sur le côté longeant la rue de l'Abbé-de-l'Épée, les deux types d'arcs-boutants montrent bien les deux étapes de la construction –, et enfin de la voûte de pierre en 1683. Mais la nouvelle église atteste, par son unique tour et par la sobriété de sa façade – l'architecte, Daniel Gittard, avait prévu une seconde tour symétrique et un décor sculpté –, l'esprit janséniste qui présida à sa construction. Ce sont en effet les marguilliers (membres du conseil de fabrique d'une paroisse), et non des entrepreneurs, qui ont dirigé les travaux, épurant le projet de l'architecte et le trahissant. Seule la belle voûte avec ses deux coupoles garde quelque grandeur.
Port-Royal de Paris, installé tout près de là depuis 1625, a en effet tissé des liens étroits avec Saint-Jacques-du-Haut-Pas, qui était sa paroisse. L'abbé de Saint-Cyran, ami de Jansénius et directeur spirituel de Port-Royal, y est enterré en 1643 et le cœur de la duchesse de Longueville, grande amie des jansénistes, y sera transféré lorsque Louis XIV fera raser Port-Royal-des-Champs, en 1711. C'est l'abbé Cochin, curé de Saint-Jacques du Haut-Pas pendant plus de vingt-cinq ans, qui fonde en 1780 l'hôpital qui porte encore son nom.

LE COLLÈGE DES QUATRE-NATIONS

Actuel palais de l'Institut de France, 21, quai de Conti (VIe)

Ci-dessus, le collège des Quatre-Nations depuis le quai du Louvre. Ci-dessous, la première cour avec l'entrée de la chapelle.

En 1661, quelques jours avant sa mort, le cardinal Mazarin lègue par testament une somme destinée à la fondation d'un collège et d'une académie où seraient éduqués gratuitement par des religieux soixante gentilshommes des provinces d'Artois, de Haute-Alsace, de Pignerol et du Roussillon, que les traités de Westphalie et des Pyrénées venaient d'annexer au royaume. Le collège, qui faillit pour cela s'appeler collège des Conquêtes, prit le nom de collège Mazarin ou des Quatre-Nations. Trente élèves choisis par le roi – et non les soixante prévus – furent accueillis au collège en 1688. Pendant plus de cent ans, des jeunes gens triés sur le volet, tels d'Alembert ou Lavoisier, y reçurent une éducation soignée.

Le cénotaphe de Mazarin, en marbre noir, pierre et bronze, par Antoine Coyzevox. Le cardinal est représenté la main sur le cœur comme pour s'adresser à la postérité. À ses pieds, la Prudence (à gauche), la Paix (au centre) et la Fidélité sont dues à Jean-Baptiste Tuby et Étienne Le Hongre.

LA PLUS ANCIENNE BIBLIOTHÈQUE PUBLIQUE DE FRANCE

Une commission de sept membres, dont Colbert, désignés par le cardinal pour surveiller l'exécution des plans, les confia à l'architecte Louis Le Vau. Afin de créer de l'autre côté de la Seine un beau vis-à-vis au palais du Louvre, alors résidence principale de Louis XIV, c'est l'emplacement de l'hôtel de Nesles, avec sa fameuse tour, qui est retenu. Dès janvier 1662, les plans de Le Vau prévoient, sur la Seine – dont un quai aménagé remplacerait les marécages –, une façade en demi-lune dominée par la chapelle et terminée à chaque extrémité par deux pavillons carrés. À l'ouest, le pavillon des Arts, qui devait abriter l'académie voulue par le cardinal mais que la Sorbonne n'autorisa pas, et, à l'est, le pavillon de la bibliothèque Mazarine, Mazarin ayant légué au collège son importante bibliothèque personnelle ; ouverte aux érudits dès 1643, elle ouvrit au public deux fois par semaine à partir de 1689, puis tous les jours dès 1789.

À l'arrière, masqués par les constructions sur le quai, les bâtiments du collège sont répartis autour de trois cours : sur la première s'ouvrent la chapelle et la bibliothèque ; la deuxième est bordée par un bâtiment contenant au rez-de-chaussée les classes, la salle des actes et la salle à manger, et au premier les logements des élèves ; la troisième, où se trouvaient les cuisines et une académie de danse et d'équitation, était bordée à gauche par le jardin du directeur et à droite par seize maisons de rapport.

L'habit vert des Immortels

C'est durant le Consulat, par un arrêt du 13 mai 1801, que les membres de l'Institut, qui jusqu'alors n'avaient aucun uniforme, furent tenus de porter l'habit vert. Un sculpteur, Houdon, un peintre, Vincent, et un architecte, Chalgrin, en établirent les principaux éléments – seule la coupe changera : bicorne, habit, gilet, culotte (puis plus tard pantalon), avec une branche d'olivier en soie vert foncé brodée en plein pour l'habit de grande tenue, et seulement au collet, aux parements des manches et au bord de l'habit de petite tenue.

Sans doute à partir du sacre de Napoléon Ier, sans qu'aucun texte l'ait décrété, l'académicien se met à porter une épée, offerte par ses amis

et collègues. C'est généralement l'orfèvre qui la conçoit, sauf pour certains, tel Jean Cocteau, qui dessina lui-même la sienne avec le profil d'Œdipe-Roi pour poignée. L'épée porte en effet les symboles illustrant l'œuvre de l'académicien : celle du biologiste Jean Rostand était ornée de crapauds et celle du commandant Cousteau est en cristal. Certains académiciens, préférant ne pas porter d'épée, reçoivent des présents moins militaires. Quant aux femmes – la première, Marguerite Yourcenar, porta lors de sa réception à l'Académie en 1981 une toilette créée pour elle par Yves Saint-Laurent –, elles ont le choix de leur costume et n'ont pas d'épée, sauf Hélène Carrère d'Encausse qui, escrimeuse, l'a souhaitée.

Le financement du collège était assuré par ces maisons, qui existent toujours rue Mazarine, ainsi que par vingt-quatre boutiques installées sous les arcades de la façade sur Seine – elles seront murées en 1872 –, qui accueilleront jusqu'en 1804 des artisans, des libraires, des marchands d'estampes et d'objets d'art, des joailliers.

Si le gros œuvre des bâtiments est achevé en 1668, la décoration ne sera exécutée qu'après la mort de Le Vau, par son collaborateur François d'Orbay. De 1670 à 1674, celui-ci édifie la chapelle avec son dôme et sa tour-lanterne et, dans l'axe du Louvre, le portail aux colonnes corinthiennes. Mais les douze statues des Pères de l'Église et des évangélistes qui se dressaient à la base du dôme ont disparu.

En 1684, le corps du cardinal Mazarin est transporté de la chapelle royale de Vincennes à celle du collège des Quatre-Nations. Son tombeau, exécuté par plusieurs sculpteurs d'après un dessin de Jules Hardouin-Mansart, fut placé dans la travée ouest en 1693.

CINQ ACADÉMIES
SOUS UNE FAUSSE COUPOLE

En 1790, le collège des Quatre-Nations devient le collège de l'Unité, avant d'être supprimé par la Convention. La chapelle est transformée en grenier à sel tandis qu'une partie des locaux sert de prison ; David ou encore le docteur Guillotin, promoteur de la guillotine, y séjournèrent. Afin de libérer le Louvre et d'y installer le Muséum, Napoléon décide en 1805 de transférer l'Institut national dans l'ancien collège. Créé en 1795 sur les dépouilles des académies royales supprimées par la Convention, l'Institut de France, composé d'abord de trois classes, acquiert en 1816 son organisation actuelle avec ses cinq académies. À partir de 1802, l'architecte Vaudoyer adapte les bâtiments, masquant entre autres le tambour à l'italienne par une fausse coupole pour faire de la chapelle la salle des séances des académiciens. Ce n'est qu'en 1962 que la chapelle retrouva son architecture d'origine et que le tombeau de Mazarin, déplacé lors de la Révolution, revint l'orner.

Ci-contre, la bibliothèque Mazarine, installée dans un décor de boiseries provenant du palais Mazarin.

Ci-dessus, on distingue la cour d'honneur, bordée par la chapelle et la bibliothèque.

HÔTEL LIBÉRAL-BRUANT ▷

Actuel musée de la Serrure,
1, rue de la Perle (IIIᵉ)

En 1683, Libéral Bruant, architecte de l'église de la Salpêtrière et de l'hôtel des Invalides, achète des terrains qui, depuis le XIIIᵉ siècle, forment le fief des Fusées et longent tout le côté sud de la rue de la Perle. Il y réalise sa dernière opération immobilière : deux boutiques rue Vieille-du-Temple et une série d'hôtels contigus du 1 au 11 de la rue de la Perle (seul le numéro 7 est de construction récente). C'est sans doute pour lui-même qu'il édifie, de 1683 à 1685, le petit hôtel du numéro 1 entre cour et jardin, à la façade d'inspiration italienne surmontée d'un large fronton où alternent avec beaucoup de grâce fenêtres cintrées et fenêtres rectangulaires et où des bustes d'empereurs romains émergent de quatre niches. Des deux ailes en retour d'équerre, seule celle de droite est réelle et abritait remises et écuries ; à cause du manque de terrains, celle de gauche n'est qu'un mur animé de quatre arcades aveugles, et dont le sommet est aménagé en terrasse.
À la mort de Libéral Bruant, en 1697, sa veuve loue l'hôtel au mathématicien Guillaume de L'Hospital avant de le vendre en 1711. L'École des ponts-et-chaussées l'occupe juste avant la Révolution, puis les bâtiments, devenus locaux commerciaux, se détériorent. En 1965, la maison Bricard, qui fabrique des serrures depuis le XVIIIᵉ siècle, l'achète pour y installer le musée de la Serrure. Ouvert depuis 1976, il présente une très intéressante collection de clés et de serrures de l'époque romaine à nos jours.

Logis principal sur cour de l'hôtel Libéral-Bruant.

Petite serrure réalisée en Allemagne au XVIIᵉ siècle.

À L'ENSEIGNE DE L'ANNONCIATION ◁

Maison du 89, rue Saint-Martin (IVᵉ)

Depuis le XIVᵉ siècle, avant que les propriétaires n'y inscrivent leur nom ou jusqu'à l'apparition du numérotage des noms de rue, en 1805, seule l'enseigne, dont forme et matériau peuvent varier – bois sculpté, pierre en bas-relief, métal ouvragé, terre cuite –, permet de désigner et de trouver une habitation ou une boutique. La diversité des sujets représentés était infinie : signes professionnels, sujets pieux, saints patrons, végétaux, animaux, scènes mythologiques, fabliaux, jeux de mots… Ainsi, parmi les enseignes voisines du numéro 89, on trouvait Le Chat qui dort, L'Image Saint-Michel, Le Nom de Jésus, La Corne de cerf, Le Dauphin couronné, Le Lion d'argent, ou encore Les Trois Rois.
Au numéro 89 de la rue Saint-Martin, qui était jusqu'à la fin du XVIIᵉ siècle le quartier des tapissiers et des merciers, se voit encore un très beau bas-relief daté de 1682 et représentant une Annonciation, d'où sa désignation comme maison de l'Annonciation. On l'appela aussi L'Ange d'or quand s'y installa un orfèvre qui dora l'ange Gabriel. Mais on sait que la maison appartint d'abord aux Héron, famille d'épiciers et de marchands-drapiers. Aujourd'hui, un étalage de vêtements sur la rue dépare son beau rez-de-chaussée, qui possédait encore il y a quelques années ses gros volets de bois. À l'intérieur, un bel escalier d'époque Louis XIV mène aux étages, où des bas-reliefs représentant des musiciens ainsi que la Sainte Famille viennent orner le dessus des cheminées.

Bas-relief représentant l'Annonciation au premier étage de la maison du même nom.

Chaussez bésicles et ouvrez l'œil !

Une drolatique collection que toutes ces lunettes et lorgnettes au premier étage de la boutique huppée d'un opticien réputé, à deux pas de l'église Notre-Dame-de-l'Assomption ! Pierre Marly de lunettes s'est épris. Environ deux mille cinq cents pièces retracent l'évolution des lunettes depuis les bésicles clouantes du XIIIᵉ siècle trouvées dans un monastère allemand jusqu'à une étonnante collection de lunettes excentriques dessinées par Pierre Marly lui-même pour les vedettes du show-business. On verra également des éventails dit de jalousie ; des cravaches et des cannes à lorgnette ainsi que toutes sortes d'objets dotés d'une lorgnette ; des pièces historiques ou célèbres comme les lunettes de Mme Victoire, fille de Louis XV, ornées de fleurs de lis, ou les faces-à-main de Sarah Bernhardt…
Musée des Lunettes et des Lorgnettes, 380, rue Saint-Honoré (Iᵉʳ).

LOTERIE POUR UNE ÉGLISE ▷
Église Saint-Louis-en-l'Île, 19 bis, rue Saint-Louis-en-l'Île (IVe)

C'est en 1664 qu'est posée la première pierre de l'église. La population de l'île Notre-Dame s'étant fortement accrue, Louis XIV a autorisé la reconstruction de la petite église de 1623. Louis Le Vau, qui habite l'île et y a édifié de nombreuses demeures, en dresse les plans avant de mourir en 1670. Mais, en 1679, seul le chœur est construit. Faute d'argent, Gabriel Le Duc raccorde le nouveau chœur à la chapelle de 1623, qui devient ainsi la nef avant que l'ouragan de 1701 ne la fasse s'effondrer sur les fidèles. Le roi autorise alors une loterie afin de financer la reconstruction d'une nef dont Le Duc donne les plans avant de mourir à son tour en 1704. Jacques Doucet édifie alors la nef, la coupole et la grande chapelle de la Communion.

RICHESSE DE LA DÉCORATION INTÉRIEURE
Inscrite dans un plan rectangulaire à l'angle de deux étroites rues, l'église ne se détache des maisons qui l'enserrent que par son étrange clocher ajouré et l'horloge qu'il brandit telle une enseigne. Si une simple porte en marque l'accès, l'intérieur éblouit par la richesse de sa décoration. Le chœur, sous une haute coupole, et la nef, rythmée par des pilastres corinthiens cannelés et par de grandes arcades s'ouvrant sur des collatéraux aux multiples chapelles, regorgent de motifs décoratifs sculptés et de dorures. En 1726, l'année qui suit son achèvement, l'église Saint-Louis-en-l'Île est solennellement dédicacée tandis que l'île Notre-Dame devient l'île Saint-Louis. Un nouveau clocher vient remplacer en 1755 celui que la foudre avait abattu vingt-cinq ans auparavant. À la Révolution, l'île devient l'île de la Fraternité, et l'église est vendue comme bien national à un paroissien qui la rendra bientôt au culte.

L'intérieur richement décoré de l'église Saint-Louis-en-l'Île.

DOUZE RELIGIEUSES CONTRE UNE ÉPOUSE ▷
Église Notre-Dame-de-l'Assomption, 263, rue Saint-Honoré (Ier)

Quand la femme d'Étienne Haudry vit que son mari ne revenait pas de Terre sainte, où il avait accompagné Saint Louis, elle s'enferma avec d'autres veuves dans une maison près de l'Hôtel de Ville. Mais Haudry n'était pas mort et, de retour de croisade, il dut se rendre à Rome pour obtenir du pape de reprendre son épouse, qui avait fait vœu de chasteté. Il promit alors de pourvoir à l'entretien de douze femmes pauvres, religieuses hospitalières, qu'on appela les Haudriettes. En 1622, les Haudriettes s'installent dans une maison du faubourg Saint-Honoré, qui devient la rue Saint-Honoré quand la nouvelle porte, édifiée vers 1631 au niveau de l'actuelle rue Royale, repousse les limites de la ville vers l'ouest. Placées par le cardinal de la Rochefoucauld sous la règle de saint Augustin, elles deviennent les dames de l'Assomption ou les Nouvelles Haudriettes.

LE SOT DÔME D'UN PROJET TRAHI
De Rome, Charles Errard, peintre et architecte, directeur de l'Académie de France qui vient d'y être créée, envoie les dessins d'une nouvelle église de plan central et circulaire. Mais l'entrepreneur Chéret, qui l'édifie de 1670 à 1676, trahit le projet de l'architecte absent. Le portique à colonnes corinthiennes se trouve écrasé par un énorme dôme que les Parisiens ne tardent pas à surnommer le sot dôme ; l'intérieur de l'église, où chœur et travées sont inscrits dans un unique cercle orné de seize pilastres, surprend tout autant par son absence de nef et de transept. La coupole est ornée d'une fresque de Charles de La Fosse, l'Assomption de la Vierge. À la Révolution, les religieuses sont dispersées. Le couvent, qui s'étendait jusqu'aux jardins des Tuileries, est transformé en caserne, puis vendu comme bien national et détruit sous l'Empire. L'église, convertie en magasin de décors de théâtre, devient paroisse jusqu'à l'achèvement de la Madeleine, en 1840. Depuis 1850, elle est affectée aux Polonais.

La façade de l'église Notre-Dame-de-l'Assomption avec son portique écrasé par un gigantesque dôme.

LE ROI DANS SON ÉCRIN DE PIERRE

Place des Victoires (Ier et IIe)

Le sud de la place des Victoires donne une idée de ce qu'elle fut au XVIIe siècle.

C'est pour glorifier Louis XIV, qui vient de mettre fin à la guerre de Hollande par la paix de Nimègue, que le duc de La Feuillade, vaillant guerrier et habile courtisan, commande en 1682 une statue à Martin Desjardins. Voulant lui donner un écrin, il acquiert l'année suivante le vaste hôtel de la Ferté-Senneterre pour y former une place, que la Ville décide finalement d'édifier à ses frais.

Si la statue en bronze doré de Louis XIV en habit de sacre, foulant au pied le monstre à trois têtes représentant les vaincus de la Triple Alliance et recevant d'une Victoire la couronne de lauriers, a été fondue en 1792 pour fournir des canons, les captifs enchaînés qui ornaient son piédestal, allégories des nations défaites, avaient pu être mis à l'abri deux ans auparavant. Pour remplacer Louis XIV, cinq monuments se succéderont, dont l'un, représentant le général Dessaix tout nu, fera tellement scandale en 1810 qu'il faudra mettre une palissade ! L'actuel Louis XIV à cheval est une commande de Louis XVIII.

LA PREMIÈRE PLACE CIRCULAIRE DE PARIS

Soixante-dix-huit mètres, tel est le diamètre choisi par Jules Hardouin-Mansart pour cette place, si nouvelle par sa conception circulaire ; les proportions en sont réduites mais savamment calculées pour que l'observateur placé au bord de la circonférence ait sur la statue, haute de 12 mètres, un angle d'observation de 18 degrés, considéré comme idéal par les théoriciens. Vin à toutes les fontaines, feux de joie et d'artifice, canonnades marquent son inauguration en mars 1686. Brisant au nord sa circularité, l'hôtel de Pomponne (disparu en 1883) et celui de Rambouillet (qui existe encore, très dénaturé) furent conservés, mais avec des façades rectifiées en 1689 afin de les rendre jumeaux. Refermée sur elle-même, la place ne s'ouvre que par les rues La Feuillade, Petit-Reposoir (actuelle rue Vide-Gousset), des Fossés-Montmartre (actuelle rue d'Aboukir) et Catinat, vers laquelle on oriente la statue du roi afin qu'elle regarde vers l'hôtel de La Vrillière, qu'avait édifié François Mansart, grand-oncle de Jules Hardouin-Mansart. Les façades, derrière lesquelles des particuliers purent construire à leur guise, ont l'ordonnance caractéristique des places de Mansart : pilastres ioniques, rez-de-chaussée d'arcades surmontées d'un mascaron à la clé, deux étages et des combles à mansardes.

Ci-dessus, le mascaron du numéro 8. Ci-dessous, les captifs enchaînés, sculptures de Martin Desjardins aujourd'hui au Louvre, qui ornaient le piédestal de la statue de Louis XIV.

VAGABONDS, FINANCIERS ET COMMERÇANTS

Quatre fanaux juchés sur des colonnes éclairaient toute la nuit la statue, aux frais du maréchal, si bien que ce lieu devint rapidement le rendez-vous des vagabonds. Dès 1718, colonnes et fanaux furent démontés, et l'on ne vit plus « le Soleil entre quatre lanternes », comme l'avait chanté un madrigal. Passage des cortèges officiels au XVIIIe siècle, la place est aussi la demeure des grands financiers, tels Samuel Bernard ou John Law. Elle devient alors très animée et les commerces, surtout de draperies, vont prédominer tout au long du XIXe siècle, entraînant sa dégradation : en 1828 et 1837 sont successivement élargies les rues La Feuillade et Croix-des-Petits-Champs. Enfin, en 1883, le percement de la large rue Étienne-Marcel vient éventrer le nord de la place.

Le fief des joailliers

Boucheron, Chaumet, Van Cleef et Arpels… La place Vendôme est depuis plus d'un siècle le centre mondial de la joaillerie. Boucheron, qui occupait depuis quarante ans une boutique dans la galerie de Valois, vient le premier s'installer en 1893 à l'hôtel d'Orcy, au numéro 26 de la place Vendôme. On voit naître la dynastie des Chaumet deux siècles plus tôt au Palais-Royal, puis dans la rue Saint-Honoré à la limite de la place. La légende raconte que l'attelage de Bonaparte s'emballa devant la boutique de Nitot, ancêtre des Chaumet, et que celui-ci lui porta secours. L'Empereur, reconnaissant, lui commanda alors le glaive impérial, dont le pommeau s'ornait du célèbre Régent, diamant très pur appartenant à la Couronne. Nitot devient le fournisseur de la cour impériale et crée la tiare du pape Pie VII pour le sacre de l'Empereur. Joseph Chaumet reprend la célèbre maison, qu'il transfère en 1904 au numéro 12 de la place Vendôme, dans le bel hôtel Baudard de Saint-James. On trouve enfin au numéro 22, à l'hôtel de Ségur, une jeune octogénaire : la célèbre maison Van Cleef et Arpels. Tant de luxe et de lumières en un seul lieu : comment s'étonner que la place Vendôme soit l'une des promenades préférées des petites fiancées faussement ingénues…

LA PLUS GRANDE OPÉRATION IMMOBILIÈRE DU SIÈCLE

Place Vendôme (Ier)

En 1685, Louis XIV charge Jules Hardouin-Mansart de créer sur les terrains de l'hôtel de Vendôme – tout près du cours de la Madeleine (actuel boulevard du même nom), alors fort mal famé – une vaste place faisant pendant à celle des Victoires. Pour en orner le centre, Louvois, surintendant des Bâtiments, commande à François Girardon une statue équestre du roi vêtu à l'antique. Si la statue de 40 tonnes, fondue prodigieusement d'un seul jet en 1692 par Keller, est inaugurée en 1699 en grande pompe sur la place Vendôme, appelée aussi place des Conquêtes et devenue à cette occasion place Louis-le-Grand, les façades, faute de preneurs, seront démolies aussitôt après. On bâtira une seconde place, plus petite (213 mètres sur 124), mais où les hôtels seront plus vastes, à nouveau d'après les plans d'Hardouin-Mansart, cette fois aux frais de la Ville. Rectangulaire, avec pans coupés aux angles, la place s'ouvre au nord et au sud vers les rues Neuve-des-Petits-Champs et Neuve-Saint-Honoré. Six financiers passent accord avec la Ville pour une impressionnante opération immobilière : démolition des anciennes façades, construction des nouvelles et édification derrière elles d'hôtels destinés à la vente. En 1718, le célèbre banquier John Law acquiert près de la moitié de la place – dont les hôtels des numéros 3 et 5, construits par Jacques Gabriel. Deux ans plus tard, il connaît une faillite retentissante et échappe de justesse, sur cette même place, à un lynchage par les agioteurs. Les deux plus beaux hôtels de la place, aux numéros 17 et 19, sont édifiés par Jacques Bullet pour le richissime banquier Crozat. Mais c'est surtout Hardouin-Mansart qui y fait les affaires les plus lucratives : acquisition en 1703 des lots numéros 7 et 9 (dont il édifie lui-même les hôtels derrière ses propres façades), et du lot numéro 11, le plus grand de la place, qui deviendra en 1717 la chancellerie (actuel ministère de la Justice). C'est des fenêtres de l'hôtel de Gramont, au numéro 15, que le petit Louis XV vint regarder incognito, en 1721, l'étincelant cortège des envoyés de la Sublime Porte (l'Empire ottoman) ; depuis 1896, il est occupé par le Ritz.

LA PLACE DES PIQUES

Le 8 août 1792, menées par Théroigne de Méricourt, des femmes massacrent à coups de sabre neuf prisonniers royalistes avant de promener leurs têtes au bout de piques sur la place qu'on appellera bientôt la place des Piques. Le lendemain, Danton installe à la chancellerie le premier gouvernement de la République, tandis que le numéro 5 est occupé par la section des Piques, dont le marquis de Sade était le secrétaire. La statue royale est bientôt abattue, écrasant sous elle une vendeuse de *l'Ami du peuple*, le journal de Marat. Seul vestige, le pied du roi, de 150 kilos, aujourd'hui au musée Carnavalet.

VOIR AUSSI LA COLONNE VENDÔME, p. 219.

La place Vendôme, avec au centre la colonne Vendôme, qui ne sera érigée qu'en 1806. Ci-dessous, un mascaron du numéro 26.

MAUSOLÉE POUR LA FAMILLE LE BRUN ▽ ▷
Église Saint-Nicolas-du-Chardonnet, 30, rue Saint-Victor (Ve)

Près de l'immense abbaye Saint-Victor et du couvent des Bernardins, qui ont laissé leurs noms aux deux rues voisines, dans un clos où coulait la Bièvre, est édifiée en 1230 une chapelle dédiée à saint Nicolas, patron des mariniers, auquel on accola le surnom de Chardonnet à cause des chardons qui croissaient aux alentours.

L'église actuelle, toute classique, est rebâtie à partir de 1656 ; sa tour-clocher, qui tranche par son style encore gothique, est un vestige de l'église antérieure. Faute de place vers l'est, où se trouvait le fameux séminaire Saint-Nicolas-du-Chardonnet (que la Mutualité recouvre aujourd'hui), Michel Noblet et François Levé, probablement d'après les plans de Jacques Lemercier, doivent adopter pour l'église une orientation nord-sud.

En 1667, année de la dédicace de l'église (seuls le chœur et le transept sont achevés), Charles Le Brun acquiert la chapelle Saint-Charles-Borromée pour y placer les mausolées de sa famille. Celui de sa mère, réalisé par Collignon et peut-être Tuby, est un pur chef-d'œuvre. Le peintre dessina aussi sa propre sépulture, exécutée par Coyzevox en 1692, ainsi que le portail ouest, sur la rue des Bernardins, avec ses vantaux magnifiquement sculptés entre 1665 et 1669 par Nicolas Legendre. Il fallut attendre 1706-1716 pour que soit édifiée la nef, qui ne sera couverte que grâce à une loterie en 1763. Ce n'est qu'on 1934, par l'ajout de son portail principal rue Saint-Victor, exécuté dans le style jésuite, que l'église est enfin achevée. Depuis 1977, elle est le siège des catholiques intégristes.

Sur la rue des Bernardins, le portail ouest, dessiné par Le Brun, avec ses vantaux réalisés par le sculpteur Nicolas Legendre.

Soulevant le couvercle de son tombeau à l'appel de la trompette du Jugement, la mère de Le Brun, sculptée en 1668 d'après les dessins du peintre.

UN BRILLANT INTENDANT DES FINANCES ◁
Hôtel Le Pelletier de Saint-Fargeau (actuel musée Carnavalet), 29, rue de Sévigné (IVe)

L'intendant des Finances Michel Le Pelletier de Souzy, frère du prévôt des marchands, poursuit une carrière éblouissante qui va le faire succéder en 1691 à Louvois à la Direction générale des fortifications. Rue de la Couture-Sainte-Catherine – actuelle rue de Sévigné –, il fait bâtir en 1686-1690 un hôtel qui va susciter l'admiration de ses contemporains. Séparé de l'hôtel Carnavalet, qu'habite alors la marquise de Sévigné, par le couvent des Filles bleues – qui laissera place au lycée Victor-Hugo –, l'hôtel Le Pelletier est édifié par Pierre Bullet dans le style sobre et dépouillé d'ornementation qui lui est caractéristique. Sur la rue de Sévigné, sa façade basse – surélevée au XIXe siècle – présente un portail à refends s'ouvrant sur la cour d'honneur, que rythment des arcades. Seules la façade du bâtiment principal et celle de l'orangerie, qui donnent sur les anciens jardins de l'hôtel – actuel square Georges-Cain –, s'ornent de frontons sculptés représentant une allégorie du Temps pour la première et une allégorie de la Vérité pour la seconde. Il ne subsiste de la décoration intérieure qu'un cabinet de lambris blanc et or, au premier étage, et l'escalier d'honneur, dont la rampe de fer de 1691 à l'ornementation ouvragée est fort rare.

UN DÉPUTÉ RÉGICIDE
À la mort de Michel Le Pelletier de Souzy, l'hôtel passera à son fils, puis à son arrière-petit-fils Louis Le Pelletier de Saint-Fargeau, jeune député de la noblesse aux états généraux avant de devenir membre de la Convention. En mai 1791, il se déclarera pour l'abolition de la peine de mort. Cependant, il n'hésitera pas, le 17 janvier 1793, à voter celle de Louis XVI sans appel ni sursis. Trois jours plus tard, la veille de la montée du roi à l'échafaud, il sera poignardé par Pâris, ancien garde du corps de Louis XVI, dans un restaurant du Palais-Royal.

L'orangerie de l'hôtel Le Pelletier de Saint-Fargeau.

Un haut lieu de la contestation

Au numéro 24 de la rue Saint-Victor, jouxtant l'église Saint-Nicolas-du-Chardonnet, s'élève la maison de la Mutualité. C'est là qu'échoue, génération après génération, la houle de la protestation française.

Née de la volonté des mutualistes de se regrouper en un même lieu, la maison de la Mutualité est devenue le parloir de Paris. Depuis 1931, date de son inauguration par le président Doumergue, que de lois y furent vilipendées, combien de manifestations s'y terminèrent dans une salle survoltée et prête à refaire le monde ! De Malraux à Bernard-Henri Lévy, la plupart des intellectuels français ont fait leur ce haut lieu de la parole protestataire. Pendant la guerre d'Algérie s'y tiennent des meetings enfiévrés. À partir de 1968, un grand nombre de groupes politiques de tous bords s'y rassemblent. Aujourd'hui, quand il s'agit de défendre les droits de l'homme en Algérie, en Bosnie ou au Bangladesh, on s'y donne rendez-vous. Mais certain abbé intégriste, exclu de l'Église, y réunit aussi ses ouailles.

Car la Mutualité offre deux salles de huit cents places et un grand nombre d'autres, plus petites, à tous ceux qui aiment les débats et l'échange vigoureux des idées. Et si ce palais de la libre expression venait à disparaître, sa trace demeurerait dans la ville : la station de métro la plus proche s'appelle Maubert-Mutualité.

Maison de la Mutualité, 24, rue Saint-Victor (Ve).

LE PONT ROYAL ▽
(Ier et VIIe)

Jusqu'en 1632, seul un bac, qui donna son nom à la rue voisine, fait communiquer le faubourg Saint-Germain avec le palais des Tuileries. Un pont en bois, le pont Barbier, surnommé le pont Rouge, est alors jeté du quai des Tuileries, qui ne sera jusqu'en 1730 qu'un sentier entre les fossés du palais et la Seine, à la Grenouillère, aménagée à partir de 1704 (actuel quai Anatole-France). Mais les crues l'emportent régulièrement et beaucoup redoutent de l'emprunter, bien qu'il soit le dernier vers l'ouest et qu'il n'y en ait aucun autre à l'est avant le Pont-Neuf. En 1684, Louis XIV décide de le faire réédifier en pierre avec ses propres deniers – sur les plans de Jules Hardouin-Mansart –, d'où le nom de pont Royal qu'il porte depuis. La première pierre, posée en octobre 1685, scellait dans la première pile une boîte de cèdre avec treize médailles glorifiant les faits militaires du roi. Sans maison, pourvu de trottoirs comme les ponts commencent à l'être depuis le Pont-Neuf, il était bordé de potences de fer pour les lanternes à chandelles dont la capitale se dote depuis l'ordonnance de police de 1667. C'est devant lui que Louis-Philippe échappera en 1832 et 1836 à deux des nombreux attentats dont il fut la cible.

Le pont Royal est l'un des premiers ponts à voûtes en anse de panier – et non plus en plein cintre – et à simple cordon en boudin pour toute décoration.

HÔTEL DES INVALIDES

Esplanade des Invalides (VIIe)

Pour mettre fin à la multiplication des bandes de mendiants et de voleurs formées par les soldats blessés, estropiés ou trop âgés pour reprendre du service, Louis XIV décide en 1670 la fondation de l'hôtel royal des Invalides. Dans la plaine de Grenelle, alors environnée de champs de blé, l'architecte Libéral Bruant, qui vient d'achever la Salpêtrière, va édifier ce que Louis XIV qualifiera dans son testament de « la plus grande pensée de [son] règne ».

HÔPITAL, CASERNE ET MONASTÈRE

Les dix-sept cours et les bâtiments, dont la première pierre est posée le 30 novembre 1671, se développent sur 10 hectares selon un plan quadrillé. Séparée de l'esplanade par des fossés recouverts de pierres, la longue façade sévère (le bâtiment de l'administration) se déploie sur 195 mètres. Elle n'est ornée que de lucarnes en forme de bustes en armure au niveau des combles et de l'image

Trophée d'armes surmontant un pavillon d'angle, boulevard des Invalides.

La coupole est faite en deux parties : une coupole contenant la charpente et une calotte peinte par Charles de La Fosse.

du monarque sur l'arcade triomphale du porche d'entrée. Fait étrange pour ce lieu militaire, le porche d'entrée est d'ordre ionique, plutôt employé pour des bâtiments à destination féminine. C'est par là que l'on pénètre dans la cour royale, bordée de bâtiments austères (les réfectoires, des ateliers et des dortoirs) où se superposent deux étages d'arcades formant galeries. Des chevaux cabrés décorent les quatre angles en saillie, tandis que les lucarnes des combles sont entourées de trophées d'armes ; l'une d'elles est placée entre les pattes d'un loup, référence à Louvois, secrétaire d'État à la Guerre et administrateur de l'hôtel. À la fois hospice, hôpital, caserne et monastère, l'hôtel des Invalides ouvre à l'automne 1674 ; il n'admet les soldats qu'au bout de dix, puis de vingt ans de service. Il offre un confort exceptionnel pour l'époque – chambres à quatre ou six lits pour les soldats, à deux ou trois lits pour les officiers, lieux d'aisance avec gaines d'aération… –, mais les invalides sont soumis à une sévère discipline, ce qui entraîne quelques désertions. Répartis en compagnies chargées de monter la garde jour et nuit, ils doivent travailler dans divers ateliers, assister aux prières et aux offices, et n'ont pratiquement

En 1989, à l'occasion du bicentenaire de la Révolution, le lanternon ajouré de l'église et les décors extérieurs furent redorés avec pas moins de 12 kilos d'or!

Vue d'ensemble des Invalides avec ses dix-sept cours.

pas le droit de se marier. Pour éviter l'échec moral que fut l'Hôpital général, les soins des malades furent confiés aux douces Filles de la Charité. Destiné à recevoir moins de deux mille invalides, l'hôtel en comptait quatre mille cinq cents à la mort de Louis XIV. Il sera pris pour modèle à travers le monde.

CHŒUR POUR LES SOLDATS, NEF POUR LE ROI

Agacé par les hésitations de Libéral Bruant, qui ne parvient pas à résoudre le difficile problème de l'entrée de l'église – une entrée commune pour le roi et les soldats est inconcevable –, Louvois le remplace en 1676 par Jules Hardouin-Mansart. Si l'église des soldats, sans doute conçue par Bruant (et construite de 1676 à 1678), n'était à l'origine que le chœur, exceptionnellement long, de l'église royale – qui, elle, occupait la nef (1678 à 1691) –, l'ensemble fut vite considéré comme deux églises distinctes aux entrées opposées. L'église royale, dont la riche décoration fera repousser l'inauguration à 1706, ne sera ouverte que pour les cinq visites du roi.
Un mécanisme, ancêtre de la grue, permit de monter les matériaux destinés à la construction du dôme, dont la croix culmine à 101 mètres dans le ciel. Des sculptures d'origine, seuls restent les douze vases de pierre, les marbres de Charlemagne et de Saint Louis dans les niches de la façade et les quatre Vertus de pierre. Les trophées de plomb sur les côtés du dôme, redorés en 1989, brillent à nouveau de tout leur éclat. Inspiré du projet qu'avait dessiné son grand-oncle, François Mansart, pour le mausolée des Bourbons à Saint-Denis, Hardouin-Mansart a opté pour un plan en croix grecque inscrite dans un carré, s'ouvrant par quatre grandes arcades sur les chapelles d'angle. La voûte et la coupole sont réservées aux peintures, tandis que le décor sculpté règne dans le reste de l'édifice.
VOIR AUSSI LE TOMBEAU DE NAPOLÉON, p. 252.

Le musée des Invalides

Avec les drapeaux pris à l'ennemi aux XIXe et XXe siècles qui ceinturent l'église des Soldats et les multiples canons dont la cour d'honneur est hérissée, la destination actuelle des Invalides est manifeste : un immense musée consacré à l'histoire militaire.
L'aile orientale de la cour d'honneur est consacrée à l'histoire de la cavalerie et des emblèmes et à l'histoire militaire de la France de l'Ancien Régime jusqu'à la guerre de 1870 : collection de fanions, d'étendards et de drapeaux dans la salle Turenne; impressionnante suite de cavaliers dans la salle Vauban; uniformes et armement divers du règne de Louis XIII jusqu'à l'Empire – dont les nombreux souvenirs des campagnes napoléoniennes; salles Chanzy et Pélissier consacrées au Second Empire, où sont exposés les premiers reportages photographiques de la guerre de Crimée, de la campagne d'Italie et des expéditions de Chine…
L'aile occidentale abrite au rez-de-chaussée les petits modèles d'armes du département d'artillerie, les collections anciennes d'armes et d'armures (salle François-Ier, salle Henri-IV, salle Pauilhac, galerie de l'Arsenal), tandis qu'au deuxième étage les salles 1914-1918 et 1939-1945 offrent des rétrospectives, des maquettes et des reconstitutions des deux guerres mondiales. Enfin, ce musée recèle au quatrième étage

d'extraordinaires plans en relief (quatre-vingt-neuf environ, dix-neuf étant exposés à Lille), réalisés entre la fin du XVIIe et la fin du XIXe siècle à des usages militaires, où sont représentés les frontières, les grands massifs montagneux et les façades côtières de la France.

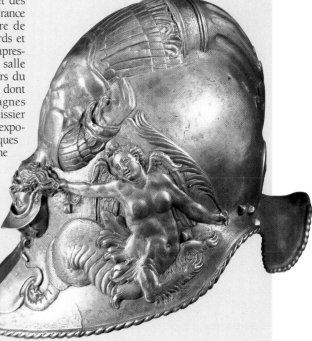

147

Au temps du Roi-Soleil

LA DEMEURE DE MANSART ▽ ▷
Hôtel Mansart de Sagonne,
28, rue des Tournelles (IVe)

🔒 Au début du siècle, un fabricant de malles utilise le jardin comme atelier tandis que l'hôtel lui sert de magasin. C'est dire l'état de détérioration dans lequel l'hôtel Mansart de Sagonne se trouvait lorsque M. Darantière, locataire des années trente, fit au premier étage l'étonnante découverte d'un plafond peint – *Junon caressant Jupiter* – sous les nombreuses couches qui le recouvraient. L'espoir suscité par cette découverte ne fut pas déçu. Mansart, architecte de Versailles, de Marly, de la place des Victoires et de la place Vendôme, avait élu domicile dans cette demeure, qu'il avait de 1687 à 1692 transformée en un luxueux hôtel particulier. L'architecte ayant accolé à son nom, Jules Hardouin, celui de son grand-oncle, François Mansart, puis en 1699 celui du comté de Sagonne, qu'il avait acquis dans le Bourbonnais, l'hôtel prendra le nom de Mansart de Sagonne.

LUXE DU DÉCOR INTÉRIEUR
L'hôtel, dont les communs donnent sur la rue des Tournelles, s'élève entre cour et jardin et possède une seconde entrée sur le boulevard Beaumarchais, alors boulevard Saint-Antoine. Si la façade sur cour est sobre et dépourvue d'ornementation, celle sur jardin, plus belle, présente dix colonnes ioniques soutenant un long balcon ; deux des fenêtres du deuxième étage sont ornées de frontons triangulaires. De l'exceptionnel décor intérieur que l'architecte avait commandé vers 1684, il reste quatre

Ci-dessus, plafond du grand salon de l'hôtel Mansart de Sagonne. À droite, la façade sur jardin.

plafonds peints au premier étage – *Mercure et Pandore, Apollon et les Muses, le Temps soutenant la Victoire, Junon caressant Jupiter* –, dus à Charles de La Fosse et aux frères Corneille. Subsiste également la très belle décoration sculptée du vestibule d'entrée, dont l'architecture est soutenue par des consoles à têtes de lion et qui mène à l'escalier de pierre muni d'une rampe de fer. Sa porte, surmontée d'un bas-relief aux sphinx, est bordée d'une niche de chaque côté.
L'hôtel resta dans la famille Hardouin-Mansart jusqu'en 1767. Dame d'honneur de Marie Leszczynska puis de Marie-Antoinette, qui la surnommait Madame Étiquette, la comtesse de Noailles – qui allait être décapitée le 24 juin 1794 – l'acquit alors et, pour le remettre au goût du jour, fit recouvrir les peintures des plafonds d'une nouvelle décoration.

À L'ENSEIGNE DU SOLEIL D'OR ▷
19, rue du Roule (Ier)

🔒 Ouverte en 1691 dans le prolongement du Pont-Neuf afin de relier la rive gauche aux Halles, la rue du Roule tient son nom de l'ancien village du Roule, au bout de la rue du Faubourg-Saint-Honoré. Cent ans plus tard, elle allait voir passer les charrettes des condamnés à la guillotine se rendant de la Conciergerie à la place de la Révolution (actuelle place de la Concorde). C'est sur l'emplacement de deux hôtels particuliers que Predot bâtit toute la rue du Roule, dont il reste aujourd'hui plusieurs maisons d'origine. Celle du numéro 19, à trois travées, a gardé ses appuis de fenêtre Louis XV au deuxième étage et son bel escalier à rampe de fer Louis XIV. Le soleil royal en fer forgé de l'imposte de sa porte lui servait d'enseigne. Elle s'appela Jonquille royale de la fin du XVIIe siècle à 1752, quand le peintre Tristan puis son fils y habitèrent, et Soleil d'or lorsqu'y demeura le bonnetier Alliot.

Imposte de la porte du 19, rue du Roule, représentant un soleil royal.

LA CAUSE DES CHIRURGIENS ▷

Amphithéâtre de chirurgie (actuelle annexe de la faculté des lettres),
5, rue de l'École-de-Médecine (VIᵉ)

C'est sans doute Saint Louis qui installa la confrérie des chirurgiens dans une dépendance de
l'église Saint-Côme, qui se trouvait jusqu'à sa démolition, en 1836, au début de la rue des
Cordeliers, actuelle rue de l'École-de-Médecine. Les chirurgiens, rattachés tout au long du
XVIIᵉ siècle à la confrérie des barbiers – qui non seulement rasaient, mais pratiquaient de petites
opérations –, parviennent à former leur propre confrérie dans un local indépendant en 1615,
toujours dans la même rue.
Mais les médecins, leurs grands rivaux, qui détiennent l'exclusivité de disséquer les cadavres,
obtiennent du Parlement en 1660 qu'il soit interdit aux chirurgiens-barbiers de porter les titres de
bachelier, licencié ou docteur. C'est l'opération de la fistule de Louis XIV en 1686 par Félix,
premier chirurgien du roi, qui va permettre à la confrérie de faire progresser sa cause.

APPRENDRE LA DISSECTION

En 1691, la confrérie des chirurgiens obtient l'autorisation de faire édifier, toujours dans la
même rue, un amphithéâtre, dédié à ses patrons saint Côme et saint Damien, pour y
enseigner l'anatomie et y pratiquer des dissections. Passé la porte cochère, on
pénètre dans une petite cour où se dresse l'amphithéâtre, qu'édifièrent de
1691 à 1695 Charles Joubert et son fils Louis. Octogonal, il est surmonté
d'un dôme à lanterne percé de grandes fenêtres rectangulaires. Les
bâtiments à gauche de la cour ont été construits de 1707 à 1710.
En 1748, la vieille confrérie disparaît pour faire place à
l'Académie royale de chirurgie, et les chirurgiens se
séparent enfin définitivement des barbiers.

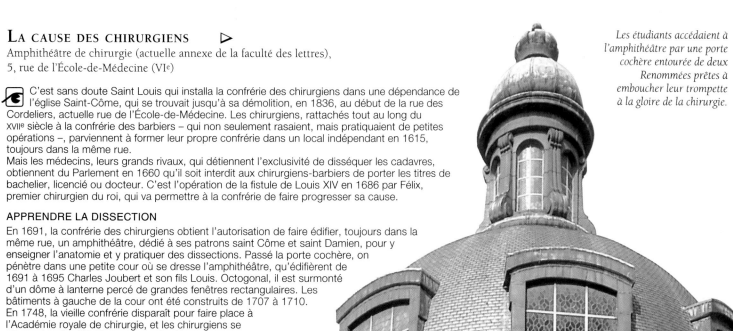

Les étudiants accédaient à l'amphithéâtre par une porte cochère entourée de deux Renommées prêtes à emboucher leur trompette à la gloire de la chirurgie.

Un paradis pour les gourmands

Elle est petite, étroite et si typique, la rue
de l'École-de-Médecine. Les étudiants y
trouvent aujourd'hui les lieux qui façonnent leur quotidien : café, cinéma, librairies… Si la drôle de vitrine de l'établissement du docteur Auzoux, chargée de
toutes sortes d'appareils de dissection,
intrigue, celle qui lui fait face est bien plus
alléchante. La Pâtisserie viennoise attire à
toute heure du jour la gourmandise des
étudiants. Depuis 1928, date à laquelle
elle fut ouverte par un couple de Hon-
grois, son succès n'a pas failli. Dans une
minuscule salle tout en longueur, on
déguste de succulentes spécialités viennoises – strudel (pommes, cannelle),
strangli (sablé aux noisettes), flanni
(pommes, pavot), linzer (sablé aux fram-
boises) – et maints autres bijoux sucrés.
Au numéro 12 de la rue, le musée de
l'Histoire de la médecine vaut le détour; sa
collection d'instruments de chirurgie, de
l'ancienne Égypte jusqu'au XIXᵉ siècle
– dont le fameux bistouri qui opéra
Louis XIV –, fut constituée au XVIIIᵉ siècle
pour les étudiants du collège de chirurgie.

Pâtisserie viennoise, 8, rue de l'École-de-Médecine (VIᵉ).

Le groupe de l'Annonciation, placé sous la gloire de Falconet et disparu à la Révolution, fut remplacé en 1805 par cette magnifique Nativité, réalisée en 1665-1667 par Michel Anguier pour l'église du Val-de-Grâce.

LA PAROISSE DES ARTISTES ◁ ▽

Église Saint-Roch, 298, rue Saint-Honoré (Ier)

Paroisse traditionnelle des artistes (le peintre Boucher s'y maria), des écrivains et des comédiens, Saint-Roch fut le lieu d'inhumation d'un nombre impressionnant de personnages illustres : Corneille, Le Nôtre, la princesse de Conti (fille de Louis XIV), le philosophe Helvétius, Diderot… En 1793, l'église est transformée en temple de la Raison, et c'est sur son perron que s'achève l'insurrection du 13 vendémiaire an IV (octobre 1795), la dernière de la Révolution : le général Bonaparte fait tirer le canon sur les royalistes qui avaient tenté de renverser la Convention.

UNE LUMINEUSE PERSPECTIVE INTÉRIEURE

C'est d'un petit oratoire dédié aux cinq plaies du Christ, fondé en 1518 par un marchand de bétail, que naît en 1578 la première église Saint-Roch, alors que la cour, installée au Louvre, attire de grands personnages dans le quartier Saint-Honoré. Une première dédicace qui explique sans doute le faste particulier avec lequel s'y est déroulé le chemin de croix jusqu'au début du XXe siècle.

En 1653, Anne d'Autriche et le jeune Louis XIV posent la première pierre de l'église actuelle, sur un plan de grande envergure conçu par Jacques Lemercier. L'architecte opte pour le plan traditionnel à nef et collatéraux avec des chapelles latérales, un transept non saillant et un chœur en hémicycle. Il meurt en 1654.

Le principal apport de Jules Hardouin-Mansart, qui reprend les travaux en 1706, consiste à greffer sur le chevet de l'église une chapelle dédiée à la Vierge, rotonde ovale à deux étages, surmontée d'un dôme. La perspective lumineuse que créaient les fenêtres de cette chapelle, qui contrastait avec la pénombre du chœur, fut accentuée par Pierre Bullet en 1710, grâce à son ouverture par une arcade sur la chapelle de la Communion, située derrière celle de la Vierge, créant ainsi cette étonnante succession d'arcades qui constitue l'une des curiosités de Saint-Roch. Et c'est au financement de John Law, qui vient de se convertir et de faire fortune en lançant le papier-monnaie, que l'on doit la construction de ses voûtes. Le projet de Robert de Cotte est choisi pour la façade de style jésuite. En 1740, enfin achevée, l'église est consacrée.

UNE EXTRAORDINAIRE MISE EN SCÈNE

Dans la seconde moitié du XVIIIe siècle, le curé fait redécorer l'intérieur dans un style théâtral. L'architecte Boullée édifie une troisième chapelle d'axe, celle du Calvaire, ce qui donne à l'église une longueur de 125 mètres. Le sculpteur Falconet habille l'arcade au-dessus de la chapelle de la Vierge d'une immense gloire de stuc, sous laquelle est placé un groupe de l'Annonciation (disparu), remplacé par la magnifique Nativité faite en 1665-1667 pour le Val-de-Grâce. Simon Challe sculpte l'imposante chaire, dont il ne reste que l'abat-voix où la Vérité munie de sa trompette soulève l'immense voile de l'Erreur. Les œuvres d'art que recélait Saint-Roch, et qu'elle a en partie retrouvées, ajoutées à celles provenant d'autres églises, font de cette église un véritable musée de l'art religieux des XVIIe et XVIIIe siècles.

Avec ses 125 mètres de long, l'église Saint-Roch a seulement 5 mètres de moins que Notre-Dame de Paris.

Chocolat à l'ancienne chez Angélina

À peu de distance de l'église Saint-Roch, Angélina est depuis le début du XXe siècle l'un des rendez-vous mondains et gourmands de la capitale. En plein hiver, les samedis et dimanches après-midi, touristes japonais, jeunes gens bon chic bon genre et vieilles dames élégantes n'hésitent pas à faire longtemps la queue pour un moment de quiétude. Dans ce célèbre salon de thé au décor raffiné et chaleureux du début du siècle – lustres, miroirs géants, colonnades et lambris blanc crème –, George V avait ses habitudes, tout comme Coco Chanel ou Marcel Proust. Ils aimaient y déguster ses délicieuses

pâtisseries, dont le succulent mont-blanc, gâteau meringué finement recouvert de crème de marrons. La vedette du lieu reste le célèbre chocolat sucré et velouté, toujours accompagné d'un petit pot de crème. Porcelaine blanche, argenterie et serveuses vêtues de noir et blanc ajoutent au raffinement de ces fines saveurs. Cette grande maison, que l'on doit à un confiseur-pâtissier d'origine autrichienne, Antoine Rumpelmayer, sert également durant la semaine de cantine de luxe aux mannequins (car on y sert aussi de frugales salades!) et couturiers installés à proximité.
Angélina, 226, rue de Rivoli (Ier).

FONTAINE BOUCHERAT △
Angle des rues de Turenne et Charlot (IIIe)

« De même que l'heureuse paix conclue par Louis répandra l'abondance dans la Ville de Paris, de même cette fontaine lui prodigue ses eaux. » La fontaine célèbre ainsi la paix de Ryswick, qui mit fin, en octobre 1697, à la guerre de la Ligue d'Augsbourg. En 1694, on avait décidé le prolongement des rues Neuve-Saint-Louis et d'Angoumois (actuelles rues de Turenne et Charlot) jusqu'au nouveau boulevard du Temple et l'érection d'une fontaine à l'angle des deux rues. Jean Beausire, architecte des Bâtiments de la Ville et garde des Fontaines, la réalise en 1698. Surmonté d'un fronton triangulaire qui portait les armes de Paris, l'édifice est décoré, au-dessus d'une arcade aveugle, d'une tête de divinité marine. Un arrêt du Conseil de 1698 donna à la fontaine le nom de Boucherat, en l'honneur du chancelier de France qui fut implacable envers les protestants.

À LA GLOIRE DU PREMIER PEINTRE DE LOUIS XIV
Hôtel Le Brun, 49, rue du Cardinal-Lemoine (Ve) ▷

En 1700, dix années après la mort de Charles Le Brun, premier peintre du roi, son neveu et légataire universel, Charles II Le Brun, fait élever un hôtel par son parent l'architecte Germain Boffrand rue des Fossés-Saint-Victor (actuelle rue du Cardinal-Lemoine), où le grand peintre avait acquis plusieurs terrains.
Le jeune Boffrand, dont c'est l'une des premières réalisations, fait là œuvre nouvelle : un bâtiment isolé rectangulaire contrastant avec le type classique de l'hôtel à ailes en retour, et un puissant avant-corps qui se détache sur les façades. La décoration sculptée du Flamand Anselme Flamen est à la gloire du peintre : ses armoiries – un écusson avec un soleil surmonté d'une couronne et entouré de deux aigles et de deux licornes –, sur le fronton côté cour d'honneur ; l'Immortalité présentant son portrait à Minerve, sur le fronton côté jardin.
Le neveu de Charles Le Brun, qui meurt dans cet hôtel en 1727, aurait hébergé en 1718 Watteau, qui venait de peindre le *Pèlerinage à l'île de Cythère*. Buffon, intendant depuis 1739 du tout proche Jardin du roi – notre actuel Jardin des Plantes –, y habite en 1766 et continue d'y rédiger sa célèbre *Histoire naturelle* en quarante volumes. Trois ans plus tard, Lelièvre, maître de ballet du roi, y séjourne. Depuis 1912, l'hôtel Le Brun est propriété de la Ville de Paris.

À la corniche de la façade sur jardin, les fleurs de lis alternent avec les soleils rayonnants, motif caractéristique du règne de Louis XIV.

La magnificence du prince de Soubise △

Hôtel de Rohan-Soubise (actuelles Archives nationales), 60, rue des Francs-Bourgeois (IVe)

C'est grâce aux faveurs de toutes sortes prodiguées par Louis XIV à la belle épouse de François de Rohan, Anne Chabot de Rohan, devenue princesse de Soubise, que cette vieille famille qui descend des ducs de Bretagne conserve son prestige, et sa fortune ! En 1700, François de Rohan quitte la place des Vosges, où il demeurait avec sa famille, pour l'ancien hôtel du connétable de Clisson, que les Guises avaient transformé au XVIe siècle.

Les Rohan, à leur tour, le font somptueusement transformer par le jeune architecte Pierre-Alexis Delamair. Celui-ci construit une nouvelle façade sur le flanc du vieil hôtel de Guise, qui se trouve alors non plus tourné vers la rue du Chaume (actuelle rue des Archives) mais vers le sud, côté rue de Paradis (actuelle rue des Francs-Bourgeois). Avec son avant-corps à deux étages de colonnes couplées surmonté d'un fronton triangulaire qui a perdu à la Révolution les armes des Soubise, la façade, richement décorée par l'équipe d'Henri de Lambillo, possède encore au niveau supérieur les statues allégoriques de Robert Le Lorrain représentant la Gloire et la Magnificence des princes, tandis que quatre groupes d'enfants symbolisent des Génies. Les figures des Quatre Saisons, au premier étage, ont été remplacées par des copies.

Sur le terrain de l'ancien manège des Guises, Delamair édifie une magnifique cour d'honneur, digne d'un palais, bordée de cinquante-six colonnes couplées formant péristyle. Rue des Francs-Bourgeois, un espace en demi-lune devant le portail monumental facilite les manœuvres des carrosses.

VOIR AUSSI L'HÔTEL DE CLISSON, p. 33, ET LA DÉCORATION INTÉRIEURE, p. 169.

Cour d'honneur de l'hôtel de Rohan-Soubise. Le sommet du péristyle est aménagé en terrasse bordée d'une balustrade.

Façade sur jardin de l'hôtel de Rohan-Strasbourg.

Un authentique pub irlandais

Bien que la communauté irlandaise soit relativement peu nombreuse à Paris, une vingtaine de pubs se sont ouverts depuis dix ans. Pour le grand bonheur des Parisiens, qui aiment ces endroits à la fois salle de concert et café. Intime et chaleureux, The Quiet Man est l'un des pubs les plus authentiques de la capitale. Ancien musicien professionnel, le patron du lieu, Eoghan Lucey, posa son bouzouki il y a un peu plus de cinq ans pour ouvrir ce petit pub au cœur du Marais. Derrière le comptoir, les serveurs irlandais ou bretons accueillent chaque soir un public hétéroclite : quelques Irlandais bien sûr, beaucoup de Bretons et, aussi, des gens du quartier. La bière coule à flots. Mais pas n'importe laquelle. C'est la fameuse Guinness, une bière onctueuse et pleine de caractère, qui est le plus appréciée. Les soirées sont animées par des groupes de musique folk qui, le plus souvent, improvisent des concerts dans l'une des deux jolies petites salles voûtées, au sous-sol. Il n'est pas rare alors qu'Eoghan Lucey se joigne à eux jusqu'à la fermeture, à 1 heure du matin.
The Quiet Man, 5, rue des Haudriettes (IVe).

Un prince de l'Église ▽

Hôtel de Rohan-Strasbourg (actuelles Archives nationales), 87, rue Vieille-du-Temple (IIIe)

En 1705, les Soubise cèdent en usufruit à l'un de leurs onze enfants, Armand-Gaston de Rohan, prince-évêque de Strasbourg, des terrains de l'ancien hôtel de Guise vers la rue Vieille-du-Temple pour y édifier sa demeure. Favorisé par Louis XIV – dont il était peut-être le fils… –, le prince-évêque devient cardinal en 1712. Grand amateur d'art, il constituera dans son hôtel l'une des plus considérables bibliothèques du royaume.

UN MODÈLE D'HÔTEL CLASSIQUE

De 1705 à 1708, il fait édifier l'hôtel de Rohan, appelé aussi hôtel de Strasbourg ou Palais-Cardinal, par l'architecte Delamair, qu'il avait recommandé auparavant à ses parents pour l'hôtel de Soubise. C'est dans un style moins somptueux que ce dernier – et donc convenant mieux à un prince de l'Église – que l'hôtel est édifié, avec sa façade principale tournée vers l'hôtel de Soubise, les deux hôtels communiquant par les jardins.
Sur la rue Vieille-du-Temple, l'entrée formant une demi-lune donne accès à la cour en hémicycle bordée de bâtiments bas avec, au centre, la façade assez sévère ornée seulement de trophées d'armes à l'attique, et dont le fronton au-dessus de l'avant-corps a perdu sa décoration. Plus belle et plus large que celle sur cour, la façade sur jardin est une réussite de l'art classique ; elle fut considérée comme un modèle par les contemporains. Divisée horizontalement en trois bandeaux, elle offre un avant-corps central à colonnes de trois ordres superposés (dorique, ionique et corinthien) et un léger retrait des deux dernières travées à chaque extrémité, ce qui lui donne un certain mouvement. Son fronton a lui aussi perdu sa décoration. Une frise sculptée de trophées d'armes court en haut du premier étage.

VOIR AUSSI LA COUR DES ÉCURIES ET LE CABINET DES SINGES, p. 168.

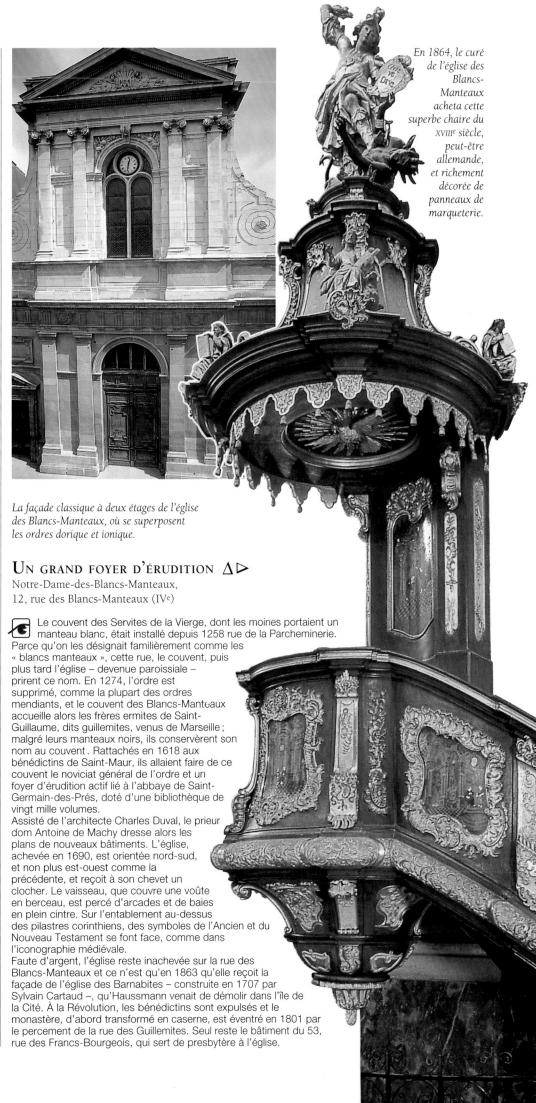

La façade classique à deux étages de l'église des Blancs-Manteaux, où se superposent les ordres dorique et ionique.

En 1864, le curé de l'église des Blancs-Manteaux acheta cette superbe chaire du XVIIIe siècle, peut-être allemande, et richement décorée de panneaux de marqueterie.

Un grand foyer d'érudition △▷

Notre-Dame-des-Blancs-Manteaux, 12, rue des Blancs-Manteaux (IVe)

Le couvent des Servites de la Vierge, dont les moines portaient un manteau blanc, était installé depuis 1258 rue de la Parcheminerie. Parce qu'on les désignait familièrement comme les « blancs manteaux », cette rue, le couvent, puis plus tard l'église – devenue paroissiale – prirent ce nom. En 1274, l'ordre est supprimé, comme la plupart des ordres mendiants, et le couvent des Blancs-Manteaux accueille alors les frères ermites de Saint-Guillaume, dits guillemites, venus de Marseille ; malgré leurs manteaux noirs, ils conservèrent son nom au couvent. Rattachés en 1618 aux bénédictins de Saint-Maur, ils allaient faire de ce couvent le noviciat général de l'ordre et un foyer d'érudition actif lié à l'abbaye de Saint-Germain-des-Prés, doté d'une bibliothèque de vingt mille volumes.
Assisté de l'architecte Charles Duval, le prieur dom Antoine de Machy dresse alors les plans de nouveaux bâtiments. L'église, achevée en 1690, est orientée nord-sud, et non plus est-ouest comme la précédente, et reçoit à son chevet un clocher. Le vaisseau, que couvre une voûte en berceau, est percé d'arcades et de baies en plein cintre. Sur l'entablement au-dessus des pilastres corinthiens, des symboles de l'Ancien et du Nouveau Testament se font face, comme dans l'iconographie médiévale.
Faute d'argent, l'église reste inachevée sur la rue des Blancs-Manteaux et ce n'est qu'en 1863 qu'elle reçoit la façade de l'église des Barnabites – construite en 1707 par Sylvain Cartaud –, qu'Haussmann venait de démolir dans l'île de la Cité. À la Révolution, les bénédictins sont expulsés et le monastère, d'abord transformé en caserne, est éventré en 1801 par le percement de la rue des Guillemites. Seul reste le bâtiment du 53, rue des Francs-Bourgeois, qui sert de presbytère à l'église.

La fontaine du Vertbois est surmontée au-dessus de l'entablement d'un écusson entouré de deux ailes et couronné par une large coquille.

Sauvée grâce à Victor Hugo △

Fontaine du Vertbois,
angle des rues Saint-Martin et du Vertbois (IIIe)

Depuis 1310, le prieuré de Saint-Martin-des-Champs partageait avec la commanderie du Temple, sa voisine, la fontaine Savies, alimentée par les eaux de Belleville. En 1712, en échange de douze lignes d'eau de Seine que leur fournirait la Ville, les abbés cèdent la tour du Vertbois, vestige de l'enceinte du XIIIe siècle qui entourait le prieuré, pour qu'y soit adossée une fontaine publique. Si la première pierre en fut posée cette année-là, ce n'est qu'en 1740 que les gens du voisinage purent bénéficier de ses eaux. En 1882, cette fontaine monumentale fut, ainsi que la tour Vertbois, menacée de destruction par un redoutable architecte. C'est une lettre incendiaire de Victor Hugo, qui proposait de démolir l'architecte plutôt que la tour, qui les sauva toutes deux ! Deux ans plus tard, la fontaine fut cependant légèrement déplacée et reconstituée à l'identique.

Hôtel de Rothelin ▽

Actuel ministère du Commerce et de l'Industrie, 101, rue de Grenelle (VIIe)

Vers 1703, Pierre Cailleteau, surnommé Lassurance, qui, après avoir été le collaborateur de Jules Hardouin-Mansart, se consacrait désormais aux édifices civils, dresse les plans de cet hôtel de la rue Grenelle-Saint-Germain pour Philippe d'Orléans, marquis de Rothelin, descendant d'un bâtard de la maison de France. Sur la cour d'honneur, la façade avec son avant-corps présente un balcon de fer forgé au chiffre du marquis, que portent quatre colonnes encadrant des baies cintrées. Au premier étage, dans la manière qui caractérise cet architecte, l'arrondi de la fenêtre centrale déborde sur la base du fronton triangulaire, où les armes du marquis ont été effacées. Mais les deux ailes en retour sur la cour ont été disgracieusement surélevées par la suite. La façade sur jardin, plus belle car le fronton possède encore son bas-relief, présente un balcon soutenu par six colonnes.

PRINCESSE ET MAÎTRESSE DE LOUIS XV

La princesse de Charolais, première maîtresse de Louis XV après son mariage et sœur du féroce et dépravé Charles de Bourbon, prince de Condé, habite l'hôtel de 1736 à 1758. Afin d'y loger sa nombreuse suite, elle fait effectuer par l'architecte Simonnet des aménagements dont témoigne encore aujourd'hui le grand salon rocaille aux délicates boiseries ornées de rameaux fleuris, de rinceaux, d'amours… Puis elle laisse l'hôtel à son neveu, le prince de Conti. Aménagé à nouveau sous la Restauration, l'hôtel possède encore quelques salons de cette période. Depuis 1870, il est occupé par le ministère du Commerce et de l'Industrie.

La façade sur jardin de l'hôtel de Rothelin.

Emmaüs, les compagnons des sans-logis

C'est ici, au 32, rue des Bourdonnais, lorsque le froid et la glace tuaient les sans-logis de l'après-guerre, que l'abbé Pierre prit ses premiers quartiers d'hiver. C'était au tout début de 1954, et celui qui allait lancer son célèbre appel venait de créer tout à la fois un lieu d'accueil, une société de HLM et une société de locataires. Emmaüs était né. La rue des Bourdonnais devint très vite une ruche où s'organisèrent à la fois la distribution de nourriture, le don de vêtements et l'hébergement des plus démunis. Comme l'immeuble ne suffisait plus à loger le mouvement tout entier, des maisons s'ouvrirent un peu partout, si bien qu'aujourd'hui Emmaüs compte cent cinquante associations dans toute la France. Chacune d'elles est indépendante mais adhère à une fédération nationale. La maison mère, qui abrita longtemps l'appartement de l'abbé Pierre, garde cependant une certaine aura, héritée de son histoire. Elle est le centre administratif de la communauté parisienne d'Emmaüs, héberge des bureaux et un centre d'accueil. Quarante chambres y sont mises à la disposition des sans-logis pour une durée de six mois renouvelables, et ceux qui désirent travailler pour le mouvement – qui compte aujourd'hui quatre mille cinq cents compagnons – peuvent s'adresser ici à ce qu'on pourrait appeler une « ANPE d'Emmaüs ». *Emmaüs, 32, rue des Bourdonnais (Ier).*

HÔTEL D'ESTRÉES Δ

Actuelle résidence de l'ambassadeur de Russie, 79, rue de Grenelle (VIIe)

🔒 C'est pour la veuve du duc d'Estrées, parent de la belle Gabrielle, célèbre favorite d'Henri IV, qu'en 1713 Robert de Cotte, premier architecte de Louis XIV, édifie cet hôtel dans le faubourg Saint-Germain, en même temps qu'il travaille à la décoration du chœur de Notre-Dame.
D'une architecture classique, l'hôtel d'Estrées présente sur la cour d'honneur, entre deux ailes en retour, une façade principale ornée d'un fronton triangulaire soutenu par trois étages de pilastres. La façade sur jardin, plus simple, est surmontée elle aussi d'un fronton. Mais l'ensemble nous est parvenu dénaturé par l'ajout d'un étage qui a fait disparaître les combles à la française.

LE QUARTIER DE LA VIEILLE ARISTOCRATIE

Depuis la construction du pont Royal, en 1687, qui permettait un accès facile au Louvre, aux Tuileries et à la rive droite, le faubourg Saint-Germain connaît un nouvel essor. Et avec le pôle d'attraction que constitue le nouvel hôtel royal des Invalides, le bourg s'étend peu à peu vers l'ouest jusqu'à l'esplanade, et de somptueux hôtels particuliers commencent à s'y bâtir au début du XVIIIe siècle.
En 1702, le faubourg Saint-Germain cesse d'être hors les murs pour devenir le vingtième et dernier quartier de la capitale, et s'affirme comme le lieu de prédilection de la vieille aristocratie ; la réinstallation de la cour aux Tuileries après la mort de Louis XIV accentuera ce phénomène.
En 1753, à la mort de la duchesse, l'hôtel passe à son neveu, le duc de Biron, qui le revend aussitôt à Charlotte d'Orléans, fille du Régent. Puis il est habité par le marquis d'Harcourt juste avant la Révolution, par le duc de Feltre sous le Premier Empire, par la marquise de Tourzel sous la Restauration. Enfin, en 1864, le duc d'Escars le vend au gouvernement russe, qui en fait son ambassade puis, à partir de 1981, la résidence de l'ambassadeur. Le tsar Nicolas II y séjourne en 1896 quand il vient poser la première pierre du pont Alexandre-III. Récemment restauré par les soins du musée de l'Ermitage de Saint-Pétersbourg, l'hôtel offre une suite de salons, tantôt intimes et tantôt d'apparat, aux couleurs pastel pleines de fraîcheur.

UN ESPION À LA SOLDE DE LOUIS XIV ▷

Hôtel de Villeroi ou de la Ferme-des-Postes, 34, rue des Bourdonnais (Ier)

🔒 En ouvrant les lettres – c'est ce que révélera le duc de Saint-Simon –, Léon Pajot, contrôleur général des Postes, permettait à Louis XIV d'être informé de tout ce qui se passait dans le royaume. C'était là un habile moyen de faire fortune !
Ainsi, de 1699 à 1708, put-il rebâtir pour y habiter l'hôtel qu'il avait acheté en janvier 1671 à Nicolas de Villeroi, maréchal de France et ancien gouverneur du jeune Louis XIV. Pajot possédait aussi l'hôtel voisin (qui n'existe plus aujourd'hui) au numéro 30 actuel. Il y installe de 1682 à 1700 le bureau général des postes, dos à dos avec l'hôtel du 3, rue des Déchargeurs (toujours en place), qui abritait le bureau de la petite poste, pour le courrier interne de la capitale. Au XIXe siècle encore, toutes les petites rues avoisinantes étaient occupées par les courriers et les messageries.
L'ancien hôtel de Villeroi longe l'étroite rue des Bourdonnais de sa façade sobre, ornée d'un long balcon au motif uniforme et d'un magnifique mascaron sous la voûte de la porte cochère. La première cour, avec les bâtiments d'habitation, renferme un large escalier, avec une rampe de fer dont le motif décoratif reprend celui des appuis de fenêtres. La deuxième cour, où se trouvaient les remises et les écuries et qui fut surélevée par la suite, possède encore sa mansarde à poulie. L'hôtel demeura jusqu'en 1767 dans la famille Pajot, qui, pendant quatre générations successives, resta à la tête des postes et relais du royaume.

Le porche d'entrée de l'hôtel d'Estrées et ses deux murs en arc-de-cercle, dispositif qui rendait aisée la circulation des équipages.

La façade de l'hôtel de Villeroi sur la rue des Bourdonnais.

LA VILLE EN

Dans l'univers de pierre qu'est celui de la capitale, où souvent la grisaille des cieux semble pénétrer le dédale des rues, il arrive que les murs, au détour d'un pignon, s'animent et en voient enfin de toutes les couleurs ! Clinquants ou pastellisés, hyperréalistes, figuratifs ou abstraits, il y en a pour tous les goûts ; ainsi s'exposent, aux habitants comme aux promeneurs, les tendances artistiques du moment.

Avant d'être œuvres d'art, les murs peints parisiens furent publicitaires. Leur histoire remonte au siècle dernier, quand ils ont détrôné les enseignes à l'inauguration des grands magasins du boulevard Haussmann. À cette époque, vers 1860, les illustrations vantant les produits quittent l'intérieur des boutiques pour se répandre anarchiquement à l'air libre, au vu et au su des passants.

DUBO, DUBON, DUBONNET...

Toute surface vierge est alors jugée bonne à rentabiliser : murs d'habitation, murs de hangar, jusqu'aux toits sont méthodiquement transformés en supports publicitaires. C'est la belle époque des peintures murales, dont les célèbres « Dubo, Dubon, Dubonnet », biscuits Lu et autres bouillons Kub, qui n'ont laissé çà et là que quelques traces mélancoliques.
L'esprit rationaliste français ne supportera pas longtemps cette prolifération anarchique :

un décret de 1943, en limitant à 16 mètres carrés chaque emplacement, oblige les publicitaires à changer de support, et c'est ainsi que l'affiche se substitue à la fresque peinte directement sur le mur.

▽ La célèbre réclame pour l'apéritif Dubonnet. Panneau réalisé rue de Sèvres, dans les années trente, par Cassandre.

156

TROMPE-L'ŒIL

◁ Page 156, un mur rappelant des peintures rupestres préhistoriques. L'œuvre fut exécutée par Bryan Becheri en 1992 dans le square Alésia-Ridder, 223, rue d'Alésia (XIVe).

◁ Ci-contre, une fresque murale réalisée en 1989 par Daniel Masson Solmon à la demande de la direction de l'aménagement urbain. Place de Torcy (XVIIIe).

▽ Cet hommage au théâtre a été peint sur toile marouflée par Philippe Rebuffet. Des auteurs célèbres y figurent. 19, rue Nicolas-Appert (XIe).

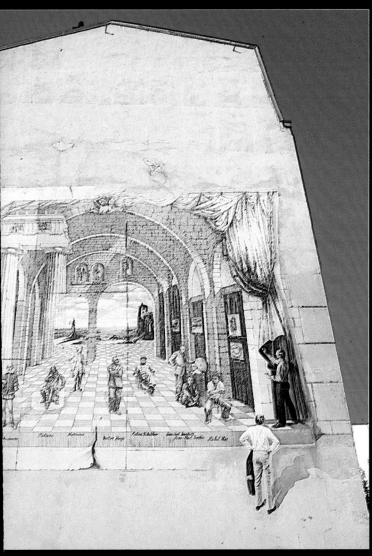

PUBS D'ARTISTES

Il faudra attendre de nombreuses années pour voir refleurir les murs de Paris, devenus silencieux. En 1971, la Ville de Paris prend l'initiative d'inviter un artiste peintre, François Morellet, à décorer deux immenses pitons situés au-dessus du trou des Halles, alors en plein chantier. Du mobilier urbain au mur, il n'y avait qu'un pas, que franchit l'afficheur Dauphin ; saisissant l'opportunité, il demande puis obtient une réglementation des surfaces : à partir de 1973, les concessions d'espaces publicitaires se retrouvent assorties d'une clause de ravalement des murs décrépis, et surtout de l'obligation de les couvrir de peintures monochromes ou polychromes à caractère artistique ; ces œuvres ne restent que trois ans en place.

LA CRÉATION RÉGLEMENTÉE

Puis la Mairie crée une commission Murs peints, artistiques cette fois-ci, en concertation avec le ministère de la Culture, entre autres. Elle est chargée de répartir les pignons disponibles de la capitale entre les artistes. Ces derniers ne se feront pas prier pour réaliser les décors de leur rêves à une échelle qu'aucune galerie ne leur offrira jamais. Les plus grands talents se sont essayés, avec un bonheur inégal, à animer la capitale.

Si l'on admire leur inventivité sans cesse renouvelée, il faut savoir que les artistes doivent se plier à des règles strictes. Tout commence par un concours, sur un thème imposé : pour un mur réalisé, ce sont cinq ou six projets qui ne verront jamais le jour ! Ces contraintes administratives, qui permettent cependant aux artistes de laisser libre cours à leur imagination, distinguent les murs peints parisiens des « murs cris » californiens ou mexicains des années soixante-dix – qui naissaient spontanément de la révolte ou de la contestation –, ou encore des tags de nos banlieues, parfois aussi décoratifs, mais hors la loi !

AU ROYAUME DE L'ILLUSION

Si les artistes ont recours à des techniques variées, on peut toutefois retrouver dans l'ensemble de leurs œuvres un certain nombre de traits communs.

Le trompe-l'œil reste bien sûr le meilleur moyen d'occuper le terrain : paysages et personnages sont mis en scène dans des combinaisons parfois fort savantes, tel ce théâtre du 19, rue Nicolas-Appert (XIe), réalisé en 1985 : Philippe Rebuffet nous convie à un magistral lever de rideau, inattendu sur cette placette blottie au cœur d'un îlot ; et, clin d'œil supplémentaire, il a même représenté le promeneur ! Fabio Rietti, au 3-5, avenue Richerand (Xe), a brodé pour sa part sur le thème des canaux et de la navigation fluviale, illustration qui fait écho au paresseux canal Saint-Martin : façade vénitienne et gondole, quai d'un port nordique et goélands... les peintures couvrent quatre murs et 1 000 mètres carrés environ, comme une invitation au voyage ; mais seul le passant curieux, qui franchira le grand porche du quai de Jemmapes, pourra découvrir cette étonnante fresque poétique. La fillette jouant dans l'herbe du numéro

14 du passage Gatbois (XIIe), près de la gare de Lyon, procède d'un tout autre genre : l'artiste, Cueco, a utilisé la technique de la photographie pour décomposer le mouvement en gros plans alignés les uns à la suite des autres.

Autre source d'inspiration déclinable à l'infini, les fenêtres. Les trois fausses fenêtres de Pavel Svetlana, au 49, rue des Solitaires (XIXe), sont sans doute les plus spectaculaires d'une série qui en compte de nombreuses autres, essaimées un peu partout dans les arrondissements : au 21, rue Eugène-Carrière (XVIIIe), Philippe Rebuffet anime le rez-de-chaussée d'un homme à sa fenêtre réalisé en céramique ; au 29, rue Quincampoix (IVe), quatre étages de fenêtres, d'où des personnages regardent la rue, décorent un immeuble factice destiné à dissimuler un système de ventilation.

MURS D'AUTREFOIS, MURS IMAGINAIRES

Certaines fresques superposent au décor urbain actuel une référence dénichée dans l'inépuisable historique de l'architecture. Ainsi, au numéro 106 de la rue Falguière (XVe), Antoine Fontaine a habillé un ensemble HLM de fresques pompéiennes empruntées à l'Antiquité : plâtres, arcades, faux marbres font oublier le support en béton.

Au 11, rue Dussoubs (IIe), Jacques Bertin a réalisé une fresque de 700 mètres carrés à la gloire d'une ville imaginaire, où sont emmêlés six projets utopiques, bien entendu jamais construits, dans une débauche de couleurs criardes. On y reconnaît la maison de Jacques Becker, le front de Seine tel qu'il aurait pu être bâti en 1928, un cénotaphe dédié à sir Isaac Newton et une

△ **La serre métallique de Gérard Puvis, qui rappelle les nombreux jardins du quartier et l'église Saint-Éloi, toute proche, dédiée au patron de l'industrie du fer. 60, rue de Reuilly (XIIe).**

◁ **Seule manque à cette bibliothèque imaginaire la grande échelle du bibliothécaire... Jacques Bertin a réalisé cette œuvre en 1984 au 129 de la rue Raymond-Losserand (XIVe).**

▷ **La mythologie de Belleville racontée par trois artistes au 52, rue de Belleville (XXe).**

◁ Un palais antique dans lequel évoluent des personnages contemporains : cette œuvre fut réalisée en 1985 par Antoine Fontaine au 106, rue Falguière (XVe).

▷ En 1988, Cueco a fait pousser les prés du Limousin dans un ancien quartier insalubre... Les mouvements de danse de la petite fille sont décomposés, comme dans les premiers films d'animation. 14, passage Gatbois (XIIe).

▽ La Ville imaginaire, réalisée en 1987 par Jacques Bertin et Maria Isabel Sanabria au 11, rue Dussoubs (IIe).

maquette destinée au film *l'Inhumaine*, de Marcel L'Herbier. On doit aussi au même artiste cette *Bibliothèque impossible* qui orne le pignon du 129, rue Raymond-Losserand (XIVe) : une cinquantaine d'ouvrages jamais écrits qui garnissent une haute et étroite bibliothèque et sont autant de références savantes à de grands écrivains et à leurs œuvres.

MESSAGES DANS LA VILLE

Les murs peints racontent une histoire et offrent au promeneur des visions particulières de la ville. À un détour de la rue de Belleville (XXe), le renfoncement du 52 aurait pu rester un lieu résiduel promis à l'accumulation des ordures : en 1987, plusieurs artistes lui ont redonné le sourire. Leur œuvre, intitulée *Paris-trois-temps*, a été conçue par rapport à l'espace et au temps. À droite, la mythologie de Belleville, peinte par Jean Le Gac, est évoquée par un homme accroupi sur fond de réclames, prêt à partir pour une visite du quartier ; à gauche, le présent, par Ben, met en scène deux ouvriers installant un panneau, dont le message change régulièrement : l'actuel « Il faut se méfier des mots » a remplacé « Il n'y a pas d'art sans liberté ». L'avenir, signé Marie Bourges, est représenté par une bande de marbre qui serpente sur le sol, les murets et les murs et mène à un cône blanc illuminé.

Au 50, rue de Charonne (XIe), Christian Zeimert propose, à l'emplacement d'une ancienne publicité pour les bouillons Kub, une vision « kubiste » du quartier : le mot Kub domine les cubes d'un jeu d'enfants sur lesquels est évoqué le quartier – le Balajo, les ébénistes du Faubourg-Saint-Antoine et des personnages populaires.

Les murs peints ne sont pas éternels. Plus de dix ans après leur conception, plusieurs d'entre eux se sont dégradés, et se pose aujourd'hui la question de leur conservation et de leur éventuelle restauration. Car ce musée imaginaire qui embellit notre espace quotidien mérite d'être protégé.

Palais-Royal
et Théâtre-Français

Hôtel Biron (musée Rodin)

Palais de l'Élysée

Palais de Justice

Qui n'a pas vu le jour se lever sur la Seine
Ignore ce que c'est que ce déchirement
Quand prise sur le fait la nuit qui se dément
Se défend se défait les yeux rouges obscènes
Et Notre-Dame sort des eaux comme un aimant.

Louis Aragon, *Le paysan de Paris chante*

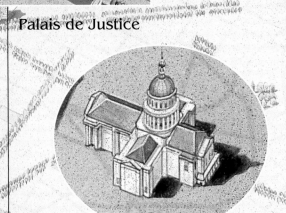

Panthéon

École militaire

LA VILLE DES LUMIÈRES

Les règnes de Louis XV et de Louis XVI (1715-1792)

Les règnes de Louis XV et de Louis XVI, qui s'étendent sur plus de soixante-dix ans (1715-1792), furent les témoins de nombreuses transformations, qui ont sensiblement et durablement marqué la physionomie de la capitale et lui ont donné quelques-uns de ses monuments les plus célèbres.

Le développement de la ville vers l'ouest est un des faits marquants de ces années : extension du faubourg Saint-Honoré sur la rive droite et développement du faubourg Saint-Germain sur la rive gauche, qui supplante définitivement le Marais comme quartier de résidence aristocratique.

Si les initiatives privées – qu'elles donnent lieu à la construction d'hôtels seigneuriaux ou à celle de maisons de rapport – se maintiennent durant toute la période, en matière d'urbanisme et d'architecture publique, on peut au contraire distinguer deux phases très contrastées : la Régence et le début du règne de Louis XV correspondent à un moment de stagnation, alors qu'à partir du milieu du

siècle les grands projets et les chantiers se multiplient (École militaire, église Sainte-Geneviève (Panthéon), place Louis-XV, École de chirurgie, Hôtel de la monnaie...).

Cette évolution correspond à une profonde transformation du goût, des formes architecturales et décoratives du style rocaille le plus exubérant, qui domine pendant la Régence, au néoclassicisme le plus affirmé de la fin du règne de Louis XVI. Les manifestations les plus remarquables du style rocaille se réfugient dans le décor intérieur (hôtel de La Vrillière (Banque de France), palais de l'Élysée, hôtel Matignon, hôtel de Rohan-Soubise (Archives nationales)...), alors que le néoclassicisme – même si le décor intérieur lui doit de superbes réalisations, comme l'hôtel du Châtelet ou le château de Bagatelle – s'affirme plutôt dans les grands chantiers urbains, qui voient l'épanouissement de ce qu'on appelle le style Louis XVI, bien que la plupart de ses réalisations les plus caractéristiques aient été commencées sous Louis XV.

UNE FIÈRE MARQUISE ▷ ▽

Hôtel Gouffier de Thoix, 56, rue de Varenne (VIIᵉ)

🔒 Au XVIᵉ siècle, l'illustre famille des Gouffier compta parmi ses membres Claude Gouffier, duc de Roanez, comte de Caravas et grand écuyer de François Iᵉʳ, dont les immenses richesses inspirèrent à Perrault le personnage du marquis de Carabas.

Jean-Timoléon Gouffier, marquis de Thoix, membre d'une autre branche de la famille, épouse en 1685 Henriette de Kéroualle. Sa sœur, Louise de Kéroualle, la fameuse duchesse de Portsmouth, avait littéralement ensorcelé Charles II d'Angleterre, frère de Madame (Henriette d'Angleterre) – dont elle était la fille d'honneur – et, se trouvant « avec une légère disposition à ne pas le haïr », comme l'écrit plaisamment Mme de Sévigné, lui avait donné un fils, le futur duc de Richemont.

Henriette de Kéroualle, plus sage que sa sœur mais d'un tempérament non moins fier, acquit en 1719 le terrain où elle allait faire bâtir la séduisante demeure qui dresse toujours son magnifique portail face à l'hôtel Matignon. Ce portail présente en son tympan une majestueuse double coquille, ornée de guirlandes de coquillages, exécutée avec une véritable exubérance, qui contraste avec la délicatesse de la sculpture des vantaux, où sont figurées des divinités de l'Olympe ; il s'ouvre sur une cour joliment décorée de hauts-reliefs représentant, dans des médaillons, un cheval guidé par un amour. L'ensemble de l'hôtel a conservé son décor intérieur, dont une partie remonte aux Gouffier de Thoix tandis que d'autres pièces furent aménagées par la famille Chaumont de La Galaizière, qui acquit la demeure en 1768.

Portail de l'hôtel Gouffier de Thoix.
En détail, l'un des hauts-reliefs de la cour.

LE FIEF DES CONDÉS Δ

Le grand salon de l'hôtel de Lassay.

Hôtel de Lassay (actuelle résidence du président de l'Assemblée nationale), 128, rue de l'Université (VIIᵉ)

🔒 Alors que la duchesse de Bourbon, fille de Louis XIV et veuve du petit-fils du Grand Condé, se faisait bâtir une nouvelle résidence, le palais Bourbon, son amant, le marquis de Lassay, faisait construire sur le terrain voisin et par les mêmes architectes l'hôtel qui porte toujours son nom. Jusqu'à la fin de l'Ancien Régime, les deux hôtels furent occupés par différents membres de la famille des Condés ; après la Révolution, le palais Bourbon étant devenu le siège de l'Assemblée nationale, l'hôtel de Lassay fut affecté à son président.

L'hôtel était formé d'un simple rez-de-chaussée ; le duc de Morny, président du Corps législatif en 1854, y ajouta l'étage que l'on voit encore. À cette occasion, une galerie de liaison fut construite entre les deux palais, tandis que de nombreuses modifications étaient apportées aux intérieurs. Une grande partie des décors du XVIIIᵉ siècle subsiste pourtant. Ils furent très admirés en leur temps, au point que Voltaire, dans son *Temple du goût,* n'hésita pas, pour composer un « palais parfait », à joindre « l'architecture du palais de Maisons au-dedans de l'hôtel de Lassay ». Le grand salon conserve l'essentiel de ses panneaux d'origine ; l'ensemble des boiseries, dû au dessin de Lassurance, présente une sculpture d'une étourdissante fantaisie inventive, qui en fait l'un des plus séduisants exemples du style rocaille à Paris.

Vingt centimes pour le jury Goncourt

À deux pas de la Bibliothèque nationale, le restaurant Drouant est né d'un modeste café ouvert en 1880 par un jeune Alsacien venu faire fortune. Écrivains, artistes et journalistes en deviennent rapidement des habitués, notamment les Daudet (père et fils), Rodin, Toulouse-Lautrec, Monet et Pissarro. Léon Daudet écrira qu'au restaurant Drouant les huîtres sont plus fraîches qu'ailleurs – Charles Drouant s'était spécialisé dans les poissons et crustacés, allant jusqu'à chercher lui-même ses huîtres en Bretagne – et que le service y est attentif et discret.

SOMPTUEUSE GALERIE
POUR UN PRINCE DU SANG ▷

Hôtel de Toulouse (actuelle Banque de France),
1-3, rue de la Vrillière (Ier)

🔑 L'hôtel de Toulouse fut construit à partir de 1635 par François Mansart pour Louis Phélypeaux de La Vrillière, conseiller du roi. Pourvu d'une grosse fortune et grand amateur d'art, ce dernier avait constitué une importante collection de peintures, célèbre en son temps – on y voyait des œuvres du Guerchin, de Pierre de Cortone, Poussin, Guido Reni… –, pour laquelle il fit aménager une somptueuse galerie ; la voûte en fut confiée au peintre François Perrier, qui y représenta le char d'Apollon entouré des quatre éléments.
L'hôtel passa en 1713 au comte de Toulouse, fils légitimé de Louis XIV, qui remania considérablement sa nouvelle demeure, pour la rendre digne d'un prince du sang. L'une des modifications les plus spectaculaires fut celle de la galerie : une splendide boiserie, ornée d'attributs maritimes et de trophées de chasse – rappels des charges de grand veneur et de grand amiral occupées par le prince –, due au ciseau du sculpteur François Antoine Vassé, recouvrit alors les murs, tout en intégrant les tableaux de la collection La Vrillière et en respectant la voûte de Perrier. Toujours en place, la galerie demeure – bien que les tableaux aient été remplacés par des copies – l'un des témoignages les plus remarquables des débuts de l'art rocaille à Paris.

La galerie Dorée de l'hôtel de Toulouse.

En 1914, le jury Goncourt s'y réunit pour la première fois. Il y est resté fidèle. Tous les ans, le troisième lundi de novembre, le salon du premier étage reçoit ses dix membres. Le blanc de blancs, dont Léon Daudet avait instauré le service, accompagne toujours les repas, qui, selon la règle énoncée par le premier jury, ne doivent pas dépasser vingt francs (vingt centimes aujourd'hui !).
Au prix Goncourt s'est ajouté en 1925 le prix Renaudot, puis en 1975 le prix Apollinaire, qui récompense un recueil de poèmes.
Drouant, 15-18, place Gaillon (IIe).

NAISSANCE DE LA BIBLIOTHÈQUE NATIONALE ▽
58, rue de Richelieu (IIe)

📷 Le quadrilatère compris entre les rues Richelieu, des Petits-Champs, Vivienne et Colbert, occupé aujourd'hui par la Bibliothèque nationale, correspond grosso modo au périmètre du palais Mazarin. Il fut divisé après la mort du cardinal entre ses héritiers, et la partie regardant la rue Richelieu revint à son neveu, bientôt duc de Nevers, et prit le nom de ce dernier. C'est cet hôtel qui, acheté par le roi en 1724 pour y abriter sa bibliothèque, devint le premier embryon de la future Bibliothèque nationale ; par agrandissements successifs, elle allait peu à peu recomposer l'immense propriété du cardinal Mazarin.

Avant-corps de l'aile nord, cour d'honneur de la Bibliothèque nationale.

UN BRILLANT SALON LITTÉRAIRE

En 1698, la partie nord de l'hôtel de Nevers avait été louée à la marquise de Lambert, qui y tint jusqu'à sa mort, en 1733, un salon littéraire très prisé.
Selon Fontenelle, ami de la marquise et âme de son salon, « c'était la seule maison qui fût préservée de la maladie épidémique du jeu, la seule où l'on se trouvait pour se parler raisonnablement les uns les autres, avec esprit et selon l'occasion ». La marquise y reçut tout ce qui comptait à Paris en matière de littérature, et elle protégea, entre autres, les débuts du jeune Marivaux. Après la mort de la marquise, le roi récupéra les bâtiments qu'elle occupait et y installa son cabinet des Médailles, jusque-là à Versailles. Des travaux d'agrandissement, entrepris par Robert de Cotte en 1731 pour la bibliothèque, donnaient au même moment à la cour d'honneur la physionomie qu'elle a en partie conservée de nos jours ; les ailes nord et est, bien qu'englobées dans les bâtiments du XIXe siècle, présentent en effet toujours l'aspect souhaité par l'architecte du roi, avec leurs avant-corps richement ornés.

VOIR AUSSI LA GALERIE MAZARINE, p. 114, ET LA SALLE DE LECTURE, p. 289.

Le Petit Trianon de l'hôtel Matignon.

LE PLUS GRAND JARDIN PRIVÉ DE PARIS △ ▽

Hôtel Matignon (actuelle résidence du Premier ministre), 57, rue de Varenne (VIIe)

En 1719, Christian-Louis de Montmorency-Luxembourg, prince de Tingry, acquiert un hôtel rue de Varenne, qu'il démolit aussitôt pour faire construire une luxueuse résidence. Ne pouvant faire face aux dépenses engagées dans cette entreprise, il doit, dès 1723, revendre son hôtel encore inachevé. C'est Jacques de Matignon, duc de Valentinois, qui s'en porte acquéreur et achève la construction. L'hôtel devient immédiatement célèbre pour la nouveauté de sa distribution – comme dans les hôtels du XVIIe siècle, le corps de logis, entre cour et jardin, y est constitué de deux enfilades de pièces, mais, au lieu d'être séparées par un mur, elles sont librement agencées et communiquent entre elles – et pour l'abondance et la liberté de sa décoration extérieure et intérieure (celle du vestibule et du grand salon doré subsiste en grande partie), caractéristiques de l'époque Régence.

En 1725, le fils du duc agrandit le jardin jusqu'à la rue de Babylone, lui donnant ses dimensions actuelles – qui en font le plus grand jardin privé de Paris –, et fait construire le petit pavillon ouvert vers la rue de Babylone, qui prend bientôt le nom de Petit Trianon. La demeure passa ensuite de mains en mains – notamment celles de Talleyrand –, avant de revenir, à la suite d'un échange avec l'Élysée, à la duchesse de Bourbon, en 1818.

LA REVANCHE D'UNE ROYALISTE

En 1852, le duc de Galliera devient propriétaire de l'hôtel. À la tête d'une immense fortune et de collections célèbres, il meuble fastueusement l'hôtel et lui apporte quelques modifications intérieures. Sa veuve, fervente royaliste, loua le rez-de-chaussée au comte de Paris, prétendant au trône de France ; en 1884, la brillante réception organisée par ce dernier, à laquelle avaient été conviés les ambassadeurs étrangers, fut à l'origine de la loi, votée peu après, qui interdisait le territoire de la République aux chefs de famille ayant régné sur la France. À la suite de cette loi, la duchesse de Galliera, qui avait projeté de laisser ses collections à la Ville de Paris, modifia son testament et les légua à la Ville de Gênes. Pour la même raison, sans doute, elle laissa l'hôtel à l'empereur François-Joseph, qui y installa son ambassade en 1888. En 1914, l'hôtel fut séquestré ; il est depuis 1935 la résidence du Premier ministre.

La façade sur cour de l'hôtel Matignon, dont l'avant-corps central est très richement ornementé.

La panoplie Hermès

C'est le mariage du cuir et du cheval qui a fait le succès d'Hermès. Thierry Hermès, qui fonde la maison en 1837, est au XIXe siècle un des plus grands fabricants de harnais sur la place de Paris. En 1880, il s'installe rue du Faubourg-Saint-Honoré, dans une demeure

Le grand salon de l'Élysée avec son décor XVIIIe siècle.

UN DESTIN ILLUSTRE ◁ △

Palais de l'Élysée (actuelle résidence du
président de la République),
55, rue du Faubourg-Saint-Honoré (VIIIe)

🔒 Rien ne désignait l'hôtel à un sort si illustre
lorsqu'il fut construit, à partir de 1718, dans
le quartier excentré qu'était alors le faubourg
Saint-Honoré, pour Louis de La Tour
d'Auvergne, comte d'Évreux. En épousant, en
1707, la fille du banquier Antoine Crozat, le
comte avait accédé à une fortune imposante qui
lui permit d'entreprendre la construction de sa
superbe demeure, bien qu'une séparation d'avec
son épouse l'ait contraint à lui restituer sa dot en
1720 ! La même année, il put s'installer dans un
hôtel considéré par Blondel comme l'un « des
mieux disposés et des plus réguliers » de Paris.
L'ancien hôtel d'Évreux constitue toujours la
partie centrale du palais actuel, et le grand salon
du rez-de-chaussée, par exemple, conserve,
malgré des modifications ultérieures, de
splendides lambris décorés de trophées d'armes
remontant aux aménagements du comte.

DE LA POMPADOUR AU PRÉSIDENT

À la mort du comte d'Évreux, en 1753, l'hôtel fut
acheté par Mme de Pompadour. Aussitôt, elle fit
entreprendre des transformations dans les
appartements existants et achever le décor du
premier étage en faisant appel à l'architecte
Lassurance. Elle fit aussi agrandir le jardin, en
annexant une partie de la promenade des
Champs-Élysées, ce dont témoigne toujours la
saillie en hémicycle sur l'avenue Gabriel. Après la
mort de la marquise, en 1764, l'hôtel, légué au
roi, fut un temps affecté au logement des
ambassadeurs extraordinaires, avant d'être
vendu, en 1773, au financier Nicolas Beaujon. Il y
entreprit une campagne de transformations
menée par l'architecte Boullée. Devenu propriété
de la duchesse de Bourbon en 1787 – il est alors
connu sous le nom d'Élysée-Bourbon, du fait que
l'extrémité de son jardin touche aux Champs-
Élysées –, l'hôtel fut saisi sous la Révolution. Il
connut divers avatars, devenant un bref moment
l'Imprimerie nationale, puis un établissement de
plaisir, avec bals, restaurants et salles de jeu,
avant d'être partagé en appartements. En 1805,
Murat l'acheta, le restaura (il subsiste de ses
aménagements l'escalier d'honneur, le salon
Murat, le salon d'Argent) et le céda à Napoléon
en 1808, lorsqu'il fut nommé roi de Naples.
Résidence du duc de Berry sous la Restauration,
des souverains de passage sous Louis-Philippe, il
fut affecté à Louis Napoléon Bonaparte, président
de la République en 1848, qui y prépara le coup
d'État du 2 décembre. Redevenu résidence des
souverains étrangers pendant le Second Empire
(il subsiste de cette époque la salle de bains
d'Eugénie et le salon Doré), il fut de nouveau
affecté à la présidence de la République en 1871

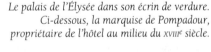

*Le palais de l'Élysée dans son écrin de verdure.
Ci-dessous, la marquise de Pompadour,
propriétaire de l'hôtel au milieu du XVIIIe siècle.*

du XVIIIe siècle. Les premières selles font leur
apparition au début des années 1900. On
prête à Émile Hermès, qui dirige alors l'entreprise, les propos suivants : « J'en ai assez de
voir mon cheval mieux habillé que moi ! »
Au lendemain de la Première Guerre mondiale, il crée les premiers sacs pour dames au
fameux piqué sellier et ouvre un département
couture, dont le succès est immédiat. En
1937 apparaît le premier foulard en soie, ou
carré. Marlene Dietrich, Ingrid Bergman et
tant d'autres célébrités sont des incondition-
nelles de la boutique, et l'on baptise même un
sac du nom de Grace Kelly, qui ne se sépare
jamais de cet accessoire. Le thème du cheval,
omniprésent dans les collections, le mélange
audacieux des couleurs, dont la fameuse dominante orange, et des matières, cuir, soie et
laine, font encore la renommée de la marque
Hermès, qui reste l'un des symboles les plus
puissants du luxe et de l'élégance française.
Et, bien sûr, les plus grands cavaliers fréquentent toujours le département sellerie, où
chaque selle est faite sur mesure et numérotée.
Hermès, 24, rue du faubourg Saint-Honoré (VIIIe).

La ville des Lumières

UN TÉMOIGNAGE
DU BAROQUE ITALIEN ▷
Ancien portail des Théatins, 26, rue de Lille (VIIe)

Par son ampleur inusitée, le portail du numéro 26 se détache dans la perspective de la rue de Lille. Au tympan, une grande figure d'ange ceint d'une ample draperie et émergeant d'un tourbillon de nuages fait irrésistiblement penser à Bernin, le célèbre architecte et sculpteur baroque italien. L'ange tenait une croix, disparue pendant la Révolution : le portail ouvrait en effet sur un passage conduisant à l'église des Théatins.
Cet ordre, fondé à Rome en 1524, s'établit quai Malaquais en 1644. En 1661, les religieux projetèrent la construction d'une nouvelle église et en commandèrent les plans à l'architecte Guarino Guarini, l'un des représentants majeurs du baroque italien et auteur de la fameuse chapelle du Saint-Suaire, à Turin, dont la coupole est un éblouissant exercice de virtuosité technique. Son projet prévoyait un immense édifice sur plan centré, présentant en façade, sur le quai, un péristyle de plan convexe accolé de parties concaves, et surmonté d'une énorme coupole cantonnée de quatre autres, plus petites. Faute de moyens, seul le transept vit le jour ; modifié, il forma une église entièrement incluse dans un pâté de maisons. Deux passages, l'un vers le quai, l'autre vers l'actuelle rue de Lille, durent être créés en 1754 pour y accéder. L'église fut démolie au début du XIXe siècle. Le portail de la rue de Lille est le dernier témoignage de ce projet grandiose qui, terminé, eût été un étonnant témoignage, sous le ciel parisien, de l'art baroque ultramontain.

Le portail des Théatins.

Le grand salon de l'hôtel de Roquelaure, actuel bureau du ministre de l'Équipement et des Transports.

UN COUPLE EFFRONTÉ
À L'HÔTEL DE ROQUELAURE △
Actuel ministère de l'Équipement et des Transports, 46, boulevard Saint-Germain (VIIe)

La gaieté, l'esprit facétieux, la bouffonnerie sont autant de traits caractéristiques des membres de la famille de Roquelaure, qu'ils tenaient sans doute de leur origine gasconne. Saint-Simon nous décrit le maréchal-duc de Roquelaure comme un effronté emplissant l'appartement du roi de bruit et d'éclats de rire, et en fait « un plaisant de profession ». Son épouse aurait eu, alors qu'elle n'était encore que Mlle de Laval, les faveurs de Louis XIV ; toujours selon Saint-Simon, bien qu'elle n'eût pas apporté un écu « dans une maison fort obérée, [elle] trouva moyen, à force de procès, de crédit, d'affaires et d'industrie, de parvenir à en faire une des plus riches maisons du royaume ».
C'est peut-être par son habileté que ce couple pittoresque put acquérir en 1709 l'hôtel de la rue Saint-Dominique (aujourd'hui boulevard Saint-Germain) et y entreprendre d'importants travaux, dirigés par l'architecte Pierre Lassurance, qui donnèrent à la demeure l'aspect extérieur qu'elle a gardé jusqu'à nos jours. De nouvelles transformations furent engagées par les Molé, propriétaires de l'hôtel à partir de 1740.
Les appartements du rez-de-chaussée, côté jardin, conservent en majorité le décor – en partie dû au fameux sculpteur Nicolas Pineau – issu de ces diverses campagnes, et le grand salon reste un remarquable exemple de l'art décoratif du règne de Louis XV. En 1808, l'hôtel devint la résidence de Cambacérès, archichancelier de l'Empire. Sous la monarchie de Juillet, l'hôtel fut affecté au Conseil d'État, puis, en 1839, au ministère des Travaux publics. Depuis, l'hôtel est resté ministère.

HÔTEL CHENIZOT ▽
51, rue Saint-Louis-en-l'Île (IVe)

Jean-François Guyot de Chenizot, receveur général des Finances à Rouen, propriétaire de l'hôtel à partir de 1719, laissa son nom à cette demeure construite cent ans plus tôt pour Pierre de Verton. Chenizot fit considérablement remanier l'hôtel et, en 1726, confia à l'architecte Pierre de Vigny la réalisation d'une nouvelle entrée sur la rue. Celui-ci réussit le morceau de bravoure que l'on peut toujours admirer ; le balcon, supporté par une tête de faune et d'impressionnantes chimères aux formes tourmentées, compose, avec le portail et le fronton qui couronne la façade (sculpté d'un vase de fleurs et de cornes d'abondance), l'un des plus beaux ensembles rocaille qu'on puisse voir à Paris.

Le portail de l'hôtel Chenizot et son magnifique balcon rocaille.

Après être passé entre diverses mains, l'hôtel fut loué par l'État en 1840 et devint le siège de l'archevêché ; c'est là que fut ramené Mgr Affre, mortellement blessé devant la barricade de la rue Saint-Antoine, le 25 juin 1848.
À partir de 1850, c'est la gendarmerie qui s'installa dans l'hôtel. Celui-ci revint à son propriétaire, un marchand de vins en gros, en 1862 ; c'est alors que la plus grande partie du jardin, donnant sur le quai d'Orléans, fut vendue et transformée en immeuble de rapport.
Les changements d'affectation répétés de l'hôtel Chenizot n'ont rien laissé subsister de sa décoration intérieure – hormis la rampe d'escalier. En revanche, les façades sur rue et sur cour conservent, sans modification importante, l'aspect qu'elles montraient au XVIIIe siècle et peuvent s'enorgueillir de former l'un des plus beaux exemples d'architecture rocaille de Paris.

Un perruquier enrichi △ ▷

Hôtel Biron (actuel musée Rodin), 77, rue de Varenne (VIIe)

Par son ampleur inusitée et son isolement au milieu d'un vaste parc, l'hôtel Biron fait plus songer à un château de province qu'à une demeure parisienne. Le terrain, situé à l'extrémité du faubourg Saint-Germain, était en effet alors presque en limite d'agglomération. Construit pour Abraham Peyrenc, perruquier enrichi grâce à d'audacieuses spéculations heureusement menées au temps du financier Law, l'hôtel fut achevé en 1731. Son propriétaire avait aussi acheté la terre de Moras, ce qui lui permit d'ajouter une particule à son nom.

En 1753, les Peyrenc de Moras vendirent l'hôtel au duc de Biron. Il vécut pendant vingt-cinq ans dans l'hôtel auquel il a laissé son nom, y recevant avec faste et entretenant son jardin avec un soin jaloux qui lui valut bientôt la réputation d'être le plus beau de Paris.

Sous le Directoire, l'hôtel et ses jardins furent loués à des entrepreneurs de fêtes publiques, qui mêlèrent le jeu et la danse à tous les plaisirs d'un parc d'attractions.

LE SOUVENIR DE RODIN

En 1829, l'héritière du duc de Biron vendit la demeure aux Dames du Sacré-Cœur ; elle fut alors transformée en pensionnat de jeunes filles et le demeura jusqu'à la dissolution de la congrégation, en 1904. Des locataires s'établirent dans le bâtiment, parmi lesquels Rodin, qui y installa son atelier. Après la mort de l'artiste, à la suite de nombreuses interventions politiques, l'hôtel fut transformé en musée pour accueillir ses œuvres données à l'État. Elles y ont trouvé un cadre à leur mesure, particulièrement sous les frondaisons du parc, qui reste – malgré l'aliénation en 1910 d'une vaste parcelle vers la rue de Babylone, où fut construit le lycée Victor-Duruy – l'un des plus grands et des plus séduisants de Paris. L'hôtel a retrouvé récemment une grande partie des admirables boiseries qui faisaient sa réputation sous l'Ancien Régime.

Ci-dessus, la façade sur jardin de l'hôtel Biron. En détail, Ève, sculpture en bronze de Rodin.

Folie orientale pour un cinéma

Comment une authentique pagode japonaise a-t-elle pu se retrouver au cœur de Paris, en plein VIIe arrondissement ? C'est, dit-on, au dénommé Morin, directeur du Bon Marché, qui voulut offrir ainsi un présent original à sa maîtresse, que l'on doit cette « folie orientale » de la fin du XIXe siècle. Importée du pays du Soleil-Levant, elle aurait été reconstruite pierre par pierre sous l'œil attentif de l'architecte Alexandre Marcel en 1896. Pendant plus d'une décennie, ce monument nippon fut le théâtre de réceptions, de dîners et de fêtes somptueuses. Hélas, la fête ne dura qu'un temps et, faute d'argent, la Pagode ferma ses portes en 1927. On raconte que les Chinois auraient envisagé de l'acheter pour en faire leur ambassade, un projet qu'ils auraient abandonné après avoir découvert une peinture murale représentant l'armée chinoise en déroute face aux soldats japonais !

Louée en 1931 pour y installer une salle de cinéma, la Pagode devint le temple du cinéma d'art et d'essai, une vocation qui ne la quittera plus. Des grands du septième art comme Renoir, Dulac ou Buñuel y firent leurs débuts. Cocteau la réserva pour la première de son *Testament d'Orphée*. On y révéla le meilleur d'Hollywood et, à la fin des années soixante, on y redécouvrit le génie de Buster Keaton. Aujourd'hui, on se rend à la Pagode autant pour voir un bon film dans un cadre hors du commun que pour contempler son jardin japonais en dégustant une tasse de thé.

La Pagode, 57 bis, rue de Babylone (VIIe).

UN ORME POUR DÉCOR ◁

Façades du 4 au 14, rue François-Miron (IVe)

🔑 Un ensemble de maisons de rapport fut construit entre 1733 et 1737 dans cette partie de la rue François-Miron (ancienne rue du Cimetière-Saint-Gervais), qui longeait le cimetière adjacent à l'église Saint-Gervais-Saint-Protais.
Comprenant trois étages mansardés et un entresol qui coupe les arcades du rez-de-chaussée – c'est là le schéma de la place Dauphine –, ces élégantes façades dissimulent toujours les galeries de l'ancien charnier. Leurs ferronneries sont toutes ornées d'un orme. À l'ombre de cet arbre, qui se dressait au Moyen Âge et sous l'Ancien Régime sur le parvis de l'église Saint-Gervais, les gens du quartier venaient signer leurs contrats et se réunissaient, au mois de mai, pour danser et jouer de la musique. Les enfants du grand Couperin – titulaire de l'orgue de Saint-Gervais de 1696 à 1733 –, qui lui succédèrent dans sa charge, occupèrent un appartement au numéro 4 de la rue de 1734 à 1793. Ces immeubles furent parmi les premiers à être réhabilités entre 1945 et 1949, prélude à la résurrection du Marais.

UN SIÈCLE D'ÉVÊQUES ▷ ▽

Hôtel de Rohan-Strasbourg (actuelles Archives nationales), 87, rue Vieille-du-Temple (IIIe)

📖 L'hôtel de Rohan fut habité, au cours du XVIIIe siècle, par quatre membres de la famille de Rohan qui furent successivement évêques de Strasbourg. Le premier d'entre eux, Armand-Gaston, avait acquis après l'achèvement de son hôtel plusieurs parcelles au nord de la cour d'honneur, qui lui permirent d'établir de grandioses écuries. L'accès principal de celles-ci est surmonté des *Chevaux du Soleil,* magnifique haut-relief dû au ciseau de Robert Le Lorrain.

LE CABINET DES SINGES

Armand de Rohan, cardinal de Soubise, succéda en 1749 à son grand-oncle sur le siège épiscopal de Strasbourg ; il entreprit alors des travaux dans le grand appartement de sa résidence parisienne, qui furent achevés en 1751. La pièce la plus originale en est l'étonnant cabinet des Singes. Sur chacun des panneaux de cette chinoiserie peinte par Jean-Baptiste Huet est représenté un jeu ; autour de ce motif principal, dans des arabesques foisonnantes de fleurs et d'oiseaux, s'ébattent de nombreux petits singes facétieux, qui ont valu son nom au salon.
Le quatrième des évêques de Strasbourg choisi dans la famille de Rohan, Louis René Édouard (1779), est resté célèbre dans l'histoire pour son rôle dans l'affaire du Collier, qui allait affaiblir durablement la monarchie. Son incroyable crédulité dans cette affaire – il était aveuglé par le désir de s'assurer les bonnes grâces de la reine – ne dément pas les propos du duc de Levis : « On ne pouvait lui refuser de l'esprit ; mais, pour du jugement, il en était totalement dépourvu.»
En 1928, l'hôtel fut rattaché aux Archives nationales, qui y établirent le Minutier central des notaires.
VOIR AUSSI LA FAÇADE SUR JARDIN, p. 153.

Haut-relief des Chevaux du Soleil, *dans la cour des écuries : le sculpteur a admirablement rendu l'impétuosité et la fougue des chevaux, qui, après leur course quotidienne, sont pansés et abreuvés par les serviteurs d'Apollon.*

Le cabinet des Singes est la seule pièce demeurée intacte de l'appartement d'Armand de Rohan.

Le jazz nouvelle vague

Dans les années cinquante, le jazz avait fait son trou au fond des caves de Saint-Germain-des-Prés et du côté de la Huchette. Mais, avec l'arrivée du rock et des boîtes de nuit, il avait pris un sérieux coup de vieux. Il fallut attendre les années quatre-vingt pour que de l'autre côté de la Seine, sur la rive droite, naissent des clubs qui se chargeront d'attirer au jazz un public plus jeune. Ils s'appelaient le New Morning, ou encore Le Baiser salé, le Sunset et Le Duc des Lombards. Ce dernier, qui n'a gardé du bistrot qui l'a précédé qu'un comptoir en marbre et en bois, s'est rapidement imposé par une programmation à mille lieues du jazz New Orleans.
Même si la maison compte ses habitués, comme Aldo Romano ou le jazzman gitan Christian Escoudé, le patron, Didier Nouyrigat, quarante ans, veille personnellement à renouveler la programmation et accueille de jeunes musiciens pour lesquels il organise des tremplins récompensés par des enregistrements ou des voyages dans la capitale du jazz, New York. Un esprit particulier, où règnent décontraction et absence de code

Nouveaux décors

POUR UNE JEUNE ÉPOUSE ▷

Hôtel de Rohan-Soubise (actuelles Archives nationales), 60, rue des Francs-Bourgeois (IIIᵉ)

👁 En 1712, Hercule Mériadec de Rohan, fils de François de Rohan, prince de Soubise, devient le propriétaire du splendide hôtel de Soubise. Veuf en 1727, il se remarie en 1732, âgé de soixante-trois ans, avec une jeune veuve de dix-neuf ans, Marie-Sophie de Courcillon. La tradition veut que ce soit pour lui complaire que le duc ait décidé de renouveler la décoration intérieure de sa demeure. Boffrand, devenu l'architecte des Rohan depuis la disgrâce de Delamair, fut chargé de ces transformations.

AUTOUR DE SALONS OVALES

Le premier architecte du duc de Lorraine, auteur de nombreuses constructions parisiennes, allait signer avec ces nouveaux décors son œuvre la plus célèbre. L'habileté avec laquelle il sut articuler les divers appartements, officiels et privés, au moyen d'un salon ovale, au rez-de-chaussée pour le prince et au premier étage pour la princesse, fut très admirée. Les meilleurs artistes du moment participèrent au chantier, et, mêlé aux noms de Boucher, Van Loo, Restout, Trémolières, on distingue particulièrement celui de Natoire pour son fameux cycle de l'histoire de Psyché, principal ornement du salon de la princesse. Confisqué à la Révolution, l'hôtel connut diverses affectations avant d'être cédé en 1808 à l'État, qui y installa les Archives impériales, auxquelles ont succédé les Archives nationales. Considérablement modifié par l'installation des dépôts d'archives, l'hôtel le fut encore davantage sous Louis-Philippe et Napoléon III par une série d'agrandissements successifs, qui entraînèrent la démolition de l'aile des petits appartements et la construction de nouveaux bâtiments sur le jardin. En grande partie préservés et récemment restaurés, les appartements du prince et de la princesse restent un des plus beaux exemples parisiens de l'art décoratif du règne de Louis XV.
VOIR AUSSI L'HÔTEL DE CLISSON, p. 33, ET LA COUR D'HONNEUR, p. 152.

Hôtel de Rohan-Soubise :
le salon ovale de la princesse.

---

vestimentaire, cimenté par l'inexistence de contrats écrits entre les artistes et le club, souffle bien sur ce coin de Paris, où le jazz a définitivement vaincu la java.
Surtout quand, à 4 heures du matin, des amateurs revivent dans la rue, tels des aficionados après la corrida, les plus beaux moments de la soirée.
Le Duc des Lombards, 42, rue des Lombards (Iᵉʳ).

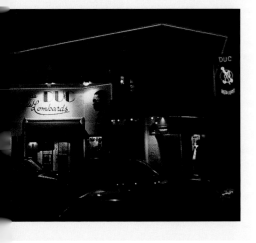

LE MOYEN ÂGE REVISITÉ ▷

Église Saint-Merri, 78, rue Saint-Martin (IVᵉ)

👁 Comme beaucoup d'églises médiévales, Saint-Merry subit de nombreux travaux de mise au goût du jour au cours du XVIIIᵉ siècle. Le jubé disparaît dès 1709, mais ce n'est qu'en 1752 que les marguilliers confient la modernisation du chœur aux frères Slodtz. Un placage de stuc et de marbre transforma les arcs brisés en arcs en plein cintre. Les deux piliers orientaux de la croisée du transept furent enrobés dans des édicules-autels accueillant des peintures de Van Loo. Le maître-autel fut surmonté d'une majestueuse gloire en bois doré, due à Michel-Ange Slodtz. Malgré son incompréhension de l'art médiéval, le XVIIIᵉ siècle a souvent réussi ces alliances hardies, et le chœur de Saint-Merry en est un des exemples les plus séduisants. En 1758, Boffrand avait aussi achevé une nouvelle chapelle de la Communion le long du bas-côté sud, à l'emplacement des charniers. Au cours du XIXᵉ siècle, plusieurs chapelles reçurent un nouveau décor ; la deuxième à gauche du déambulatoire, où Théodore Chassériau a représenté la vie de sainte Marie l'Égyptienne, est particulièrement remarquable.
VOIR AUSSI LE CHEVET MÉDIÉVAL, p. 37.

Le chœur de l'église Saint-Merry.

Un curé fort zélé

Église Saint-Sulpice, place Saint-Sulpice (VIᵉ)

L'histoire de la construction et des embellissements de l'église Saint-Sulpice, la plus grande de la capitale après Notre-Dame, est rendue assez compliquée par la longueur du chantier et les multiples interventions successives qui la ponctuèrent. En 1646, la reine Anne d'Autriche pose la première pierre d'une nouvelle église, aux vastes proportions, pour remplacer le vieil édifice remontant au XIIIᵉ siècle. En 1678, faute de moyens, seuls le chœur et le transept sont achevés. Les travaux ne reprennent qu'en 1719, après la nomination d'un nouveau curé, Jean-Baptiste Languet de Gergy, plein de zèle pour son église et qui n'hésitait pas, dit-on, à voler pour rassembler des fonds.

DÉROGATION POUR UNE FAÇADE

Sous la direction d'Oppenordt, la construction de la nef avance assez rapidement, et se pose alors la question de la façade. Soucieux d'assurer à son église un frontispice grandiose, Languet obtient dérogation de l'archevêque de Paris pour faire bâtir une façade à deux tours : seules les cathédrales et les abbatiales ayant abbé mitré pouvaient avoir deux clochers en façade, les abbatiales ordinaires et collégiales n'ayant droit qu'au clocher dans l'axe, et les paroisses, au clocher latéral ou à la flèche sur le transept. Le projet de Servandoni est retenu en 1732.

Faisant précéder la façade d'une double colonnade superposée, qui rappelle le parti adopté à Saint-Paul de Londres, il lui assurait une majesté inusitée jusque-là à Paris. C'est Oudot de Maclaurin, successeur de Servandoni en 1766, qui construit la tour sud (celle de droite), qui, en raison de critiques multiples, ne fut jamais terminée. Le fronton qui surmontait les colonnades ayant été détruit par la foudre en 1770, Chalgrin, chargé de terminer la façade à la place d'Oudot, le remplace par une balustrade et construit la tour nord, suivant un dessin différent de celle déjà bâtie, donnant à l'église son visage définitif. L'intérieur de l'édifice est imposant par son ampleur et sa hauteur. La chapelle de la Vierge, dans l'axe du chœur, se distingue par la richesse de son décor. Restaurée par de Wailly en 1774 après l'incendie de 1762, elle conserve encore, sur sa coupole, l'Assomption de la Vierge peinte en 1732 par Lemoyne, formant contrepoint à la célèbre Vierge du maître-autel due au ciseau de Pigalle (1774).

VOIR AUSSI LA CHAPELLE DES SAINTS-ANGES, p. 279.

En haut, la façade de l'église Saint-Sulpice.
Ci-contre, la chapelle de la Vierge.

L'îlot Saint-Blaise

Du temps où Mlle de Blois vivait au pavillon de l'Ermitage, ce quartier était une colline fichée de moulins et parsemée de jardins, bref un petit village agricole, la Seigneurie de Charonne, où les aristocrates parisiens avaient leur résidence de campagne. Après la Révolution, on y fabriqua, entre autres, du bleu de Prusse. Après l'annexion du village à Paris, en 1860, de populaire le quartier devint progressivement insalubre, puis subit les conséquences de l'urbanisation désordonnée des années soixante-dix. Aujourd'hui, c'est bien d'un îlot qu'il s'agit, un bout de rue fraîchement repavé, réhabilité depuis 1985, que jouxtent les tours de trente étages du XXᵉ arrondissement.
Tout commence au 119 de la rue de Bagnolet, à l'église Saint-Germain-de-Charonne. Au pied du parvis, en contrebas, se déplie la rue Saint-Blaise, dans laquelle désormais sont proscrites les voitures. La rénovation a su respecter l'architecture des bâtiments, qui ne dépassent

pas trois étages. Le style neutre des constructions récentes redonne à cet ensemble urbain son aspect villageois. Et son esprit. Même si les nouveaux crépis ont fait disparaître les inscriptions des restaurants populaires et des fabriques d'allumettes. Les sons de la rue témoignent d'une certaine qualité de vie et le visiteur ne sera troublé que par le couinement des poussettes et le choc mat des patins à roulettes.

UN REPAIRE DE ROYALISTES ▽
Pavillon de l'Ermitage, 148, rue de Bagnolet (XXᵉ)

🔑 En 1706, Marie-Françoise de Bourbon, dite Mlle de Blois, fille légitimée de Louis XIV et épouse de Philippe d'Orléans (le futur Régent), achète une propriété sise à Charonne. En acquérant les terrains avoisinants, elle constitue bientôt un vaste domaine de plus de 80 hectares, qui prend le nom de château de Bagnolet, et dont elle fait sa villégiature favorite, vite célèbre pour ses jardins. En 1734, elle fait bâtir, à l'extrémité sud-ouest du parc, un petit pavillon, surnommé l'Ermitage, charmante construction rocaille qui constitue aujourd'hui le dernier vestige du domaine.

Le château de Bagnolet est vendu en 1769 et, très vite, il est déboisé, morcelé et loti. Le pavillon de l'Ermitage, quant à lui, est acquis en 1787 par le baron de Batz. Quelques années plus tard, ce dernier fera partie du complot royaliste projetant de délivrer Louis XVI le jour de son exécution, et la propriété servira alors de refuge aux conjurés. En 1820, c'est François Pomerel, confiseur de la duchesse de Berry, qui entre en possession du pavillon. Il n'hésite pas à remplacer le chiffre de la famille d'Orléans, sur le beau portail qui ferme la propriété, par ses propres initiales ; on peut toujours les y voir. Ses descendants cédèrent les restes du domaine à l'Assistance publique, et il est actuellement inclus dans le périmètre de l'ancien hospice Debrousse, récemment reconstruit.

Le pavillon de l'Ermitage et sa première propriétaire, Mlle de Blois.

UN PETIT AIR DE BAROQUE ROMAIN ◁
Chapelle des Irlandais (actuelle église Saint-Ephrem), 17, rue des Carmes (Vᵉ)

Avec son porche elliptique convexe s'inscrivant dans une grande arcade et précédé d'un perron curviligne, son fronton cintré interrompu par des volutes et porté par un entablement renflé, la façade de l'église Saint-Ephrem apporte un petit air de baroque romain sur la montagne Sainte-Geneviève. Elle fut construite en 1738 par l'architecte Pierre Boscry, qui revenait de Rome, où il s'était imprégné des productions du Bernin et de Borromini, et elle s'inspire manifestement de l'église Saint-André-du-Quirinal, chef-d'œuvre du Bernin.

VESTIGE D'UN SÉMINAIRE

L'église fut édifiée pour servir de chapelle au séminaire des Irlandais, qui dispensait un enseignement à de futurs prêtres, mais aussi à des clercs et des élèves officiers, tous venus d'Irlande. Ce séminaire remplaçait depuis 1677 le vénérable collège des Lombards, « maison des pauvres écoliers italiens de la Charité de Notre-Dame », fondé en 1334.
Lors de l'élargissement de la rue des Carmes, en 1923, les bâtiments du séminaire, datant également du début du XVIIIᵉ siècle, furent en grande partie détruits et remplacés en 1933 par les constructions qui encadrent toujours la chapelle.
La chapelle est affectée depuis 1925 au culte catholique syrien, sous le vocable de saint Ephrem, docteur de l'Église et écrivain syriaque.

ÉLOGE DE LA VÉNERIE ◁
Hôtel du Grand Veneur, 60, rue de Turenne (IIIe)

🔑 Les rois de France étant fort attachés au plaisir de la chasse, la charge de grand veneur fut toujours très importante à la cour. Au début du XVIIIe siècle, elle était tenue par le comte de Toulouse, fils légitimé de Louis XIV. Ce n'est pas de ce dernier que l'hôtel de la rue de Turenne tire abusivement son nom, mais d'Augustin Vincent Hennequin, marquis d'Ecquevilly, qui n'était que capitaine général de la Vénerie ! En 1734, il fait profondément remanier – sur les plans de l'architecte Beausire – l'hôtel Boucherat, qu'il vient d'acquérir : reconstruction de l'aile droite sur la cour, incluant le grand escalier, modification de l'aile gauche pour l'harmoniser avec la précédente, rajout d'un avant-corps aux deux façades (sur cour et sur jardin) du corps de logis principal. Grisé par le prestige de son office, le marquis d'Ecquevilly fit placer des symboles cynégétiques un peu partout dans sa demeure ; hures de sanglier, têtes de chien, cors de chasse et autres emblèmes sont donc répartis avec profusion sur les façades et dans les intérieurs.

La rampe de l'escalier de l'hôtel du Grand Veneur, l'un des plus beaux de Paris, est abondamment pourvue d'allusions à la chasse.

Les mystères du macaron

De la grande Madeleine aux petits macarons, il y a juste une centaine de pas à faire en descendant la rue Royale vers la place de la Concorde. Au numéro 16, une halte s'impose : Ladurée, salon de thé devenu un véritable temple de la pâtisserie et de la confiserie. Dans ce décor rose, vert et or, où les angelots s'accrochent aux feuilles de laurier qui depuis 1910 ornent plafonds et colonnes, les tables sont de bois et marbre. Depuis plus d'un siècle, l'on vient chez Ladurée pour les plaisirs du goût. Le boulanger Ladurée s'installa dans l'immeuble en 1862. Le succès fut immédiat et, malgré les incendies qui altérèrent le bâtiment, rien n'a terni la réputation de la maison, qui tient en un seul mot : macaron. De l'aveu même de la directrice de l'établissement, arrière-petite-fille de M. Ladurée, on ne sait pas vraiment comment ce macaron, croquant au début, moelleux ensuite, fut inventé. Sa recette définitive – toujours tenue secrète – fut mise au point par un beau jour

ÉGLISE NOTRE-DAME DES VICTOIRES ▽ ▷
Place des Petits-Pères (IIe)

Les Petits Pères, appellation parisienne des Augustins déchaussés, viennent s'établir ici en 1628. Jouissant de la protection de Louis XIII, ils font construire un vaste monastère s'étendant jusqu'à l'actuelle place de la Bourse. La première pierre de la chapelle, sur des plans de Pierre Le Muet, est posée le 9 décembre 1629 par le roi lui-même, qui la dédie à Notre-Dame-des-Victoires afin de manifester sa reconnaissance à la Vierge pour l'heureuse issue du siège de La Rochelle.

UN LIEU DE PÈLERINAGE
Les travaux, plusieurs fois interrompus faute de moyens, avancent lentement, et la façade n'est achevée qu'en 1740, sur les dessins de Sylvain Cartault, dernier maître d'œuvre du chantier. La chapelle est transformée en Bourse en 1796 et n'est rendue au culte qu'en 1803, en tant qu'église paroissiale.
Consacrée en 1836 par l'abbé Des Genettes au Très Saint et Immaculé Cœur de Marie, elle devient alors le siège d'une archiconfrérie et un lieu de pèlerinage très fréquenté, ce dont témoignent les milliers d'ex-voto qui tapissent murs et piliers. Pie XI l'érige en 1927 au rang de basilique mineure. Fait exceptionnel à Paris, l'église conserve une grande partie de son décor pictural antérieur à la Révolution, avec le cycle de la *Vie de saint Augustin* au pourtour du chœur et le *Vœu de Louis XIII au siège de La Rochelle* au maître-autel, ensemble de toiles peintes entre 1746 et 1755 par Carle Van Loo.

Saint Augustin sacré évêque, *par Carle Van Loo.*

La façade de Notre-Dame-des-Victoires présente une superposition des ordres ionique et corinthien.

de 1870, à partir de transformations successives d'une ganache maison, et seules s'y ajoutent de nouvelles déclinaisons de parfum.
Chez Ladurée, on est si fier de ses gâteaux
que souvent on les signe du monogramme L.
Ladurée, 16, rue Royale (VIIIe).

L'HOMMAGE DE LA VILLE À LOUIS XV ∇
Place de la Concorde (VIIIe)

En 1748, la Ville de Paris, désirant rendre hommage au roi, décide d'élever une statue de
Louis XV sur une place nouvelle, comme cela a été fait au XVIIe siècle pour les trois premiers
Bourbons. La statue est commandée à Bouchardon, et un concours est ouvert à tous pour la création
d'une place destinée à lui servir d'écrin. Les candidats ont toute liberté quant à l'emplacement, la
forme et la dépense. Plus de cent cinquante projets venant de toute la France arrivent à Paris.
Parmi les divers emplacements proposés, le roi choisit le grand terrain vague s'étendant entre les
deux massifs de verdure que constituaient les Tuileries et les Champs-Élysées, qui présentait
l'avantage d'éviter la destruction de quartiers entiers. Un second concours, réservé cette fois-ci aux
seuls académiciens, est ouvert en 1753, avec la contrainte de l'emplacement choisi. Sur les dix-neuf
projets qui lui sont soumis, le roi choisit celui de son premier architecte, Gabriel, en lui demandant d'y
intégrer quelques éléments empruntés à d'autres.

LE PROJET DE GABRIEL
Gabriel adopta le parti d'un grand espace largement dégagé, fermé sur un seul côté par les bâtiments
jumeaux encadrant le principal accès à la place, la rue Royale. Pour structurer cette vaste étendue,
l'architecte avait prévu un large fossé, aujourd'hui disparu, dessinant un octogone – la balustrade,
toujours en place, en marque le contour –, et de petits pavillons abritant les escaliers d'accès au fossé,
qui existent toujours. Les deux majestueux bâtiments fermant la place du côté nord furent construits,
l'un par la Couronne, pour abriter le Garde-meuble royal (actuel ministère de la Marine), l'autre par des
particuliers, à usage d'habitation (il est aujourd'hui occupé, entre autres, par l'hôtel
Crillon). Inspirés de la célèbre colonnade de Perrault, au Louvre, ils sont l'une des
expressions les plus harmonieuses de ce qu'on peut appeler un nouveau
classicisme, courant dont Gabriel est l'un des précurseurs.
À peine achevée, la place Louis-XV devint le théâtre privilégié des grandes fêtes
populaires parisiennes – à commencer par son inauguration, le 20 juin 1763 –, mais
aussi le témoin de bien des événements qui la firent entrer dans l'Histoire. Devenue
place de la Révolution, elle servit de cadre aux exécutions capitales : Louis XVI, le
21 janvier 1793, et Marie-Antoinette, le 16 octobre de la même année, y furent
décapités, au pied de la statue de la Liberté qui avait remplacé l'effigie de Louis XV.
VOIR AUSSI LES AMÉNAGEMENTS DE LA PLACE AU XIXe SIÈCLE, p. 247.

*Les pavillons de Gabriel vus de
la terrasse des Tuileries.*

LA RUE ROYALE Δ
(VIIIe)

La création de la place Louis-XV fut
l'occasion de remodeler ses abords,
formés par l'extrémité est du faubourg Saint-
Honoré. Ce quartier en plein essor, que la
construction de la place allait encore contribuer à
développer, réclamait l'édification d'une nouvelle
église. La rue Royale fut créée, croisant à angle
droit l'axe historique des Tuileries, et
commençant place de la Concorde pour
s'achever devant la façade de la nouvelle église
projetée : la Madeleine se trouvait ainsi intégrée à
l'ensemble du décor monumental du site.
Cette nouvelle rue fut l'occasion pour Gabriel de
créer un dessin de façade régulier, « d'un genre
simple et noble », à quatre niveaux, dont un
étage noble. Toujours en place, ces façades
servent aujourd'hui de cadre à l'un des axes
principaux de l'industrie du luxe parisien ; les
noms illustres de Christofle, Maxim's, Jansen,
Lachaume s'y côtoient, formant un lien obligé
entre les Grands Boulevards et la Concorde pour
la clientèle fortunée qu'attire l'hôtel Crillon.

La ville des Lumières

UNE FAÇADE DE PALAIS △

Fontaine des Quatre-Saisons, 57-59, rue de Grenelle (VIIe)

Si, par son ampleur et sa richesse décorative, elle pouvait rivaliser avec les grandes fontaines de Rome, la fontaine de la rue de Grenelle ne le pouvait certes pas par l'abondance de ses eaux : de modestes filets – aujourd'hui taris –, que critiquait Voltaire, venaient seuls rappeler que cette imposante façade de palais était également l'une des rares constructions édilitaires réalisées à Paris au cours de la première moitié du XVIIIe siècle, dans un quartier qui manquait cruellement de points d'eau.
Conçue par le sculpteur Edme Bouchardon, elle fut construite de 1739 à 1747 et solennellement inaugurée en 1749 par le prévôt des marchands, Michel Étienne Turgot. Elle est composée d'un petit édifice à colonnes, posé sur un haut

La fontaine des Quatre-Saisons est disposée en demi-cercle pour répondre à l'étroitesse de la rue et du terrain.

piédestal et flanqué de deux ailes concaves. Devant le portique de la partie centrale sont disposées trois statues : la première, *la Ville de Paris,* est représentée sous la figure d'une femme qui trône au centre, entourée de *la Seine* et de *la Marne,* toutes deux allongées. Des niches dans les parties arrondies abritent des figures ailées symbolisant les quatre saisons. Dans son aimable sévérité, le bâtiment annonce déjà, en pleine période rococo, le style Louis XVI. Alfred de Musset habita, de 1824 à 1839, dans un immeuble situé au fond de la cour, derrière la fontaine des Quatre-Saisons.

Un restaurant pour Gargantua

Dans le quartier des anciennes halles de Baltard, à l'ombre de l'église Saint-Eustache, est ouvert jour et nuit depuis 1946 l'un des restaurants les plus pittoresques de la capitale. Au Pied de Cochon est un temple rabelaisien où l'on se régale de viandes, de cochonnailles et d'un grand nombre d'huîtres et de coquillages, dans un décor d'anges, de cochonnets roses, de coupes de fleurs et de grappes de raisin : on y sert environ 1 tonne de crustacés par vingt-quatre heures et 1 tonne de citrons par mois. On ne s'étonnera pas que les forts des Halles l'eussent choisi pour y organiser leur légendaire casse-croûte annuel : huit personnes y dégustaient quatre têtes de veau, 16 kilos de gras-double, 3 kilos de pommes de terre, quatre camemberts et 30 litres de beaujolais !
Lieu de rendez-vous traditionnel des après-spectacles et du Tout-Paris, qui vient y déguster la fameuse soupe à l'oignon, ce restaurant ne serait rien sans sa spécialité, qui donne lieu à un pari maintenant légendaire : combien d'os trouve-t-on dans un pied de cochon ?
Au Pied de Cochon, 6, rue Coquillière (Ier).

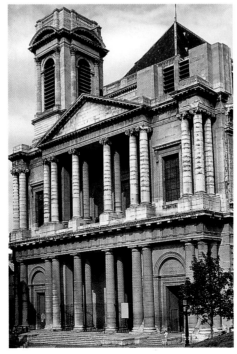

LE LEGS DE COLBERT ◁

Façade de l'église Saint-Eustache (Ier)

La façade de Saint-Eustache, aux lignes rigoureuses et un peu froides, forme un net contraste avec le reste de l'église, où s'épanouit une exubérante décoration Renaissance sur une structure encore gothique. Comme presque toujours sur les chantiers d'églises importantes, la façade avait été traitée en dernier ; elle fut laissée inachevée au XVIIe siècle. C'est seulement en 1753 qu'on entreprit de la refaire, sur les dessins de Jean Hardouin-Mansart de Jouy. Curieusement, les fonds réunis pour cette reconstruction venaient en grande partie de Colbert, qui « légua par son testament la somme de 40 000 livres à la fabrique pour faire construire un nouveau portail à la place de l'ancien, dont le goût barbare choquait les yeux et n'était pas même achevé ». Colbert, ayant jugé que l'argent ne serait pas suffisant, avait permis que l'on différât les travaux jusqu'au moment où les intérêts de la somme initiale les rendraient possibles. Les travaux avancèrent lentement, et ils furent interrompus en 1778, pour ne pas reprendre : cette façade, qui s'inspire manifestement de celle de Saint-Sulpice, ne fut jamais terminée.
VOIR AUSSI L'ÉGLISE RENAISSANCE, p. 54.

Façade sur le Champ-de-Mars de l'École militaire.

La chapelle de l'École militaire.

UNE ÉCOLE POUR GENTILSHOMMES PAUVRES ◁ △

École militaire, place Joffre (VIIe)

🔑 En janvier 1751, Louis XV fonde une école militaire destinée à accueillir cinq cents jeunes gentilshommes issus de la noblesse pauvre, de préférence les fils de militaires tués au service, afin qu'ils y reçoivent « un enseignement développant toutes les sciences convenables et nécessaires à un officier ». C'est le probe financier Pâris-Duverney, célèbre pour avoir dirigé la liquidation du système de Law, qui fut l'instigateur du projet ; il parvint à y intéresser la marquise de Pompadour et, par l'entremise de celle-ci, à convaincre le roi.

Le terrain choisi, la plaine de Grenelle, devait permettre d'établir un vaste champ de manœuvre – c'est le futur Champ-de-Mars – et de concevoir un édifice grandiose.

Le projet de Gabriel, premier architecte du roi, rappelait l'hôtel des Invalides voisin – de nombreuses ailes organisées autour d'une vaste chapelle – et le dépassait par son ampleur. Commencés en 1752 et financés en partie par le produit d'une loterie, les travaux furent interrompus huit ans plus tard en raison de difficultés financières.

LE « CHÂTEAU »

Gabriel conçut alors un nouveau projet, de proportions plus modestes, achevé en 1780. L'entrée principale était reportée du côté de la place de Fontenoy, tandis qu'à l'emplacement de la première chapelle était construit un bâtiment regroupant bureaux, bibliothèques, appartement du gouverneur, chapelle, etc., qu'on surnomma vite le château. Ce bâtiment, caractérisé par un dôme sur plan carré qui couvre le pavillon central, est l'une des expressions les plus accomplies du style Louis XVI à Paris. Il conserve une grande partie de ses aménagements d'origine, dont l'escalier d'honneur et la chapelle, de part et d'autre du pavillon central.

Pâris-Duverney, premier gouverneur de l'établissement, fut enterré dans la chapelle. Au XIXe siècle, des bruits persistants de trésors cachés, liés aux richesses supposées du financier, provoquèrent sondages et fouilles répétés autour de son caveau, sans résultat ! Sous Napoléon III, l'établissement s'augmenta de bâtiments destinés à la cavalerie et à l'artillerie, qui doublèrent sa surface. L'édifice, qui a toujours conservé sa vocation militaire, est affecté depuis 1878 à l'École supérieure de guerre.

175

LE PALAIS DE LA FAMILLE D'ORLÉANS △ ▽
Palais-Royal (actuels Conseil d'État, ministère de la Culture, Conseil constitutionnel), place du Palais-Royal (Ier)

Le Conseil d'État, place du Palais-Royal.

Le Palais-Royal, donné par Louis XIV à son frère et resté dans la famille d'Orléans, était devenu au cours des ans et des agrandissements successifs un ensemble de bâtiments et de cours disparates, dont résultait, comme le soulignait Blondel, « un défaut de symétrie dans les distributions qui révoltera toujours les connaisseurs ». La présence de la salle de l'Opéra (ancienne salle de spectacle de Richelieu appartenant depuis 1673 à l'Académie royale de musique), lieu public inclus dans une résidence privée, accentuait le caractère hybride de l'ensemble. L'incendie de cette salle, en 1763, entraîna la destruction de plusieurs parties du palais et fut à l'origine d'une grande campagne de régularisation des bâtiments, menée de concert par deux architectes : l'architecte attitré du duc d'Orléans, Contant d'Ivry, et un architecte de la Ville de Paris, Moreau-Desproux ; car l'Opéra était géré par la Municipalité, qui engageait ainsi sa responsabilité et se devait de participer à la reconstruction. Contant fut chargé de rebâtir le vestibule, le grand escalier et l'avant-corps de la seconde cour, côté jardin, tandis que Moreau, qui reconstruisait l'Opéra, eut pour mission de refaire la première cour (actuelle cour du Conseil d'État, ouvrant sur la place du Palais-Royal). Les travaux s'achevèrent vers 1770. À partir de 1780, le futur Philippe Égalité, en même temps qu'il faisait construire les galeries, commença des travaux d'agrandissement du palais côté jardin ; la Révolution y mit brusquement fin.

INSTITUTIONS D'ÉTAT
Confisqué en octobre 1793, le palais fut occupé par diverses institutions sous l'Empire. Il fut rendu en 1814 au duc d'Orléans, futur Louis-Philippe, qui fit achever par Fontaine les travaux qu'avait dû abandonner son père. Sous le Second Empire, le palais devint la résidence de Jérôme Bonaparte, ex-roi de Westphalie, puis de son fils, le prince Napoléon. Incendié durant la Commune, le palais fut restauré et affecté à plusieurs institutions d'État. Actuellement, il est partagé entre le Conseil d'État, le ministère de la Culture et le Conseil constitutionnel. La première cour du palais a peu changé depuis le XVIIIe siècle. La deuxième cour, donnant sur le jardin, a été pourvue en 1985-1986 de colonnes rayées de noir et de blanc, dues à Daniel Buren.
VOIR AUSSI LA GALERIE DES PROUES, p. 98.

La cour d'honneur et les colonnes de Buren.

LE LOTISSEMENT DU JARDIN ▷
Galeries du Palais-Royal (Ier)

En 1780, le duc d'Orléans abandonne la jouissance du Palais-Royal au duc de Chartres, son fils, le futur Philippe Égalité. Ce dernier, criblé de dettes, projette aussitôt de lotir une partie du vaste jardin, espérant s'assurer ainsi de substantielles rentrées d'argent. Un nouvel incendie de l'Opéra, en 1781, et son déménagement définitif allaient faciliter l'entreprise. L'architecte Victor Louis construisit donc, de 1781 à 1784, sur le pourtour du jardin, trois longues ailes desservies par trois rues nouvelles, les rues de Montpensier, de Beaujolais et de Valois. Ces nouveaux bâtiments aux élégantes façades régulières scandées de pilastres corinthiens, divisés en lots plus ou moins importants loués à des particuliers et ouvrant sur le jardin par des arcades, formèrent un ensemble évoquant la place Saint-Marc de Venise par son aspect d'immense salon à ciel ouvert.

LES ARCADES DE TOUS LES PLAISIRS
Magasins de mode, bijouteries, cafés, clubs politiques, cabinets de curiosités envahirent aussitôt les boutiques ménagées sous les arcades, faisant des galeries du Palais-Royal le nouveau point de ralliement de toutes les élégances parisiennes aussi bien que le centre de la prostitution et des plaisirs. Par ailleurs, la grande liberté de parole dont on jouissait dans l'enceinte du jardin – propriété privée où n'entrait pas la police – allait favoriser l'échange des idées avancées et jouer un rôle non négligeable pendant la période révolutionnaire : c'est là que le 13 juillet 1789, devant le café Foy, Camille Desmoulins monta sur une table pour appeler la foule aux armes ; c'est là aussi, au café Février, que le régicide Le Peletier de Saint-Fargeau fut assassiné le 20 janvier 1793.
Durant tout le XIXe siècle, les galeries du Palais-Royal continuèrent d'être l'un des centres les plus actifs de Paris, convergence de tous les plaisirs. Elles sont aujourd'hui plongées dans une profonde torpeur, et seul le restaurant du Grand Véfour, ancien café de Chartres, dont une partie du décor néoclassique est toujours intacte, permet d'évoquer son animation passée.
VOIR AUSSI LE GRAND VÉFOUR, p. 229.

Les jardins du Palais-Royal offrent aux Parisiens un havre de paix qui s'étend sur plus de 2 hectares, au cœur de la ville.

Aux deux palais

À une extrémité, les landaus et les nurses ; à l'autre, les rollers et les rappers. D'un côté, les cols Claudine et les robes à smocks. À l'opposé, les baskets délacées et les casquettes de traviole...
Le jardin du Palais-Royal est double. Depuis qu'au terme d'une vive polémique, en 1986, l'artiste Daniel Buren fut autorisé à installer ses deux cent soixante colonnes bicolores dans la cour d'honneur, ce lieu minéral s'est curieusement remis à vivre.
Des touristes de toutes origines viennent jeter des pièces de monnaie dans un ru artificiel qui court sous les colonnes, des enfants y jouent à chat perché et des adolescents escaladent les fûts zébrés de noir et blanc. Les jeunes des banlieues ou de quartiers moins centraux de Paris y apprécient, comme sur

NOUVELLE SALLE POUR LES COMÉDIENS-FRANÇAIS ▽

Théâtre-Français, place André-Malraux (Ier)

L'incendie de l'Opéra, en 1781, signe le départ définitif de l'Académie royale de musique du Palais-Royal, qui l'abritait depuis sa création. Le duc d'Orléans, qui entreprend alors le lotissement du jardin de son palais, souhaite garder une salle de spectacle en raison de son fort pouvoir d'attraction. La démolition du bâtiment de l'Opéra permettant d'établir un débouché de la rue de Valois sur la rue Saint-Honoré, la nouvelle salle projetée est reportée à l'ouest du palais. Victor Louis, déjà chargé de la construction des galeries sur jardin, en donne les dessins. Le théâtre de Bordeaux, qu'il vient à peine d'achever et qui est alors considéré comme la plus belle salle de France, en fait un architecte tout désigné pour cette tâche.

LE CLAN DE TALMA

Sans affectation précise lors de son achèvement, en 1790, le théâtre accueille dès l'année suivante une partie de la troupe des comédiens-français, ceux qui, Talma en tête, avaient adopté les idées nouvelles et abandonnaient le clan réactionnaire installé sur la rive gauche, dans la salle qui prendra le nom d'Odéon en 1797. Il faudra attendre 1799 pour voir la troupe se réunifier. Depuis, elle est toujours demeurée dans la salle de la rue de Richelieu. Plusieurs fois remanié, le théâtre de la Comédie-Française prit son aspect extérieur actuel sous le Second Empire, avec la construction de l'aile sud par Chabrol. En 1900, un incendie détruisit entièrement la salle – les façades et une partie des dépendances furent épargnées – qui avait vu les triomphes de Talma, de Mlle Mars, de Rachel, de Sarah Bernhardt, de Mounet-Sully et de tant d'autres. Elle fut reconstruite aussitôt et est restée depuis l'un des hauts lieux du théâtre à Paris.

Le duc d'Orléans, surnommé Philippe Égalité, auteur des vastes transformations du Palais-Royal.

Le Théâtre-Français fut inauguré le 15 mai 1790 sous le nom de théâtre du Palais-Royal.

l'esplanade du Trocadéro, l'espace libre favorable aux pirouettes en planche à roulettes et aux acrobaties sur patins. Une foule variée s'est approprié l'endroit et bavarde sous les fenêtres de la Comédie-Française, du Conseil d'État, du Conseil constitutionnel et du ministère de la Culture.

Il suffit pourtant de quitter la fontaine de Pol Bury et les colonnes de Buren pour retrouver le calme. On entre dans le jardin lui-même, rénové en 1992. Un grand bassin à jet d'eau trône en son centre et, chaque midi, on y entend tonner un petit canon. Du bruit et de l'agitation du jardin, fréquenté au XIXe siècle par les courtisanes et les militaires, il ne reste rien. Le lieu s'est embourgeoisé. Il est sillonné aujourd'hui par des familles nombreuses aux enfants habillés de semblable manière, en bleu marine ou vert bouteille. La stabilité face au mouvement.

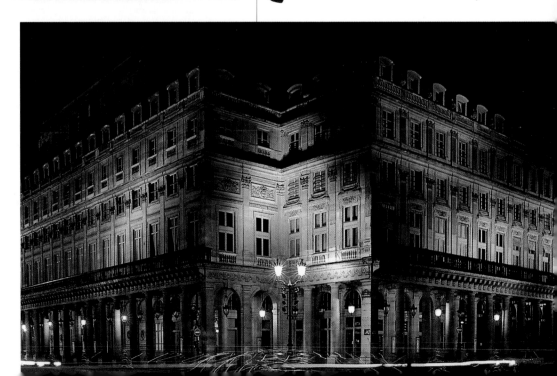

ÉGLISE SAINT-THOMAS-D'AQUIN
Place Saint-Thomas-d'Aquin (VIIᵉ) ▷

L'église paroissiale Saint-Thomas-d'Aquin occupe depuis 1803 la chapelle du noviciat des Dominicains, ou Jacobins, comme on les appelait à Paris. Ce couvent, dont les bâtiments (y compris le cloître) existent toujours et sont occupés par des services de l'armée de terre, s'établit en 1631 sur des terrains dépendant de l'abbaye Saint-Germain-des-Prés. En 1682, les plans d'une nouvelle chapelle, plus vaste que la précédente, sont demandés à Pierre Bullet, et les travaux commencent aussitôt, pour s'interrompre faute d'argent dès 1688. L'église n'est entièrement achevée qu'en 1766. La façade, construite sur les dessins d'un religieux du couvent, le frère Claude, reprend le schéma élaboré à Rome pour la façade de l'église du Gesù et utilisé, avec quelques variantes, dans presque toutes les églises parisiennes depuis la chapelle de la Sorbonne. L'ancien chœur des religieux, au-delà du maître-autel, est décoré sur sa voûte d'une grande composition de François Lemoyne, *la Transfiguration* (1724).

La façade de l'église Saint-Thomas-d'Aquin.

Les Cinq Jours de l'objet extraordinaire

Après un recueillement dans l'église Saint-Thomas-d'Aquin, il y a quelque ivresse à arpenter les rues du Carré rive gauche, carré formé par le quai Voltaire, la rue de l'Université, les rues du Bac et des Saints-Pères, avec en son centre les rues de Beaune, de Lille et de Verneuil. Cent vingt galeries et antiquaires, qui se sont constitués en association, font de ces sept rues le haut lieu parisien de l'antiquité et de l'art, de l'archéologie à l'art du XXᵉ siècle.

Depuis dix-huit ans, cinq jours au mois de mai, les antiquaires du Carré ouvrent leurs boutiques de 11 heures à 22 heures et mettent en scène jusque sur les trottoirs, pour l'occasion recouverts de tapis rouges, leurs découvertes et leurs pièces exceptionnelles. Certes, il faut souvent mettre le prix si l'on veut emporter l'un de ces objets uniques – coffre toscan du XVIᵉ siècle, baignoire en acajou, étain et cuivre du XIXᵉ siècle ou Vierge bourguignonne du XVᵉ siècle… À défaut, l'on peut rêver en s'offrant tout simplement une promenade de charme à la découverte du beau et de l'insolite.

LA GUÉRISON MIRACULEUSE DE LOUIS XV ▽ ▷
Le Panthéon, place du Panthéon (Vᵉ)

En 1744, en pleine guerre de succession d'Autriche, Louis XV est à Metz, terrassé par une grave maladie. Les fêtes qui suivent sa guérison, considérée comme miraculeuse – le roi pense la devoir à l'intervention de sainte Geneviève –, culminent avec la cérémonie d'action de grâce que le roi tient à rendre le 17 novembre 1744 dans le sanctuaire de la patronne de Paris. Il promet alors de remplacer la vieille église Sainte-Geneviève (emplacement de l'actuelle rue Clovis) par un nouvel édifice religieux. Dix ans après, le 9 décembre 1754, un arrêt du Conseil ordonne d'augmenter le prix des billets de loterie et d'affecter à la construction l'argent ainsi recueilli.

UN CHEF-D'ŒUVRE DU NÉOCLASSICISME

En 1755, en choisissant comme maître d'œuvre Soufflot, adepte de la « grande manière » illustrée à l'époque de Louis XIV et imprégné des leçons de l'architecture antique, Marigny, directeur des Bâtiments du roi, affirme l'orientation nouvelle prise par l'art officiel. En 1764, lors d'une imposante cérémonie présidée par le roi – on dresse une immense toile peinte représentant grandeur nature la future façade –, est posée la première pierre des parties hors de terre. La construction, fréquemment interrompue par le manque d'argent, les problèmes posés par le terrain (présence d'anciennes carrières) et les polémiques, avance lentement, et Soufflot meurt en 1780, avant l'achèvement de son œuvre. Ce monument clé du néoclassicisme est remarquable par la sveltesse de ses structures porteuses. Soufflot avait voulu y réunir, « sous une des plus belles formes, la légèreté de la construction des édifices gothiques avec la pureté et la magnificence de l'architecture grecque ». Certaines des solutions techniques adoptées – tel l'emploi d'arcs-boutants pour renforcer les parties hautes – témoignent de son intérêt pour l'architecture médiévale.

LE PANTHÉON DE LA NATION

L'église est achevée en 1790 ; dès l'année suivante, elle est transformée en panthéon des grands hommes de la Nation. Toutes les fenêtres sont alors bouchées pour accentuer le caractère austère de la construction, et l'immense crypte prévue pour recueillir les dépouilles des chanoines de l'abbaye Sainte-Geneviève – et à laquelle on avait un moment songé comme sépulture pour les Bourbons – accueille bientôt les corps de Mirabeau, de Voltaire, de Rousseau, de Marat, de Le Peletier de Saint-Fargeau, qu'allaient suivre beaucoup d'autres. Rendue partiellement au culte en 1806, l'église Sainte-Geneviève redevient panthéon en 1830. En 1853, elle est de nouveau vouée au culte, avant d'être définitivement désaffectée en 1885, à l'occasion des grandioses funérailles de Victor Hugo. Le vaste programme iconographique couvrant ses murs, qui exalte les origines chrétiennes de la France – et particulièrement la légende de sainte Geneviève –, est réalisé entre 1874 et 1900 par de nombreux artistes, parmi lesquels Puvis de Chavannes. Toujours consacré au souvenir des grands hommes, le Panthéon a récemment accueilli les dépouilles de Jean Moulin (1964), de Jean Monnet (1988) et, en 1989, celles de Condorcet, de Monge et de l'abbé Grégoire.

L'intérieur du Panthéon, où une alternance de voûtes en berceau et de coupoles est portée par une file de colonnes.

Fontaine
de la Croix-du-Trahoir ◁
Actuelle maison de l'Andorre,
111, rue Saint-Honoré (Ier)

Œuvre mineure du grand Soufflot, la fontaine de la Croix-du-Trahoir fut bâtie en 1775. Son nom rappelle la croix érigée à côté de la potence établie, sous l'Ancien Régime, au carrefour de la rue Saint-Honoré et de la rue de l'Arbre-Sec. Elle constitue un véritable monument – les magistrats chargés d'assister à un acte de justice se réunissaient au premier étage –, mais, comme beaucoupe de fontaines parisiennes, ne produit qu'un mince filet d'eau, par une modeste tête de lion. Bâtie à l'angle des deux rues, elle présente deux façades de deux étages pourvues d'un curieux décor d'eau pétrifiée, d'inspiration toute maniériste. Une gracieuse figure de nymphe, sur la façade principale, s'inspire ouvertement de celles de la fontaine des Innocents et témoigne de la faveur dont jouissait leur auteur, Jean Goujon, au XVIIIe siècle.

L'eau de la Fontaine
de la Croix-du-Trahoir s'écoule
dans une large coquille de pierre.

Conçu sur un plan en croix grecque, le Panthéon est couronné par un gigantesque dôme pourvu d'une colonnade à l'antique, tandis que le portique est inspiré par les temples de l'Antiquité.

*L'abondant décor polychrome
qui recouvre les murs de la chapelle du séminaire
du Saint-Esprit a été ajouté en 1863.*

DES PRÊTRES MISSIONNAIRES △

Chapelle du séminaire du Saint-Esprit,
28, rue Lhomond (Ve)

🔑 La communauté du séminaire du
Saint-Esprit, fondée en 1703 par l'abbé
Claude-François Poullart, s'installe à son adresse
actuelle en 1731, dans des bâtiments
nouvellement construits. Elle a pour but de former
des prêtres destinés à occuper des postes
difficiles et peu recherchés, dans les hôpitaux ou
les missions. De 1769 à 1778, une nouvelle
chapelle est construite, sur des plans donnés par
Chalgrin, qui édifie au même moment l'église
Saint-Philippe-du-Roule. Les murs et l'abside de
la chapelle, scandés de pilastres ioniques, ainsi
que la voûte qui les surmonte ne sont d'ailleurs
pas sans analogies avec le chœur de cette
dernière église tel qu'il se présentait avant les
modifications de Godde, en 1846. À l'entrée de la
nef, un court espace, accessible aux fidèles, est
séparé du vaste chœur réservé aux religieux par
une large tribune transversale. Supprimé en 1792
mais rétabli en 1805, le séminaire continue de
former des prêtres missionnaires.

HÔTEL D'HALLWYLL ▷

28, rue Michel-le-Comte (IIIe)

🔑 L'hôtel, qui a appartenu au XVIIe siècle
à la marquise de La Trousse, tante par
alliance et familière de Mme de Sévigné,
devient au début du XVIIIe siècle la propriété
des Hallwyll, famille d'origine helvétique dont
le chef était colonel de la garde suisse. Une
partie de l'hôtel fut longtemps louée au
banquier Necker, autre Suisse établi à
Paris ; sa fille, Germaine, la future Mme de
Staël, y naquit.

RIGUEUR ET SOBRIÉTÉ DE LEDOUX

En 1766, les Hallwyll s'adressent à Claude
Nicolas Ledoux, jeune architecte encore
inconnu à Paris, et lui demandent de
moderniser leur demeure. Il effectue un
remodelage complet de la maison, tout en
conservant en grande partie les structures de
l'édifice précédent. Ledoux a habilement réussi à
régulariser la façade sur rue, creusée de profondes lignes horizontales et dominée par un imposant
portail. Dans la cour, un simple jeu de surfaces lisses contrastant avec des surfaces striées anime les
façades et leur confère une noblesse sans austérité. L'étroitesse du terrain dévolu au jardin incite
Ledoux à renoncer aux plantations au profit d'une espèce d'atrium bordé de colonnades doriques et
dont le fond est orné d'un nymphée (sanctuaire consacré aux nymphes et d'où jaillit une source) où
apparaissent déjà les congélations si caractéristiques du maître, qu'on retrouvera notamment à la
saline d'Arc-et-Senans. L'hôtel d'Hallwyll est le seul exemple subsistant à Paris des nombreuses
constructions privées élevées par Ledoux.

Le nymphée de l'hôtel d'Hallwyll.

Paris en bouteille

Avec une obstination toute auvergnate, Jacques Mélac, descendant d'un bistrotier aveyronnais, poursuit sans cesse une idée de fin de soirée : produire à nouveau du vin dans la plus belle ville du monde. En 1977, il décide de planter une treille sur les murs du café repris de son père, qui devient l'un des premiers bistrots à vin de la capitale. Deux ans plus tard, il organise la vendange de ces quelques grappes de baco,

un cépage franc du sud de la France. Et, en 1992, Jacques Mélac lance un appel pour que tous les Parisiens possédant un ou plusieurs pieds de vigne, sur leur balcon ou leur terrasse, lui apportent leurs grappes. Une fois mélangées et vinifiées, elles deviendront du vin de Paris. L'association des Vignerons de Paris compte à ce jour près de deux cents tout petits producteurs et produit 300 à 350 litres d'un breuvage unique et à ce titre fort cher : 600 francs la bouteille. Mais Jacques Mélac ne compte pas en rester là : il offre des pieds de vigne à tout Parisien qui le souhaite pour que le touriste en goguette puisse dire un jour à son retour : « J'ai bu un bon paris », comme on dit : « J'ai bu un bon bordeaux. »
Mélac, 42, rue Léon-Frot (XIe).

LE MYSTÈRE DE LOUIS XVII △

Église Sainte-Marguerite, 36, rue Saint-Bernard (XIᵉ)

La chapelle des Âmes-du-Purgatoire à l'église Sainte-Marguerite.

C'est dans le cimetière de l'église Sainte-Marguerite, désaffecté en 1804, que fut déposé en 1795 le corps de Louis XVII. Après des investigations infructueuses sous la Restauration, on pensa avoir identifié ses restes en 1846, découverte qui donna lieu à des spéculations sans fin.
Des recherches récentes ont démontré que le squelette retrouvé ne pouvait être celui de l'enfant du Temple, et le mystère qui entoure les conditions de sa mort reste entier.

TROMPE-L'ŒIL POUR UNE CHAPELLE

D'abord succursale de l'église Saint-Paul, l'église Sainte-Marguerite, fondée en 1627, devient paroisse indépendante en 1712. L'accroissement de la population du faubourg Saint-Antoine entraîne des agrandissements successifs de l'église, dont le plus remarquable est certainement la chapelle des Âmes-du-Purgatoire, construite en 1760 par Victor Louis.
Voulant réaliser un ensemble imposant et somptueux malgré le manque d'argent, l'architecte eut recours au trompe-l'œil en confiant la décoration des murs et de la voûte au peintre décorateur Paolo-Antonio Brunetti. Ce dernier, par un jeu de colonnes et de caissons peints, parvint à donner l'impression d'un espace beaucoup plus grand que la réalité, qu'il décora de nombreux reliefs et statues également peints en trompe-l'œil.

L'HÔTEL DU BANQUIER ALEXANDRE ▽ ▷

16, rue de la Ville-l'Évêque (VIIIᵉ)

Entre 1763 et 1766, le riche banquier Alexandre se fait construire dans l'élégant quartier de la Ville-l'Évêque, extension du faubourg Saint-Honoré, un hôtel dont il commande les plans à Étienne Louis Boullée. Le célèbre architecte est surtout connu aujourd'hui pour ses projets grandioses et visionnaires – notamment celui de la Bibliothèque nationale –, que leur démesure condamnait à rester dans les cartons. Il fut pourtant aussi, au début de sa carrière, l'auteur de nombreuses maisons particulières, qui établirent largement sa réputation et sur lesquelles le mauvais sort semble s'être acharné. L'hôtel Alexandre est en effet la seule de ses constructions privées qui n'ait pas été détruite. Considéré en son temps comme l'un des plus beaux édifices de Paris, il présente, sur cour, une façade qui, avec son vestibule ouvert supporté par des colonnes ioniques, joue sur des contrastes violents d'ombres et de lumières, caractéristiques de la recherche de monumentalité propre à Boullée. Le maréchal Suchet devint propriétaire de l'hôtel en 1802 et le conserva jusqu'en 1818. C'est sous son nom que la demeure, actuellement siège de la compagnie bancaire La Hénin, est souvent désignée.

Façade sur cour de l'hôtel Alexandre et portrait du maréchal Suchet, propriétaire de l'hôtel en 1802.

HÔTEL DE SANDREVILLE ▷
26, rue des Francs-Bourgeois (IIIe)

La réalisation des somptueux hôtels de Soubise et de Rohan, en 1705, semble marquer la fin de l'âge d'or du Marais. Le XVIIIe siècle n'est qu'un long déclin qui voit les constructions nouvelles se faire de plus en plus rares, au profit du faubourg Saint-Germain, nouveau quartier à la mode qui draine toute la haute société. L'hôtel de Sandreville, dressant fièrement sur la rue des Francs-Bourgeois sa monumentale façade aux pilastres colossaux, est une exception remarquable. Le grand bâtiment néoclassique n'est qu'un agrandissement sur rue, exécuté en 1767 pour Louis-Charles Le Mairat, président à la Chambre des comptes, de la moitié gauche du vieil hôtel de Sandreville. De la même campagne de travaux date le bel escalier construit dans l'aile sur cour. L'hôtel a récemment été entièrement restauré.
VOIR AUSSI L'HÔTEL RENAISSANCE, p. 70.

*Façade sur rue
de l'hôtel de Sandreville.*

UNE RICHE ABBAYE DE FEMMES ▽
Abbaye Saint-Antoine (actuel hôpital Saint-Antoine),
148, rue du Faubourg-Saint-Antoine (XIIe)

*En bas,
le pavillon de l'Horloge,
à l'hôpital Saint-Antoine.*

En 1204 fut fondée à l'emplacement d'un ancien ermitage, refuge des « pécheresses repenties », une abbaye rattachée à l'ordre de Cîteaux et placée sous l'invocation de saint Antoine. Saint Louis fit de Saint-Antoine-des-Champs une abbaye royale qui devint rapidement le plus riche couvent de femmes de Paris, avec celui de Montmartre. L'ordonnance royale de 1471, qui affranchissait les artisans travaillant sur le domaine de l'abbaye des contraintes corporatives, favorisa l'essor du faubourg Saint-Antoine ; ateliers et manufactures se multiplièrent, affirmant la vocation qu'il a gardée jusqu'à nos jours. En 1767, Gabrielle-Charlotte de Beauveau-Craon, dernière abbesse de Saint-Antoine, confie la reconstruction des bâtiments conventuels à l'architecte Samson-Nicolas Lenoir, dit le Romain. Seul est réalisé le pavillon dit de l'Horloge, dont le côté nord devait former l'une des ailes du cloître. En 1795, le couvent devient un hôpital. Les transformations rendues nécessaires par cette nouvelle affectation entraînèrent l'année suivante la démolition de l'église et la construction de nouvelles ailes, qui reprenaient l'élévation élégante et austère du pavillon de l'Horloge. Toujours actif, l'hôpital Saint-Antoine s'est accru, ces dernières décennies, de nouveaux bâtiments, qui ont épargné les parties anciennes.

Les meubles du faubourg Saint-Antoine

Triste destin que celui de la rue du Faubourg-Saint-Antoine (XIe), qui fut pendant des siècles le fief des artisans du meuble, établis ici depuis le Moyen Âge pour échapper aux taxes prélevées par les puissantes corporations de la capitale – cette large artère reliant la Bastille à la puissante abbaye Saint-Antoine ne fut en effet rattachée à Paris qu'en 1860. Seuls subsistent ici ou là un laqueur chinois ou un bronzier d'art, et ces enfilades de cours et d'arrière-cours où bruissaient autrefois les ateliers (cours de l'Ours, de la Maison-Brûlée, des Trois-Frères...), communiquant entre elles par un lacis de passages que le flâneur

curieux découvrira d'aventure en franchissant l'un des porches qui jalonnent la rue.

Et ce sont aujourd'hui les multiples magasins Roméo, anciennement maison Guérin, fondée en 1830, qui sont les héritiers de cette prestigieuse tradition mobilière : canapés de cuir blanc brillant, fauteuils bleu roi à pattes de lion dorées, tables de marbre d'inspiration vénitienne s'exposent dans ces showrooms où se mélangent tous les styles, du faux Louis XVI au faux Louis-Philippe, en passant par le faux Napoléon III. Du faux ancien dessiné sur place et fabriqué à la main par de vrais ébénistes et de vrais marqueteurs, que s'arrachent princes d'Orient et autres grands de ce monde assez fortunés pour acquérir du neuf au prix de l'ancien.

UNE BIEN CHARMANTE ACTRICE ▷
Hôtel Luzy, 6, rue Férou (VIᵉ)

Dorothée Dorinville, dite Mlle Luzy, issue d'une famille d'acteurs, débute à la Comédie-Française en interprétant le rôle de Dorine dans *Tartuffe* en 1763. L'aisance et la finesse de son jeu lui gagnent bientôt la sympathie d'une grande partie du public et une véritable réputation pour les rôles de soubrette... malgré les réticences de certaines de ses rivales, comme Mlle Clairon, qui, tout en reconnaissant son élégance, la noblesse de sa démarche et l'excellence de sa prononciation, remarque avec perfidie : « Hors une douzaine de vers dans le courant du rôle, dits à peu près dans le sens, je ne crois pas qu'on ait jamais rien vu d'aussi plat, d'aussi décousu, d'aussi chantant, d'aussi bête, d'aussi comique. » Mlle Luzy a bientôt un protecteur, Étienne-Nicolas Landry, qui acquiert l'hôtel de la rue Férou en 1767 pour lui en laisser l'usufruit.

Le bâtiment, austère construction de la fin du XVIIᵉ siècle, est alors mis au goût du jour, peut-être par Marie-Joseph Peyre, architecte de l'Odéon. Les façades reçoivent, au-dessus des fenêtres du premier étage, de charmants bas-reliefs représentant des jeux d'amours, et les intérieurs un décor néoclassique qui subsiste en partie. Jusqu'en 1778, date de sa rupture avec Landry, Mlle Luzy y reçoit beaucoup – particulièrement le jeune Talleyrand, alors étudiant au séminaire voisin de Saint-Sulpice. Parmi les nombreux propriétaires qui occupèrent ensuite la demeure, on compte la famille de Jouvenel, qui au début du siècle y accueillit le monde des arts et des lettres.

La façade sur cour de l'hôtel Luzy
et le buste de l'actrice par Caffieri.

UNE ÉCOLE POUR LA CHIRURGIE ▷
Actuelle université Paris-V, 12, rue de l'École-de-Médecine (VIᵉ)

En 1748 est créée l'Académie royale de chirurgie, destinée à se substituer à la vieille confrérie des chirurgiens-barbiers et chargée d'assurer un enseignement conforme aux avancées de la connaissance médicale. La nouvelle institution ressent bientôt le besoin d'une maison digne de ses ambitions. Le soin de construire le bâtiment est confié en 1769 au jeune architecte Jacques Gondouin, qui, tout juste rentré de Rome, établit un projet grandiose, imprégné de ses visions de l'Antiquité. Les travaux de l'école sont achevés en 1786.

ROME À PARIS

La façade sur rue, percée d'une large colonnade ionique ouvrant sur une cour ceinte également de colonnes ioniques et dominée par un majestueux portique corinthien, apparut comme un véritable manifeste de la nouvelle architecture, qui faisait de l'Antiquité son modèle. On admira particulièrement le grand amphithéâtre, qui reproduit fidèlement un théâtre antique et dont la couverture en cul-de-four à jour zénithal est empruntée aux thermes romains. Cette profusion de colonnes et cette imitation servile de l'antique – bien qu'elles aient fait l'objet de nombreuses critiques – étaient les prémices d'un style qui allait bientôt s'imposer. De 1878 à 1900, le bâtiment, qui abritait la faculté de médecine depuis la Révolution, est englobé dans de nouvelles constructions d'inspiration néogrecque, dont la principale façade vers le boulevard Saint-Germain présente un portail monumental encadré de cariatides inspirées de celles de l'Érechthéion.

Au fond de la cour de l'école de chirurgie, le portique
corinthien, qui ouvre sur le grand amphithéâtre d'anatomie.

La ville des Lumières

En villégiature à Auteuil ▷

Château Ternaux (actuel lycée Jean-Baptiste-Say), 11 *bis*, rue d'Auteuil (XVIᵉ)

🔑 Le village d'Auteuil était aux XVIIᵉ et XVIIIᵉ siècles un lieu de villégiature privilégié, particulièrement prisé des acteurs et des gens de lettres – Molière et Boileau y eurent une maison. Bâti au début du XVIIIᵉ siècle par l'architecte Nicolas Dullin dans un parc de 12 hectares appartenant à un certain Galpin, le château Ternaux, quoique mutilé, est un rare vestige de ces maisons champêtres. Devenu en 1804 la propriété de Nicolas Ternaux, il est alors entièrement redécoré, tandis que les bâtiments d'une teinturerie, complément des activités de drapier de son nouvel occupant, sont construits dans le parc. La manufacture Ternaux reste ouverte jusque sous le Second Empire. En 1852, le château et ce qui reste de son parc sont vendus à une institution religieuse, remplacée en 1872 par une « école municipale supérieure », ancêtre de l'école normale d'instituteurs qui occupe toujours une partie de l'ancienne propriété. Le bâtiment initial devient en 1875 le lycée Jean-Baptiste-Say, agrandi en 1882-1897. On reconnaît encore, au milieu des bâtiments de la IIIᵉ République, le petit château précédé de sa cour d'honneur. Il conserve une partie du décor intérieur renouvelé par Ternaux.

L'œuvre d'Auteuil

En 1866, quatre ans après que Victor Hugo eut écrit *les Misérables*, plus de sept mille enfants livrés à eux-mêmes errent dans Paris. L'abbé Louis Roussel ne peut rester indifférent à une telle détresse. Il

remet en état une masure à l'abandon dans les champs d'Auteuil pour y accueillir des orphelins. La fondation des Orphelins Apprentis d'Auteuil acquiert une dimension nationale entre 1923 et 1936 avec le père Daniel Brottier, de la congrégation du Saint-Esprit. Aujourd'hui, elle accueille quatre mille jeunes garçons et filles en difficulté familiale et sociale, dans vingt-six établissements répartis sur tout le territoire, afin de les former à l'un des quarante métiers qu'elle propose et d'assurer leur insertion. À la maison Sainte-Thérèse de Paris, les jeunes préparent les épreuves du baccalauréat technologique ou professionnel dans des domaines comme le génie électronique ou les industries graphiques. Cette œuvre exemplaire, reconnue d'utilité publique depuis 1929, ne pourrait exister sans une extraordinaire chaîne de solidarité – plus de cinq cent mille amis d'Auteuil participent au financement de ses activités. *Les Orphelins Apprentis d'Auteuil, 40, rue La Fontaine (XVIᵉ).*

La façade du château Ternaux et sa grille du XVIIIᵉ siècle.

Hôtel du Châtelet ▷

Actuel ministère du Travail, 127, rue de Grenelle (VIIᵉ)

🔑 Fils de la célèbre marquise du Châtelet, réputée pour son esprit supérieur et sa liaison avec Voltaire, le comte du Châtelet, qui fut ambassadeur de France à Vienne et à Londres, acquiert en 1770 un terrain rue de Grenelle et charge Mathurin Cherpitel d'y édifier sa résidence parisienne. Achevé en 1776, l'hôtel est un des plus beaux exemples de l'architecture civile sous le règne de Louis XVI ; il présente une superbe façade sur cour, avec un avant-corps majestueusement souligné par des colonnes d'ordre colossal. Une impression de grandeur, que l'on retrouve dans son décor intérieur, en grande partie préservé et considéré comme l'un des plus remarquables de cette époque : grand escalier en parement de pierre nue scandé de pilastres et de niches, pièces d'apparat au décor antiquisant, appartements privés à l'ornementation plus naturaliste. En 1848, l'hôtel fut la résidence de l'archevêque de Paris. Le ministère du Travail l'occupe depuis 1907.

Le grand salon octogonal de l'hôtel du Châtelet.

ÉCOLE DE DROIT ▽
12, place du Panthéon (Ve)

En même temps qu'il construit la nouvelle église Sainte-Geneviève (actuel Panthéon), Soufflot prévoit une place destinée à mettre en valeur le grandiose édifice. Il propose d'abord une place carrée, ouverte sur une large avenue percée dans l'axe de l'église jusqu'au Luxembourg. Mais, dans le projet finalement adopté, la forme carrée est abandonnée au profit d'une demi-lune formée par les façades incurvées des deux édifices prévus de part et d'autre de l'avenue. Le premier de ces édifices, situé au nord, est dès l'origine destiné à accueillir l'école de droit ; commencé en 1771, il est mis en service dès 1774 mais n'est solennellement inauguré qu'en 1783, trois ans après la mort de l'architecte. L'ordre ionique colossal de la façade lui donne une majesté toute romaine mais sans austérité, qui forme un heureux contraste avec le portique plus sévère du Panthéon. L'école fut considérablement agrandie en 1898-1899 et reçut alors une nouvelle façade monumentale vers la rue Saint-Jacques. L'édifice prévu comme pendant à l'école de droit, qui devait abriter une école de théologie, ne fut pas construit sous l'Ancien Régime, mais sous la monarchie de Juillet pour abriter la mairie du XIIe arrondissement (devenu le VIe arrondissement en 1860). Commencé en 1844, le nouveau bâtiment, respectant rigoureusement les plans de Soufflot, permit l'achèvement de la place imaginée par l'architecte soixante-quinze ans auparavant.

Le portail ouvert sous le péristyle monumental est surmonté d'un tympan où sont représentées une Renommée et la Justice portant le médaillon de Louis XV.

UNE MANUFACTURE DIGNE D'UN PALAIS △ ▷
Hôtel de la Monnaie (actuel musée de la Monnaie),
11, quai de Conti (VIe)

En 1750, la Ville de Paris envisage de construire un nouvel hôtel de ville à l'emplacement du grand et du petit hôtel de Conti, qu'elle a acquis sur le quai du même nom. Au même moment, la Couronne projette de remplacer le vieil hôtel des Monnaies, installé depuis 1380 dans la rue de la Monnaie, qui ne répond plus aux besoins et menace ruine. On pense d'abord construire le nouvel édifice sur la place Louis-XV, dont les travaux vont bientôt commencer ; puis, le projet d'un hôtel de ville ayant été abandonné, on opte, pour se rapprocher du centre, pour les terrains de l'hôtel de Conti, qui sont rachetés en 1768.

La façade de l'hôtel de la Monnaie, et l'une des médailles à l'effigie de Louis XV.

GRANDEUR ET RATIONALITÉ

Le concours ouvert pour la construction du nouveau bâtiment désigne Antoine, un jeune architecte inconnu jusque-là. Il conçoit un ouvrage grandiose, achevé en 1775, avec une longue façade de 17 mètres se développant le long de la Seine, parfaite expression du style Louis XVI naissant. Cette façade, digne d'un palais, avec son avant-corps de six colonnes ioniques et ses figures allégoriques – l'Abondance, la Justice, la Paix, la Prudence, la Force, le Commerce –, se veut l'expression de la grandeur du royaume. Elle fut très admirée... mais aussi jugée trop « luxueuse » pour ce qui n'était, somme toute, qu'une manufacture. En revanche, l'organisation rationnelle des ateliers autour de huit cours fut unanimement louée. À la fabrication des monnaies proprement dites fut adjointe, sous l'Empire, celle des médailles, jusque-là frappées au Louvre. Depuis 1973, l'hôtel n'abrite plus qu'un atelier des monnaies en métaux précieux et l'atelier des médailles, ceux des monnaies courantes ayant été transférés à Pessac. Les salons du XVIIIe siècle servent actuellement de cadre au musée monétaire.

LE PARI DU COMTE D'ARTOIS △
Château de Bagatelle, bois de Boulogne (XVIᵉ)

Un salon rond occupait l'avant-corps en demi-lune du château de Bagatelle, côté jardin.

En 1777, le jeune comte d'Artois, frère de Louis XVI, qui a récemment acquis le domaine de Bagatelle, au bois de Boulogne, parie avec sa belle-sœur Marie-Antoinette que le petit château sera reconstruit en deux mois, le temps d'un séjour de la cour à Fontainebleau ! Et, soixante-quatre jours plus tard, en effet, la reine inaugure un pavillon entièrement décoré et meublé, avec « ses dépendances, ses jardins, ses grottes, ses eaux et ses plantations de fleurs ». L'architecte Bélanger, qui mena le chantier, avait pu respecter ce délai au prix de dépenses considérables et grâce au concours de plus de neuf cents ouvriers travaillant jour et nuit.

DOUCEUR DE VIVRE À BAGATELLE

La devise *Parva sed apta* (Petite mais commode), que l'on peut toujours lire au-dessus de l'entrée, résume parfaitement l'agrément d'une résidence que Bélanger, s'assurant la collaboration des meilleurs artistes – Robert, Callet, Gouthière, Jacob… –, avait su rendre extrêmement élégante et confortable, et parfaitement adaptée aux goûts d'un prince qui se voulait l'arbitre de la jeunesse dorée de son temps.
En 1835, le domaine fut vendu au marquis d'Hertford, qui y installa une partie de ses célèbres collections de mobilier français. Son fils, sir Richard Wallace, continua de séjourner à Bagatelle tout en enrichissant les collections de son père, qui font maintenant l'orgueil de la Wallace Collection de Londres. Tels qu'ils nous sont parvenus, le château et son parc, malgré quelques transformations malheureuses, restent un délicieux témoignage de la douceur de vivre au XVIIIᵉ siècle.

HÔTEL DE FLEURY ◁
28, rue des Saints-Pères (VIIᵉ)

Cet hôtel, qui abrita l'École des ponts et chaussées de 1831 à 1992, fut construit à partir de 1768 par Jacques-Denis Antoine pour Jacques Frécot de Lanty, conseiller au Parlement. Alors que l'hôtel était encore inachevé, ce dernier le vendit en 1772 à Charles Brochet de Saint-Prest, maître des requêtes, conseiller d'honneur à la Cour des monnaies et intendant du Commerce. C'est de la famille parlementaire du Joly de Fleury, locataire de l'hôtel peu avant la Révolution, qu'il a gardé le nom de Fleury, sous lequel il est le plus souvent désigné. Si son aspect extérieur, malgré quelques modifications et adjonctions, a peu changé depuis le XVIIIᵉ siècle, laissant bien apparent le style élégant et un peu froid d'Antoine, l'intérieur, en revanche, avec l'installation de salles de cours et d'amphithéâtres, n'a presque rien conservé de son aspect initial. Seul l'escalier, chef-d'œuvre du premier néoclassicisme, témoigne, avec ses niches, ses statues, ses reliefs et sa superbe rampe, du raffinement discret de l'architecte de l'hôtel de la Monnaie.

L'escalier de l'hôtel de Fleury.

Château des Brouillards ◁
Allée des Brouillards (XVIIIe)

🔑 C'est peut-être de son nom – qui reprend celui du lieu-dit, d'origine obscure, sur lequel il fut bâti en 1772 pour un certain Legrand-Ducampjean, avocat au parlement de Paris – et du magnifique jardin de 7 000 mètres carrés qui l'entourait que le château des Brouillards tire son aura poétique. Gérard de Nerval ne rêva-t-il pas d'acquérir un terrain « abrité par les grands arbres du château des Brouillards » ? À partir de 1850, le parc abandonné se couvrit de constructions précaires, où vinrent se réfugier vagabonds et chiffonniers, mais aussi artistes sans fortune. Ce « lotissement » prit bientôt le nom de maquis, qui allait s'imposer dans la mythologie montmartroise. Le percement de l'avenue Junot à partir de 1902 entraîna sa disparition. Le château des Brouillards, très délabré, faillit subir le même sort, mais il fut sauvé et restauré par l'historien Victor Perrot, président de l'association du Vieux Montmartre, qui l'acquit en 1922 et lui rendit l'aspect d'une maison de campagne du XVIIIe siècle.

Hôtel de Montholon ▷
23, boulevard Poissonnière (IIe)

🔑 Construit en 1785 pour Nicolas de Montholon, président au parlement de Normandie, par François Soufflot, dit le Romain, neveu et élève du grand Soufflot, l'hôtel de Montholon est la seule encore existante des nombreuses et opulentes maisons édifiées sur le boulevard au cours du XVIIIe siècle. Bien qu'il s'agisse de la demeure d'un simple magistrat, sa façade présente toutes les caractéristiques, avec son imposante colonnade, de la maison d'un grand seigneur. Un guide contemporain y reconnaissait « le genre sévère et pur de l'antique dont [l'architecte] paraît avoir fait une étude approfondie ». Soufflot revenait en effet de Rome et était l'un des champions du style noble et grave qui s'imposait alors. Jean-Jacques Lequeu, autre élève de Jacques-Germain Soufflot, qui fut redécouvert par les surréalistes, enthousiasmés par ses extravagants projets, participa à la construction de l'hôtel ; c'est la seule trace connue de sa carrière. À l'intérieur, deux salons ont conservé leur décor du XVIIIe siècle.

La façade sur le boulevard de l'hôtel de Montholon.

La vigne de Montmartre

C'est une vigne timbre-poste, un carré de terre agricole volé aux bâtisseurs. Au milieu du XIXe siècle, l'un des plus célèbres habitants de Montmartre, Gérard de Nerval, se plaignait déjà de la disparition des terres au profit des immeubles. Mais ce n'est qu'à la fin des années vingt que les amoureux de la Butte décident de faire un geste : le dessinateur Francisque Poulbot et quelques-uns de ses amis de la République de Montmartre réquisitionnent en pleine nuit un terrain libre menacé d'urbanisation. La Ville de Paris le reprend à sa charge et décide, en 1929, de le planter de vigne, pour rappeler à tous que le vin de la Goutte-d'Or toute proche était en son temps considéré comme le roi des vins.

Depuis 1934, le premier samedi d'octobre, les jardiniers de la Ville de Paris, escortés des robes chamarrées de nombreuses confréries vineuses venues de toute la France, coupent les fruits des 3 250 pieds de vigne plantés sur ce quadrilatère de 800 mètres sur 500. Vers la mi-janvier, le vin du clos Montmartre, fabriqué dans les caves de la mairie du XVIIIe arrondissement, est soutiré. Bon an, mal an, quatre cents à cinq cents bouteilles sont mises aux enchères, au mois de mai, au profit d'œuvres de bienfaisance de Montmartre.

La folie Carré de Baudouin ◁
121, rue de Ménilmontant (XXe)

🔑 Témoin presque unique des innombrables maisons de campagne (appelées folies) autrefois établies sur la colline de Belleville, le pavillon Carré de Baudouin domine Paris, face à un charmant jardin, qui fut sans doute beaucoup plus vaste. C'est pour ce financier, qui l'acquit en 1771 et lui donna son nom, que l'architecte, probablement Moreau-Desproux, adapta cette façade à un bâtiment préexistant. Une façade élégante, avec son portique à quatre colonnes ioniques, qui s'inspire des villas italiennes conçues par Palladio au XVIe siècle.

Une tradition discutée veut que Charles-Simon Favart, directeur de l'Opéra-Comique, ait loué le pavillon quelques années à la fin de l'Ancien Régime. Sous l'Empire, la maison devint un pensionnat, puis, en 1832, un orphelinat géré par les sœurs de Saint-Vincent-de-Paul. Elle abrite aujourd'hui des associations.

La façade sur jardin de la folie Carré de Baudouin.

Fête opportuniste à l'hôtel de Galliffet ▽ ▷
Actuel Institut culturel italien, 73, rue de Grenelle (VIIe)

Construit à partir de 1784 par Legrand pour Simon de Galliffet, cet hôtel présente la particularité d'être situé au cœur d'un îlot, sans façade sur rue. On y accède par un passage ouvert sur la rue de Grenelle, qui remplace depuis 1837 le passage ouvrant sur la rue du Bac qu'avait ménagé Legrand. L'hôtel est célèbre pour les magnifiques colonnades qui ornent ses façades, dégagées côté cour et engagées côté jardin, et pour ses décors intérieurs, en grande partie conservés. Ces parfaits exemples du style néoclassique de la fin du XVIIIe siècle annoncent, sur un mode encore riant, le style Empire, plus pompeux. Confisqué à la Révolution, l'hôtel fut affecté en 1794 au ministère des Relations extérieures. Talleyrand y vécut de 1797 à 1807 et y donna en 1798 une fête restée fameuse en l'honneur de Mme Bonaparte, qui devait lui assurer la bienveillance du nouveau maître de la France. Restitué aux Galliffet en 1822, l'hôtel fut acquis en 1909 par le gouvernement italien.

Ci-dessous, le salon des Quatre-Saisons de l'hôtel de Galliffet. Ci-contre, la façade sur jardin.

Saint-Philippe-du-Roule ▽
154, rue du Faubourg-Saint-Honoré (VIIIe)

Au début du XIIIe siècle, les officiers de la Monnaie établirent, au lieu-dit Le Roule, une léproserie pour leurs ouvriers, sujets aux maladies de peau. Sa chapelle servit aussi à la population du quartier et fut érigée en paroisse en 1699. Devenue trop petite pour ce nouveau faubourg de Paris, elle fut remplacée en 1774 par une nouvelle église, dont les plans furent demandés à Chalgrin.

UNE BASILIQUE ANTIQUE
Avec sa nef terminée par une simple abside en cul-de-four et où deux files de colonnes ioniques forment deux bas-côtés non bordés de chapelles, avec son portique de colonnes doriques couronné d'un fronton, cet édifice est l'un des premiers en France à adopter des dispositions – qui vont prévaloir pendant plusieurs décennies dans l'architecture religieuse – empruntées aux basiliques paléochrétiennes, et non plus aux édifices romains de la Contre-Réforme.
L'église a conservé sa façade telle qu'elle avait été conçue par Chalgrin. Le chœur, en revanche, a été complètement transformé : les bas-côtés ont été prolongés de manière à former un déambulatoire autour de l'abside, dont le mur a été supprimé et remplacé par des colonnes. Ces transformations, menées par l'architecte Godde en 1845, furent complétées par un nouveau décor pictural ; le cul-de-four de l'abside fut couvert d'une grandiose composition de Chassériau, *la Descente de croix,* l'un des chefs-d'œuvre de l'artiste.

La façade de Saint-Philippe-du-Roule.

LA FOLIE DU DUC DE CHARTRES Δ
Naumachie du parc Monceau, boulevard de Courcelles (XVIIe)

*La naumachie
du parc Monceau.*

Louis Carogis, dit Carmontelle, est l'une des personnalités les plus douées de son époque : portraitiste très recherché par la société élégante, il écrit aussi avec facilité de petites pièces, les *Proverbes,* qui constituent le fonds du répertoire de la comédie de salon au XVIIIe siècle, et est architecte à ses heures. Ses multiples talents l'attachent au duc de Chartres, le futur Philippe Égalité ; figure éminente de la petite cour qui l'entoure, Carmontelle est son lecteur et l'ordonnateur de ses fêtes. À ce titre, il est chargé par le prince de transformer un jardin qu'il possède au nord de Paris, sur les territoires de Clichy et de Monceau.
Achevé en 1778, la folie de Chartres avait pour ambition de « réunir en un seul jardin tous les temps et tous les lieux ». On y rencontrait donc, sur un terrain d'un peu plus de 15 hectares, un temple de marbre, une tente tartare, un moulin hollandais, un tombeau égyptien, une ruine gothique, un minaret, une ferme, un temple de Mars ruiné, sans oublier le bois de sycomores, les jardins bleu, rose et jaune, la fontaine de la Nymphe et cent autres fabriques. Le site le plus séduisant était sans doute la naumachie, ou cirque aquatique, composée d'un grand bassin ovale entouré de colonnes à demi ruinées. Sous le Second Empire, le jardin, réduit de moitié, fut réaménagé par Alphand en jardin public. Il conserve quelques-unes des fabriques de la folie de Chartres, notamment la naumachie.
VOIR AUSSI LE PARC MONCEAU AU SECOND EMPIRE, p. 275.

HÔTEL DE ROCHECHOUART ▷
Actuel ministère de l'Éducation nationale,
110, rue de Grenelle (VIIe)

En 1776, la marquise de Courteilles acquiert un terrain afin d'y faire bâtir un hôtel qu'elle destine à sa fille unique, la comtesse de Rochechouart. Cherpitel, qui construit au même moment et dans la même rue un hôtel pour le comte du Châtelet, est chargé d'édifier cette demeure, qui reste l'une des plus caractéristiques du règne de Louis XVI dans le faubourg Saint-Germain. La façade sur cour, avec son ordre colossal de pilastres corinthiens, est impressionnante sans être écrasante ; le décor du grand salon, orné également de pilastres corinthiens, est l'un des plus beaux qui nous restent de cette période.
En 1829, l'Université achète l'hôtel pour y installer le tout nouveau ministère de l'Instruction publique. L'hôtel n'a cessé depuis d'abriter le ministère qui, sous diverses appellations successives, préside à l'éducation.

Le grand salon de l'hôtel de Rochechouart.

Le quartier des ministères

D'un quartier de garenne, au bord de la Seine, le XVIIIe siècle a fait l'un des plus beaux arrondissements de Paris, où les courtisans de la royauté finissante construisirent des hôtels particuliers de toute splendeur. Il était donc logique qu'une fois le Palais-Bourbon transformé en Chambre des députés le gouvernement cherchât à installer aux alentours ses administrations ministérielles. La rue de Grenelle et ses voisines furent donc, au cours du XIXe siècle, peu à peu colonisées par les ministères et les ambassades. L'État, devenu républicain, nichait sous les ors de la royauté grands jardins, cours d'honneur, salles des fêtes et perrons majestueux.
Aujourd'hui, remonter la rue de Grenelle à pied tient parfois de la course d'obstacles : contournons cette barrière Vauban qui protège une entrée, évitons ces deux gardes républicains, laissons pénétrer sous un porche une limousine officielle... L'hôtel Matignon est tout proche, et le gouvernement tout entier se serre autour. Le ministère de la Défense rue Saint-Dominique, celui des Affaires étrangères sur le quai d'Orsay, l'Agriculture et la Fonction publique rue de Varenne, et bien sûr l'Industrie, le grand ministère de l'Éducation nationale et celui du Travail rue de Grenelle.
Le quartier est donc entièrement dévoué au service de l'État. En semaine, les voitures officielles s'y livrent à un incessant ballet, le week-end et en dehors des heures d'ouverture des bureaux, il retrouve son calme, hormis lors des journées portes ouvertes dans les monuments historiques, où de longues files de badauds font la queue pour apprécier la pompe républicaine.

189

LE LOTISSEMENT DU DUC DE CHOISEUL ◁
Quartier de l'Opéra-Comique (IIe)

En épousant la petite-fille du richissime financier Crozat, le duc de Choiseul avait accédé à une immense fortune, conforme au rang que lui assurait la protection de la marquise de Pompadour. Ministre tout-puissant de 1758 à 1770, Choiseul est disgracié après la mort de celle-ci. Il ne change pourtant rien à son train de vie princier, ce qui le place bientôt dans une situation financière précaire. Pour la rétablir, il a recours à divers expédients, notamment le lotissement de l'immense jardin de l'hôtel Crozat – longeant le boulevard, il s'étendait de la rue de Richelieu à la rue de Gramont – au moment où la troupe de l'Opéra-Comique cherche un terrain pour y construire une nouvelle salle.

SPÉCULATION AUTOUR DU THÉÂTRE
Le duc parvient à convaincre les sociétaires d'édifier leur théâtre au milieu du quartier qu'il projette et mène l'affaire tout à son avantage. Conservant la pleine propriété des caves, rez-de-chaussée et entresols du théâtre, il s'assure ainsi des revenus importants en louant ces locaux à des cafetiers et boutiquiers. En outre, la présence du théâtre au milieu du nouveau quartier valorise considérablement l'ensemble des constructions, qu'il peut louer, à l'avance et globalement, pour une somme considérable.
Si le théâtre n'existe plus sous sa forme originelle, en revanche, nombre de façades des rues qui l'environnent – rues Marivaux, Grétry, Favart, d'Amboise et Saint-Marc – témoignent encore, par leur belle ordonnance régulière, d'une opération spéculative qui ne suffit pourtant pas à rétablir la fortune du duc !
VOIR AUSSI LE THÉÂTRE DE L'OPÉRA-COMIQUE, p. 318.

La belle ordonnance des façades sur la rue Marivaux.

HÔTEL D'ARGENSON ▷
38, avenue Gabriel (VIIIe)

Construit vers 1780 par l'architecte Lemoine de Courzon pour la veuve du marquis d'Argenson, l'hôtel a gardé les grandes lignes de son élégante façade, avec ses colonnes ioniques d'ordre colossal, malgré les transformations réalisées sous la monarchie de Juillet ; celles-ci entraînèrent une modification des parties hautes et inclurent le bâtiment d'origine dans des constructions nouvelles – dues à l'architecte Hittorff, responsable au même moment de l'aménagement des Champs-Élysées. Même ainsi remanié, l'hôtel d'Argenson reste l'un des rares témoins de la suite d'hôtels qui bordaient la célèbre promenade à la fin du XVIIIe siècle.

La façade de l'hôtel d'Argenson.

*La façade du théâtre de l'Odéon, et Firmin Gémier dans la Rabouilleuse, en 1903 ; cet acteur dirigea l'Odéon de 1922 à 1930.
À droite, perspective de la rue de l'Odéon vers le théâtre.*

1968 à l'Odéon

Alors que depuis quatre jours le Quartier latin connaît les premiers troubles étudiants, que la Sorbonne est occupée, le 15 mai, un peu avant 23 heures, le chorégraphe américain Paul Taylor vient à peine de terminer sa représentation que les membres du CRAC (Comité révolutionnaire d'agitation culturelle) lui succèdent pour occuper ce « bastion de la culture gaulliste ».

Jean-Louis Barrault laisse faire et déclare : « Barrault n'est plus directeur de théâtre mais un comédien comme les autres. Barrault est mort. » Jour après jour, les étudiants s'installent et prennent leurs aises. Le gouvernement veut faire couper l'électricité. Barrault refuse. Il est là chaque

jour avec ses machinistes pendant qu'un happening permanent se tient dans les coulisses comme dans la salle. Les slogans fusent dans ce que les manifestants nomment désormais l'ex-théâtre de France : « L'Assemblée nationale devient un théâtre bourgeois, les théâtres bourgeois doivent devenir des assemblées nationales. » « Qui crée ? Pour qui ? » « Embrasse ton amour sans lâcher ton fusil »… Mais cette occupation ne fait pas l'unanimité, en particulier parmi les syndicats étudiants. Et il y aura une victime : Jean-Louis Barrault se voit retirer son titre de directeur à peine les événements terminés. Les troubles continueront ailleurs : au mois de juillet, c'est Jean Vilar que les contestataires attaquent pendant le festival d'Avignon.

Un théâtre pour les comédiens du roi △ ▽

Théâtre et quartier de l'Odéon (VIe)

En s'installant au palais Bourbon, en 1764, le prince de Condé chercha à revendre au mieux l'immense terrain de son ancien hôtel – périmètre formé par les rues Condé, Monsieur-le-Prince et Vaugirard –, afin de financer les travaux de sa nouvelle demeure et ceux de sa résidence de Chantilly. Au même moment, les comédiens du roi, installés depuis 1689 dans la salle de la rue des Fossés-Saint-Germain (actuelle rue de l'Ancienne-Comédie), songent à déménager pour s'établir dans une salle plus commode et plus spacieuse.

LUTTES DE POUVOIR ET QUERELLES INTESTINES

En 1773, le roi acquiert le terrain de l'hôtel de Condé pour y faire bâtir le théâtre, mais aussi tout un nouveau quartier. Les deux architectes désignés – De Wailly, protégé de Marigny, directeur des Bâtiments du roi, et Peyre, architecte du prince de Condé – mènent les travaux dans un climat de controverses et de luttes d'influences liées à la rivalité entre la cour et la Ville, indice révélateur de l'importance attachée au théâtre dans la société de l'époque. L'inauguration de la salle, qui, entre autres innovations, comportait des banquettes au parterre, a lieu en 1782, en présence de la reine. Mais la période révolutionnaire – annoncée dès 1784 par les représentations âprement discutées du *Mariage de Figaro,* qui vaudront à son auteur, Beaumarchais, d'être emprisonné – marquera la fin de la présence séculaire du Théâtre-Français sur la rive gauche. La scission de la troupe en deux clans aux idées opposées sera suivie, en 1791, par le départ d'une partie des comédiens vers la salle Richelieu.

OPÉRATION D'URBANISME AUTOUR DU THÉÂTRE

Fermé en 1793, le théâtre rouvre l'année suivante et prend en 1797, en pleine période néogrecque, le nom d'Odéon, qui va lui rester. Détruit à deux reprises par un incendie, en 1799 et en 1818, le théâtre est reconstruit en 1819 et connaît une fortune capricieuse. En dépit de directeurs des plus novateurs – Antoine, Firmin Gémier, Jean-Louis Barrault… – et de fort brillants acteurs – de Frédérick Lemaître à Marie Laurent, en passant par Mlle Georges, Marie Dorval ou Sarah Bernhardt –, il a du mal à trouver une vocation durable.

Autour du théâtre, devenu le prétexte d'une véritable opération d'urbanisme, les architectes avaient conçu un quartier nouveau avec un tracé rayonnant de cinq rues convergeant vers une place semi-circulaire aux façades uniformes ; l'ensemble s'est bien conservé et reste aujourd'hui l'un des témoignages les plus harmonieux de l'urbanisme du siècle des Lumières.

Un créateur à la mode ▽
Hôtel Gouthière (actuel conservatoire de musique Hector-Berlioz), 6, rue Pierre-Bullet (X^e)

Pierre Gouthière, le plus célèbre des doreurs-ciseleurs de la seconde moitié du XVIIIe siècle, connaît, entre 1770 et 1785, une période d'extrême notoriété, assurée par les prodigieuses commandes de la comtesse du Barry pour le château de Louveciennes, ou par celles de grands collectionneurs comme le duc d'Aumont ou la duchesse de Mazarin. En 1772, il acquiert un terrain dans le faubourg Saint-Martin, quartier en pleine expansion, et confie à Joseph Métivier le soin d'y construire une maison qui devait être un modèle de confort et d'élégance. Bientôt ruiné par ses prodigalités et par une tenue de comptes peu rigoureuse, il est contraint, dès 1787, de vendre sa demeure à l'un de ses créanciers.
À la fin du XIXe siècle, l'hôtel fut investi par une fabrique de passementerie. Il a conservé son aspect extérieur et une grande partie de ses décors Louis XVI remaniés sous l'Empire.

La façade sur cour de l'hôtel Gouthière.

Le palais d'un prince allemand △
Hôtel de Salm (actuel palais de la Légion d'honneur), 64, rue de Lille (VIIe)

La cour d'honneur de l'hôtel de Salm.

Frédéric III, prince souverain de Salm-Kyrbourg, qui fut étudiant au collège Louis-le-Grand, vient s'établir à Paris en 1771. Prodigue, joueur, orgueilleux, le prince aspire à mener une vie conforme à son rang malgré une fortune chancelante. En 1781, son mariage avec la princesse Jeanne-Françoise de Hohenzollern-Sigmaringen lui apporte de l'argent frais et lui permet de commander à Pierre Rousseau le fastueux palais qui se dresse toujours au bord de la Seine, face aux Tuileries.
Le bâtiment, achevé en 1788, est le chef-d'œuvre de l'architecte. Immédiatement célèbre et imité, il semble composé de deux habitations d'inspiration très différente. La première, vers la rue de Lille, avec sa majestueuse colonnade, son entrée en arc de triomphe, qui préfigure le style Empire, est l'imposant et austère palais d'un souverain ; la seconde, vers le fleuve, avec sa pittoresque rotonde, ses bas-reliefs et ses bustes, est la résidence de charme d'un particulier.
La Révolution trouve le prince dans une situation financière désespérée, mais acquis aux nouvelles idées ; il est néanmoins arrêté et périt sur l'échafaud quatre jours avant la chute de Robespierre.
L'hôtel, confisqué, passa de main en main avant d'être acheté, en 1804, par le grand chancelier pour accueillir l'ordre récemment créé de la Légion d'honneur, qui l'occupe toujours. Le bâtiment souffrit des incendies de la Commune : si les façades conservent l'aspect que leur donna Rousseau, rien des intérieurs anciens ne fut épargné par les flammes.

Le Brady

Certes, il n'est pas classé et pourtant, à deux pas de l'hôtel Gouthière, le Brady fait bien figure de monument historique. Entre les boutiques de perruques africaines et les dégriffes de chaussures, c'est une salle de cinéma mythique dans l'histoire de la cinéphilie parisienne, un véritable lieu de culte. Depuis trente ans, malgré de nombreuses menaces de fermeture, il reste la référence des inconditionnels du frisson, de l'angoisse et de l'étrange, le temple de la série B, des péplums italiens aux films fantastiques américains, en passant par le polar français.
En 1994, le Brady est reparti de plus belle grâce à son nouveau patron, le cinéaste Jean-Pierre Mocky, qui a refait la salle dans les plus beaux tons de bleu : cent trente-huit fauteuils, un grand écran tout neuf et le fameux son Dolby. Alors, ne vous arrêtez pas devant sa façade de mosaïques bleues et or, entrez pour *Samson et Dalila*, *Frissons d'outre-tombe*, la *Créature du lac Noir* ou *Un linceul n'a pas de poches*, la séance va commencer…
Le Brady, 39, boulevard de Strasbourg (X^e).

Une princesse retirée et solitaire △

Hôtel de Bourbon-Condé, 12, rue Monsieur (VIIe)

La façade sur jardin de l'hôtel de Bourbon-Condé. Son avant-corps arrondi correspond à un somptueux salon ovale.

🔑 La rue Monsieur, ainsi nommée en l'honneur du comte de Provence, frère de Louis XVI, fut percée par l'architecte Alexandre Brongniart sur un vaste terrain qu'il avait acquis pour le lotir. Il est aussi l'auteur de plusieurs des hôtels qui bordent toujours la rue ; l'hôtel de Bourbon-Condé est l'une de ses œuvres les plus accomplies et l'une des plus charmantes constructions du règne de Louis XVI.
C'est pour Louise-Adélaïde de Bourbon-Condé, fille de Louis-Joseph, prince de Condé, qu'Alexandre Brongniart réalise en 1781 cet hôtel de type traditionnel entre cour et jardin. En quittant le couvent où elle a passé son enfance, la princesse souhaita s'établir dans sa propre maison, pour éviter d'avoir à vivre au palais Bourbon, sous le même toit que la maîtresse de son père. Elle mène rue Monsieur une vie assez retirée, entourée de quelques familiers, témoins de l'amour sans issue – et purement épistolaire – qui l'unit au tendre Nicolas-Louis de La Gervaisais, jeune officier rencontré aux eaux de Bourbon-l'Archambault. Pendant la Révolution, son hôtel est saisi comme bien d'émigré et la princesse mène à l'étranger une vie errante, allant de couvent en couvent. En 1815, elle devient l'abbesse du couvent Saint-Louis-du-Temple, fondé à l'endroit où Louis XVI a été emprisonné. Son hôtel eut de nombreux propriétaires successifs, parmi lesquels le frère de Barras.

L'austère couvent des Capucins ◁

Saint-Louis-d'Antin (actuel lycée Condorcet), 63, rue Caumartin (IXe)

🔑 En 1779, Louis XVI ordonne aux Capucins de transférer leur couvent du faubourg Saint-Jacques dans le quartier de la Chaussée-d'Antin, zone alors en pleine expansion et dépourvue de lieu de culte. De nouvelles rues sont percées – l'actuelle rue Caumartin, dans sa partie nord, et la rue Joubert – et un quartier neuf s'établit autour du nouveau couvent, bâti par Brongniart entre 1781 et 1783. L'austérité requise pour un couvent destiné à un ordre mendiant fut respectée par l'architecte. Ainsi, la façade principale est pourvue de portes pour seules ouvertures et de niches vides – la plupart sont aujourd'hui transformées en fenêtres – pour seuls éléments décoratifs. L'influence des récentes découvertes des ruines de Paestum, en Italie du Sud, se fait sentir dans le cloître, bordé de colonnes d'ordre dorique sans base et sans cannelures. En 1802 la chapelle devient église paroissiale, sous le vocable de saint Louis d'Antin, tandis qu'en 1803 le couvent est transformé en lycée. Il prendra le nom de Condorcet en 1883. Des élèves au destin célèbre s'y succèdent, écrivains – Alfred de Vigny, Taine, Sainte-Beuve, Labiche, Eugène Sue, Dumas fils, Marcel Proust…– ou présidents de la République – Casimir Perier, Sadi Carnot et Paul Deschanel.

L'ancien cloître des Capucins, dans le lycée Condorcet.

Façade sur cour de l'hôtel de Jarnac.

Hôtel de Jarnac △

8, rue Monsieur (VIIe)

🔑 Charles-Rosalie de Rohan-Chabot, comte de Jarnac, loue en 1784 l'hôtel que vient de construire Étienne-François Legrand pour Léonard Chapelle. Bien qu'il ne l'occupe que quelques années, il lui laisse son nom. Au cours du XIXe siècle, la demeure passe de main en main et abrite, entre autres, le comte de Villèle, ministre des Finances de Charles X, et Guillaume Dupuytren, le célèbre chirurgien, directeur de l'Hôtel-Dieu sous la Restauration et auteur de nombreux ouvrages sur l'anatomie.
L'hôtel entre cour et jardin, isolé sur ses quatre côtés, est plus proche d'un pavillon de campagne que d'une résidence urbaine. Ses deux façades, dominées par un péristyle d'ordre colossal, présentent des analogies avec celles de l'hôtel de Galliffet, élevé peu avant par le même architecte ; cette filiation est encore plus apparente dans les décorations intérieures, qui, la demeure étant toujours restée une habitation privée, sont particulièrement bien conservées.

193

LES BARRIÈRES DE LEDOUX

Depuis le XIIIᵉ siècle, la Ville de Paris perçoit un droit d'entrée pour certaines denrées comme le vin, le bois, le charbon, la paille, la viande, le gibier, la volaille… Mais les fraudeurs sont nombreux, et Louis XVI décide en 1784 de rendre plus rigoureux l'octroi de Paris. L'administration de cette perception, la Ferme générale, propose d'encercler la capitale d'un mur de 24 kilomètres (à l'emplacement des actuels boulevards extérieurs) englobant les faubourgs de la capitale – Saint-Honoré, Montmartre, Poissonnière, Saint-Antoine – qui avaient jusque-là échappé au paiement de l'octroi. Il sera ponctué de guichets de surveillance et de bureaux, les barrières abritant les services de perception.

LA RÉVOLTE DES PARISIENS

Calonne, contrôleur général des Finances, en confie la construction à Claude-Nicolas Ledoux, alors au faîte de sa notoriété. L'architecte veut faire de ces cinquante-quatre bureaux des portes à l'antique grandioses, et réalise entre 1785 et 1789 un ensemble d'une monumentalité et d'une originalité inusitées pour des bâtisses utilitaires, en s'inspirant de l'architecture grecque archaïque – que la récente découverte de Paestum a mise à la mode – et de l'architecture de Palladio. L'utilisation systématique de piliers massifs et de gros bossages, les effets de clair-obscur brutaux, les proportions souvent cyclopéennes furent à la fois admirés et violemment critiqués ; la plupart des contemporains étaient révoltés, ainsi que l'exprime Sébastien Mercier dans son *Tableau de Paris,* « de voir les antres du fisc métamorphosées en palais à colonnes qui sont de véritables forteresses ». Les commerçants des faubourgs, très atteints par cette barrière, et toute la population parisienne, habituée depuis un siècle à une libre circulation entre la ville et la campagne – les dernières murailles remontaient à 1670 –, expriment alors leur colère en une phrase restée fameuse : « Le mur murant Paris rend Paris murmurant. » L'enceinte tant haïe ne fut jamais achevée en raison du montant excessif des dépenses, et les barrières perdirent leur utilité en 1860, date à laquelle l'extension de Paris reporta les bureaux d'octroi aux fortifications de Thiers. Presque tous furent démolis. Seuls quatre d'entre eux subsistent aujourd'hui.

Ci-dessus, la rotonde de Monceau.   *Ci-dessous, la rotonde de la Villette.*

Les colonnes de la barrière du Trône.

BARRIÈRE DU TRÔNE ET BARRIÈRE MONCEAU

À l'emplacement où Perrault avait établi un arc de triomphe pour l'entrée solennelle de Louis XIV à Paris, en 1669, Ledoux réalise l'une de ses portes les plus monumentales, marquant naturellement l'un des accès majeurs de la capitale. Les bureaux de l'avenue du Trône (XIᵉ et XIIᵉ arrondissements) comprennent deux pavillons carrés de proportions colossales, avec pour seuls ornements les frontons qui couronnent les façades et le porche voûté en plein cintre de leurs entrées. Les deux colonnes de 28 mètres sur guérite cruciforme ne furent terminées qu'en 1843 ; leur base reçut alors un décor de trophées d'armes et de figures allégoriques et elles furent couronnées des statues de Saint Louis, par Etex (côté nord), et de Philippe-Auguste, par Dumont (côté sud).

Le long du parc Monceau, le mur des fermiers généraux était interrompu et remplacé par un fossé qui créait une continuité entre les jardins et la campagne de Clichy. Le pavillon construit par Ledoux en 1788 (boulevard de Courcelles, XVIIᵉ), qui s'inspire manifestement du *tempietto* de Bramante à Rome, prolongeait ainsi naturellement la suite des fabriques du jardin. À égale distance des barrières de Courcelles et de Monceau, il était plus un poste d'observation destiné à surveiller le fossé qu'un bureau d'octroi. Un petit appartement-belvédère, d'où l'on jouissait d'une jolie vue sur la plaine de Monceau, avait d'ailleurs été aménagé pour le duc d'Orléans à son sommet.

BARRIÈRES D'ENFER ET DE LA VILLETTE

La barrière d'Enfer (place Denfert-Rochereau, XIVᵉ) présente des proportions bien modestes pour ce qui était l'une des entrées principales de Paris, au débouché de la route d'Orléans. Elle est composée de deux pavillons dont les faces internes présentent une élévation très originale – arcades supportées par des colonnes jumelles baguées –, qui emprunte plus au maniérisme italien du XVIᵉ siècle qu'à l'Antiquité grecque. La frise de l'entablement est sculptée par Moitte d'élégantes figures engagées dans une danse hiératique dont les boucliers étaient ornés avant la Révolution des armoiries des villes desservies par la route d'Orléans.

Au nord-est de Paris, le bâtiment aujourd'hui appelé rotonde de la Villette faisait partie d'un ensemble plus vaste, qui comprenait deux barrières à l'intersection de deux grands axes, celle de Pantin ouvrant sur la route d'Allemagne (actuelle avenue Jean-Jaurès) et celle de la Villette sur la route des Flandres (actuelle rue de Flandres). C'était l'une des plus imposantes portes de Paris. La rotonde de la Villette (place de Stalingrad, XIXᵉ) est inspirée de la célèbre villa Rotonda, à Vicence, chef-d'œuvre de Palladio. Depuis 1959, le bâtiment de Ledoux est le siège de la commission du Vieux Paris. Récemment, une esplanade a été créée entre le bâtiment et le bassin de la Villette.

Détail de la frise d'un des pavillons de la barrière d'Enfer.

Au Vin des rues

« Ici, le pot-au-feu est de bœuf, Môssieur, comme celui de ma mère et de ma grand-mère ! » La réponse fuse, sèche et forte, digne d'un tavernier gaulois sorti des aventures d'Astérix. Elle fait rougir le nouveau venu, client insuffisamment entretenu du caractère affirmé du patron. Jean Chanrion, bourru autant que moustachu, apostrophe les novices, tance les végétariens et les buveurs d'anis et esquisse rarement un sourire. Le torchon sur l'épaule, il règne en maître sur quelques petites dizaines de mètres carrés, salle et cuisine comprises. Les clients attendent son signal, à 13 heures, pour se faufiler entre les tables en formica, face au bar. Peut-être un jour rejoindront-ils le saint des saints, la cambuse du fond où se retrouvent les habitués, munis du seul passeport qui vaille : le rond de serviette à leur nom.

L'appellation Au Vin des rues est un hommage à la bible des Parigots d'après-guerre que fut le livre de Robert Giraud illustré des photographies de Robert Doisneau. Là le beaujolais – ou les côtes roannaises – coule à plein pot comme aux Halles dans les années cinquante. Andouillette au vin rouge, tête de veau, tripes et museau vinaigrette ravissent les amateurs de cuisine roborative mais condamnent le cadre pressé à la somnolence. De toute façon que viendrait-il faire ici, obligé de tenir la jambe à son voisin de table imposé, turfiste convaincu, supporter de l'OM ou amateur de pêche au gardon… Et de subir les remarques du patron, occupé à le stresser en le menaçant de renverser de la sauce Béchamel sur sa chemise oxford.

Au Vin des rues, 21, rue Boulard (XIVᵉ).

195

Mode indémodable à la maison Bosc

Depuis 1845, la maison Bosc, juste en face du Palais de justice, fabrique des costumes officiels, des robes d'avocat, des toges de magistrat ou de professeur d'université. Du noir, du rouge, de l'hermine et pas la moindre fantaisie, puisque Bonaparte en avait fixé la forme et les couleurs par décret. Les gravures du siècle dernier qui ornent les murs de la boutique sont une sorte de référence : les plaideurs le bras en l'air sont les mêmes qu'aujourd'hui ; à l'exception de la traîne, ce symbole du pouvoir judiciaire qui, sur les tenues actuelles des magistrats, est cousu à l'intérieur.

L'apparition de gens de robe au féminin ne changea rien à ce vêtement codé : on l'adapta pour les femmes, sans coquetterie. Et, malgré les remous de 1968, qui ont vu brocarder tous les signes extérieurs du pouvoir, les professeurs d'université sont revenus se faire tailler des costumes chez Bosc : rouge pour le droit, jaune orangé pour les lettres, groseille pour la médecine, amarante pour les facultés des sciences. On ne boude plus les honneurs vestimentaires, pas plus en France qu'en Afrique, où des pays francophones – en adaptant nos institutions judiciaires à leur constitution – ont élargi le marché de la maison Bosc. Mais l'écureuil petit-gris a du mouron à se faire, lui dont la fourrure ventrale orne le manteau des conseillers à la Cour de cassation. On n'arrête pas une mode indémodable.
Maison Bosc, 3, boulevard du Palais (IVe).

La cour du Mai au palais de Justice △

4, boulevard du Palais (Ier)

La grille qui ferme la cour du Mai est surmontée de la couronne et des armes de France.

🔒 Les reconstructions partielles du palais de la Cité, siège de l'administration judiciaire et financière du royaume depuis qu'il n'était plus résidence royale, eurent presque toujours lieu à la suite d'un incendie. Celui de 1776 entraîna la reconstruction de tous les bâtiments qui entouraient la cour du Mai, inspirant ce commentaire à Sébastien Mercier : « On reconstruit le palais de la justice. Oh ! si l'on pouvait rebâtir de même l'art de la rendre. » Plusieurs architectes – Antoine, Desmaisons et Couture – se partagèrent l'entreprise, qui donna à Paris l'une de ses plus majestueuses façades.

La cour du Mai, ainsi nommée en raison de l'arbre qu'y plantaient chaque année au 1er mai les clercs de la basoche, se vit alors ceinte de bâtiments réguliers, dominés par l'imposant avant-corps central au perron monumental, et fut fermée par une somptueuse grille.

Malencontreusement enchâssée dans les nouveaux bâtiments, la Sainte-Chapelle fut néanmoins respectée. Jusqu'en 1825, l'arcade qui se trouve à droite du perron central fut l'unique accès menant à la prison de la Conciergerie. La petite cour en contrebas vit donc défiler les milliers de victimes du Tribunal révolutionnaire en route vers l'échafaud, parmi lesquelles la reine Marie-Antoinette.

VOIR AUSSI LA CONCIERGERIE, p. 31, ET LA FAÇADE SUR LA RUE DE HARLAY, p. 282.

Un prince italien à l'hôtel de Masseran ◁

11, rue Masseran (VIIe)

🔒 Comme beaucoup d'autres hôtels dans le quartier, l'hôtel de Masseran est l'œuvre de Brongniart. Construit en 1787 pour le prince Masserano, il a laissé son nom sous une forme francisée à la rue qui le dessert. Issu d'une famille piémontaise installée en Espagne, le prince est officier au service de son souverain ; par sa mère, Charlotte-Louise de Rohan-Montbazon, il jouit d'une place privilégiée dans la société parisienne. Il est nommé ambassadeur à Paris par Charles IV puis Ferdinand VII, et Joseph Bonaparte, roi d'Espagne en 1808, le fait maréchal de la cour et grand maître des cérémonies.

Ces nouvelles charges ne lui font pas quitter Paris pour autant. Et, en 1836, il meurt dans l'hôtel qu'il avait fait bâtir, sans avoir remis les pieds en Espagne. Sa demeure, qui conserve l'essentiel de son décor d'origine, appartenait au début de notre siècle au riche comte de Beaumont, grand amateur d'art et grand mécène, qui fut le protecteur de Picasso aussi bien que de Diaghilev ou de Cocteau. Les fêtes qu'il organisait régulièrement sont restées parmi les plus célèbres du Paris des Années folles.

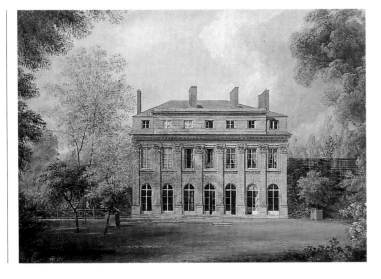

La façade sur jardin de l'hôtel de Masseran, où se détachent huit pilastres cannelés qui s'élèvent jusqu'à la toiture.

MAISON DE RETRAITE LA ROCHEFOUCAULD △
15, avenue du Général-Leclerc (XIVe)

La façade sur jardin de la maison de retraite La Rochefoucauld.

🔑 La fondation de cet établissement, en 1780, bénéficia de la protection royale. Il était destiné à accueillir les ecclésiastiques et les militaires malades dénués de ressources. Les fonds nécessaires à sa construction – il fut édifié entre 1781 et 1783 par l'architecte Viel – provinrent essentiellement d'une collecte organisée par les frères de Saint-Jean-de-Dieu. Le nom de La Rochefoucauld lui fut donné en 1821, alors que le duc de La Rochefoucauld-Liancourt était vice-président du conseil général des hospices, en souvenir de la vicomtesse de La Rochefoucauld-Doudeauville, dont la participation à la collecte avait été considérable. L'établissement, maison de retraite depuis 1802, fut agrandi en 1821 et n'a pas subi depuis de modifications notables. Il reste un bel exemple de l'architecture hospitalière de la fin du XVIIIe siècle.

HÔTEL DE BONNEVAL ◁
16, rue du Parc-Royal (IIIe)

🔑 L'hôtel qui porte traditionnellement le nom de Bonneval n'appartenait plus depuis peu de temps à cette famille lorsqu'il fut reconstruit, en 1792. Son nouveau propriétaire, un certain André Guilloteau, s'adressa à l'architecte Leclère, qui conçut une demeure d'une grande originalité, si l'on en juge d'après les quelques parties subsistantes. Ainsi, le portail de la façade sur rue, encadré par deux pavillons d'un étage caractérisés par des fenêtres démunies de chambranles, est surmonté d'un très curieux fronton à degrés sans équivalent à Paris. De l'hôtel lui-même n'est conservé, depuis l'opération immobilière des années 1975 qui transforma tout l'îlot, que le pavillon de l'escalier, à gauche de la cour d'honneur. De forme polygonale et décoré des bustes d'Henri IV et de Sully, il est occupé par un vestibule de forme ovale d'où part un remarquable escalier à rampe en acier poli, dont la voûte en calotte et les murs sont recouverts d'une grande composition représentant un temple grec dans un paysage bucolique envahi de roses trémières.

L'escalier de l'hôtel de Bonneval, restauré dans les années 1975.

UN FINANCIER PHILANTHROPE ▽
Hospice Beaujon (actuel espace Beaujon), 208, rue du Faubourg-Saint-Honoré (VIIIe)

👁 En cumulant des charges fort lucratives, le financier Nicolas Beaujon réussit à amasser l'une des fortunes les plus considérables du XVIIIe siècle. Déjà propriétaire de l'hôtel d'Évreux, il acquiert en 1784 plus de 12 hectares dans le quartier du Roule pour se faire construire une maison de campagne. Bientôt, autour du logis – appelé la Chartreuse – pourvu de tous les agréments du luxe le plus raffiné, une laiterie, une ménagerie, un pavillon de bains, une chapelle, disséminés au milieu des étangs et des bosquets, forment une folie digne de rivaliser avec Bagatelle ou Monceau. Soucieux d'exercer aussi une action bienfaisante, Beaujon fait bâtir sur une partie de son domaine un hospice destiné aux enfants pauvres du quartier. Au cours du XIXe siècle, le domaine est progressivement dépecé – Balzac habita, et mourut, dans les vestiges de la maison du financier –, jusqu'à disparaître complètement. Aujourd'hui, seul est demeuré l'ancien hospice, transformé en hôpital par la Convention et qui devint en 1936 l'école des gardiens de la paix. Depuis 1987, il abrite l'espace Beaujon, centre culturel et de loisirs.

La cour de l'hospice Beaujon.

La France, pays de la bonne chère et du vin. Cet « art de la gueule » dont parlait Montaigne, unique et inimitable, est profondément enraciné dans notre histoire collective. Et Paris reste un des porte-parole les plus brillants de ce patrimoine culturel que représentent la gastronomie et l'art du bien-recevoir.

Jusqu'au milieu du XVIIIe siècle, pour dîner ou souper hors de chez soi, on se rendait dans une taverne, qui ne proposait que quelques plats simples accompagnant les consommations, ou dans une auberge, dont la table d'hôte servait le même menu à tous les convives. Le terme « restaurant » désigne alors un bouillon de viande aux qualités « restauratrices » et, par extension, les maisons de santé qui le vendent. C'est à un certain Boulanger, qui tenait un de ces établissements rue des Poulies (actuelle rue du Louvre), que l'on doit la naissance, en 1765, du restau-

rant moderne : choix étendu de mets, gamme de prix, tables individuelles. Le menu à la carte était né.

L'ANCÊTRE, LEDOYEN

Les deux premiers grands établissements parisiens à se disputer les faveurs de la clientèle sont La Grande Taverne de Londres, tenue par Antoine Beauvilliers (1782), ancien officier de bouche du comte de Provence, et la maison du sieur Méot, ancien cuisinier du prince de Condé. Car l'émigration des nobles a laissé sur le pavé les chefs des grandes maisons françaises, qui, pour éviter le chômage, reprennent le chemin des cuisines pour le compte de la bourgeoisie, alors en pleine ascension. Dernier témoin de ces premiers grands restaurants, Ledoyen. En 1791, Pierre-Michel Doyen, cadet d'une famille de traiteurs réputés, loue une guinguette sur l'étendue encore vierge des

◁ **L'entrée de Lapérouse, ornée de superbes boiseries peintes du XVIIIe siècle.**

DU PALAIS

◁ Sur la caisse en sycomore et en érable du restaurant Lucas-Carton, Planel sculpta en 1904 un magnifique décor végétal Art nouveau.

▽ Dans la salle principale du restaurant Lucas-Carton, on déjeune en admirant la fontaine d'Hittorff et un magnifique saule pleureur.

◁ Rénové en 1985 par de nouveaux propriétaires, Lapérouse a gardé sa façade ornée de peintures sous verre et de cadres dorés.

▽ La grande salle de restaurant à La Coupole, dont les colonnes de lap vert et les peintures ont retrouvé leur splendeur (voir aussi p. 298).

Champs-Élysées et la transforme en restaurant de qualité. L'endroit devient vite célèbre. Robespierre, Danton, Marat sont des clients attitrés. On raconte même que Napoléon Bonaparte y rencontra celle qui deviendra sa première épouse, Joséphine de Beauharnais.

C'est à Jacques-Ignace Hittorf, l'architecte de la gare du Nord, que revient en 1848 le privilège de dresser les plans du nouveau pavillon Le Doyen (il ne s'appellera Ledoyen qu'en 1962), dans le cadre de l'aménagement des Champs-Élysées. Le monde des arts et des lettres s'y donne rendez-vous et, vers la fin du XIXᵉ siècle, Degas, Manet, Cézanne, Pissarro, Monet y prennent leurs quartiers. Un peu plus tard, André Gide et Jacques Copeau, entre autres, y fondent *la Nouvelle Revue française*.

MIROIRS RAYÉS CHEZ LAPÉROUSE

En 1766, un certain Lefèvre, limonadier du roi, achète l'hôtel du comte de Bruillevert, quai des Grands-Augustins, pour y tenir commerce de vin. Les affaires sont prospères car, à quelques mètres de là, se tient le marché de la Vallée, spécialisé dans la volaille et le gibier. En plus de servir des vins de qualité, Lefèvre met à la disposition de sa clientèle les petites chambres du premier étage afin que les marchands puissent faire leurs comptes en toute tranquillité. Cette clientèle populaire disparaît en même temps que le marché de la Vallée en raison de la construction des nouvelles halles de Baltard, en 1870. Jules Lapérouse reprend alors l'affaire et transforme le débit

199

de boissons en restaurant gastronomique. Le nouveau propriétaire lui donne son nom, jouant de son homonymie avec La Pérouse, le célèbre navigateur. Les gens de plume tels Zola, Maupassant, Beaudelaire, Dumas… s'y précipitent. Colette y écrit son roman *la Chatte*. Quant à Victor Hugo, il vient chaque après-midi avec son petit-fils y déguster des confitures. Mais le succès de Lapérouse repose également sur l'existence de ses salons particuliers, qui sont le théâtre de dîners très intimes… Les demi-mondaines y rayent les miroirs – qui existent toujours – pour s'assurer que les diamants offerts par leurs galants sont authentiques…

Dans un magnifique décor, constitué de miroirs et de panneaux peints qui font référence aussi bien aux voyages de La Pérouse qu'aux… jeux de l'amour, on peut déguster des plats historiques comme le caneton de Colette ou la paupiette Curnonsky, du nom du critique gastronomique qui, dans les années 1930, fit la réputation de la maison.

LUXURIANCE DE LA BELLE ÉPOQUE

L'avènement du siècle nouveau allait entraîner Paris dans une sarabande ininterrompue de fêtes brillantes, rythmées par les Expositions universelles. Partenaires des coups de folie de la capitale, les restaurateurs n'allaient pas rester indifférents à l'allégresse générale.

En 1871, M. Lucas prend possession du restaurant de la place de la Madeleine. Plus tard, Francis Carton reprend le flambeau. Le décor du restaurant Lucas-Carton, réalisé entre 1898 et 1902, est un des plus purs exemples de l'Art nouveau : boiseries d'érable, de sycomore et de citronnier de Ceylan, appliques en bronze de Gallé représentant des

femmes-fleurs… Aussi n'est-il pas étonnant que le ministre de la Culture du général de Gaulle, André Malraux, l'ait choisi pour ses déjeuners.

Autre merveille de cette grande époque, le Train Bleu, buffet de la gare de Lyon dont Louise de Vilmorin écrira qu'il est le plus beau restaurant de Paris. Les murs et les plafonds, où sont représentées les grandes villes et les différentes régions traversées par les trains qui reliaient la capitale à la Côte d'Azur, y sont une véritable invitation au voyage (voir aussi p. 329).

Mais, pour le monde entier, c'est Maxim's, ouvert en 1893, qui est l'incarnation du Paris de la Belle Époque.

Aujourd'hui encore, comme le souligne son propriétaire, Pierre Cardin, Maxim's reste le symbole prestigieux d'un certain art de vivre. Aucun monarque régnant, aucun souverain en exil, aucun milliardaire américain n'échappa à ce qui devint l'institution par excellence de la jet society : le souper chez Maxim's. Le monde des arts et des lettres se fait l'écho de cette renommée universelle. Le troisième acte de *la Veuve joyeuse* de Franz Lehár se déroule chez Maxim's. Georges Feydeau écrit *la Dame de chez Maxim's*. Et *le Chasseur de chez Maxim's*, que créa la plume d'Yves Mirande, sera à l'origine de multiples adaptations cinématographiques. (Voir aussi p. 320.)

Mais les restaurants de la Belle Époque, c'est aussi la bonne chère, comme en témoigne le Pharamond. En 1832, Alexandre Pharamond décide de convertir Paris à la cuisine normande. Il devra son succès aux fameuses tripes que l'on y

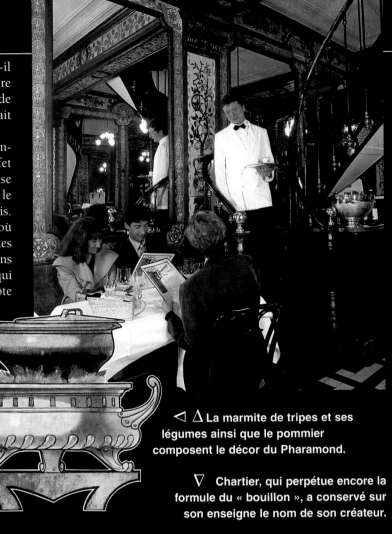

◁ △ **La marmite de tripes et ses légumes ainsi que le pommier composent le décor du Pharamond.**

▽ **Chartier, qui perpétue encore la formule du « bouillon », a conservé sur son enseigne le nom de son créateur.**

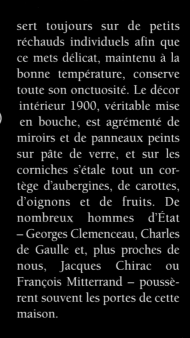

▷ **Le restaurant des Ambassadeurs, à l'hôtel Crillon, renommé pour son décor et pour la cuisine de son chef, Christian Constant.**

Δ ∇ ▷**Bernard Joinville, chef cuisinier chez Lasserre (ci-dessous, avec le directeur, M. Louis), est l'auteur de cette roulade d'anguilles au vert en gelée (ci-dessus). Ci-contre, décorant une table, un chevalier en argent massif du XVIIIe siècle.**

sert toujours sur de petits réchauds individuels afin que ce mets délicat, maintenu à la bonne température, conserve toute son onctuosité. Le décor intérieur 1900, véritable mise en bouche, est agrémenté de miroirs et de panneaux peints sur pâte de verre, et sur les corniches s'étale tout un cortège d'aubergines, de carottes, d'oignons et de fruits. De nombreux hommes d'État – Georges Clemenceau, Charles de Gaulle et, plus proches de nous, Jacques Chirac ou François Mitterrand – poussèrent souvent les portes de cette maison.

BEAU CADEAU POUR UNE DANSEUSE

C'est aux Chartier que l'on doit, à partir de 1895, l'installation des « bouillons » – restaurants populaires servant un pot-au-feu agrémenté d'un bol de bouillon – dans des décors grandioses (Chartier, Vagenende, Le Bistro de la gare). Avec Julien, cette tradition se poursuit. On raconte que son créateur, un certain Barbarin – qui accueillait le Tout-Montmartre dans son estaminet, Au pot de la Butte –,

tomba amoureux d'une danseuse. Il lui offrit un restaurant dans la rue du Faubourg-Saint-Denis qu'il baptisa du nom de son propre fils, Julien.

La décoration est confiée à un jeune artiste alors inconnu, Louis Trézel, qui crée un décor de style Art nouveau, fait de boiseries et de stucs. La salle est ornée de quatre panneaux muraux en pâte de verre, d'après les dessins du peintre Alfons Mucha. Des femmes y personnifient les saisons, sur fond végétal – le lierre pour l'hiver, les fleurs de pêcher pour le printemps, les coquelicots pour l'été et les chrysanthèmes pour l'automne. Le tout scintille de mille feux sous la splendide verrière, œuvre du père de Bernard Buffet. Ce magnifique décor s'enrichit d'un bar en acajou signé Majorelle et d'un carrelage qui donne l'illusion d'un somptueux tapis végétal. Chez Julien, il faut se laisser aller aux douceurs de l'escalope de foie gras de canard chaud aux lentilles ou du cassoulet d'oie maison et, pour terminer, essayer les profiteroles, dont le chocolat chaud vous sera servi à part dans sa chocolatière en argent.

Le Club
DE LA CASSEROLE

C'est dans le cadre du renouveau de l'après-guerre qu'apparaît l'incontournable René Lasserre. Tout a commencé en 1924, quand, âgé de douze ans, il quitte son Béarn natal pour monter à Paris. À dix-neuf ans, il est maître d'hôtel et travaille dans de grandes maisons – le Lido, Drouant, Prunier. À trente ans, il s'installe à son compte dans un établissement qu'il veut le plus beau de tous. En 1948, il crée le Club de la casserole – une collection de petites casseroles de porcelaine ou d'argent a d'ailleurs été créée pour le restaurant –, qui réunit les plus fins gourmets de Paris. En 1952, le restaurant s'enrichit de son célèbre toit ouvrant, une véritable innovation, particulièrement agréable les soirs d'été. On y dîne au milieu d'une profusion de vases de Chine, de porcelaines de Saxe, de bibelots d'argent massif, et, les soirs de gala, les colombes – emblème de la maison avec la casserole – s'y ébattent en liberté. Chaque table constitue un décor unique, comme le sont les meubles et objets du service créés pour le restaurant. C'est là qu'André Malraux convaincra Chagall de peindre le plafond de l'opéra Garnier. C'est aussi chez Lasserre que Roger Pierre et Jean-Marc Thibault feront une entrée très remarquée, juchés sur un cheval blanc, et que Fernandel descendra du toit ouvrant dans une nacelle chargée de jéroboams de champagne.

L'Olympe de la
GASTRONOMIE

Celui que l'on considère comme le meilleur de France, voire du monde, Joël Robuchon, a emménagé en 1994 dans un ancien hôtel par-

ticulier, dont il a conservé les boiseries, les vitraux et la cheminée monumentale. Dans un décor où se détachent de magnifiques bibliothèques en trompe-l'œil, on peut, si l'on a pris soin de réserver trois mois à l'avance, bénéficier du privilège de goûter la gelée de caviar à la crème de chou-fleur ou l'agneau pastoral aux herbes en salade et, pour finir, le croustillant aux noix.

Autre établissement d'exception, l'Ambroisie, place des Vosges. Une enseigne justifiée par la cuisine sobre et raffinée que Bernard Pacaud, soir après soir, propose à ses clients dans le cadre discret et élégant que conçut pour lui en 1985 François-Joseph Graf. Dans une vaste pièce de près de 5 mètres sous plafond, au sol dallé de marbre beige rythmé de trèfles à quatre feuilles noirs, où moulures imitant le marbre, immense tapisserie, somptueux bouquets de fleurs et chaises viennoises constituent les points forts d'un décor monacal, on peut apprécier une feuillantine de queues

△ **Dans les petits salons de cet hôtel particulier, des bibliothèques en trompe-l'œil composent un décor intimiste. Là se déguste la merveilleuse purée de pommes de terre de Joël Robuchon !**

▽ **Par la verrière qui lui fut adjointe en 1930, le Pavillon Montsouris ouvre largement sur le parc. Rénové en 1987 par Yves Courault, ancien directeur du Grand Véfour, il a retrouvé le charme désuet des pavillons Belle Époque.**

de langoustine aux graines de sésame accompagnée de sa sauce au curry et, en dessert, une tarte fine sablée au cacao et sa boule de glace à la vanille.

DITES-LE AVEC DES FLEURS

Le Pavillon Montsouris est installé dans un cadre enchanteur. Largement ouvert grâce à sa verrière sur le parc Montsouris, son lac, ses arbres centenaires, son kiosque à musique, c'est à un cocktail des yeux qu'il convie d'abord ses convives. Créé en 1898, il a accueilli plus d'une célébrité, comme l'espionne Mata Hari, Lénine et Trotski, Jacques Prévert ou la romancière Françoise Sagan. Une atmosphère bucolique, mais aussi un détour gastronomique où l'on peut savourer un pigeon en crapaudine ou un colvert et son aumônière aux marrons. Sans oublier le gâteau mi-cuit aux chocolats conseillé par le chef pâtissier.

En plein XVIIIe arrondissement, une boulangerie montmartroise est depuis 1974 transformée en

△ Le pavillon de La Grande Cascade (bois de Boulogne), conçu pour Napoléon III, devint restaurant lors de l'Exposition universelle de 1900. Ici, le bar, créé lors de sa restauration en 1988 à partir d'éléments anciens.

un ensemble de boudoirs bourgeois de la fin du XIXe siècle à l'enseigne de Beauvilliers ; c'est à Édouard Carlier que l'on doit cette illustre réincarnation. Trois salons – le salon des Portraits, le salon des Moulins et celui des Bouquets de mariée – croulent sous de gigantesques compositions florales, que multiplient les reflets des miroirs et des plafonds laqués. Un cadre d'un raffinement capiteux pour des plats de qualité, comme ces petits filets de rouget grillés en escabèche. Se charger du bonheur de leurs clients et de leur bien-être le temps d'un repas, telle est la mission irremplaçable que le très éminent gastronome Brillat-Savarin assignait aux restaurateurs. Ainsi participent-ils à la pérennité du bon goût et au rayonnement de la culture française.

△ En haut, les trois terrasses ombragées du Beauvilliers. L'officier de bouche du comte de Provence, Antoine Beauvilliers, a trouvé en Édouard Carlier, deux cents ans plus tard, un digne successeur.

△ L'Ambroisie est installé dans l'ancien hôtel de Luynes, qu'habita Rachel, la célèbre tragédienne. Ci-dessus, son chef et directeur, Bernard Pacaud, devant le somptueux bouquet qui orne la grande salle.

*C'est qu'en vérité je ne sais point
de ville au monde où la rêverie
ambulatoire soit plus agréable
qu'à Paris. [...] Il y a dans l'air,
dans l'aspect, dans le son de Paris,
je ne sais quelle influence particulière
qui ne se rencontre point ailleurs.*

GEORGE SAND, *la Rêverie à Paris*

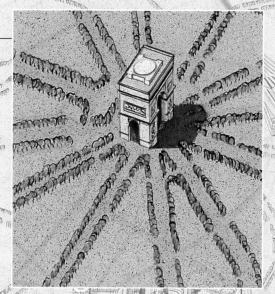

Arc de triomphe de l'Étoile

Palais-Bourbon (Assemblée nationale)

Église de la Madeleine

Palais de la Bourse

LA VILLE IMPÉRIALE

Le Consulat et l'Empire (1799-1815)

Après dix années de révolution (1789-1799) durant lesquelles troubles civils et guerres aux frontières absorbent les énergies et les ressources, Paris retrouve la paix et la prospérité sous l'autorité du Premier consul, qui se proclame empereur en 1804. Parvenu au pouvoir grâce à son génie militaire, Napoléon Ier souhaite faire de Paris la capitale de l'Europe et entreprend de la doter de voies nouvelles et de monuments à sa gloire. Il amorce le grand axe est-ouest avec le percement de la rue de Rivoli et prépare la perspective qui fait aujourd'hui l'admiration du monde entier, de l'arc de triomphe du Carrousel à celui de l'Étoile par la place de la Concorde et les Champs-Élysées. Des arcs inspirés de la Rome antique et qui, avec les colonnes érigées place du Châtelet et place Vendôme, exaltent la grandeur guerrière de la France et de son souverain.

Mais l'Empereur est également soucieux du bien-être des Parisiens. Il crée de nouveaux ponts sur la Seine pour faciliter la circulation entre les deux rives, multiplie les fontaines publiques, car l'eau est rare et chère, s'occupe de la voirie et de l'hygiène, développe le réseau d'égouts et fait ouvrir des cimetières à l'extérieur de la ville, dont le célèbre Père-Lachaise.

L'économie renaissante des lendemains de la Révolution exploite un nouveau type d'espace commercial, les passages, ceux des Panoramas et du Caire en constituant de prestigieux exemples.

De nouveaux styles s'affirment durant ces quelques années. L'expédition d'Égypte (1798-1799) suscite un regain d'intérêt pour l'exotisme, et une floraison de monuments s'inspirent de l'antique civilisation des bords du Nil. La décoration intérieure est aussi influencée par le style néo-antique pompéien et ses grâces champêtres. Mais ce qui caractérise surtout l'Empire, ce sont des formes simples et sévères, un classicisme austère dérivé de David et des architectes de l'époque de Louis XVI, qui se concrétisent dans les façades du Palais-Bourbon, de l'église de la Madeleine, du palais de la Bourse et de la galerie Napoléon, au Louvre.

La ville impériale

LES VICTOIRES DE NAPOLÉON
Fontaine du Palmier, place du Châtelet (Ier et IVe)

Élevée au centre même de l'emplacement occupé jusqu'au début du XIXe siècle par le Grand Châtelet – qui, avant d'être démoli, en 1802, défendait l'accès à la rive droite et servait de centre administratif, de tribunal et de prison –, la fontaine du Palmier ou de la Victoire est l'une des quinze fontaines commandées par Napoléon. Elle est dominée par une colonne au fût orné de feuilles de palmier. Sur des bagues sont inscrites les victoires des campagnes d'Égypte et d'Italie. Édifié de 1806 à 1808 sous la direction de Bralle, ce gracieux monument est entouré à sa base de quatre figures allégoriques se tenant par la main, dues au ciseau du sculpteur Bosio : la Prudence, la Tempérance, la Justice, la Force. L'eau jaillit de becs de dauphins et de cornes d'abondance. Lors de l'agrandissement de la place du Châtelet, en 1858, la fontaine fut déplacée de 12 mètres vers l'ouest, pour occuper le centre exact de la nouvelle place, et fut dotée d'un soubassement orné de sphinx dessiné par Davioud.

L'univers british de Marks & Spencer

C'est en 1882 qu'un jeune réfugié lituanien, du nom de Michael Marks, s'installe au Royaume-Uni et y ouvre son premier Penny Bazaar. L'affaire étant prospère, il s'associe en 1894 avec Tom Spencer pour créer la société Marks & Spencer.

Si cette chaîne comprend aujourd'hui plus de six cents magasins à travers le monde, c'est à Paris qu'elle a tenté, en 1975, sa première installation outre-Manche. Bien que situé sur le « mauvais côté » du boulevard Haussmann – « Ils sont fous, ces Anglais », disait-on à l'époque –, le magasin connaît rapidement un vif succès.

Depuis 1994, les Parisiens de la rive gauche peuvent profiter à leur tour, à deux pas de la place du Châtelet, du charme de ce magasin résolument *british*. De multiples petits signes – décoration aux couleurs pastel, tenue impeccable des vendeurs, et bien sûr produits proposés – indiquent qu'ici le client n'est plus tout à fait en France. Rien de plus facile que d'adopter le look d'un véritable citoyen britannique en sélectionnant çà et là quelques articles typiques : veste en tweed, caban en pure laine, shetland, pardessus en cachemire… Et les Parisiennes connaissent bien le rayon lingerie, qui propose de jolis caracos en satin, des bodies en dentelle et des déshabillés soyeux à des prix souvent fort attractifs. Mais c'est lorsque l'on fouine au rayon alimentation, où abondent thés, marmelades, biscuits, muffins et trifles, que le dépaysement est assuré.

Au sommet de la fontaine du Palmier se dresse une Victoire, bras tendus, portant des couronnes de laurier. L'œuvre est due au sculpteur Bosio.

Le prince Eugène à l'hôtel de Beauharnais

Actuelle ambassade d'Allemagne, 78, rue de Lille (VIe)

Le fronton du portique de l'hôtel de Beauharnais est orné d'un soleil ailé flanqué de deux uræus, symbole des pharaons.

🔑 Le 20 mai 1803, Eugène de Beauharnais, fils de Joséphine – l'épouse du Premier consul Napoléon Bonaparte –, achète l'hôtel de Torcy, édifié par Boffrand au début du XVIIIe siècle pour Jean-Baptiste Colbert, marquis de Torcy. Nommé dès 1804 vice-roi d'Italie, le prince Eugène, alors âgé de vingt-trois ans, fait remettre à neuf les bâtiments, puis renouveler leur décoration et leur mobilier.

L'hôtel est épisodiquement habité par des invités de marque – le roi Jérôme de Westphalie, le roi Maximilien-Joseph de Bavière –, Eugène, retenu en Italie, n'y résidant que de mars à juillet 1811 et en avril 1812.

À LA MODE ÉGYPTIENNE

L'extérieur du bâtiment – une austère façade dont se détache un simple avant-corps – n'a été que légèrement modifié par l'adjonction d'un porche en bois recouvert de stuc à l'imitation d'un temple égyptien, sacrifice à la mode qui sévissait depuis l'expédition de Bonaparte en Égypte, à laquelle Eugène avait pris part. Les piliers latéraux portent des divinités égyptiennes en relief, et le centre du fronton est soutenu par deux colonnes en forme de papyrus.

C'est sous la surveillance de l'impératrice Joséphine que s'effectue la rénovation de l'intérieur, dans un style néo-égyptien mâtiné de néoclassique pompéien et parsemé de trophées guerriers évoquant la gloire militaire de l'Empire. Le grand salon des Quatre Saisons est orné de peintures attribuées à Pierre Paul Prud'hon ou à Anne Louis Girodet, peintres favoris de l'impératrice. Le somptueux mobilier relève des plus belles productions de l'époque impériale.

DE LA LÉGATION ROYALE DE PRUSSE À L'AMBASSADE D'ALLEMAGNE

Resté fidèle à Napoléon Ier, Eugène de Beauharnais subit les conséquences de la chute de l'Empire et finit ses jours à Munich, où il est assigné à résidence. La Prusse, locataire de son hôtel depuis 1816 – elle y a installé sa représentation diplomatique –, l'achète en 1818. Les plus grands noms de la noblesse prussienne, dont Otto von Bismarck, habiteront l'hôtel. Le 17 janvier 1863, la légation est élevée au rang d'ambassade. C'est à l'un des meilleurs architectes du temps, Jakob-Ignaz Hittorff, qui en assura alors les travaux d'entretien et de restauration, que l'on doit la conservation d'une grande partie de la décoration et du mobilier d'origine.

Préservé des saccages de la Commune grâce à la protection des États-Unis, l'hôtel de Beauharnais devient ambassade de l'Empire allemand en décembre 1871, puis de la République de Weimar, et enfin du IIIe Reich. Confisqué par le gouvernement français à la Libération, l'hôtel de Beauharnais est restitué à la République fédérale d'Allemagne le 26 mars 1962 et redevient la résidence de l'ambassadeur de ce pays.

La chambre à coucher de la reine Hortense à l'hôtel de Beauharnais et, en détail, un portrait par François Gérard de son frère, Eugène de Beauharnais.

La ville impériale

LA RUE DES COLONNES ▽
(IIᵉ)

La rue des Colonnes est l'un des exemples les plus importants de l'urbanisme parisien à la fin de la Révolution. Elle a été édifiée en majeure partie dès 1795, par l'architecte Joseph Bénard et l'entrepreneur Pierre Fichet, à l'emplacement de l'hôtel de Verneuil, afin de faciliter l'accès au théâtre Feydeau. Longue à l'origine d'environ 90 mètres, pour une voie large de près de 8 mètres, elle se caractérise par une enfilade d'arcades reposant sur des colonnes – trente-six de chaque côté lors de sa création. La décoration est d'une grande austérité : fûts de colonne inspirés de Paestum, arcades à glyphes et palmettes, balcons au premier étage. Les façades se distinguent, en outre, par la diminution progressive de la hauteur des étages.
Le percement des rues de la Bourse et du Quatre-Septembre a fait perdre à la rue des Colonnes son unité architecturale.

TEMPLE ÉGYPTIEN À LA FONTAINE DU FELLAH △
42, rue de Sèvres (VIIᵉ)

En 1806, Napoléon Iᵉʳ décide d'améliorer l'approvisionnement en eau des Parisiens grâce à quinze nouvelles fontaines publiques. Alimentée à l'origine par la pompe du Gros-Caillou, la fontaine dite du Fellah ou de l'Égypte fait partie de ce programme. Elle sacrifie à l'égyptomanie en vogue depuis l'expédition de Bonaparte en 1798. La statue de pierre, inspirée d'un Antinoüs découvert dans les vestiges de la villa Hadriana à Tivoli, est habillée à l'égyptienne : vêtu d'un pagne et arborant le pschent des pharaons, l'homme verse dans le bassin l'eau de deux amphores. Le petit monument qui l'abrite adopte la forme d'un temple, au-dessus duquel un aigle déploie largement ses ailes. À la base du bassin de pierre, un mascaron à tête de lion rejette le trop-plein d'eau. La statue actuelle n'est pas celle qu'exécuta Beauvallet en 1805, mais une médiocre copie faite en 1844. La maquette en plâtre, grandeur nature, se trouve en face de l'atelier du sculpteur Rude, dans la cour du 18 bis, rue Henri-Barbusse.

Le quartier du Sentier

Ni monuments publics à visiter ni trésors architecturaux à découvrir dans le quartier du Sentier, qui occupe la partie nord-est du IIᵉ arrondissement. Chaque matin, le spectacle est dans ses rues étroites, groupées aux alentours des boulevards Poissonnière et Bonne-Nouvelle, des rues Montmartre et Réaumur, et du boulevard Sébastopol : voitures étroitement serrées les unes contre les autres et foule bigarrée les transforment en une véritable fourmilière. Mais l'animation bruyante qui règne ici est loin d'être oisive.
Les bras lourdement chargés de vêtements, les chauffeurs-livreurs en provenance de tous pays se faufilent prestement dans le dédale des rues. Vite, comme si la mode n'attendait pas. Car nous sommes au royaume de la confection : Naf-Naf, Chevignon…, bien des fortunes se sont bâties ici.

C'est là aussi que vécurent quelques personnages célèbres : Jeanne Poisson, la future marquise de Pompadour, naquit rue de Cléry et élut domicile rue du Sentier. De 1665 à 1685, Corneille demeura également rue de Cléry, où il écrivit de nombreuses pièces. D'autres y connurent une fin tragique : Jean Jaurès fut assassiné le 31 juillet 1914 à La Chope du croissant, un café situé au 146 de la rue Montmartre et qui a conservé de nombreux souvenirs de l'homme politique.
Ce sont les travaux du préfet Haussmann, avec les percées de la rue Réaumur et du boulevard Sébastopol, qui ont donné au quartier – il resta calme et aéré jusqu'à la fin du XIXᵉ siècle – son aspect définitif. L'origine de son appellation n'est pas avérée : il pourrait évoquer le sentier conduisant aux remparts, à moins qu'il ne provienne du mot chantier…

Composé de trois galeries (Saint-Denis, Sainte-Foy et du Caire), le passage couvert du Caire est l'un des plus anciens de Paris. Il fut ouvert à l'emplacement du couvent des Filles-Dieu, vers la fin de 1798. Le 23 juillet, Bonaparte avait fait son entrée au Caire après la bataille des Pyramides, et le passage prit le nom de la capitale de l'Égypte soumise. Les noms de plusieurs autres voies du quartier commémorent aussi l'expédition d'Égypte : rues d'Aboukir, d'Alexandrie, de Damiette, du Nil.

ÉGYPTOMANIE CHEZ LES COMMERÇANTS

Désireux de doter leur passage d'un accès prestigieux, les commerçants et industriels associés pour sa création répugnaient cependant à gaspiller leur argent dans l'édification d'un monument inutile. Pour donner toutefois un cachet particulier à l'endroit, ils firent décorer d'une manière spectaculaire la maison sous laquelle s'ouvrait le passage. Au deuxième étage, entre les fenêtres, la tête de la déesse égyptienne Hathor, avec ses oreilles de vache caractéristiques, est sculptée à trois reprises, surmontée d'un dais représentant la porte qui figure dans les chapiteaux dits hathoriques. Au-dessus, sur toute la largeur de l'édifice, court une frise portant des personnages et des chars dans le style des fresques de l'Égypte antique. On y remarque un homme au nez énorme : il s'agirait du peintre Bouginier, dont l'appendice, objet de plaisanteries, aurait été ainsi immortalisé par un camarade d'atelier. Les trois étages supérieurs présentent des arcatures trilobées, gothiques et romanes, dont la juxtaposition accentue encore l'exotisme de la façade.

SOBRIÉTÉ ET ÉCONOMIE

Œuvre de l'architecte Prétrelle, le passage du Caire offre des façades intérieures très sobrement traitées, et la verrière, d'une extrême simplicité, n'a de spectaculaire que la rotonde d'intersection des galeries. En revanche, le dispositif d'aération est original : au-dessus de l'entresol est ménagé un vide à l'air libre donnant sur le passage par un oculus ; ce dispositif se répète toutes les trois boutiques.

Conçu avant tout dans un esprit d'économie, le passage du Caire ne compte que des boutiques plutôt modestes. En 1818, Collin de Plancy observe que « les denrées y sont moins chères qu'au Palais-Royal, parce que le logement y est d'un faste moins dispendieux, et que les boutiques en sont moins fréquentées ». Sous Louis-Philippe, il semble affecté surtout aux ateliers de lithographie et aux magasins de cartonnages, le commerce de luxe s'étant déplacé vers l'ouest. Évolution qui se poursuit sous le Second Empire, à tel point que, le 26 avril 1892, le journal *le Gaulois* peut affirmer : « On ne va plus visiter le passage du Caire. » La confection a aujourd'hui tendance à l'accaparer.

La rotonde d'intersection des galeries du passage du Caire.

Trois têtes de la déesse Hathor décorent la façade de l'immeuble du 2, place du Caire.

La ville impériale

Un axe est-ouest pour Paris ▷
Rue de Rivoli (Ier et IVe)

Le percement de la rue de Rivoli s'inscrit dans un projet séculaire d'axe est-ouest pour Paris. En 1757, Louis XV ordonna la création d'une voie « en accompagnement » de la place Louis-XV (aujourd'hui place de la Concorde). Quelques années plus tard, Soufflot propose d'aménager une rue entre le palais du Louvre et l'Oratoire, la future rue de Marengo. Mais la réalisation de ces projets achoppe sur le coût très élevé des expropriations. La nationalisation des biens du clergé, à la Révolution, livre à l'État de vastes espaces occupés par les couvents de l'Assomption, des Feuillants et des Capucins.

ARCADES À L'ITALIENNE

Le 12 novembre 1802, les architectes favoris de Napoléon, Percier et Fontaine, dressent le premier plan de la nouvelle voie, dont le nom rappelle la victoire de Bonaparte en janvier 1797. Le percement de la rue entre la place de la Concorde et le Louvre est achevé en janvier 1804. En 1807, Auguste-Marie Beudot, entrepreneur des Bâtiments de la Couronne, fait triompher son projet d'immeubles avec arcades, qui évoquent celles de Bologne, Padoue ou Turin, et pendant vingt ans l'État exonère d'impôt foncier les maisons construites. La construction privée se développe surtout sous la Restauration, et la rue est pratiquement achevée jusqu'au numéro 188 à la veille de la révolution de 1830. La prolongation vers l'est de la rue de Rivoli est décidée en 1848. Les travaux atteignent la rue de Sévigné en 1856, reliant la rue de Rivoli à la rue Saint-Antoine. L'axe est-ouest est achevé, complété à l'ouest par les Champs-Élysées, à l'est par la rue du Faubourg-Saint-Antoine et le cours de Vincennes.

Fontaine du Château-d'Eau ◁
Place de la Fontaine-aux-Lions (XIXe)

Directeur des travaux du canal de l'Ourcq, Pierre-Simon Girard conçut cette fontaine en 1811 à l'intersection des rues de Bondy (actuelle rue René-Boulanger), Neuve-Saint-Nicolas (du Château-d'Eau), Samson (de la Douane) et du boulevard Saint-Martin. Simple mais de vastes dimensions, elle comporte, au centre d'un bassin circulaire de 13 mètres de diamètre, trois réservoirs concentriques en pierre superposés en gradins, ornés de quatre couples de lions en fonte. L'eau jaillit de leur gueule ainsi que du cornet qui surmonte les deux vasques superposées reposant sur un piédouche au centre du bassin supérieur. Cet ensemble fut appelé fontaine du Château-d'Eau, bien qu'il n'y eût aucun château d'eau et que l'approvisionnement se fît par le canal tout proche. Avec la création de la place du Château-d'Eau en 1865, rebaptisée place de la République en 1879, la fontaine de Girard fut jugée trop petite, démontée et installée en 1867 au marché aux bestiaux de la Villette, à l'emplacement qu'elle occupe toujours.

Coupole métallique à la halle au blé ▷
Actuelle Bourse de commerce, 2, rue de Viarmes (Ier)

À l'emplacement de l'hôtel construit vers 1571 par Jean Bullant pour Catherine de Médicis – il fut nommé hôtel de Soissons en 1606, quand Charles de Bourbon, comte de Soissons, s'y installa – fut édifiée, à partir de 1763, une halle au blé circulaire, sous la direction de l'architecte Le Camus de Mézières. Legrand et Molinos la firent couvrir en 1782 d'une splendide coupole à charpente en bois due à Roubo. Elle fut détruite par un incendie le 16 octobre 1802 et Napoléon Ier ordonna de la reconstruire. Contre l'avis de la commission, qui souhaitait une coupole en pierre, l'architecte Bélanger fit adopter un projet de charpente en fer recouverte de cuivre étamé. Ouvert en juin 1810, le chantier fut achevé en juillet 1813 à la satisfaction générale et on put lire dans le *Journal de l'Empire* du 3 juillet 1813 : « On voit maintenant à découvert, presque dans toute son étendue, l'intérieur de la magnifique coupole de la halle au blé ; elle est parfaitement éclairée, et la lumière est encore augmentée par la réflexion des feuilles de cuivre qui forment la couverture et dont la surface intérieure est étamée. La carcasse en fer coulé peint en noir offre des rayons très réguliers qui se détachent agréablement sur le fond. » L'installation en 1885 de la Bourse de commerce entraîna de profondes modifications du bâtiment, dont on conserva cependant la coupole.
VOIR AUSSI LA BOURSE DE COMMERCE, p. 315.

Librairies anglaises sous les arcades

Deux des plus célèbres librairies anglaises de la capitale siègent sous les arcades de la rue de Rivoli. Face au jardin des Tuileries, la somptueuse librairie Galignani est l'une des plus anciennes de Paris et l'une des seules aussi à être encore indépendante. Fondée en 1802 par Giovanni Antonio Galignani, descendant d'une illustre famille d'éditeurs italiens, elle se félicite encore aujourd'hui d'avoir favorisé « l'entente cordiale » en accueillant dès son ouverture des clients aussi bien français qu'anglais. C'est dans un cadre somptueux de belles boiseries, entièrement restaurées il y a moins de dix ans, que l'on peut apprécier le vaste choix qu'elle offre. L'endroit doit avant tout sa réputation à son département beaux-arts, riche de multiples volumes en provenance d'Angleterre et des États-Unis. Autre lieu, autre style. Plus près de la place de la Concorde, la librairie Smith propose également, mais dans un cadre plus moderne, de nombreux livres de langue anglaise, des œuvres littéraires aussi bien que des livres scientifiques ou des ouvrages scolaires. Plus de trente-cinq mille volumes auxquels vient s'ajouter un kiosque bien fourni de journaux et de magazines. Ce qui permet aux nombreux touristes anglais de ne pas perdre, durant leur escapade en France, le fil des aventures de la famille royale !
Librairie Galignani et librairie Smith,
224 et 248, rue de Rivoli (Ier).

La rue de Rivoli a fait l'objet d'une ordonnance stricte : les immeubles sont uniformément constitués de trois étages sur rez-de-chaussée, avec un entresol sous arcades et un balcon courant tout le long du premier étage.

Sept arches de 22 mètres composent la nouvelle passerelle des Arts, rouverte au public le 22 mai 1984.

Un pont métallique pour les piétons ▽
Passerelle des Arts (Ier et VIe)

C'est en 1801 que Louis Alexandre de Cessart fait approuver par le Premier consul le projet du plus ancien pont métallique de la capitale. Édifiée de 1802 à 1804, réservée aux piétons moyennant un droit de péage d'un sou, surélevée par rapport aux quais, la passerelle présente à l'origine l'aspect d'un véritable jardin suspendu grâce aux arbustes et aux fleurs qui l'ornent en toute saison. Elle porte le nom de pont des Arts car le Louvre est alors appelé palais des Arts. Ses neuf arches en fonte, d'une portée uniforme de 17,30 m, composées chacune de cinq fermes, font l'objet de vives critiques à cause de la gêne qu'occasionne à la navigation leur ouverture insuffisante, provoquant de fréquents accidents. En 1852, lors de la construction de l'écluse de la Monnaie et de l'élargissement du quai de Conti, l'arche et la pile attenantes à la rive gauche sont supprimées et la deuxième travée est portée à 22 mètres pour en faire une arche marinière. Menacée de destruction à chaque fois qu'elle est endommagée par une péniche, notamment en 1961, 1970 et 1979, la passerelle des Arts, qui s'était effondrée sur 60 mètres de long le 29 octobre 1979, a été reconstruite.

Le Tout-Paris
au passage des Panoramas △ ▷
11, boulevard Montmartre (IIe)

Entre les deux rotondes construites en 1799 par James Thayer pour abriter des toiles des panoramas de Paris et du siège de Toulon par Bonaparte en 1793 – placé au centre de la rotonde, le spectateur était entouré par les peintures – fut ouvert le passage des Panoramas, bordé de boutiques. Mais, les propriétaires ayant négligé de renouveler les sujets exposés, la clientèle déserta les lieux, et les rotondes du boulevard Montmartre furent démolies en 1831. Le passage – une allée couverte avec une seule ramification et un étage sous toiture éclairé par des jours vitrés ménagés dans la charpente – fut transformé en 1834 lors du prolongement de la rue Vivienne : rangée d'immeubles en bordure de la nouvelle voie, dont les boutiques ouvraient sur la rue et sur le passage, et nouvelles ramifications – galeries des Variétés, Saint-Marc, de la Bourse, Feydeau, Montmartre.

UN CENTRE COMMERCIAL
La vogue durable du passage des Panoramas s'explique largement par la proximité des boulevards. Il offrait en outre un raccourci entre le quartier du Palais-Royal et le faubourg Montmartre, en plein essor. C'est là qu'eurent lieu, en décembre 1816, les premiers essais d'éclairage au gaz. Le commerce de luxe y attirait Parisiens et provinciaux. L'ouverture, en 1845, du passage Jouffroy, de l'autre côté du boulevard, tout en lui faisant concurrence, accrut sa fréquentation. Vers 1890, il compte des commerces parmi les plus prestigieux de la capitale : le graveur Stern, le chocolatier Marquis, le marchand d'éventails de luxe Duvelleroy, le libraire Rahir... En 1912, selon *le Gaulois* du 17 mars, le passage des Panoramas demeurait « peut-être, de tous les passages de Paris, celui qui a conservé quelque chose de son ancienne splendeur ».

En haut, à gauche, l'intérieur de la boutique du graveur Stern, qui, depuis la fin du XIXe siècle, fournit de splendides cartes de visite gravées. Ci-dessus, le passage des Panoramas.

Des chaussures irréprochables

Parce qu'il n'existe pas de véritable élégance sans chaussures irréprochables, certains hommes d'affaires du quartier de la Bourse se rendent régulièrement au salon cireur de la rue Vivienne. L'endroit ressemble à un petit fumoir coquet et douillet : tentures bordeaux, fauteuils de cuir noir – l'exacte reproduction de ceux qui trônent à la Chambre des lords –, lumière tamisée et musique douce... Seules une centaine de chaussures rutilantes trahissent la fonction de ce drôle de lieu. En sept minutes, le cireur dépoussière la chaussure avec un gant lustreur, applique au palot un peu de cirage en pâte, brosse énergiquement, et termine l'opération par un lustrage à la peau de chamois. Confortablement installé, le client s'offre un moment privilégié de détente et de repos, en sirotant un café ou en lisant un des quotidiens mis à sa disposition. La séance sera plus longue, une vingtaine de minutes, s'il s'agit d'un glaçage, dont la technique s'inspire de celle du vernis au tampon pour les tableaux. Quelques amateurs de chaussures demandent enfin au patron, ancien architecte et propriétaire de plus de deux cents paires de souliers, une technique secrète qui donne une âme aux chaussures neuves : la patine...
Salon cireur, 45, rue Vivienne (IIe).

Pont de la Concorde ◁
(Ier, VIIe et VIIIe)

Depuis le début du XVIIIe siècle, mettre en communication les faubourgs Saint-Honoré et Saint-Germain par un ouvrage d'art est devenu une nécessité. Après l'achèvement de la place Louis-XV (de la Concorde), le roi accepte le projet de pont en pierre de Jean Rodolphe Perronet : le pont Louis-XVI est ouvert à la circulation en novembre 1791. Après le 10 août 1792, il est rebaptisé pont de la Révolution, puis pont National, et enfin pont de la Concorde, en 1795. La légende raconte que des pierres de la Bastille auraient été utilisées pour sa construction. L'ouvrage – cinq arches d'ouverture inégale s'appuyant sur des piles minces, avec des parapets formés de balustres identiques à ceux de la place de la Concorde – comporte seize dés de pierre destinés à des statues, mais les péripéties politiques en modifient sans cesse le choix entre 1791 et 1795. Napoléon Ier commande les statues de généraux morts au combat – quatre d'entre elles seulement seront réalisées –, Louis XVIII veut des hommes d'État, des militaires et des marins d'Ancien Régime. Mises en place en 1827, mais trop grandes, ces statues déparent le pont, et Louis-Philippe les fait enlever. Entre 1929 et 1931, des travaux permirent d'élargir l'ouvrage de 15,60 m à 35 mètres.

Ci-dessous, le pont d'Iéna et l'un de ses groupes sculptés : un guerrier grec et son cheval.

Victoire sur la Prusse ◁ ▽
Pont d'Iéna (VIIe et XVIe)

Achevé en décembre 1813, le pont d'Iéna glorifie la victoire remportée à Iéna le 14 octobre 1806 par l'armée napoléonienne sur la Prusse. L'architecte, Corneille Lamandé, avait prévu un pont en fer, mais son projet fut rejeté au profit d'un pont en pierre de taille à cinq arches de 28 mètres d'ouverture. Les tympans des arches sont sculptés d'aigles aux ailes déployées par Jean-François Mouret. Mais Louis XVIII les fait remplacer par son monogramme et rebaptise l'ouvrage pont des Invalides afin de dissuader le général prussien Blücher de faire sauter ce symbole de la défaite de son pays. En 1852, Antoine Louis Barye sculpte à nouveau des aigles, et, à partir de 1853, quatre groupes guerriers sont installés deux à deux à chaque entrée du pont : le gaulois d'Auguste Préault et le romain de Louis Daumas sur la rive gauche, l'arabe de Jean-Jacques Feuchère et le grec de François Devault sur la rive droite. De 14 mètres, le pont est élargi à 35 mètres entre 1934 et 1937.

ARC DE TRIOMPHE DU CARROUSEL ▷ ▽
Place du Carrousel (Ier)

👁 Le 13 février 1806, au cours d'un repas auquel participe l'architecte Fontaine, Napoléon Ier décide de faire déblayer l'espace situé entre le Louvre et les Tuileries pour édifier un arc de triomphe entre ces deux palais. L'affaire est menée rondement : le 26 février, un décret décide la construction de l'arc du Carrousel, le 12 mars, Fontaine propose ses plans et, le 19 avril, il présente un devis détaillé. La première pierre est posée le 7 juillet. De retour de Pologne, le 26 novembre 1807, la Garde impériale défile sous un arc inachevé. Menés sous la houlette de Vivant Denon, directeur du musée du Louvre, les travaux sont terminés à la fin de 1808.

TRIOMPHE À LA ROMAINE
Conçu et dessiné par les architectes favoris de l'empereur, Percier et Fontaine, l'arc de triomphe du Carrousel s'inspire de celui de Septime Sévère à Rome. Percé de trois arcades, il est flanqué de huit colonnes corinthiennes, surmontées chacune d'une statue de soldat de la Grande Armée : du côté du Louvre, de gauche à droite, un cuirassier, un dragon, un chasseur à cheval et un grenadier à cheval ; du côté des Tuileries, un grenadier, un carabinier, un canonnier et un sapeur. La tradition veut que le sapeur soit à l'effigie de Mariole, qui se fit remarquer à Tilsit en présentant les armes avec une pièce de quatre (un canon) au lieu de son fusil. Six bas-reliefs relatent la campagne de 1805 : capitulation d'Ulm et bataille d'Austerlitz vers le Louvre, entrée à Munich et entrevue de Napoléon Ier et de François II d'Autriche vers les Tuileries, entrée à Vienne vers la rue de Rivoli, et paix de Presbourg vers la Seine.

UNE SINGULIÈRE MODESTIE
Vivant Denon a l'idée de couronner l'édifice avec les célèbres chevaux antiques du temple du Soleil à Corinthe dont Bonaparte a dépouillé Saint-Marc de Venise en 1797 – ils s'y trouvaient depuis que le doge Dandolo s'en était emparé, au XIIIe siècle – pour les mettre au Louvre. Il les fait mener par les allégories de la Victoire et de la Paix, les attelle à un char où trône une statue de l'empereur. Mais

Le bas-relief de la capitulation d'Ulm sur l'arc de triomphe du Carrousel.

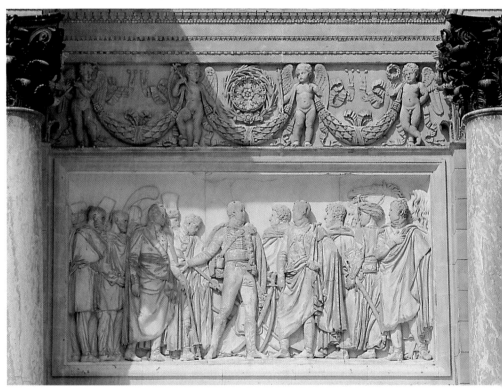

FONTAINE DE MARS Δ
129-131, rue Saint-Dominique (VIIe)

👁 La fontaine de Mars – ou du Gros-Caillou, car elle est à l'origine alimentée par la pompe du Gros-Caillou, toute proche – est l'une des quinze nouvelles fontaines décidées par Napoléon en 1806. Sa situation, devant l'hôpital de la Garde impériale, ex-hospice des gardes-françaises, explique le thème choisi ainsi que l'aspect martial et austère du monument édifié par Bralle et sculpté par Pierre Nicolas Beauvallet : Hygie, déesse de la santé, offre à boire à un Mars casqué, arborant une moustache et des favoris semblables à ceux des grognards hospitalisés à proximité. Sur les trois autres côtés de la fontaine, des vases anciens présentent sur leurs flancs des scènes bachiques. L'eau jaillit d'un seul mascaron en bronze, les trois autres n'étant là que par souci de symétrie. En 1859, une petite place à arcades a remplacé le demi-cercle de peupliers dont elle constituait le centre.

Un peuple de statues

En redessinant le jardin à l'italienne de Catherine de Médicis autour du palais des Tuileries, André Le Nôtre donne au parc son esprit classique et construit les deux terrasses des Feuillants et du-Bord-de-l'Eau. Les premières statues d'Antoine Coyzevox et des frères Coustou sont apportées de Marly : ce sont aujourd'hui des copies, minutieusement reconstituées par les ateliers de moulage du Louvre, les originaux étant conservés au musée. De nombreuses autres statues sont installées sous Louis-Philippe et Napoléon. En 1964-1965, André Malraux fait remodeler le parc : d'imposantes et sensuelles statues en plomb

Napoléon Iᵉʳ refuse catégoriquement cette apothéose : « Je n'ai jamais voulu, ni ordonné, que l'on fît de ma statue le sujet principal d'un monument élevé... à la gloire de l'armée que j'ai eu l'honneur de commander. » On enlève la statue – elle se trouve aujourd'hui à la Malmaison –, et le char reste vide. En 1815, les Alliés détruisent le char, font supprimer les bas-reliefs et restituent les chevaux du Soleil à la cathédrale Saint-Marc de Venise, où ils se trouvent toujours.

En 1828, Charles X fait installer au sommet de l'arc une copie des chevaux et du char, remonter les statues de la Victoire et de la Paix et installer sur le char une troisième allégorie, *la Restauration présentant la Charte*. Les bas-reliefs enfin furent remis en place en 1830.

L'arc de Triomphe du Carrousel et l'architecte Fontaine, qui le dessina en collaboration avec Percier.

fondu du sculpteur Maillol sont alors disposées dans le jardin du Carrousel. Trois œuvres contemporaines signées Alain Kirili, Sandro Chia et Jean-Michel Alberola apparaissent durant l'été 1986. Les grands travaux effectués ces dernières années ont modifié l'implantation de la statuaire et remplacé la plupart des originaux par des moulages. Ce qui n'empêche pas le promeneur de goûter au charme mélancolique de ces « ombres de pierre », comme les appelait si joliment Baudelaire, et de rencontrer au hasard de ses déambulations des personnages de l'histoire ou de la mythologie – Agrippine, Hannibal, Diane, Apollon, Hercule, Thésée, Spartacus...

FONTAINE DE LÉDA ▷

Dos de la fontaine de Médicis, jardin du Luxembourg (VIᵉ)

En 1636, un regard surmonté d'un petit édifice est installé dans le Petit Chemin herbu – rue du Regard depuis 1667 – afin de contrôler les eaux sortant des bassins du jardin du Luxembourg ; il est démoli en 1792. À son emplacement, en 1806-1807, Napoléon Iᵉʳ fait édifier une fontaine. Trois têtes de lion crachant de l'eau sont surmontées d'un bas-relief d'Achille Valois, où Léda est couchée, la tête du cygne – Zeus – reposant sur sa cuisse, tandis qu'Éros s'éclipse, remettant une flèche dans son carquois... Le percement de la rue de Rennes condamne la fontaine à la destruction. En 1862, l'architecte Alexandre de Gisors la fait transporter au dos de la fontaine de Médicis, dans le jardin du Luxembourg, et lui adjoint un fronton triangulaire sur lequel reposent deux naïades.

La ville impériale

À LA GLOIRE DE LA GRANDE ARMÉE ▽ ▷

Arc de triomphe de l'Étoile, place Charles-de-Gaulle (VIIIᵉ, XVIᵉ et XVIIᵉ)

Pour commémorer la campagne de 1805 (victoire d'Austerlitz) et célébrer la gloire de la Grande Armée, Napoléon Iᵉʳ décide de faire édifier un arc de triomphe « près du lieu où était la Bastille ». Mais le ministre de l'Intérieur, Champagny, est hostile à ce choix. Il nomme une commission pour déterminer l'endroit approprié, qui se prononce pour la place de la Concorde, alors que lui-même propose la barrière de l'Étoile : de cette éminence, l'arc serait visible de très loin, et notamment des Tuileries, où demeure l'Empereur… Argument habile, qui entraîne l'adhésion de Napoléon. La première pierre est posée pour l'anniversaire de l'Empereur, le 15 août 1806. En dépit des différents architectes – Goust, Huyot, Blouet – qui ont succédé à Chalgrin, créateur du projet originel, et de l'arrivée au pouvoir de Louis-Philippe, la construction de l'Arc de triomphe se poursuivit sans trahir l'esprit de son auteur jusqu'à son inauguration, le 30 juillet 1836.

ARMÉES DE L'EMPIRE ET DE LA RÉPUBLIQUE

C'est l'arc de triomphe le plus important qui ait jamais été réalisé – près de 50 mètres de haut, 45 de large et 22 de profondeur –, d'un volume vingt fois supérieur aux arcs de Septime Sévère et de Constantin à Rome. Fidèle à la tradition classique française, Chalgrin s'est davantage inspiré des portes royales, comme celles de Saint-Denis ou de Saint-Martin, que des édifices romains. L'arcade unique donne au bâtiment une simplicité et une majesté exceptionnelles, tandis que les proportions rigoureuses créent une impression de force et de sérénité. Quatre massifs, unis deux à deux par des passages voûtés, soutiennent une immense arcature. Un large entablement entoure le monument couronné par un attique. C'est à Louis-Philippe que l'on doit l'extension du programme iconographique à la gloire des armées de la République. La façade principale de chacune des quatre piles est ornée à la base d'un grand groupe – *le Départ des citoyens allant défendre la Patrie*, par Rude (*la Marseillaise*), *le Triomphe de Napoléon*, par Cortot, *la Résistance et la Paix*, par Etex –, un groupe secondaire figure sur chacune des façades latérales. Au-dessus de ces groupes, des bas-reliefs, inscrits comme des tableaux dans des cadres moulurés, représentent la mort de Marceau à Altenkirchen, la bataille d'Aboukir, le pont d'Arcole, et la prise d'Alexandrie. Sur le grand entablement se déploient en frise continue *le Départ des armées* et *le Retour des armées*. Enfin, l'attique est décoré de trente boucliers portant le nom de victoires. L'ensemble du monument est couvert des noms de quatre-vingt-seize autres victoires et de six cent soixante officiers supérieurs ayant participé aux guerres de la Révolution et de l'Empire, ceux qui sont tombés au champ d'honneur étant soulignés. L'Arc de triomphe a été associé à tous les grands événements de l'histoire française. Lors du retour des cendres de Napoléon Iᵉʳ, le 15 décembre 1840, le sarcophage fut exposé sous la voûte. Sous le Second Empire, alors qu'était aménagée la place de l'Étoile, la tradition s'instaure d'y recevoir les souverains étrangers en visite officielle. Le cercueil de Victor Hugo fait une halte sous la voûte le 31 mai 1885. Depuis le 11 novembre 1920, la dépouille du Soldat inconnu repose sous l'Arc de triomphe et la flamme du souvenir y brûle depuis le 11 novembre 1923.

Ci-contre, derrière la masse imposante de l'Arc de triomphe se profile la Grande Arche de la Défense. Ci-dessous, le Départ des citoyens allant défendre la Patrie, ou la Marseillaise, par Rude, côté Champs-Élysées.

Le quartier de la presse quotidienne

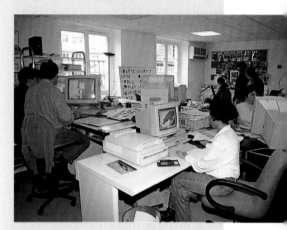

LE TEMPLE DE L'ARGENT ▽
Palais de la Bourse, place de la Bourse (IIe)

Depuis sa création officielle en 1724, la Bourse avait été installée à divers endroits peu adaptés à sa fonction : cour de la Compagnie des Indes, rue Vivienne, appartements d'Anne d'Autriche au Louvre de 1794 à 1796, église Notre-Dame-des-Victoires jusqu'en 1809, puis Palais-Royal et, de 1818 à 1826, magasin de décors de l'Opéra, rue Feydeau.
En 1806, Napoléon Ier confie à Alexandre Théodore Brongniart la réalisation d'un bâtiment où seraient réunis la banque, la Bourse et le commerce, et où agents de change et courtiers de commerce exerceraient leurs activités. L'Empereur choisit l'emplacement de l'église de la Madeleine, mais il l'affecte finalement à un temple de la Gloire dédié à la Grande Armée. Le 16 mars 1808, il se détermine pour des terrains ayant fait partie du couvent des Filles-Saint-Thomas, rue Vivienne, et décide de réunir dans un même bâtiment la Bourse et le tribunal de commerce.

LES HEURES GLORIEUSES DE LA CORBEILLE

Dès 1801, Alexandre Théodore Brongniart avait dressé des plans pour une Bourse en croix latine. Lors du concours d'architectes, il triomphe de son concurrent Vignon, mais adopte le plan en forme de rectangle que ce dernier avait établi pour la Madeleine. À la mort de Brongniart, en 1813, c'est Éloi de Labarre qui reprend – et achève, en 1826 – les travaux de ce temple de l'Argent de style antique, de 69 mètres de long sur 41 de large, précédé par un perron, orné d'un fronton et entouré d'une colonnade corinthienne. Deux squares le flanquent au nord et au sud, sacrifiés entre 1902 et 1907 pour adjoindre deux ailes à l'édifice, déjà trop petit.
Au rez-de-chaussée, la majestueuse salle des échanges – haute de 25 mètres, éclairée par une verrière et ornée de peintures allégoriques en grisaille de Charles Meynier et Abel de Pujol –, où trônait la corbeille, est aujourd'hui désertée. C'est dans la salle des ordinateurs que se déroule l'épopée quotidienne de la Bourse. Au premier étage, qui abrita le tribunal de commerce jusqu'en 1865, les peintures allégoriques sont dues à Auguste Vinchon et Merry Joseph Blondel.

Les deux ailes ajoutées à la Bourse au début du xxe siècle ont bouleversé ses proportions et lui ont donné une forme en croix grecque.

Le soir, vers 18 heures, alors que les financiers de la Bourse terminent leur journée en buvant une bière à la brasserie Feydeau, les journalistes commencent à s'agiter, pressés par l'imminence du bouclage. Car le quartier de la Bourse est aussi celui de la presse : depuis la seconde moitié du xixe siècle s'y sont en effet regroupés les plus grands quotidiens nationaux.
C'est rue Saint-Marc, dans les bureaux du journal *le National*, que Thiers, son fondateur, rédigea le manifeste contre les ordonnances suspendant la liberté de la presse qui fut à l'origine de la révolution de 1830. *L'Illustration*, entre 1844 et 1872, *l'Humanité* – fondé par Jaurès en 1904 – et plus tard *l'Aurore* s'installèrent rue de Richelieu. *France-Soir* occupa tout un immeuble au 100, rue Réaumur. Le journal *le Temps*, créé au début du xixe siècle, emménage en 1912 rue des Italiens, dans les locaux qu'occupera *le Monde* de 1944 à 1990. Sans oublier les agences de presse telles Fournier, disparue en 1930, Havas et surtout l'agence France-Presse, toujours installée place de la Bourse. De nombreux titres sont aujourd'hui exilés vers la banlieue ou dans des quartiers moins centraux de la capitale. Seuls ont résisté *le Nouvel Observateur*, *la Tribune* et *le Figaro*.

L'église de la Madeleine, avec le Jugement dernier, sculpté par Philippe-Henri Lemaire.

D·O·M·SVB·INVOC·S·M·MAGDALENAE

DU TEMPLE DE LA GLOIRE À L'ÉGLISE DE LA MADELEINE △
Place de la Madeleine (VIIIe)

Dans le cadre du projet de la place Louis-XV (actuelle place de la Concorde), une église devait être édifiée dans l'axe de la rue Royale, face au palais Bourbon. Les plans de Pierre Contant d'Ivry furent approuvés en 1761, et l'on posa la première pierre le 13 août 1764. La mort de l'architecte, la modification des plans par son successeur, Guillaume Martin Couture, puis la Révolution entravèrent le déroulement des travaux.
En 1806, à l'emplacement de l'église à peine ébauchée, Napoléon Ier décide la construction d'un temple de la Gloire dédié aux soldats de la Grande Armée. C'est Pierre Alexandre Vignon qui se voit confier le projet. À sa mort, en 1828, il est enterré sous le portail du bâtiment. C'est son associé, Jean-Jacques Huvé, qui achève la construction de l'édifice, qui, remis au clergé catholique par la loi du 3 mars 1842, devient l'église de la Madeleine.

UN GIGANTESQUE TEMPLE ANTIQUE

Avec ses cinquante-deux colonnes corinthiennes et son fronton triangulaire, ce vaste monument – 108 mètres de long, 43 de large, 30 de haut –, posé sur un socle de 4 mètres de hauteur, se présente bien comme un temple antique. Seules des niches abritant des statues de saints tentent de rompre la monotonie de la muraille aveugle. Éclairée par trois coupoles, une nef unique de 80 mètres de long est divisée par des colonnes corinthiennes en trois travées abritant chacune deux chapelles ornées de statues dues au ciseau des meilleurs sculpteurs de l'époque – Rude, Pradier, Barye… À l'abside, Jules Ziegler a peint *l'Histoire et la glorification du christianisme,* sous laquelle s'étend une mosaïque de Joseph Lameire, *le Christ et les propagateurs de la foi en Gaule.*

LES DÉPUTÉS À L'HÔTEL DU PRINCE DE CONDÉ ▷
Palais-Bourbon (actuel siège de l'Assemblée nationale), place du Palais-Bourbon (VIIe)

En 1764, le prince de Condé rachète l'hôtel de la duchesse de Bourbon et celui de son ami, le comte de Lassay, pour en faire sa résidence. Lorsque la Révolution éclate – le prince est alors contraint à émigrer –, vingt-quatre millions de livres ont été engloutis dans de somptueux aménagements. En 1795, le palais Bourbon est affecté au Conseil des Cinq-Cents, une des deux assemblées du Directoire. Une salle des séances, œuvre des architectes Gisors et Lecomte, est inaugurée le 21 janvier 1798. Le Corps législatif, assemblée des députés sous l'Empire, y siège à partir de 1800. En 1806, Napoléon Ier décide de donner à l'édifice une façade sur la Seine digne du régime impérial. Poyet bâtit un péristyle corinthien que coiffe un fronton triangulaire sculpté par Chaudet. Ce fronton sera détruit à la chute de l'Empire et remplacé par une allégorie de Fragonard fils, puis, en 1841, par la sculpture actuelle de Cortot symbolisant la France entre la Liberté et l'Ordre.
À son retour d'exil, en 1814, le prince de Condé retrouva son bien, loua à l'État le palais Bourbon, devenu fort peu commode pour un particulier, et habita l'hôtel de Lassay.
VOIR AUSSI LA SALLE DES SÉANCES DES DÉPUTÉS ET LA BIBLIOTHÈQUE, p. 244.

Ci-dessous, la façade du palais Bourbon, conçue pour servir de pendant à l'église de la Madeleine.

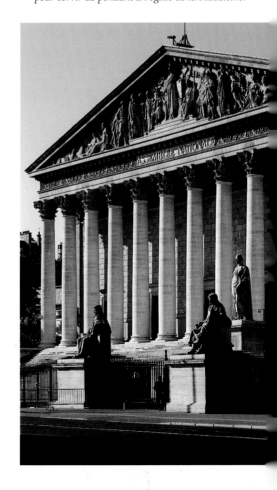

La place des traiteurs de luxe

Étonnante concentration que celle des épiceries et traiteurs de luxe, place de la Madeleine, que les palais fortunés du monde entier nous envient !

Au numéro 17 siège la maison Caviar Kaspia. C'est en 1927 qu'un dénommé Georges Fixon, émigré russe ayant fui le régime bolchevique, ouvre cette boutique destinée à faire découvrir le caviar aux Parisiens. La qualité de ses produits en a fait aujourd'hui le fournisseur attitré des palaces, des grands restaurants (dont Lucas Carton, installé également place de la Madeleine) et de deux grandes maisons parisiennes qui ignorent les affres de la crise : le palais de l'Élysée et l'hôtel Matignon.

Au numéro 21 est installé depuis 1854 l'épicier-traiteur Hédiard. L'histoire de cet établissement se confond avec celle de son créateur. À treize ans, Ferdinand Hédiard décide de devenir compagnon du tour de France, et c'est sur le port de Toulon, où sont déchargées les cargaisons de fruits exotiques, que naît sa vocation. Au milieu du XIXᵉ siècle, ces denrées sont fort rares, et Hédiard se fait leur ambassadeur auprès de sa clientèle parisienne ; il popularise notamment l'ananas, dont l'un des tout premiers consommateurs sera Alexandre Dumas.

Au numéro 26 se tient la célèbre épicerie Fauchon. Le marchand des quatre-saisons Auguste Fauchon ouvrit ce magasin en 1886. Près de deux mille produits de toute origine y sont disponibles, y compris le fameux miel récolté sur les toits de l'Opéra Garnier ! Fauchon s'enorgueillit également d'une très grande cave, dont le plus vieux millésime est un cognac de 1840.

Caviar et conserves Kaspia, 17, place de la Madeleine (VIIIᵉ).
Hédiard, 21, place de la Madeleine (VIIIᵉ).
Magasins Fauchon, 26, place de la Madeleine (VIIIᵉ).

Mises bout à bout, les plaques de bronze qui recouvrent la colonne Vendôme atteignent une longueur totale de 220 mètres. En haut, la troisième statue de Napoléon, par Auguste Dumont, qui a retrouvé sa place au sommet de la colonne le 18 décembre 1875.

Souvenir de la victoire d'Austerlitz
Colonne Vendôme, place Vendôme (Iᵉʳ)

En 1803, Napoléon conçoit, pour le centre de la place Vendôme, le projet d'une colonne à l'instar de celle érigée à Rome en l'honneur de Trajan. « Cette colonne aura 2,73 m de diamètre sur 20,78 m de hauteur. Son fût sera orné dans son contour en spirale de cent huit personnages allégoriques en bronze ayant chacun 0,97 m de proportion et représentant les départements de la République. La colonne sera surmontée d'un piédestal terminé en demi-cercle, orné de feuilles d'olivier et supportant la statue pédestre de Charlemagne. »

Ce projet est modifié plusieurs fois et, le 12 mars 1806, Champagny, ministre de l'Intérieur, écrit à l'Empereur : « Que Votre Majesté daigne me permettre de lui dire qu'elle se rendrait aux sentiments unanimes de ses sujets si elle consentait que cette colonne, formée avec le bronze des canons enlevés à l'ennemi, servît à conserver les souvenirs d'une campagne qui vient de marquer une époque si glorieuse [elle s'est achevée par la victoire d'Austerlitz, le 2 décembre 1805] à l'histoire de la France ; et que cette colonne, exécutée sur les proportions de la colonne Trajane, fût surmontée de la statue du prince qu'elle chérit. » Une flatterie aussi habile ne pouvait qu'obtenir l'assentiment de Napoléon Iᵉʳ.

SCULPTÉE DE LA TÊTE AUX PIEDS

La construction de la colonne, dite d'abord d'Austerlitz, puis des Victoires, enfin de la Grande Armée, est confiée aux architectes Jean-Baptiste Lepère et Jacques Gondouin, sous la direction de Dominique Vivant Denon. Commencée le 25 août 1806, elle est achevée le 15 août 1810. Sur les bas-reliefs de bronze du piédestal, Beauvallet, Gelé et Renaud ont sculpté un amoncellement de trophées, canons, armes, drapeaux et uniformes de l'armée autrichienne. Deux Renommées surmontant la porte d'entrée soutiennent une table de bronze dont l'inscription latine rappelle la triomphale campagne de 1805. Quatre cent vingt-cinq plaques de bronze furent coulées et sculptées sur les dessins de Pierre Bergeret : toute la campagne d'Austerlitz s'y déroule, du camp de Boulogne jusqu'au retour de l'Empereur et de l'armée victorieuse à Paris, le 27 janvier 1806.

TROIS COSTUMES POUR UN EMPEREUR

Trois statues de Napoléon Iᵉʳ ont couronné l'édifice : en costume d'empereur romain, tenant dans sa main gauche le globe terrestre, surmonté d'une Victoire ailée, jusqu'au 3 avril 1814 ; en redingote et bicorne à partir du 28 juillet 1833, sur ordre de Louis-Philippe ; en empereur drapé à la romaine et couronné de lauriers depuis le 4 novembre 1863, sur ordre de Napoléon III.

Le 16 mai 1871, le peintre Courbet, délégué de la Commune au Comité des beaux-arts, fit abattre la colonne et la statue. Elles furent rééditées à l'identique... et à ses frais.

Hôtel de Bourrienne, 58, rue d'Hauteville (Xᵉ)

🔑 Dans le quartier neuf et à la mode de la Nouvelle-France, le côté pair de la rue d'Hauteville ne commence à se lotir que vers 1775. L'hôtel, construit pour Mme de Dompierre, fut acheté en 1792 par Lormier-Lagrave, dont la fille, Fortunée Hamelin, célèbre merveilleuse et amie de Joséphine de Beauharnais, menait une vie dissolue qui lui valut le surnom de Premier Polisson de France. Louis-Antoine Fauvelet de Bourrienne, condisciple et secrétaire particulier de Bonaparte, acheta l'hôtel en 1801 et le garda jusqu'en 1824.

Peut-être construit sur les plans de François-Joseph Bélanger, l'hôtel fut transformé dès 1801 par l'architecte Leconte, à qui l'on doit la façade sur jardin et les somptueux aménagements intérieurs. Composé à l'origine d'un rez-de-chaussée, d'un premier étage et d'un comble, surélevé en 1900, l'hôtel possède une exceptionnelle décoration Directoire et Consulat, mélange harmonieux de style néo-antique pompéien et de motifs champêtres, dont la salle à manger, la chambre à coucher et le cabinet de travail constituent les fleurons.

La chambre à coucher, l'une des pièces les plus élégamment et richement décorées de l'hôtel de Bourrienne.

LE CIMETIÈRE DE L'EST ▷

Cimetière du Père-Lachaise, 8, boulevard de Ménilmontant (XXᵉ)

👁 Résidence de repos des jésuites de la rue Saint-Antoine, le Mont-Louis abrite notamment la maison du Père de La Chaise, confesseur de Louis XIV. Le 12 mars 1801, Nicolas Frochot, préfet de la Seine, arrête qu'il sera établi hors de la ville de Paris « trois enclos de sépulture publique », dont l'un « au lieu-dit la maison du Père-Lachaise ». L'architecte Alexandre Théodore Brongniart se voit confier l'aménagement des jardins du Mont-Louis en cimetière de l'Est. Il est ouvert le 21 mai 1804 (1ᵉʳ prairial an XII). L'entrée primitive, située au fond de l'étroite rue du Repos, très peu pratique, est remplacée en 1825 par une porte monumentale ouvrant sur le boulevard de Ménilmontant, conçue et édifiée par l'architecte Étienne-Hippolyte Godde.

BATAILLES PARMI LES TOMBES

Pour donner du prestige à ce cimetière neuf, Alexandre Lenoir fait édifier, à l'aide de pièces d'origines diverses, les tombeaux d'Abélard et d'Héloïse, de Molière et de La Fontaine. Le 30 mars 1814, lors de la bataille de Paris, les élèves de l'École polytechnique, retranchés derrière le mur d'enceinte du cimetière, sont écrasés par les troupes russes. Le 28 mai 1871, les derniers fédérés de la Commune y sont abattus par les troupes du gouvernement de Versailles et inhumés dans des fosses communes à proximité du mur dit des Fédérés, où furent fusillés cent quarante-sept d'entre eux.
Le cimetière connut cinq extensions avant d'atteindre sa dimension actuelle, en 1850.

L'entrée principale du cimetière du Père-Lachaise.

L'âme de Ménilmontant

« Ménilmontant, c'est là que j'ai laissé mon cœur, c'est là que j'vais retrouver mon âme, toute ma flamme. » Maurice Chevalier n'oublia jamais le petit garçon qui jouait dans les ruelles de Ménilmuche et le jeune chanteur qui, comme Édith Piaf ou Yves Montand, fit ses débuts dans les nombreux bals populaires et caf'conc' du quartier. De ce temps révolu, Ménilmontant a gardé quelques traces, avec ses pavillons à jardinet, ses boutiquiers cosmopolites, ses tonnelles romantiques, ses escaliers infinis… Les noms de rues y évoquent encore ici les arbres fruitiers (rues des Mûriers, des Amandiers), là l'eau (rues des Cascades, des Mares) ou encore les expéditions coloniales en Indochine (rues du Cambodge, d'Annam). Et quelques immeubles cossus rappellent que des bourgeois en mal de campagne possédaient là leur résidence secondaire.

Boulevard Ménilmontant, du Père-Lachaise à Couronnes, des boutiques « au plus bas prix » alternent avec des boucheries musulmanes ou d'immenses restaurants asiatiques, derniers arrivés dans le quartier. Les populations immigrées voisinent avec les anciens de Ménilmuche et les jeunes artistes, tous fortement attachés à leur quartier.

Ces résistants du vieux Paris ne sont pas peu fiers d'avoir, au 150, rue de Ménilmontant, l'une des meilleures boulangeries de Paris. Car on vient des quatre coins de la capitale pour savourer la trentaine de pains, de formes et de goûts différents, que fabrique dans des fours à bois la fameuse boulangerie Ganachaud.

LA GALERIE NAPOLÉON ◁

Palais du Louvre (actuel musée des Arts décoratifs), 107, rue de Rivoli (Ier)

En 1805, Napoléon décide de continuer l'exécution du Grand Dessein d'Henri IV et de faire édifier, le long de la rue de Rivoli en cours de percement, une galerie unissant le Louvre aux Tuileries.

Les architectes favoris de l'Empereur, Percier et Fontaine, construisent la galerie Napoléon entre 1806 et 1812, dans la partie située entre la rue de l'Échelle et le pavillon de Marsan, le pavillon de Rohan n'ayant été atteint qu'en 1825. La façade méridionale, inspirée de la partie de la Grande Galerie donnant sur le quai, associe l'ordre colossal à une succession de larges frontons curvilignes et triangulaires.

Sur la rue de Rivoli, des fenêtres, cintrées au rez-de-chaussée, rectangulaires au premier étage, alternent avec des niches. Depuis le Second Empire, ces niches abritent les statues d'hommes de guerre célèbres : La Tour d'Auvergne, Kellermann, Carnot, La Fayette, Lefebvre, Lariboisière, Joubert, Jourdan, Junot… Vingt-deux niches sont cependant restées vides.

LA CONSTRUCTION DU LOUVRE S'ÉTANT ÉTALÉE AU COURS DES SIÈCLES, VOIR AUSSI pp. 23, 62-63, 86, 130, 228 et 269.

LE THÉÂTRE DE LA MONTANSIER ▽ ▷

Théâtre des Variétés, 7, boulevard Montmartre (IIe)

En 1790, Mlle Montansier crée le théâtre des Variétés, dans l'ancienne salle de la galerie de Beaujolais, à l'emplacement de l'actuel théâtre du Palais-Royal. Jaloux des succès de cette scène, les comédiens-français voisins obtiennent de Napoléon Ier un décret chassant leurs concurrents. La Montansier finance alors la construction d'un théâtre neuf, édifié par l'architecte Jacques Cellerier sur le boulevard Montmartre, à l'emplacement d'une partie des jardins de l'hôtel de Montmorency-Luxembourg. Son étroite façade présente l'aspect d'un petit temple grec à deux étages, avec quatre colonnes doriques au rez-de-chaussée et quatre autres ioniques au premier étage. Le tout est coiffé d'un fronton triangulaire orné d'une lyre. Inauguré le 24 juin 1807, le théâtre des Variétés connaît un succès croissant, notamment grâce à ses vaudevilles. En 1836, on y crée *Kean,* d'Alexandre Dumas père, et, en 1849, *la Vie de bohème,* d'Henri Murger et Théodore Barrière. Le théâtre atteint son apogée lorsque Jacques Offenbach s'y installe pour monter *la Belle Hélène,* en 1864, et *la Grande Duchesse de Gerolstein,* en 1867, avec la belle Hortense Schneider en vedette.

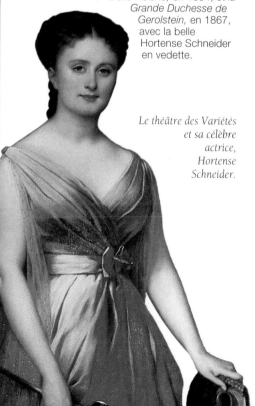

Le théâtre des Variétés et sa célèbre actrice, Hortense Schneider.

LES PARISIENS EN

Du lieu où l'on dort, koimêtêrion en grec, on a forgé le mot français cimetière... où l'on dort d'un éternel sommeil. Et, comme Paris a fait de la plupart des cimetières de magnifiques jardins et des musées de sculpture, ceux de la capitale sont autant d'invitations à la promenade.

▷ Au cimetière de Passy, créé en 1820 au-dessus de la place du Trocadéro, l'étrange tombeau du décorateur Ruhlmann.

▽ Abritant quinze mille sépultures, le cimetière des Batignolles s'étend sur une superficie de près de 11 hectares.

Nombreux sont les lieux qui retracent l'histoire des relations des Parisiens avec leurs morts depuis le Moyen Âge. Il ne faut pas se limiter aux trois grands cimetières de la ville créés au début du XIXe siècle – le Père-Lachaise, Montparnasse, Montmartre – ni aux onze autres cimetières-jardins, entretenus par les services des Espaces verts, car plusieurs jardins sont également aménagés sur des cimetières désaffectés. De plus, la capitale compte deux autres types de cimetières : les catacombes et de nombreuses cryptes d'églises, dont le Panthéon.

SUR LES TRACES DES ANCIENS CHARNIERS

Pendant fort longtemps, la terre des morts demeura au cœur du territoire des vivants, le cimetière étant un lieu de promenade et de rencontre autant que d'inhumation. C'était, par exemple, le cas du célèbre cimetière des Innocents, à proximité des Halles. Les problèmes moraux et de santé publique que posait cette curieuse fréquentation des cimetières expliquent que, dès le Moyen Âge, les édiles aient souhaité écarter les morts du centre de Paris et cherché à

LEUR DERNIÈRE DEMEURE

△ **Le cimetière de Charonne a conservé son aspect campagnard. Y reposent, parmi d'autres, la seconde épouse d'André Malraux, ainsi que ses deux fils, Gauthier et Vincent, décédés en 1961 dans un accident de voiture.**

▷ **Au centre du cimetière de Bercy se dresse l'imposante tombe de Julius Gallois, l'un des principaux créateurs des entrepôts de Bercy. Édifiés à sa mort, en 1839, la chapelle et le sarcophage ont été récemment restaurés.**

développer le nombre de cimetières extra-muros. À la veille de la Révolution, les deux cents lieux de sépulture que compte Paris intra-muros sont fermés et les ossements de plus de six millions de Parisiens transférés dans d'anciennes carrières de Montrouge, baptisées catacombes. Il reste des cimetières médiévaux dans quelques jardinets entourant toujours les plus anciennes églises, comme Saint-Julien-le-Pauvre et Saint-Séverin, où subsistent encore des vestiges du charnier adossé en 1428 au mur sud afin d'accueillir les ossements des corps les plus anciennement déposés.

Le square Louis-XVI occupe l'emplacement de l'ancien cimetière de la Madeleine, ouvert en 1746 à la périphérie de la ville. Y furent ensevelies les dépouilles des malheureux ayant péri étouffés au cours des fêtes du mariage de Louis XVI, celles des victimes des massacres de 1792 et 1793, puis celles du roi et de la reine – transférées ultérieurement à Saint-Denis. La chapelle expiatoire recouvre le lieu d'inhumation, le reste du jardin est planté des roses préférées de Marie-Antoinette.

En 1794, les révolutionnaires entassèrent mille trois cent cinquante-six corps guillotinés sur un terrain proche du cimetière de Picpus. En 1803, ce terrain fut racheté par les familles des victimes, qui en ont fait un cimetière privé auquel elles ont annexé un monastère.

CIMETIÈRES DE VILLAGES

Au XIXe siècle, les Parisiens vont donc se faire inhumer dans les trois grands cimetières institués sous l'Empire, situés

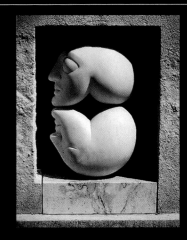

△ **Intitulée *Signe*, l'œuvre de Victor Brauner veille sur le repos du couple au cimetière de Montmartre.**

alors extra-muros, au-delà du mur d'octroi dit des Fermiers généraux – le Père-Lachaise, Montparnasse et Montmartre. Dans le même temps, de nouveaux cimetières sont ouverts dans les communes limitrophes : Vaugirard (1787), Auteuil (1800), Belleville (1808), Bercy (1816), Passy (1820), la Villette (1828).

Des cimetières antérieurs sont restés : celui du Calvaire, à l'ombre de Saint-Pierre-de-Montmartre, et le cimetière de Charonne, au pied de Saint-Germain-de-Charonne, au-jourd'hui les deux seuls à Paris à jouxter une église. Mention-né dès 1096 et fermé en 1831 – époque à laquelle fut aménagé le cimetière Saint-Vincent –, le cimetière du Calvaire n'ouvre ses portes au public qu'à la Toussaint. Un millier de soldats abattus en 1814 par les Cosaques y reposent dans une fosse commune dont on ignore l'emplacement. On peut y voir la tombe du meunier du moulin de la Galette, tué au même moment. Le cimetière de Bercy fut ouvert afin d'inhumer les familles des pinardiers et des tonneliers ; les tombes sont groupées autour du mausolée de l'un des plus grands fondateurs des entrepôts.

Lorsqu'en 1860 les limites de la ville furent repoussées par l'annexion des communes limitrophes, les principaux cimetières extra-muros de Paris se retrouvèrent dans la capitale. Aujourd'hui, Paris possède donc quatorze cimetières intra-muros. Aux cimetières déjà cités il faut ajouter ceux des Batignolles et de Grenelle, institués peu après l'érection en commune des hameaux de Batignolles-Monceaux et de Grenelle (1830). On peut s'y faire inhumer à condition d'acquérir une concession perpétuelle.

UN GRAND JARDIN DU SOUVENIR

Les cimetières du Père-Lachaise, du Montparnasse et de Montmartre furent conçus comme des espaces paysagers, conformes à la vocation traditionnelle du cimetière-jardin accessible au public.

Ouvert en 1804 sur une ancienne propriété des Jésuites (dont le père Lachaise, confesseur de Louis XIV), le cimetière du Père-Lachaise est l'œuvre de Brongniart, architecte de la Bourse, qui choisit de le traiter comme un parc à l'anglaise, conservant les anciennes allées plantées qui rayonnaient depuis l'actuel rond-point Casimir-Perier ainsi que les sentiers vallonnés de l'actuelle partie est. L'ensemble, bien que planté encore de plus de cinq mille arbres, a beaucoup souffert d'une concentration excessive de tombes. Sa destination de cimetière-jardin s'affirme encore en 1986, avec la naissance du jardin du Souvenir : sur cette pelouse longeant le mur de la rue des Rondeaux sont répandues à la demande des familles les cendres des morts incinérés. Et

l'on ne cesse, selon le vœu de Musset, de replanter un saule obstinément rachitique : « Mes chers amis quand je mourrai/ plantez un saule au cimetière… /son ombre sera légère/ à la terre où je dormirai. »

Outre les promeneurs venus respirer un coin de nature, ces cimetières attirent aussi toute une population marginale qui reprend d'antiques coutumes païennes d'adoration des idoles de pierre ou utilise les calmes chapelles pour se livrer à des actes que la morale réprouve.

DES TOMBES POUR LES ÉLITES

Pour attirer au Père-Lachaise la nouvelle classe bourgeoise, qui ne disposait pas de riches sépultures de famille dans ses domaines, Alexandre Lenoir, conservateur du musée des Monuments français, y fit construire le tombeau des malheureux amants Héloïse et Abélard et transférer celui de quelques grands hommes (Molière, La Fontaine…).

Vinrent aussi, à la suite de la reine Louise de Lorraine, épouse d'Henri III, quelques rescapés de la tourmente révolutionnaire ayant perdu leurs nobles tombeaux. Une fois la mode lancée, cette élite sociale s'est attachée à laisser des sépultures à son image, où l'exaltation des vertus du travail, de la famille et de l'ordre moral fut l'œuvre des plus grands architectes et sculpteurs. Les artistes ont travaillé dans le style à la mode – retour d'Égypte, néomédiéval, néorococo, puis Arts déco… – et transformé le jardin végétal en musée de l'art funéraire.

FANTAISIE POUR L'AU-DELÀ

Au milieu d'une profusion sans pareille, chaque promeneur repère quelques monuments

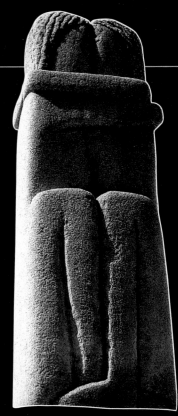

▷ Au cimetière du Montparnasse, *le Baiser* de Constantin Brancusi (1876-1957), réalisé en 1910 par le sculpteur roumain.

▽ Une pleureuse, délicatement sculptée par Domenico Trentacoste, orne le tombeau de la famille Herbillon, inhumée au cimetière de Montmartre.

▽ En hommage à Charles Baudelaire, mort en 1867, ce cénotaphe a été réalisé en 1902 par José de Charmoy au cimetière du Montparnasse. Perché sur une gigantesque chauve-souris, le poète contemple son propre gisant.

△ Avec ses 44 hectares plantés de plus de cinq mille arbres, le cimetière du Père-Lachaise est le plus grand parc de Paris.

◁ La sépulture de la famille Pigeon, un étonnant monument au cimetière du Montparnasse.

au gré de sa sensibilité ou de son humeur. Au Père-Lachaise, il s'émeut devant la tombe de Chopin sculptée par Clésinger, le futur époux de la fille de George Sand. À Montparnasse, il s'attendrit sur la mélancolique Mme Pigeon, couchée pour l'éternité dans le monumental lit conjugal, près d'un mari absorbé dans la comptabilité de ses fameuses lampes. Le promeneur s'inquiète encore de savoir si Baudelaire aurait aimé son buste posé sur une énorme chauve-souris. Il s'amuse en découvrant que d'aucuns ont sculpté leur propre monument ; ainsi, à Montmartre, le peintre Victor Brauner s'est représenté avec sa femme par deux visages identiques de marbre blanc. À Passy, où l'aviateur Costes a voulu instruire les générations futures de ses exploits, il admire la représentation par l'architecte

Jean Gallo de son Breguet rouge survolant les deux hémisphères.

Si l'on a aujourd'hui peu recours au tombeau personnalisé, l'art funéraire continue cependant d'inspirer les architectes. En 1990, sur le thème « porte ouverte sur l'au-delà », un concours a réuni une centaine d'entre eux. Parmi les œuvres réalisées, signalons un parallélépipède de métal poli dont l'architecte Erdal Sorgùcù a orné à Passy le tombeau du cinéaste kurde Yilmaz Güney.

Par la part qu'ils donnent à la nature au cœur de la ville, par la richesse et la variété de leurs tombes, œuvres d'art autant que temples du souvenir, les cimetières de Paris sont un des lieux de promenade favoris des Parisiens. Ainsi s'est maintenue au cours des siècles la vocation traditionnelle des cimetières d'autrefois.

225

Chef-d'œuvre poétique de Paris,
les quais ont enchanté la plupart des
poètes, touristes, photographes et
flâneurs du monde. C'est un pays
unique, tout en longueur, sorte
de ruban courbe, de presqu'île
imaginaire qui semble être sortie
de l'imagination d'un être ravissant.

LÉON-PAUL FARGUE, *le Piéton de Paris*

Palais du quai d'Orsay

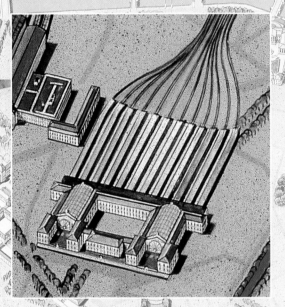

Gare de l'Est

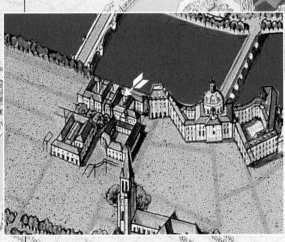

École nationale des beaux-arts

Église Notre-Dame-de-Lorette

LA VILLE BOURGEOISE

Restauration et monarchie de Juillet (1815-1848)

Le 3 mai 1814, Louis XVIII fait son entrée dans Paris par la porte Saint-Denis. Son souci principal est de défendre et de consolider le régime monarchique plutôt que de laisser une œuvre monumentale, d'autant qu'il n'a guère l'âme bâtisseuse, pas davantage que son frère et successeur, Charles X (1824-1830). Il garde pour préfet de la Seine le comte Chabrol de Volvic, nommé par Napoléon en 1812, qui jusqu'en 1830 s'attachera à poursuivre l'œuvre édilitaire impériale : amélioration de la voirie et de l'équipement urbain, achèvement de la Bourse, de l'Arc de triomphe, de l'église de la Madeleine.

D'autres transformations, provoquées par les débuts de l'ère industrielle et la montée en force de la bourgeoisie, viennent modifier le paysage urbain : l'éclairage, le développement des omnibus – le premier, Madeleine-Bastille, est mis en circulation le 30 janvier 1828 et quinze lignes fonctionneront dès 1829 –, les débuts de l'architecture métallique ; l'entreprise privée et la spéculation immobilière, en plein développement, jouent un rôle décisif dans la création de nouveaux quartiers, de « cités », passages et galeries couvertes qui sont l'un des traits particuliers du Paris de la Restauration.

Ralentie par la crise économique de 1826 et la révolution de juillet 1830, qui porte au pouvoir Louis-Philippe, le « roi-citoyen », la construction privée reprend à partir de 1833, alors qu'arrive un nouveau préfet de la Seine, Rambuteau. Paris compte près de huit cent mille habitants en 1831 et dépasse le million en 1848. Tandis que le préfet commence à moderniser la ville, amorçant l'œuvre d'Haussmann, le roi mène une politique monumentale de prestige. De nouveaux courants esthétiques apparaissent : le retour au gothique – inspiré par le romantisme –, l'éclectisme et le rationalisme, qui trouveront leur apogée sous le Second Empire. La monarchie bourgeoise voit la naissance du chemin de fer et l'apparition des gares, bouleversement profond qui déterminera une nouvelle politique d'aménagement de la capitale après l'explosion politique et sociale d'où naîtra la République de 1848.

L'intérieur de la chapelle expiatoire.

HOMMAGE AUX SOUVERAINS DÉCAPITÉS △

Chapelle expiatoire, square Louis-XVI,
29, rue Pasquier (VIIIe)

L'un des premiers soins de Louis XVIII, en mai 1814, est de faire identifier au cimetière de la Madeleine les restes de Louis XVI et de Marie-Antoinette, qui gisaient dans des fosses parmi des centaines d'autres victimes. L'exhumation a lieu les 18 et 19 janvier suivants : la tête du roi, séparée du tronc, reposait entre ses jambes ; dans la tombe de la reine, on retrouva, outre les ossements, « deux jarretières élastiques assez bien conservées ». Le 21, les augustes dépouilles sont transférées en grande pompe à la basilique de Saint-Denis, et Louis XVIII charge Fontaine d'ériger sur l'enclos funèbre une chapelle dédiée « au souvenir du plus horrible attentat », qu'il paie sur ses fonds propres. Précédée d'une cour bordée de cénotaphes à arcades évoquant les charniers médiévaux, la chapelle, d'un style néoclassique très dépouillé, contient les statues des monarques martyrs par François Joseph Bosio et Jean-Pierre Cortot.

LE MUSÉE CHARLES-X ▽

Musée du Louvre, cour Napoléon (Ier)

À son avènement, Louis XVIII envisage de s'installer à Versailles mais finit par s'établir aux Tuileries. Au Louvre s'ouvre en 1819 la première des expositions des produits de l'industrie française, qui annonce les brillantes expositions industrielles du Second Empire. Percier et Fontaine poursuivent l'aménagement du musée, qui s'enrichit, en 1821, de la *Vénus de Milo*. En 1827, au premier étage de l'aile sud sur la cour Carrée sont inaugurées les neuf salles du musée Charles-X, consacrées aux antiquités égyptiennes réunies par Champollion, aux antiquités grecques et à la Renaissance, et décorées par les plus célèbres peintres du temps – Delacroix, Gros, Fragonard, Ingres, Horace Vernet.
LA CONSTRUCTION DU LOUVRE S'ÉTANT ÉTALÉE AU COURS DES SIÈCLES, VOIR AUSSI pp. 23, 62-63, 86, 130, 220, 269.

Les salles Restauration du musée du Louvre ont formé le musée Charles-X.

RENOUVEAU CATHOLIQUE AU SÉMINAIRE SAINT-SULPICE ◁

9, place Saint-Sulpice (VIe)

La Compagnie de Saint-Sulpice, l'une des premières « congrégations autorisées » reconnues en 1816, avait pour but d'assurer le rajeunissement et le relèvement du clergé français. La grande bâtisse du séminaire, élevée par Étienne Hippolyte Godde entre 1820 et 1830, aux façades scandées de refends et de baies étroites, est l'héritière du prestigieux séminaire des « Messieurs de Saint-Sulpice », fondé par l'abbé Ollier en 1641. Désaffecté à la Révolution, il avait été démoli sous le Consulat. Sa reconstruction symbolise le renouveau catholique de la Restauration.
Avec la caserne de la rue Mouffetard, le séminaire Saint-Sulpice est l'un des principaux exemples d'une architecture de type administratif sous la Restauration, où l'utilitaire l'emporte sur l'esthétique. Depuis 1906, il abrite un service du ministère des Finances.

Le cloître du séminaire Saint-Sulpice.

Le Tout-Paris sous les arcades

Restaurant Le Grand Véfour,
17, rue de Beaujolais (Ier) ▷

Le 18 mai 1814, Louis-Philippe, duc d'Orléans, reprend possession du palais de ses pères. Il y mène une vie quasi bourgeoise, en compagnie de sa femme, Marie-Amélie, et de leurs huit enfants, et ne le quittera qu'à regret, le 1er octobre 1831, lorsque, devenu roi des Français, il devra loger aux Tuileries.

La vogue du Palais-Royal bat son plein. Militaires anglais et prussiens, cosaques des troupes d'occupation de 1814-1815 affluent sous les arcades de « la Capoue de la France », où l'on compte quinze restaurants, vingt cafés, dix-huit maisons de jeu, sans oublier les maisons de rendez-vous, établies dans les entresols. Les dames galantes qui se penchent à leurs fenêtres en demi-lune, semblables, dit-on, à l'ouverture d'une hutte de castor, y ont gagné le surnom de demi-castors ; celles qui attendent le client sous les galeries sont des castors ou des castors finis.

VOGUE DU GRAND VÉFOUR

Les demi-soldes ont pris leurs habitudes au café Lemblin, les ultras au café de Valois. Le café de Chartres, ouvert en 1784 par un dénommé Aubertot, est acheté en 1820 par Jean Véfour et devient un restaurant réputé dont Grimod de La Reynière vante la fricassée de poulet Marengo à la truffe, les sautés et la mayonnaise de volaille ; une foule de dîneurs s'y presse dès 17 heures. Succès qui perdure à l'époque romantique : le 25 février 1830, au soir de la première d'*Hernani* au Théâtre-Français, alors que se déclenchait la fameuse bataille, Hugo y dîne en compagnie de Sainte-Beuve. En souvenir de cette époque, Jean Cocteau, autre habitué célèbre, créa pour Le Grand Véfour un cendrier aux formes des mains de George Sand.

En 1828, les galeries de bois du Palais-Royal prennent feu par la négligence d'un marchand de pantoufles. Louis-Philippe fait alors édifier la galerie d'Orléans, portique à double colonnade recouvert d'une verrière qui devait être démoli en 1933. C'est pourtant Louis-Philippe qui amorce le déclin du Palais-Royal en ordonnant en 1836 la fermeture des tripots et des maisons de prostitution.

VOIR AUSSI LA GALERIE DES PROUES, p. 98, ET LE PALAIS-ROYAL AU XVIIIe SIÈCLE, p. 176.

Le restaurant Le Grand Véfour, dont la vogue continue explique le savoureux mélange de styles, du Directoire au Second Empire.

Imagerie sulpicienne

L'animation de Saint-Germain-des-Prés n'atteint pas la quiétude toute provinciale de la place Saint-Sulpice. Dans les rues adjacentes évoquant aussi bien le Paris des rois – rues Madame, Palatine, Princesse – que celui des vieux commerces – rues du Canivet, des Canettes –, au milieu des nombreuses boutiques de mode et de décoration, les objets de piété ont élu domicile. Si les croyants pratiquants y trouvent leur bonheur, quelques décorateurs dénichent là des objets originaux, souvent artisanaux, que l'on ne trouve nulle part ailleurs : anges en bois doré, vierges en cristal, santons, cierges de toutes tailles, médailles en tout genre… De nombreuses librairies religieuses sont également installées dans le quartier : la librairie Saint-Paul vend des cassettes vidéo pour enfants, où un dessin animé fait revivre l'histoire de Fatima ou de sainte Bernadette ; Le Monde inconnu propose, entre autres ouvrages, un livre permettant de « communiquer avec son ange gardien ». Et La Procure organise plus de soixante-dix pèlerinages sur les hauts lieux du christianisme.

Le vaste jardin de l'Institut national des jeunes sourds et, trônant dans la cour d'honneur, la statue de son fondateur, l'abbé de l'Épée, due au sculpteur sourd-muet Félix Martin (1879).

La première école publique pour sourds-muets △

Institut national des jeunes sourds, 254, rue Saint-Jacques (Ve)

C'est en observant deux jeunes sœurs sourdes-muettes communiquant à l'aide de signes que l'abbé de l'Épée eut l'idée d'ouvrir en 1760 dans sa maison de la rue des Moulins une école pour sourds-muets. Ses élèves étaient trente en 1771, soixante-douze en 1784. Cette initiative connut un retentissement international. Louis XVI, l'empereur Joseph II, des centaines de personnes du meilleur monde vinrent assister aux leçons publiques données par le bon abbé deux fois par semaine.

En 1794, la Convention attribue à l'école l'ancien séminaire Saint-Magloire, au faubourg Saint-Jacques, dont le bâtiment central est conservé. C'est là que, sous l'Empire, le docteur Itard, médecin de l'institution, soigne le jeune Victor, l'enfant sauvage de l'Aveyron, dont l'histoire a inspiré à François Truffaut son film *l'Enfant sauvage*. Un portail monumental est élevé à cette époque, mais il fallut un incendie dans le laboratoire de physique, en 1818, pour que l'école soit agrandie à ses dimensions actuelles grâce à la construction de deux ailes par Peyre et Philippon, de 1823 à 1826, tandis qu'était surélevé le corps de logis principal.

De la halle de l'octroi au temple de la Rédemption ▷

Église évangélique luthérienne de la Rédemption,
16, rue Chauchat (IXe)

Supprimé en 1791, l'impopulaire octroi est rétabli dès 1798 et renforcé sous l'Empire. Le contrôle des marchandises et le paiement des droits s'effectuent aux barrières de l'enceinte dite des fermiers généraux, qui encercle Paris depuis 1784. Les biens les plus précieux, dont l'examen demande plus de soin et de temps, sont amenés à la halle de déchargement construite en 1822-1825 par Adrien Louis Lusson rue Chauchat, à proximité de l'hôtel de l'Administration de l'octroi, sis à peu près à l'emplacement actuel de l'hôtel des ventes de la rue Drouot. Cette nef de 90 mètres de long pouvait accueillir soixante véhicules sous ses vastes voûtes en plein cintre, où l'on entreposait malles, caisses et ballots.

L'emplacement s'avère très vite malcommode. Désaffectée en 1837 et attribuée au consistoire luthérien, la halle est alors partiellement démolie pour être transformée en temple. Seules subsistent la façade, à laquelle François Gau, chargé de sa transformation en 1841-1843, ajouta un portail dorique, et les quatre premières travées.

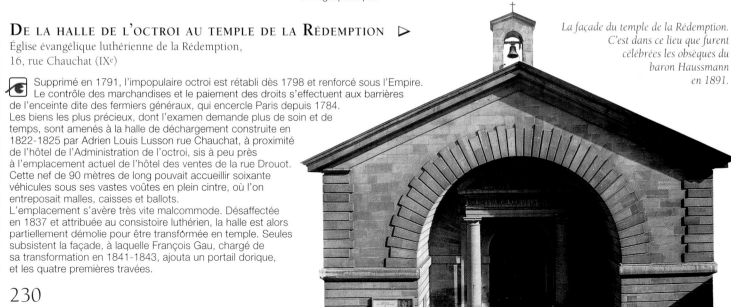

La façade du temple de la Rédemption. C'est dans ce lieu que furent célébrées les obsèques du baron Haussmann en 1891.

UNE FONTAINE POUR LES BOUCHERS ▷

Fontaine des Blancs-Manteaux,
48, rue Vieille-du-Temple (IIIe)

👁 À l'emplacement de l'ancien hospice des Filles Saint-Gervais, tout près de l'église des Blancs-Manteaux, est inauguré le 24 août 1819 l'un des cinq marchés de quartier que fait construire le préfet Chabrol pour faciliter le ravitaillement des Parisiens. Dans le Paris d'alors – environ sept cent mille âmes –, resté campagnard, on élève encore des porcs (cela ne sera interdit qu'à partir de 1829) et l'on compte trois cent vingt-six « vacheries » intra-muros, où les ménagères viennent s'approvisionner en lait frais. En 1823, un pavillon de boucherie construit sur ce qui reste du jardin de l'hospice vient s'ajouter au marché. Deux puissantes têtes de taureau en bronze, œuvre d'Edme Gaulle, ornaient les fontaines qui assuraient son alimentation en eau. Aujourd'hui remontées dans le porche du pavillon de boucherie, transformé en école, elles semblent défier le passant.

L'une des deux têtes de taureau qui ornaient la fontaine des Blancs-Manteaux.

LA PLUS ANCIENNE CHOCOLATERIE DE PARIS ▽

Chocolaterie Debauve et Gallais, 30, rue des Saints-Pères (VIIe)

👁 « Inventeur du chocolat analeptique, préparé au salep de Perse, du chocolat béchique et pectoral, préparé au tapioca des Indes, du chocolat tonique, préparé au cachou du Japon » et autres merveilles, Sulpice Debauve s'associe avec son neveu Gallais – tous deux sont pharmaciens – pour fournir à « messieurs les médecins des départements » ses chocolats thérapeutiques. Son magasin, rue des Saints-Pères, ouvert vers 1818-1819, est resté l'un des plus beaux de Paris. Anatole France, qui, enfant, y accompagnait sa mère dans ses emplettes, qualifiera son élégant décor néoclassique de décor « dans le caractère de Percier et Fontaine ». « En [y] pénétrant, je croyais entrer dans un palais de fées. Ce qui ajoutait à mon illusion, c'était d'y voir de belles demoiselles en robe noire, et les cheveux tout brillants, assises derrière le comptoir en hémicycle avec une gracieuse solennité… »

La chocolaterie Debauve et Gallais, où les « demoiselles chocolatières » vendent toujours les pastilles de la Reine et les croquignoles du Roi.

Le temple des enchères

Construit durant la seconde moitié du XIXe siècle, l'hôtel Drouot s'affirme rapidement comme un grand centre du marché de l'art, où sont vendus les trésors de grands collectionneurs. Vingt-deux jours d'enchères sont nécessaires, en avril 1877, pour la prestigieuse collection du duc d'Albe – tableaux de Vélasquez, Murillo, Rubens…
Le nouvel hôtel Drouot est inauguré en 1980. Près de trois mille cinq cents ventes sont organisées chaque année dans les seize salles de cet établissement. Les cent six commissaires-priseurs rattachés à la maison, principaux acteurs du spectacle quotidien des enchères, forment avec leurs nombreux collaborateurs un monde à part, dont les rites paraissent bien obscurs au public non initié. Le rôle de chacun est pourtant bien défini. Véritables bras droits des commissaires, les clercs participent à l'organisation des ventes. Le rôle du crieur ne se limite pas à répéter les enchères mais aussi à créer une ambiance. Quant aux commissionnaires, reconnaissables à leur veste grise égayée d'un collet rouge, ce sont un peu les hommes à tout faire. On les surnomme les savoyards, et bon nombre d'entre eux sont encore aujourd'hui natifs des vallées alpines.
La clientèle de l'hôtel des ventes – des professionnels, mais aussi de simples curieux – est aussi variée que les sept cent mille objets qui y sont vendus annuellement. Mais, que les non-initiés prennent garde : lever la main par inadvertance peut ici coûter très cher…
Hôtel des ventes Drouot, 9, rue Drouot (IXe).

231

Hôtel de Mlle Mars, 1, rue de la Tour-des-Dames (IXᵉ)

En 1824, Mlle Mars, vedette adulée du Théâtre-Français, où elle joue les « coquettes », vient s'installer dans cet hôtel, qu'elle fait transformer par Louis Visconti. L'actrice y donne des réceptions fastueuses, mais y connaît aussi quelques déboires. Son amant, le colonel de hussards Fortuné Brack, qui loge tout près, la délaisse pour la duchesse de Saint-Leu. Un billet cruel court alors dans Paris : « Il a été perdu depuis la rue de la Tour-des-Dames jusqu'à la rue de… un beau braque répondant au nom de Fortuné ; ceux qui le retrouveront sont priés de le ramener à Mme la duchesse de… ou à Mlle Mars, sociétaire de la Comédie-Française. » Ses diamants (nombreux !) sont volés en 1827 par le mari de sa femme de chambre – affaire qui fit la une de la presse parisienne – et, en 1838, elle surprend, caché dans son cagibi, un domestique congédié qui vient de la cambrioler.

LE QUARTIER
DE LA NOUVELLE ATHÈNES

C'est au début des années 1820 que fut loti le vaste domaine abbatial des Dames de Montmartre et leur moulin, ou tour, abattu. Un nouveau quartier fut créé de toutes pieces, vite adopté par les artistes, les gens de lettres et les comédiens, et dénommé la Nouvelle Athènes par un public féru de Grèce classique. Pour *le Journal des débats,* en 1823, « ce nouveau quartier […] semble offrir une retraite à la fois solitaire et vivante […] De nombreux jardins, plantés d'arbres odoriférants, y purifient l'atmosphère ; les merles et les rossignols y mêlent encore leurs chants au bruit des vers que l'on déclame ou que l'on compose… »

Baies cintrées, mufles de lion, corniche couronnée de vases antiques donnent à la façade sur jardin de l'hôtel de Mlle Mars un petit air de Renaissance italienne.
En médaillon, Anne Françoise Hippolyte Boutet de Monvel, dite Mlle Mars.

Une école pour le spectacle

Fondée en 1941 par Raymond Rognoni, pensionnaire à la Comédie-Française, l'École nationale supérieure des arts et techniques du théâtre (ENSATT) s'est installée rue Blanche en 1944. Pour la première fois, au sein d'un même établissement, sont enseignées la plupart des techniques du théâtre – mise en scène, administration, régie, art dramatique… La réputation de l'école repose aussi sur sa formation unique de costumier. Les apprentis costumiers ont récemment montré leur talent en participant à la réalisation des costumes de *Cyrano de Bergerac* et de *la Reine Margot.*

Les étudiants, généralement déjà diplômés (bac + 2), sont admis sur concours ou audition. La concurrence est rude, surtout pour les comédiens : ils sont deux mille à se présenter chaque année et seuls une vingtaine d'entre eux sont retenus. L'école s'enorgueillit d'avoir accueilli dans ses murs de jeunes talents aujourd'hui célèbres tels Jean Poiret, Michel Serrault, Annie Girardot, Jean Rochefort, Jean-Pierre Marielle, Francis Huster, Rufus, Christophe Malavoy, Irène Jacob…
École nationale supérieure des arts et techniques du théâtre, 21, rue Blanche (IXᵉ).

Une carrière difficile ◁ ▽

Hôtel de Mlle Duchesnois, 3, rue de la Tour-des-Dames (IXe)

🔑 En 1822, Catherine Raffin, dite Mlle Duchesnois, éminente tragédienne du Théâtre-Français, vient à son tour s'établir rue de la Tour-des-Dames. Son hôtel, signalé sur la rue par une originale façade concave, a été construit en 1820 par l'architecte Constantin pour Jean-Joseph Lapeyrière, receveur général de la Seine et principal promoteur du quartier de la Nouvelle Athènes. On peut encore y voir le joli boudoir à décor pompéien où l'actrice tenait salon. Le mur mitoyen qui séparait son jardin de celui de Mlle Mars fit l'objet de quelques problèmes de voisinage, vite réglés à l'amiable.

GÉORGIENS CONTRE CARCASSIENS

Les débuts de l'actrice, en 1802, sont marqués par une âpre rivalité avec la belle Mlle George, de dix ans sa cadette, les deux comédiennes revendiquant les mêmes rôles. Provinciale d'origine modeste, laide, la Duchesnois est méprisée par les comédiens-français, à l'exception de Talma, convaincu par sa puissance expressive et sa voix chaude et pénétrante. Elle est pourtant soutenue par un public fervent, qui finit par l'imposer au terme d'une bataille théâtrale de deux ans où s'opposèrent les Géorgiens et les Carcassiens (allusion à la maigreur de Mlle Duchesnois).
À partir de 1825, la santé et le talent de Mlle Duchesnois s'altèrent. Elle fait ses adieux au théâtre en 1829 dans une indifférence quasi générale et, restée sans grande fortune, elle doit revendre sa propriété en 1834 pour constituer la dot de sa fille. Elle meurt le 8 janvier 1835, dans un appartement de la rue de La Rochefoucauld.

La façade sur jardin de l'hôtel de Mlle Duchesnois et l'actrice, peinte par François Gérard dans le rôle de Didon.

La révolution de Talma ▷

Hôtel Talma, 9, rue de la Tour-des-Dames (IXe)

🔑 Mlle Mars était venue rue de la Tour-des-Dames attirée par son partenaire le grand tragédien Talma, qui s'était fait construire un hôtel au numéro 9 en 1820 par Charles Lelong. Delacroix, sans doute introduit auprès de Talma par son voisin le peintre Horace Vernet, qui habitait au numéro 5, avait décoré sa salle à manger de peintures sur le thème des quatre saisons, aujourd'hui disparues.
On menait grand train rue de la Tour-des-Dames, et les relations de voisinage étaient étroites. Talma adressait parfois à Mlle Mars une demande pour le prêt d'un billet de vingt francs, ce qu'elle appelle « nos billets doux du matin ».
Les deux comédiens connurent ensemble le succès dans *l'École des vieillards* de Casimir Delavigne, en 1823, l'une « chaussant le cothurne de Melpomène [muse de la tragédie] », l'autre « essayant le brodequin de Thalie [muse de la comédie] ».

L'ART DU NATUREL

Talma s'était très tôt gagné les faveurs du public en adoptant une diction naturelle plutôt que la déclamation traditionnelle, et en paraissant sur scène dès 1789, dans *Brutus*, sans perruque ni poudre, mais en toge romaine et les cheveux courts. Acteur favori de Napoléon, excellent dans la tragédie classique comme dans le drame romantique, il apporta pendant toute sa brillante carrière un soin extrême à la vérité historique de ses costumes, qu'il entreposait au premier étage, dans une pièce spéciale, tapissée de miroirs, devant lesquels il répétait ses rôles.
Épuisé par une longue maladie, Talma mourut le 19 octobre 1826 dans son hôtel. Des milliers de personnes assistèrent au départ du cortège funèbre.

Talma en Néron, l'un de ses plus grands rôles.

La ville bourgeoise

LA MÉTROPOLE DU DEMI-MONDE ▽

Église Notre-Dame-de-Lorette, 18 bis, rue de Châteaudun (IXe)

👁 La grisette est une jeune ouvrière de mœurs légères, la lionne, une courtisane de plus haute volée. Bien d'autres termes qualifient au XIXe siècle la femme de petite vertu ou la femme entretenue – la biche, la colombe, la poule... On évoquait à peine, à l'époque, bien qu'elle soit avérée, la prostitution masculine pratiquée par ceux que l'on appelait les « antiphysiques ».

La lorette est de modeste extraction, loge dans un appartement du quartier compris entre le faubourg Montmartre et l'opulente Chaussée-d'Antin, abhorre le travail, dort tout le matin, passe l'après-midi à sa toilette et sort le soir sur les boulevards à la recherche du « client sérieux ». C'est la présence dans ce quartier de Notre-Dame-de-Lorette qui a donné son nom à ce type parisien célèbre décrit à l'envi dans les physiologies. « Lorette, dit Balzac, est un mot décent, inventé pour exprimer l'état d'une fille ou la fille d'un état difficile à nommer. »

LUXE ÉTONNANT POUR UNE ÉGLISE

L'église construite par Hippolyte Lebas de 1823 à 1836 est digne d'une paroisse opulente en pleine expansion. De proportions grandioses, elle imite les basiliques romaines, dans la lignée néoclassique, et s'ouvre sur un portique à colonnes surmonté d'un fronton sculpté. L'ornementation intérieure, intimement liée à l'architecture, mêle peintures, sculptures, marbres, ors et stucs d'une extrême richesse, qui suscita quelques critiques parmi les contemporains. Dans la nef, huit grandes compositions sont consacrées à divers épisodes de la vie de la Vierge et la demi-coupole qui coiffe le chœur est ornée du *Couronnement de la Vierge* par le peintre François Picot.

Au fronton de Notre-Dame-de-Lorette, un Hommage à la Vierge dû à Lebeuf-Nanteuil surmonté des trois Vertus théologales sculptées par Lemaire, Foyatier et Laitié. En détail, une lorette se prélassant dans son bain.

BEATAE · MARIAE · VIRGINI · LAVRETANAE

La maison d'Ary Scheffer et l'atelier reconstitué du peintre.

LA MAISON DU PEINTRE ARY SCHEFFER △▷

Actuel musée de la Vie romantique, 16, rue Chaptal (IXᵉ)

Dans cette petite maison ocre au charme campagnard, en retrait de la rue Chaptal, où le lilas fleurit encore au printemps, vécut Ary Scheffer, peintre romantique très en vogue qui fut le professeur de dessin des enfants de Louis-Philippe. Le peintre la fait construire en 1830, la rue Chaptal ayant été ouverte en 1825. Il travaille avec son frère Henri dans les deux grands ateliers en verrière construits sur le jardin. Delacroix, Chopin, George Sand, Franz Liszt, Lammenais, Ingres, Béranger sont les habitués de ses réunions du vendredi soir. Autre familier, Ernest Renan, qui épousera en 1856 la nièce d'Ary Scheffer. Par le jeu de l'héritage, c'est à leur fille, Noémi, épouse de Jean Psichari, qu'échoit la maison en 1900, et c'est la petite-fille de Renan qui en fait don à la Ville de Paris.

UN ATELIER À L'IDENTIQUE

Fait exceptionnel, l'atelier de Scheffer a pu être intégralement reconstitué grâce à un tableau à l'huile – *le Grand Atelier de la rue Chaptal en 1851* – exécuté par son cousin germain Arie Lamme, qui séjourna plusieurs fois dans la maison.
Inauguré en 1983, le musée, qui s'appela d'abord Renan-Scheffer, rassemble de multiples souvenirs, portraits, meubles et objets évoquant toute une génération littéraire et artistique. Une partie importante des collections est consacrée à George Sand.

Les folles nuits de Paris

Construit à la fin du siècle dernier, le théâtre du Palace devient rapidement l'un des célèbres music-halls de la capitale, où se produisent Maurice Chevalier, Charles Trenet, Mistinguett, Joséphine Baker et Jean Gabin. Abandonné dans les années trente, il est transformé en salle de cinéma et échappe de peu aux bulldozers. En 1978, Fabrice Emaer, « mondain de la nuit », adepte des États-Unis, où il visite régulièrement ses amis d'alors – Andy Warhol ou Zsa-Zsa Gabor –, décide de lancer à Paris une discothèque à l'image de ses consœurs américaines. C'est le nouveau lieu de rencontre des noctambules, où se mêlent punks, gays, personnalités du show business et de la mode. Sans compter les nombreux artistes qui y font leurs débuts : Grace Jones, Bette Midler ou Prince. Avec ses fêtes débridées où toutes les audaces sont permises, le Palace révolutionne les nuits parisiennes du début des années quatre-vingt, mais il s'essouffle à la fin de la décennie. Jusqu'à ce que, en 1992, Régine le rachète et y organise de folles soirées thématiques qui retracent l'histoire de la dance, du disco, quasiment né au Palace, à la house music. Le Palace est aujourd'hui redevenu l'un des rendez-vous préférés du Tout-Paris.
Le Palace, 3, cité Bergère (IXᵉ).

CHOPIN À LA CITÉ BERGÈRE ▷

6, rue du Faubourg-Montmartre et 21, rue Bergère (IXᵉ)

De superbes marquises protègent les entrées des immeubles, cité Bergère.

Construite en 1825, la discrète cité Bergère, nichée entre le boulevard Poissonnière et la rue du Faubourg-Montmartre, est composée d'un ensemble homogène de petits immeubles à deux étages, destinés à l'origine à une clientèle bourgeoise et artiste.
Elle accueillit deux exilés de marque. Frédéric Chopin – qui changea fort souvent de domicile –, installé dès son arrivée à Paris en 1831 au 27, boulevard Poissonnière, habita peu après au 4, cité Bergère, où il vécut jusqu'en 1833. Il logera ensuite au 5, puis au 38, rue de la Chaussée-d'Antin, avant sa rencontre avec George Sand, en 1838. Bien introduit dans l'importante colonie polonaise de Paris, bénéficiant du soutien du baron James de Rothschild, de la princesse de Beauveau, du marquis de Custine, il vivait de leçons et menait une vie mondaine. « Je ne sais pas s'il y a une ville sur terre où l'on trouve plus de pianistes qu'à Paris, mais où il y a aussi plus d'ânes bâtés que de virtuoses ! » écrivait-il à un ami en 1831. Le poète allemand Heinrich Heine, lui aussi arrivé en 1831 à Paris, attiré par l'effervescence libertaire de la révolution de 1830, résida de janvier 1836 à juillet 1838 au numéro 3 de la cité Bergère. Il ne connut pas moins de seize adresses jusqu'à sa mort en 1856 au 3, avenue Matignon.

HÔTEL DE LA CITÉ BERGÈRE

LE VAUDEVILLE AU THÉÂTRE DU GYMNASE ▽

Actuel théâtre du Gymnase-Marie-Bell,
38, boulevard de Bonne-Nouvelle (Xe)

👁 Napoléon Ier avait sévèrement réglementé le théâtre en limitant le nombre de salles et en contrôlant leur répertoire. Aussi la création d'un nouveau théâtre en 1820 ne fut-elle obtenue qu'au prix de conditions draconiennes : il serait une école d'acteurs – d'où le nom de Gymnase dramatique –, ne donnerait que des pièces en un acte ou des pièces classiques condensées en un seul acte et se consacrerait à la comédie légère mêlée de couplets.

PATRONAGE DE LA DUCHESSE DE BERRY

Son directeur, Delestre-Poirson, s'attache Eugène Scribe, maître du genre et archétype de l'auteur de boulevard. Les cent cinquante pièces qu'il écrivit pour le Gymnase entre 1821 et 1830 firent de ce théâtre le haut lieu du vaudeville de bon ton et de la comédie sentimentale. Signe de prospérité, le Gymnase est, en 1823, l'un des premiers théâtres parisiens à se doter de l'éclairage au gaz. Il reçoit le patronage de la duchesse de Berry et devient alors, en 1824, le théâtre de Madame.
La jolie salle du Gymnase, qui bien que remaniée a conservé une grande partie de son décor d'origine – plafond peint d'une allégorie des Quatre Saisons, dorures et cariatides –, fut construite en moins de trois mois par Rougevin et Guerchy. Balzac, Sand, Dumas, Augier, Sardou, Guitry, Bernstein et Cocteau y furent joués. En façade, le fronton cintré, la terrasse et le péristyle d'entrée datent de 1887. Dans une baraque accolée au théâtre se vendait la célèbre galette du Gymnase, spécialité du père Coupe-Toujours.

*La salle du théâtre du Gymnase,
dont la célèbre actrice Marie Bell
fut directrice de 1960 à 1985.*

L'ÉGLISE DU NOUVEAU QUARTIER POISSONNIÈRE ▽

Église Saint-Vincent-de-Paul, place Franz-Liszt (Xe)

👁 La construction de l'église Saint-Vincent-de-Paul est liée au lotissement de l'enclos Saint-Lazare (de 1822 à 1827), l'une des nombreuses opérations d'urbanisme de la Restauration. Sur cet immense verger de 50 hectares, resté intact jusque-là, est créé un quartier de prestige, le nouveau quartier Poissonnière, dont l'axe principal, la rue Charles-X, devint après 1830 – le vent politique ayant tourné – la rue La Fayette.

L'AUDACIEUX PROJET D'HITTORF

Jacques-Ignace Hittorff, architecte de l'église de 1831 à 1844, aurait voulu revêtir ses façades de décors polychromes, comme ceux qu'il avait pu observer sur les temples grecs. Le préfet Haussmann, hostile à Hittorff, ce « Prussien peu commode », s'opposa à tout « badigeonnage » et n'autorisa que l'apposition expérimentale, en 1860, de six panneaux de lave émaillée dont clergé et paroissiens n'apprécièrent guère les nudités païennes. Ils furent déposés, et l'affaire en resta là. L'église évoque pourtant un temple par son portique ionique et son fronton triangulaire. Mais, disposition unique à Paris, elle est précédée, comme la Trinité-des-Monts, à Rome, d'un escalier monumental et de rampes en fer à cheval. L'identité d'inspiration avec Notre-Dame-de-Lorette est évidente, mais l'utilisation ici de deux ordres superposés confère à la nef plus de majesté et de luminosité. À l'entablement se déroule une procession de deux cent cinq saints et saintes en manière de « Panathénées chrétiennes », pointe sur cire, œuvre célèbre d'Hippolyte Flandrin. La coupole du chœur est ornée d'un Christ en majesté de style byzantin, dû à François Picot.

*Les tours de Saint-Vincent-de-Paul dominent la place Franz-Liszt, dessinée par Achille Leclère.
Au fronton, l'Apothéose de saint Vincent par Lebœuf-Nanteuil.
En haut, fragment de la frise d'Hippolyte Flandrin.*

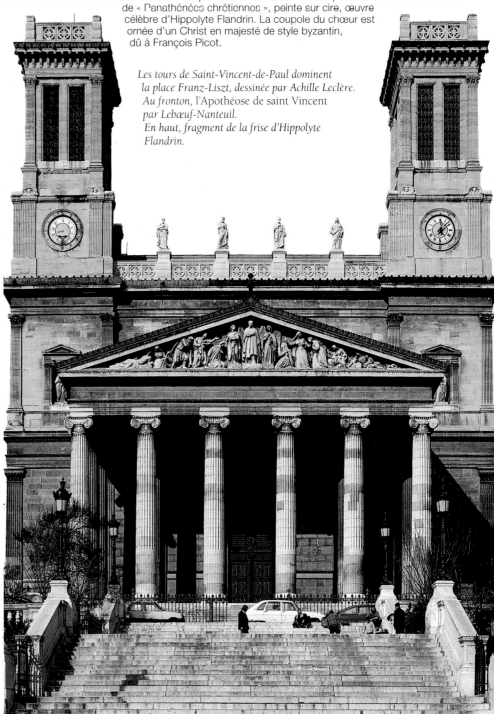

VIE DE GALÈRE AU THÉÂTRE DE MONTMARTRE ▷

Actuel théâtre de l'Atelier,
place Charles-Dullin (XVIIIe)

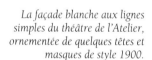

La naissance du théâtre de Montmartre est l'effet de la première loi de décentralisation des théâtres parisiens, qui concède en 1817 à Pierre-Jacques Sevestre, danseur et comédien, la direction de huit théâtres dans des villages encore suburbains : Montmartre, les Batignolles, Belleville, Saint-Denis, Grenelle, Montparnasse, le Ranelagh et le Roule. Sans doute dut-il ce privilège exclusif accordé par Louis XVIII – et qui fit bien des jaloux – au rôle joué par son grand-père dans l'inhumation du petit Louis XVII et au caractère mineur de ces nouveaux théâtres : certains ne fonctionnent que l'été et les troupes ne sont constituées que d'acteurs débutants ou de second ordre.

Le théâtre de Montmartre, construit par l'architecte Haudebourg, est d'ailleurs inauguré en 1822 sous le nom de Théâtre d'élèves. La vie y était si dure qu'il fut vite surnommé la Galère-Sevestre.

DULLIN ET LE THÉÂTRE DE L'ATELIER

Après bien des hauts et des bas, Charles Dullin devait, cent ans plus tard, donner à cette salle ses lettres de noblesse et son nouveau nom en y fixant sa compagnie, la compagnie de l'Atelier, créée en 1921. Le sobre réalisme poétique de ses mises en scène fera de Dullin l'un des plus grands rénovateurs du théâtre moderne.

Il ne cessera d'étonner en révélant Pirandello au public français, en montant l'*Antigone* de Cocteau avec des décors de Picasso, une musique d'Honegger et des costumes de Chanel, en jouant un *Volpone ou le Renard* de Ben Jonson, où son physique ingrat le servait à merveille. Le décorateur André Barsacq sera directeur du théâtre de l'Atelier de 1940 à 1973.

La façade blanche aux lignes simples du théâtre de l'Atelier, ornementée de quelques têtes et masques de style 1900.

La rengaine de la nuit aux Noctambules

Un rade jaunâtre et piteux entouré de life-shows, de néons rouges et de sex-shops tristes, nous voici aux Noctambules, juste en face du jet d'eau de la place Pigalle, à deux pas du théâtre de l'Atelier. Le lieu semble maussade, pourtant, tous les soirs, la magie opère dans ce café-bar pas ordinaire.

Dans l'arrière-salle décorée de photos de Mike Brandt, Pierre Carré revit nuit après nuit le scénario éculé des sentiers d'une gloire jamais atteinte. Depuis bientôt trente ans, il chante le même répertoire tous les soirs… Difficile de lui donner un âge, sur les posters qui présentent son spectacle, il exhibe sa belle trentaine. Sur la scène minuscule des Noctambules, quand il entonne de sa voix de chanteur d'opérette *la Vie en rose* ou *la Butte rouge*, il n'a plus d'âge. Entre cinquante et cent ans… Qu'importe ! c'est un dinosaure, comme il le

dit lui-même, un rescapé du Paris d'après-guerre qui a traversé toutes les époques sans changer un cil à son look inimitable. Costume bordeaux et mocassins vernis, nœud twist, le fameux nœud papillon relevé d'un bouton central qui faisait fureur dans les années cinquante, et, surtout, sur la tête une énorme banane gominée avec soin.

Certains soirs, tout un petit monde du vrai Pigalle – noctambules à la dérive dansant des valses destructurées, petits voyous, maquereaux et prostituées – se mélange joyeusement à un public de jeunes branchés de plus en plus envahissants dans le quartier, surtout le week-end. Jusqu'à 4 heures du matin, Pierre Carré tient cette faune en haleine. Vite aux Noctambules avant que le héros ne soit trop fatigué !

Les Noctambules, 24, boulevard de Clichy (IXe).

L'ÂGE D'OR DES PASSAGES

Sous la Restauration et la monarchie de Juillet, le lieu de promenade favori des Parisiens n'est plus la place publique ni la rue, encombrée d'une circulation toujours croissante et dont les premiers trottoirs ne sont posés qu'à partir de 1822. Delphine de Giradin résume ainsi la difficulté des piétons : « Le moindre cabriolet qui vous dépasse vous éclabousse des pieds à la tête ; il n'épargne pas votre chapeau… Marcher ainsi à travers les omnibus, les files de charrettes, les commissionnaires à brancards, les baignoires roulantes, les marchandes à la mode à grand carton, les blanchisseuses à grands paniers […], ce n'est pas marcher. » La mode est donc aux passages couverts. Quatorze sont ouverts sous la Restauration et douze sous la monarchie de Juillet – toujours sur initiative privée –, principalement sur la rive droite et autour des Grands Boulevards, centre de la vie publique parisienne.

La rotonde du passage Colbert.

Ci-contre, la galerie Vivienne. Page 239, en haut, l'ancien forçat Vidocq, devenu le chef des brigades grises de la sûreté, qui logeait en 1840 au numéro 13.

VIDOCQ
LE ROI DES VOLEURS - LE ROI DES POLICIERS

FLÂNER EN TOUTE TRANQUILLITÉ

Protégés des intempéries et des voitures, annoncés sur la rue par une entrée monumentale, bordés de boutiques, les passages sont prisés des flâneurs, qui y trouvent magasins de luxe, librairies, salons de thé, confiseries, bimbeloteries et salles de spectacle, mais aussi des prostituées. Le passage du Saumon (disparu) est, selon Alfred Delvau, « le plus battu par des paires de bottes amoureuses et par des paires de bottines coquettes ». Le passage des Panoramas (IIe), créé dès 1800 et resté l'un des plus fréquentés, tombe en 1821 sous le coup d'une ordonnance qui interdit toute circulation aux « filles » du 15 décembre au 15 janvier afin de permettre aux « femmes honnêtes » de faire tranquillement leurs achats de saison.

DÉCOR RAFFINÉ ET NOUVEAUTÉS TECHNIQUES

L'éclairage zénithal est prodigué par une verrière à armature métallique, une nouveauté architecturale parfois du plus bel effet comme au passage du Grand-Cerf, rue Saint-Denis (1824-1826 ; IIe). Des entresols sont réservés au logement des boutiquiers. Dans le passage Choiseul (1825-1827 ; IIe), « aux odeurs de jades/Oranges, parchemins rares – et les gantières ! », écrit Baudelaire, se trouvait la librairie d'Alphonse Lemerre, éditeur des parnassiens, qui se réunissaient chaque semaine dans son entresol. Louis-Ferdinand Céline naquit dans un des appartements de ce passage, qu'il décrit dans *Mort à crédit* sous le nom de passage des Bérésinas : « On avait un logement au-dessus de tout, en étage, trois pièces qui se relayaient par un tire-bouchon. En haut, notre dernière piaule, celle qui donnait sur le vitrage, à l'air, c'est-à-dire, elle fermait par des barreaux à cause des voleurs et des chats. » À la tombée de la nuit s'allumait l'éclairage au gaz, inauguré en 1817 au passage des Panoramas, et adopté à la galerie Véro-Dodat (Ier). Créé en 1825, près des Halles, par deux charcutiers, Véro et Dodat, elle est très admirée pour son décor raffiné, sa « succession de boutiques uniformes à devantures en glaces transparentes liées par des baguettes en cuivre jaune bruni imitant l'or, à portes également en glaces surmontées d'un bel ajustement en palmettes et rosaces dorées, à pavé en marbre ».

L'ELDORADO DES NONCHALANTS

En 1927, le prolongement du boulevard Haussmann fait disparaître le passage de l'Opéra – qui reliait la nouvelle salle de l'Opéra, rue Le Peletier, au boulevard des Italiens – avec sa double arcade du Baromètre et de l'Horloge (1822), « oasis des amoureux de la Chaussée-d'Antin ». Une destruction longuement déplorée dans *le Paysan de Paris* par Louis Aragon, qui y retrouvait ses amis surréalistes au café Certa. La galerie Vivienne (1824-1826 ; IIe), située sur le chemin du Palais-Royal aux Grands Boulevards, jouissait d'une fréquentation exceptionnelle. Elle a conservé son joli sol de mosaïque et ses stucs néoclassiques sculptés de nymphes et de déesses, de caducées, de rinceaux et de cornes d'abondance. Cette galerie était concurrencée par le passage Colbert (1826 ; IIe), qui se signalait par sa vaste rotonde, éclairée par un cocotier lumineux, royaume des « prêtresses de la lingerie, de la parfumerie et de la frivolité ». Restaurés, ils sont devenus la vitrine de prestige de la Bibliothèque nationale.
Sous Louis-Philippe, de nouveaux passages apparaîtront près des Grands Boulevards : galeries des Variétés, Saint-Marc, Bergère et passage Richer, à présent disparus, passage Jouffroy (1845 ; IXe), animé depuis 1881 par le musée Grévin et prolongé au-delà de la rue de la Grange-Batelière par le passage Verdeau (1846) ; les passages du Havre (IXe) et de la Madeleine (1845 ; VIIIe) annonceront le déplacement des foyers d'animation vers l'ouest de la ville.

VOIR AUSSI LE PASSAGE DES PANORAMAS, p. 212.

Les passerelles de fer du passage du Grand-Cerf.

La rue Montorgueil

La boutique de Robert Capia, spécialiste en poupées anciennes, passage Véro-Dodat.

Juste à côté du passage du Grand-Cerf s'étend l'ancien quartier du Mont-Orgueilleux, qui attirait les riches et les gueux venus s'encanailler dans la capitale. Car on faisait bonne chère dans ce « ventre de Paris » où dès le Moyen Âge étaient installées les halles. La rue Montorgueil existe sous ce nom depuis le XIIIe siècle : c'était le chemin de la marée et le centre du marché aux huîtres. On peut toujours flâner le matin entre les étals colorés des marchands des quatre-saisons, qui ont fondu comme neige au soleil depuis le départ des halles, en 1969. La rue Montorgueil a pourtant gardé une ambiance chaleureuse et de très belles maisons des XVIIIe et XIXe siècles. L'Escargot d'Or, ouvert depuis 1832, est une de ses institutions – la préparation des escargots, fort prisés pour leurs vertus tonifiantes, est l'une des traditions culinaires du quartier. En 1919, le fondateur de l'hôtel Georges-V et de la Tour d'Argent y installe le chef cuisinier du roi d'Égypte, François Lespinas. Le Tout-Paris du monde des arts et des spectacles y afflue : Sarah Bernhardt, Marcel Proust, Charlie Chaplin, Jean Cocteau, Picasso, Dalí… Dans le décor d'origine – boiseries, plafonds à caissons, miroirs muraux, chaises et banquettes de bois laqué tendues de velours rouge, lustres de bronze et pâte de verre –, on peut toujours y déguster des spécialités gastronomiques françaises, dont les fameux escargots.

LE FLEURON DE LA CHAUSSÉE-D'ANTIN △ ▷
Hôtel Bony, 32, rue de Trévise et 15, rue Bleue (IXᵉ)

Le quartier de la Chaussée-d'Antin, où règnent financiers et hommes d'affaires, est l'un des plus cossus de l'époque de la Restauration, avec les faubourgs Saint-Germain et Saint-Honoré. Des nombreux hôtels qui s'élevaient alors, l'hôtel Bony est l'un des rares – et l'un des plus beaux – qui soient parvenus jusqu'à nous. Il fut construit en 1826 par Jules de Joly pour l'entrepreneur et spéculateur de haute volée René Bony, propriétaire de nombreux immeubles dans les quartiers Poissonnière et Saint-Lazare. On y accédait par un passage depuis la rue Bleue. En 1853, le banquier espagnol José Xavier de Urribaren acheta l'hôtel et des terrains sur la rue de Trévise, percée en 1836, et reporta son entrée sur cette dernière.

UN PAVILLON NÉOPALLADIEN

Dans les années 1820-1830, le style néoclassique puise son inspiration dans la Renaissance italienne, notamment dans les œuvres de l'architecte Palladio. Cette influence est notoire à l'hôtel Bony : façades italianisantes aux volumes et à la modénature très marqués, monumentalité du hall. Une rigueur qui contraste avec le raffinement et la délicatesse du décor intérieur néopompéien, très proche du style de la fin du XVIIIᵉ siècle : plafond en vélum de l'hémicycle du grand salon, grands motifs muraux de vases, de rinceaux, de médaillons, de griffons et d'allégories, auxquels se mêlent des motifs Empire – palmettes, grecques et victoires. Peu d'ensembles aussi complets d'art ornemental Charles X ont été conservés.

Le grand salon de l'hôtel Bony, dont le fond se dessine en hémicycle, est décoré de peintures polychromes, médaillons, guirlandes, femmes drapées, sphinx ailés.

La façade côté jardin de l'hôtel Bony, vers la rue de Trévise.

EXPLOSION DÉMOGRAPHIQUE AUX BATIGNOLLES ▷

Église Sainte-Marie-des-Batignolles,
place Félix-Lobligeois (XVIIᵉ)

La légende attribue le vocable de sainte Marie à la découverte d'une petite Vierge à l'Enfant en bronze deux jours après les premiers travaux de fondation de l'église. Mais c'est plutôt au patronage de la dauphine Marie-Adélaïde que l'église doit son nom. L'époque est alors à la rechristianisation, et de nombreuses églises sont construites ou reconstruites dans un style néoclassique presque uniforme dont Godde se fit le spécialiste à Notre-Dame-de-Bonne-Nouvelle, Saint-Denis-du-Saint-Sacrement et Saint-Pierre-du-Gros-Caillou. Édifiée en 1826-1827 par Auguste Molinos, agrandie en 1839-1851, Sainte-Marie-des-Batignolles en est une version simplifiée. Il fallait construire vite en raison de l'explosion démographique : la population du village des Batignolles – deuxième paroisse créée dans le diocèse de Paris depuis le Concordat après Saint-Jean-Baptiste-de-Grenelle – passe de 3 000 habitants en 1823 à 28 752 en 1851.
L'absence de clocher choque cependant les paroissiens ; c'est là l'écho d'un débat sur l'architecture religieuse qui accompagne la renaissance catholique du XIXᵉ siècle. Un campanile, abritant la cloche Étiennette, fut ajouté en 1851.

*Seul un porche de quatre
colonnes doriques agrémente la
façade aveugle
de Sainte-Marie-des-Batignolles.*

FONTAINE GAILLON ▽

Place Gaillon (IIᵉ)

Napoléon avait multiplié les fontaines parisiennes ; la Restauration poursuit cette œuvre éditilaire. Une fontaine existait depuis 1707 au carrefour Gaillon, la fontaine Louis-le-Grand, dite aussi fontaine d'Antin. En 1828, lors du réaménagement de la place, Louis Visconti est chargé de l'édification d'un immeuble et d'une nouvelle fontaine, placée dans une niche ménagée dans la façade. Il en fait une œuvre charmante, dont la sculpture est confiée à Georges Jacquot. Perché sur deux vasques superposées, un amour armé d'un trident semble taquiner un triton pour faire jaillir l'eau. C'est la première fontaine parisienne de Visconti.

Le quartier des Batignolles

Les Parisiens eux-mêmes connaissent mal les Batignolles, ce quartier du XVIIᵉ arrondissement avec son église, sa mairie, son marché et son jardin public. Un quartier calme mais vivant, à la fois populaire et bourgeois.
L'origine de son nom est mal connue. Certains le font dériver du latin *batifollium*, moulin à vent. D'autres pensent qu'il dérive de bastidiole, petite maison de campagne. Sous la Restauration, les petits-bourgeois de Paris appréciaient fort ses maisons de campagne à deux ou trois étages avec jardin et venaient s'y reposer le dimanche. Une bourgeoisie qui s'est maintenue depuis cent cinquante ans, fort différente de celle des Ternes ou de l'aristocratie du parc Monceau. Au chevet de l'église Sainte-Marie-des-Batignolles, le square des Batignolles, immortalisé par l'une des plus belles chansons de Barbara (« le goût du vin, celui du pain et celui du perlimpinpin, dans le square des Batignolles »), doit son tracé au célèbre paysagiste haussmannien Alphand. Avec sa grotte, sa cascade, son lac miniature et son vieux manège, il a le charme un peu désuet des jardins anglais. En flânant dans les rues étroites qui l'entourent, on comprend que de nombreux artistes et intellectuels – dont les poètes du Parnasse – aient été conquis au XIXᵉ siècle par la quiétude du lieu. Et, encore aujourd'hui, les Batignolles n'ont rien perdu de leur physionomie si particulière de village urbain.

241

La ville bourgeoise

GOÛT POUR LA POLYCHROMIE ▷

Immeuble, 58, rue Saint-Lazare (IXᵉ)

🔒 Les façades peintes sont peu courantes à Paris. Curieusement, les services administratifs acceptèrent sans trop sourciller que l'agence de publicité anglaise établie dans cet immeuble en 1974 couvre la façade de brun, de bleu, de rose et de blanc ; celle-ci invoqua tout à la fois les traces de couleur retrouvées sur les murs, vestiges sans doute de la décoration d'origine, le goût pour la polychromie à la mode dans la première moitié du XIXᵉ siècle et le modèle coloré des façades londoniennes.

L'architecture elle-même n'est pas dénuée de recherche, avec son rez-de-chaussée à hautes arcades séparées par des pilastres et des rosaces et ses deux étages réunis en un ordre monumental. L'hôtel date des années 1830. Le peintre Paul Delaroche y habitait alors, non loin de son beau-père, Horace Vernet, qui vivait au 7, rue de la Tour-des-Dames.

L'immeuble du 58, rue Saint-Lazare, dont le style rappelle les façades toscanes.

BAL COSTUMÉ AU SQUARE D'ORLÉANS ▽ ▷

80, rue Taitbout (IXᵉ)

🔒 Le 30 mars 1833 au soir, pour le carnaval, Alexandre Dumas, installé depuis 1831 square d'Orléans avec sa maîtresse du moment, la comédienne Belle Krelsamer, donne un fabuleux bal costumé, qu'il relate dans ses *Mémoires*. Ses amis les peintres – Delacroix, Granville, Barye, Nanteuil, les Cicéri et les frères Johanot – avaient en trois jours décoré ses appartements de toiles inspirées des œuvres d'auteurs invités. Des concerts donnés par deux orchestres alternent avec les danses ; au menu, un saumon de 50 livres, un chevreuil entier, trois cents bouteilles de bordeaux, trois cents de bourgogne, cinq cents de champagne. Parmi les sept cents invités (« J'avais invité à peu près tous les artistes de Paris… »), on vit Rossini en Figaro, Musset en Paillasse, Frédérick Lemaître en Robert Macaire, La Fayette en domino. « M. Tissot, de l'Académie, avait eu l'idée de s'habiller en malade : à peine était-il entré que Jadin entra, lui, en croque-mort, et, lugubre, un crêpe au chapeau, le suivit de salle en salle, emboîtant son pas dans le sien, et se contentant, de cinq minutes en cinq minutes, de répéter le mot : J'attends ! M. Tissot n'y tint pas : au bout d'une demi-heure, il était parti… À 9 heures du matin, musique en tête, on sortit et l'on ouvrit, rue des Trois-Frères, un dernier galop dont la tête atteignait le boulevard tandis que la queue frétillait encore dans la cour du square. »

AU ROYAUME DES ARTISTES

La cité d'Orléans a été construite à partir de 1830 sur une ancienne propriété de Mlle Mars par l'architecte anglais Edward Cresy. Ce quadrilatère homogène de neuf maisons de brique autour d'une pelouse agrémentée d'une fontaine, tel un square à l'anglaise, n'ouvrait sur l'extérieur que par deux étroits passages. Au numéro 6 est employé – fait exceptionnel à Paris – l'ordre dit « ionique de l'Érechthéion », qui caractérise certains bâtiments londoniens.

Vers 1840 s'installe square d'Orléans la danseuse étoile Marie-Sophie Taglioni, ondine adulée du public depuis sa création de *la Sylphide*, sommet du ballet romantique. Viennent aussi s'établir dans ce havre paisible Louis Viardot et son épouse Pauline, sœur de la Malibran. En 1842, après leur retour de Majorque, George Sand et Chopin les rejoignent, elle au numéro 5, où logeait aussi son fils, Maurice, lui au rez-de-chaussée du numéro 9, où le jeune sculpteur Dantan avait son atelier. Leur voisine, Mme Marliani, donne des soirées musicales que fréquentent Liszt, Rossini et Berlioz. Ce furent cinq années de bonheur. Après sa rupture avec George Sand, en 1847, Chopin vécut encore deux ans dans son « sanctuaire », mais il cessa de composer.

Le square d'Orléans fut la dernière opération architecturale d'envergure du quartier dit de la Nouvelle Athènes, autour de la place Saint-Georges. En médaillon, George Sand, qui logea à la cité d'Orléans.

La Taglioni dans la Sylphide. « C'est une prêtresse de l'art chaste : elle prie avec ses jambes » (Théophile Gautier).

Dans l'intimité de Gustave Moreau

Le musée Gustave-Moreau, à deux pas du square d'Orléans, a une bien étonnante histoire : c'est le peintre lui-même qui, de son vivant, l'a conçu à l'intérieur de l'hôtel particulier où il demeurait, pour que la totalité de son œuvre y soit rassemblée. Il le légua à l'État à sa mort, en 1898, deux ans après l'achèvement de son projet, alors qu'il était âgé de soixante-douze ans. Au premier étage, l'appartement dans lequel vécurent le père et la mère du peintre a été lui aussi ouvert au public. Le petit boudoir bleu, la salle à manger et la chambre qui surplombe le jardin conservent depuis un siècle toutes sortes de souvenirs familiaux et de sa plus fidèle amie, Alexandrine Dureux. Un escalier somptueux relie le deuxième étage au troisième, où est exposé un étrange meuble tournant à aquarelles réalisé par l'artiste.

L'œuvre de ce peintre visionnaire hanté par les grandes figures mythologiques, littéraires et sacrées est traversée par plusieurs courants, académique, symbolique et moderne. Enseignant aux Beaux-Arts, il fut, de 1892 à sa mort, le maître libéral et cultivé de quelques-uns des peintres les plus célèbres de la première moitié du XXe siècle : Henri Matisse, Albert Marquet, Henri Manguin et Georges Rouault, son élève préféré, qui devint le conservateur de son musée.

Quatre mille huit cents dessins et quatre cent cinquante aquarelles témoignent du grand dessein de l'artiste : la recherche d'une peinture où l'âme pût trouver « toutes les aspirations de rêve, de tendresse, d'amour, d'enthousiasme et d'élévation religieuse vers les sphères supérieures, tout y étant haut, puissant, moral, bienfaisant et éducateur, tout y étant joie d'imagination, de caprice et d'envolées lointaines aux pays sacrés, inconnus, mystérieux ». De savants chefs-d'œuvre, comme *Jupiter et Sémélée*, voisinent avec des pièces moins élaborées où éclatent les couleurs pures dont allaient s'inspirer ses élèves qui, sept ans après sa mort, lancèrent le fauvisme.

Musée Gustave-Moreau,
14, rue de La Rochefoucauld (IXe).

La ville bourgeoise

LE NOUVEAU PALAIS DE LA NATION ▽ ▷

Palais-Bourbon (actuel siège de l'Assemblée nationale),
place du Palais-Bourbon (VIIe)

Les députés de la Restauration sont inquiets : le palais Bourbon,
fort délabré, menace de s'effondrer. Aussi, en 1827, lorsque le duc
de Bourbon vend sa propriété à l'État, s'empresse-t-on d'édifier une
salle provisoire en bois dans les jardins pour permettre sa reconstruction.
C'est dans cette salle que naît la monarchie de Juillet : Louis-Philippe y
prononce le serment constitutionnel le 9 novembre 1830.

SOMPTUEUX DÉCOR POUR LES REPRÉSENTANTS DU PEUPLE

Le nouvel hémicycle, considérablement agrandi, est aménagé par Jules
de Joly, qui conserve le bureau du président, la tribune des orateurs,
avec son bas-relief de Lemot, et le décor de colonnes ioniques en
marbre. On y ajoute le salon Abel-de-Pujol, l'immense salle des pas
perdus décorée par Horace Vernet, la salle des conférences décorée
par Heim. C'est à Delacroix qu'incombe le décor du grand salon du Roi
en 1833 puis, en 1838-1847, celui de la bibliothèque.
Le 24 février 1848, dans l'hémicycle assiégé par les émeutiers, la
duchesse d'Orléans tente en vain de faire remettre la couronne de
Louis-Philippe à son fils, le comte de Paris. Le 23 avril, neuf cents
députés sont élus au suffrage universel. Il fallut encore construire une
salle provisoire, dite salle de Carton. Heureusement, le Corps législatif
élu en 1852, suite au coup d'État de Louis-Napoléon Bonaparte, ne
comptera plus que deux cent soixante et un membres, et la salle de
Carton est démolie.
VOIR AUSSI LA FAÇADE DU PALAIS BOURBON, p. 218.

*Ci-dessus, la bibliothèque
de l'Assemblée nationale, décorée
par Delacroix : cinq coupoles consacrées
à la Science, la Philosophie, la Législation,
la Théologie et la Poésie
comportent chacune quatre pendentifs
à sujet biblique ou antique.
Ci-contre, la salle des séances des députés.*

LE SÉNAT AU PALAIS DU LUXEMBOURG ▷

15, rue de Vaugirard (VIe)

La nouvelle destination du palais du Luxembourg – propriété de l'État depuis 1791, il est affecté
au Directoire puis, en 1799, au Sénat – avait entraîné de profondes transformations, et la
décoration se poursuivit sous l'Empire et la Restauration. La charte de 1814 avait maintenu la seconde
chambre, Chambre haute ou Sénat, instaurée par le Consulat, sous la dénomination de chambre des
Pairs, mais avec un nombre accru de membres. Pour loger les deux cent soixante-dix pairs de la
monarchie de Juillet, Alphonse de Gisors doit, de 1837 à 1841, reconstruire la salle des séances :
à un ample hémicycle est ajouté un petit hémicycle réservé à la tribune présidentielle.
La chambre des Pairs avait siégé en Haute Cour en 1815 pour juger le maréchal Ney,
qui fit l'objet d'une sentence de mort. Elle eut aussi à juger, après 1830, les ministres de Charles X,
l'assassin du duc de Berry, Louvel, et Louis-Napoléon Bonaparte après sa tentative de coup d'État
de Boulogne-sur-Mer.
Comme au Palais-Bourbon, la décoration de la bibliothèque fut confiée à Eugène Delacroix, qui y figura
« des poètes, des héros, des sages du monde antique devisant parmi les myrtes et les lauriers-roses ».
Leconte de Lisle et Anatole France en furent les bibliothécaires. Son chef de service notait en 1888 à
propos d'Anatole France : « Pour [le travail] incombant à M. Anatole France, le résultat jusqu'à ce jour
peut se résumer en un seul mot : néant. »
VOIR AUSSI LE PALAIS DE MARIE DE MÉDICIS, p. 92, ET LA GALERIE DU TRÔNE, p. 270.

*Sous une colonnade de porphyre rouge,
Michel de l'Hospital, Molé, Colbert, d'Aguesseau,
Turgot et Portalis, grands commis de l'État, veillent
sur l'hémicycle présidentiel du Sénat.*

UN PACHYDERME DÉTRÔNÉ PAR UNE COLONNE
Colonne de Juillet, place de la Bastille (IVᵉ, XIᵉ, XIIᵉ)

En 1793, on éleva place de la Bastille une curieuse fontaine en plâtre où une statue représentait la Régénération « se pressant les seins des deux mains et en faisant sortir des trombes d'eau ». En 1808, un éléphant en bois et plâtre de 15 mètres de haut prit sa place, ébauche d'une fontaine qui resta à l'état de projet et dont la carcasse creuse servait de refuge à Gavroche dans *les Misérables*. Ses trois vasques de marbre furent conservées pour constituer le soubassement de la colonne commémorative des Trois Glorieuses – les 27, 28 et 29 juillet 1830 –, mais le pittoresque animal fut laissé à l'abandon puis démoli en 1847.
Le principe d'un monument célébrant les journées fondatrices de la monarchie de Juillet a été retenu dès décembre 1830 et confié à Jean Antoine Alavoine puis à Joseph Duc, mais « l'espèce de poêle gigantesque orné de son tuyau », comme le décrit Hugo, ne fut inauguré que le 28 juillet 1840.

LE TOMBEAU DES VICTIMES DE 1830
L'immense fût revêtu de bronze s'élève sur un socle de marbre et un piédestal orné de têtes de coq et d'un beau lion de bronze de Barye. Les noms des cinq cent quatre victimes de Juillet y sont gravés en lettres d'or.
Au sommet, juché sur un globe, le génie doré de 4 mètres de haut d'Augustin Dumont symbolise « la Liberté qui s'envole en brisant des fers et en semant la lumière ». Dans le creux du fût, un escalier hélicoïdal de deux cent quarante marches conduit à la lanterne qui soutient le génie.
L'ensemble fait 50,50 m de haut et pèse 184,6 t.
En août 1839, on décida qu'une partie du soubassement abriterait les restes des combattants de Juillet, qui gisaient en divers endroits de Paris. La légende veut que quelques momies égyptiennes, mêlées aux ossements exhumés au Louvre, aient été transférées en grande pompe à la colonne et déposées parmi les glorieuses dépouilles, auxquelles vinrent ensuite s'ajouter les corps des cent quatre-vingt-seize victimes des 23 et 24 février 1848.
Le 27 février 1848, la République est solennellement proclamée et le trône de Louis-Philippe publiquement brûlé au pied de la colonne de Juillet. En 1871, les communards tenteront de l'abattre, sans succès.

Philosophie de comptoir au café des Phares

Il a l'allure de n'importe quel café parisien. Pourtant, chaque dimanche matin à partir de 11 heures, près de cent cinquante Parisiens se rassemblent au café des Phares. Les chaises sont prises d'assaut et tant pis pour les retardataires, qui restent patiemment debout serrés les uns contre les autres. Chacun vient là pour discuter… et même philosopher. Philosophie de comptoir, philosophie du dimanche, ainsi a-t-on qualifié ce curieux rituel animé par Marc Sautet, quadragénaire branché. Chef d'orchestre du débat, il est le premier à prendre la parole, micro en main. Comme chaque dimanche, il s'agit d'abord de choisir ensemble le thème qui sera déshabillé, disséqué, retourné, perdu et retrouvé, avec fougue et beaucoup de désordre par tous les participants. Les micros se baladent dans la salle, les doigts se lèvent, les suggestions pleuvent : « L'argent fait-il le bonheur ? » « Doit-on forcer le destin ? » « Faut-il un Code pénal ? » Une fois le thème choisi, la discussion s'engage. Les langues se délient sans mal. Et un dialogue étonnant s'ouvre entre un étudiant et une vieille dame, un philosophe amateur et un juriste, une jeune fille timide qui ne termine pas ses phrases et un habitué qui raconte chaque dimanche ses mêmes angoisses.
À 13 heures, le débat est clos, c'est la règle. Certains concluent en affirmant qu'ils vont mieux vivre la semaine suivante. Marchent-ils sans le savoir sur les traces d'Épicure, qui soutenait en son temps que « philosopher, cela sert à essayer d'être heureux » ?
Les Phares, place de la Bastille (IVᵉ).

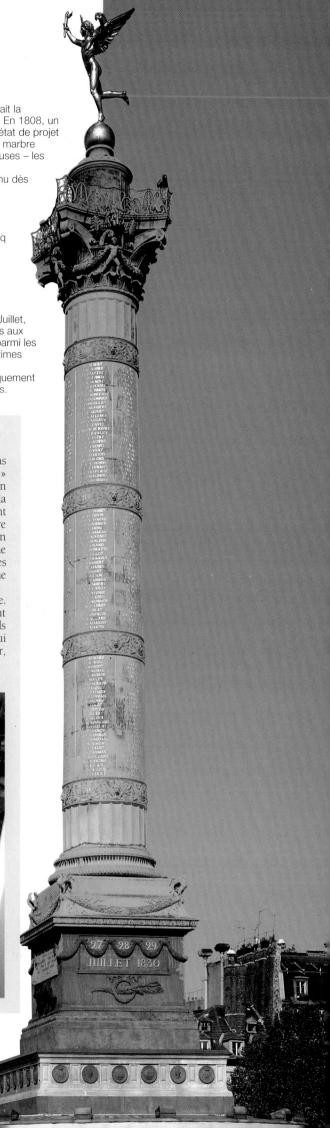

La colonne de Juillet, symbole de la monarchie bourgeoise, est devenue le point de départ de la plupart des manifestations de la gauche républicaine.

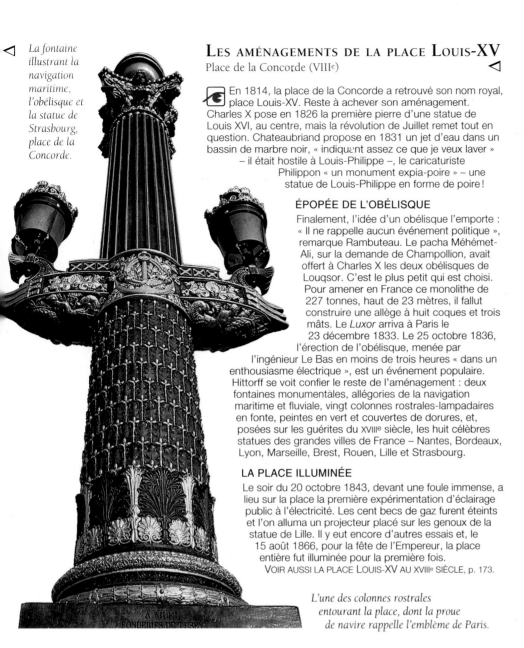

La fontaine illustrant la navigation maritime, l'obélisque et la statue de Strasbourg, place de la Concorde.

LES AMÉNAGEMENTS DE LA PLACE LOUIS-XV
Place de la Concorde (VIIIᵉ)

En 1814, la place de la Concorde a retrouvé son nom royal, place Louis-XV. Reste à achever son aménagement. Charles X pose en 1826 la première pierre d'une statue de Louis XVI, au centre, mais la révolution de Juillet remet tout en question. Chateaubriand propose en 1831 un jet d'eau dans un bassin de marbre noir, « indiquent assez ce que je veux laver » – il était hostile à Louis-Philippe –, le caricaturiste Philippon « un monument expia-poire » – une statue de Louis-Philippe en forme de poire !

ÉPOPÉE DE L'OBÉLISQUE

Finalement, l'idée d'un obélisque l'emporte : « Il ne rappelle aucun événement politique », remarque Rambuteau. Le pacha Méhémet-Ali, sur la demande de Champollion, avait offert à Charles X les deux obélisques de Louqsor. C'est le plus petit qui est choisi. Pour amener en France ce monolithe de 227 tonnes, haut de 23 mètres, il fallut construire une allège à huit coques et trois mâts. Le *Luxor* arriva à Paris le 23 décembre 1833. Le 25 octobre 1836, l'érection de l'obélisque, menée par l'ingénieur Le Bas en moins de trois heures « dans un enthousiasme électrique », est un événement populaire. Hittorff se voit confier le reste de l'aménagement : deux fontaines monumentales, allégories de la navigation maritime et fluviale, vingt colonnes rostrales-lampadaires en fonte, peintes en vert et couvertes de dorures, et, posées sur les guérites du XVIIIᵉ siècle, les huit célèbres statues des grandes villes de France – Nantes, Bordeaux, Lyon, Marseille, Brest, Rouen, Lille et Strasbourg.

LA PLACE ILLUMINÉE

Le soir du 20 octobre 1843, devant une foule immense, a lieu sur la place la première expérimentation d'éclairage public à l'électricité. Les cent becs de gaz furent éteints et l'on alluma un projecteur placé sur les genoux de la statue de Lille. Il y eut encore d'autres essais et, le 15 août 1866, pour la fête de l'Empereur, la place entière fut illuminée pour la première fois.
VOIR AUSSI LA PLACE LOUIS-XV AU XVIIIᵉ SIÈCLE, p. 173.

L'une des colonnes rostrales entourant la place, dont la proue de navire rappelle l'emblème de Paris.

ESPRIT DE CONTESTATION AU COLLÈGE DE FRANCE
Place Marcelin-Berthelot (Vᵉ)

Dans les années 1840, le Collège de France est un foyer de contestatation où s'expriment devant des auditoires jeunes et passionnés de grands tribuns annonciateurs des idées de 1848, comme Jules Michelet, Edgar Quinet et le poète polonais Adam Mickiewicz – ils seront d'ailleurs destitués par le gouvernement Guizot.
Les bâtiments du Collège de France s'organisent autour de la cour d'honneur – dont le portail arbore la fière devise *Docet omnia* –, édifiée par Chalgrin de 1774 à 1780, et des cours Guillaume-Budé et Letarouilly, ajoutées de 1831 à 1842. Le bâtiment des sciences, construit de 1928 à 1933 sur l'impasse Chartière, abrite dans ses sous-sols le fameux cyclotron de Frédéric Joliot-Curie.

UN ENSEIGNEMENT DIFFÉRENT

Le Collège de France a été fondé en 1530 par François Iᵉʳ, sous l'impulsion de l'humaniste Guillaume Budé, en réaction contre le dogmatisme de l'Université. Pour enseigner des matières nouvelles, le grec, l'hébreu, l'arabe, puis les mathématiques, le roi institua des lecteurs royaux, indépendants de l'Université, qui formèrent le Collège royal, puis le Collège de France. L'un de ces premiers professeurs, le philosophe Pierre Ramus, devait périr assassiné par son collègue le mathématicien Jacques Carpentier. La Sorbonne ne tarda pas à déclarer cet enseignement « scandaleux, téméraire et hérétique ». Elle ne croyait pas si bien dire. Parmi les premiers élèves, on comptait Marot, Rabelais, Ignace de Loyola et Calvin. C'est toujours un établissement d'enseignement doté d'un statut très particulier : ouvert à tous, il n'est assujetti à aucun programme, ne prépare à aucun examen ou diplôme. Les professeurs se cooptent, sans condition de grade. La nature d'une chaire est liée à son titulaire ; ainsi, la chaire du sociologue Raymond Aron fut attribuée, après son départ, à un professeur de chimie moléculaire. Des noms célèbres jalonnent son histoire : Gassendi, Champollion, Laennec, Renan, Bergson, Valéry, Claude Bernard, Roland Barthes, Michel Foucault, Claude Lévi-Strauss…

La cour Guillaume-Budé, au Collège de France ; autour de la statue du célèbre humaniste s'alignent les bustes des premiers professeurs de l'établissement.

Une histoire du crime

Créé en 1909 par le préfet de police Lépine, le musée des Collections historiques de la préfecture de police rassemble les pièces les plus spectaculaires des archives de la préfecture. Dès l'entrée, des mannequins-gardiens de la paix vous dévisagent le plus sérieusement du monde. Ne pas se laisser intimider et poursuivre : on pourra alors se pencher sur les manuscrits, les estampes et gravures, les costumes, les armes, les médailles et les affiches des autorités de police, avant de pénétrer dans la partie du musée consacrée au vol, au meurtre et à la prostitution. Plus de deux mille documents retracent l'histoire souvent tragique des crimes, délits, attentats et tortures dont témoignent les lettres de cachet de l'Ancien Régime, les ordres d'arrestation, les rapports d'autopsie et les registres d'écrou de la Révolution. On y croisera enfin, dans un silence glacé, la collection d'armes utilisées par des criminels, deux modèles réduits de guillotine, un couperet grandeur nature, la machine infernale de Fieschi, des chaînes de forçat, des menottes, des instruments d'anthropo-

métrie, les portes d'anciennes cellules et le poteau du stand de tir d'Issy-les-Moulineaux pendant l'occupation allemande. Amateurs de série noire, n'hésitez pas à parcourir ce lieu insolite : s'il ne sacrifie pas beaucoup au pittoresque, il y a de la lecture, de nombreuses pièces à conviction et du frisson garanti…
Musée des Collections historiques de la préfecture de police, hôtel de police, 1 bis, rue des Carmes (Vᵉ).

LE ROYAUME DES BOULEVARDIERS △
Maison Dorée, 20, boulevard des Italiens (IXe)

Sous la Restauration, les Grands Boulevards, plus particulièrement le boulevard des Italiens, deviennent véritablement le cœur de la vie parisienne. Le boulevard des Italiens fut surnommé boulevard de Mayence ou Petit Coblence sous la Révolution parce que s'y réunissaient les partisans des aristocrates émigrés, puis, dans les années 1815-1820, boulevard de Gand, allusion à la ville où s'était réfugié Louis XVIII pendant les Cent-Jours ; d'où le sobriquet de gandins donné aux petits jeunes gens à la mode qui y déambulaient.

TOUS LES LIEUX À LA MODE
« Quel attrait, quelle atmosphère capiteuse pétillent entre la rue Taitbout et la rue Richelieu… ! s'exclame Balzac. C'est un rêve d'or et d'une distraction invincible. On est à la fois seul et en compagnie. Les gravures des marchands d'estampes, les spectacles du jour, les friandises des cafés, les brillants des bijoutiers, tout vous grise et vous surexcite. […] Ce point de Paris a tué le Palais-Royal. »
Le boulevard était jalonné d'établissements célèbres, antres des « lions », « dandys » et « viveurs » et de leurs compagnes : au numéro 16, le café Riche, voisin du café Hardy (« Il faut être bien riche pour entrer chez Hardy et bien hardi pour entrer chez Riche », disait-on) ; au numéro 22, Tortoni, le premier glacier de Paris ; au 24, le café de Paris. Au numéro 20, le restaurant Verdier – installé en 1840 au rez-de-chaussée et à l'entresol de l'immeuble construit en 1838 par l'architecte Lemaire – est appelé la maison d'Or ou la maison Dorée en raison de l'abondance des sculptures et des ferronneries dorées qui ornent sa façade ; le décor intérieur et la chère n'en étaient pas moins splendides. Il fut l'un des plus grands restaurants de Paris jusqu'à la fin du Second Empire ; il disparut en 1902.

FONTAINE CUVIER ▷
Angle des rues Linné et Cuvier (Ve)

C'est au pied d'un immeuble construit en 1840 par Victor Lemaire que vient s'adosser en 1846 une nouvelle fontaine monumentale, en remplacement d'une fontaine du XVIIe siècle. Exécutée sur des dessins de Vigoureux l'aîné, la fontaine est dédiée au naturaliste Georges Cuvier, en raison de la proximité du Jardin des Plantes. Elle occupe un pan coupé, selon une disposition commune à l'époque, et présente un groupe sculpté par Jean-Jacques Feuchères, *l'Histoire naturelle* : sur un haut piédestal, une figure féminine, accompagnée d'un lion, tient à la main des tablettes portant l'ambitieuse devise de Cuvier, *Rerum cognoscere causas* ; elle est entourée d'animaux marins et amphibies, dont un crocodile qui tourne la tête en un mouvement défiant toutes les lois anatomiques de son espèce, comme le firent remarquer les spécialistes.

Une belle frise animalière sculptée par les frères Lechesne ceinture l'entresol de la maison Dorée.

Films d'auteur au Max-Linder

S'il n'avait pas fondé une salle de cinéma qui porte aujourd'hui son nom, le grand cinéaste français Max Linder serait définitivement oublié de tous. Cette salle, il la créa en 1920 sur ces Grands Boulevards qui fourmillaient de spectateurs. Une fois Max Linder disparu, elle continua sans lui et aurait dû fermer définitivement ses portes si quatre cinglés de la pellicule ne l'avait reprise en 1987. Agrandie, modernisée, dotée des meilleurs équipements, elle s'est tout de suite imposée comme un des grands rendez-vous des cinéphiles. Tout près, le Grand Rex, la plus vaste salle de la capitale, drainait le public pour des films à grand spectacle. Il fallait s'en distin-

guer et offrir une programmation différente. Le Max-Linder choisit donc de projeter des films d'auteur en version originale au moment même où les télévisions décrétaient que le sous-titrage faisait fuir les spectateurs.
C'est un succès, tout comme les festivals d'été consacrés à de grands cinéastes aussi peu connus en France qu'Ozu et Mizoguchi. Le Max-Linder a compris que le public voulait du spectacle de qualité. Finis les écrans timbres-poste, adieu les salles grandes comme des chambres de bonne : le cinéma a besoin de beaucoup d'espace autour d'un grand écran blanc.
Le Max-Linder, 24, boulevard Poissonnière (IXe).

AMOUREUX DE LA SCÈNE ▽
Théâtre des Arts-Hébertot, 78 *bis*, boulevard des Batignolles (XVIIe)

En 1830, un habitant de la commune des Batignolles-Monceau, Besançon Souchet, fait construire une salle de spectacle non autorisée. Le ministère de l'Intérieur la fait fermer, mais il doit céder à la pression des habitants du quartier et autoriser la construction en 1838 par Adolphe Azémar d'un nouveau théâtre, dont la direction est dévolue aux commanditaires privilégiés des théâtres de banlieue depuis Louis XVIII, les frères Seveste. Ce type de conflit entre la périphérie et la Ville sera résolu par l'annexion des communes de banlieue en 1860. La façade, très remaniée, mais aux volumes bien conservés, s'orne de bas-reliefs représentant l'art lyrique et la danse. Le théâtre fut dirigé de 1940 à 1970 par Jacques Hébertot.

La salle à l'italienne du théâtre des Arts-Hébertot.

LES RETOMBÉES FINANCIÈRES D'UNE GIRAFE ▷
Serres chaudes du Jardin des Plantes, 57, rue Cuvier (V^e)

Le 23 octobre 1826 débarque à Marseille la première girafe jamais vue en France, cadeau du pacha d'Égypte à Charles X. Le Muséum d'histoire naturelle envoie l'un de ses éminents professeurs, Geoffroy Saint-Hilaire, pour la ramener à Paris. La « fille d'Afrique » fait le voyage à pattes, accompagnée d'une antilope et de vaches qui lui fournissent son lait quotidien. À son arrivée, en juin 1827, elle rend au roi une visite protocolaire en son château de Saint-Cloud, « mange des pétales de rose dans la main royale » et séduit la cour. On l'installe dans la rotonde de brique et de pierre du Jardin des Plantes construite sous l'Empire pour loger les fauves, où elle vit paisiblement jusqu'en 1845.

SERRES EN FER ET VERRE
1827 fut donc « l'année de la girafe » : elle reçut six cent mille visiteurs en six mois et inspira une foule d'objets, d'accessoires de mode, de papiers peints, d'estampes et de chansons, jusqu'à une coiffure « à la girafe » et un modèle de lampadaire qui resta malheureusement à l'état de projet.
Le Muséum profita de cet engouement et de l'octroi de nouveaux crédits. De 1834 à 1836, Charles Rohault de Fleury remplaça la serre en maçonnerie du XVIIIe siècle par deux serres chaudes monumentales de 15 mètres de haut – serre australienne et serre mexicaine – qui font date dans l'histoire de l'architecture française : c'est la première grande construction combinant le fer et le verre et employant pour l'ossature métallique un matériau nouveau, la fonte de fer. Il construisit aussi des laboratoires, la grande galerie de minéralogie et de géologie et une singerie, démolie en 1928.
VOIR AUSSI LA GALERIE DE ZOOLOGIE, p. 310.

La serre mexicaine au Jardin des Plantes.

Naissance de l'École nationale des beaux-arts ◁
14, rue Bonaparte (VIᵉ)

En 1816, Louis-Philippe fait fermer le musée des Monuments français, rassemblement hétéroclite d'œuvres d'art ayant échappé au vandalisme révolutionnaire qu'Alexandre Lenoir avait constitué en 1791 dans l'ancien couvent des Petits-Augustins. Les bâtiments sont attribués à l'École royale et spéciale des beaux-arts, les fameux « quat'zarts » (architecture, sculpture, peinture et gravure), dont l'organisation, fixée par ordonnance en 1819, resta quasi inchangée jusqu'en 1968, date à laquelle l'enseignement de l'architecture en fut détaché.

BÂTIMENT DES LOGES ET PALAIS DES ÉTUDES
Les travaux de transformation sont commencés par François Debret, qui réalise de 1820 à 1829, au sud de la cour, le bâtiment des Loges : lors des nombreux concours qui rythment la vie de l'école, les étudiants « entrent en loge » pour douze heures afin de préparer l'esquisse à soumettre au jury. Félix Duban, élève et beau-frère de Debret, reprend le chantier en 1832 ; il devait y travailler pendant quarante ans. Malgré l'opposition des partisans du néoclassique, il choisit de conserver en place les vestiges gothiques et Renaissance du musée de Lenoir et d'édifier le palais des Études en harmonie avec eux. Conçu pour présenter les collections de moulages, de copies d'antique et les œuvres scolaires primées, il s'inspire de la Renaissance italienne – les noms des principaux artistes de cette époque sont gravés sur la frise. La façade, rythmée de baies en plein cintre séparées à l'étage par des colonnes engagées, couronnée par un attique, influencera Labrouste pour la bibliothèque Sainte-Geneviève.
Voir aussi la chapelle des Louanges et l'église des Petits-Augustins, p. 89, et la cour couverte, p. 288.

La façade du palais des Études, à l'École des beaux-arts, au fond de la cour d'honneur.

« Boîte à claque » pour les élèves de l'X ◁ ▽
Porterie de l'ancienne École Polytechnique, 5, rue Descartes (Vᵉ)

En 1794, pour fournir des ingénieurs à la nation, la Convention institue une École centrale des travaux publics, qui prend l'année suivante le nom de Polytechnique. L'école est alors civile, les élèves logent chez des « citoyens sensibles et bons patriotes », dits « pères sensibles ». Napoléon l'installe sur la montagne Sainte-Geneviève en 1804 et lui donne un régime militaire. En 1814, l'Empereur en déroute refuse l'aide que veulent lui apporter les élèves avec ces mots célèbres : « Je ne veux pas tuer ma poule aux œufs d'or. » Une fidélité insupportable pour Louis XVIII, qui renvoie les deux promotions en 1816 puis réorganise l'école.

HÉROS DE LA LIBERTÉ
Le 27 juillet 1830, l'élève Charras, renvoyé pour avoir entonné *la Marseillaise,* chant alors séditieux, entraîne ses camarades tandis que la ville gronde. Ils forcent la sortie et fraternisent avec le peuple. L'élève Vaneau se fait tuer le lendemain devant la caserne Babylone. En 1832, malgré l'interdiction, les polytechniciens se joignent au cortège funèbre du général Lamarque, qui tourne à l'émeute. Poursuivis par les forces de l'ordre, les « X » ne doivent leur salut qu'à l'interposition de leur propre général. Cette agitation ne fut pas étrangère à la décision de reconstruire l'entrée principale de l'école. La porterie édifiée par Romagnesi de 1835 à 1837 est de facture classique mais d'un plan trapézoïdal original qui rappelle la forme de la boîte utilisée pour ranger le chapeau bicorne du grand uniforme, d'où son surnom de boîte à claque. Ce dispositif, enfermant une avant-cour polygonale, permettait de contrôler les entrées et les sorties des élèves.

Couronnant la porterie de l'École Polytechnique,
les médaillons de ses grands fondateurs : Lagrange, Laplace, Monge, Berthollet et Fourcroy.

Tribune pour les poètes

Lieu de rencontre unique que ce restaurant où depuis plus de trente ans, chaque soir, devant une cinquantaine de personnes, comédiens ou auteurs lisent des poèmes. Aragon y soupa avec Pablo Neruda, Saint-John-Perse y fit la connaissance du peintre Robert Petit-Lorraine, Georges Pompidou s'y rendait régulièrement, tout comme Jean Cocteau, Raymond Queneau, Henri Michaux ou Blaise Cendrars.

Le Club des poètes fut créé par une personnalité haute en couleur, Jean-Pierre Rosnay, lui-même poète reconnu, qui fut dans les maquis de Haute-Savoie et du Vercors l'un des plus jeunes combattants de la Résistance. Rescapé des camps, puis conseiller au ministère des Anciens Combattants, il devint surtout, à la fin des années cinquante et pendant plus de quinze ans, le producteur d'émissions hebdomadaires consacrées à la poésie, qui connurent sur France-Inter et à l'ORTF un véritable succès. En 1961, il fonde le Club des poètes

OUVERTURE DE LA RUE RAMBUTEAU ▽

Façade du 2-4, rue Rambuteau (IIIᵉ)

🔑 Cent douze nouvelles rues furent ouvertes à Paris sous la Restauration et la monarchie de Juillet. L'une d'elles prit le nom du comte de Rambuteau, préfet de 1833 à 1848. L'œuvre importante de cet « enfant du Marais élevé à la place Royale » – ainsi se définit-il dans ses Mémoires – préfigure celle d'Haussmann.
« De l'eau, de l'ombre, voilà ce que je dois aux Parisiens », disait-il, et on ajoutait : « Le préfet aime mieux se faire arracher une dent que de laisser arracher un arbre. »
Percée de 1838 à 1845, la rue Rambuteau reliait Saint-Eustache au Marais mais ne put, comme le voulaient les riverains, maréchal Bugeaud en tête, être prolongée jusqu'à la rue Saint-Antoine. « J'ai recherché surtout, dit Rambuteau, les percements qui créaient de belles places à bâtir où les façades atteignaient de grands prix, telle la rue Rambuteau, qui a coûté neuf millions et dont les constructions en bordure doivent en valoir cinquante. »

Avec ses flèches, rosaces, gables et sculptures, Sainte-Clotilde imite le gothique du XIVᵉ siècle.

afin, selon ses propres termes, de rendre la poésie contagieuse et inévitable et de la sortir de son silence ; il n'est pas rare que les soirées s'y prolongent jusqu'à 3 heures du matin. L'activité passionnée du Club des poètes ne s'arrête pas là. Il édite une revue trimestrielle de poésie et des recueils de poètes contem- porains et diffuse par téléphone, sur une ligne joliment intitulée « État d'urgence, la radio libre des poètes » (45 50 32 33), un poème, chaque jour différent. Un réseau poétique de dialogue et d'échanges de poèmes a même été mis en place sur Minitel !
Le Club des poètes, 30, rue de Bourgogne (VIIᵉ).

LA BATAILLE DU GOTHIQUE △

Église Sainte-Clotilde-Sainte-Valère, 23 bis, rue Las-Cases (VIIᵉ)

📞 La construction d'une nouvelle église dans le faubourg Saint-Germain fut décidé en 1840. Le préfet Rambuteau imposa alors à l'architecte François Gau, d'origine allemande, le style gothique « plus conforme à nos traditions et à nos habitudes religieuses ». Il eut « à lutter pendant cinq ans contre le Conseil des bâtiments civils », qui, tenant du style néoclassique, s'opposait au style ogival, considéré comme « bâtard, barbare, baroque, sans pensée, sans élégance, sans caractère ». Rambuteau l'emporta, mais Sainte-Clotilde, première église néogothique parisienne, ne plut guère : on reprocha à Gau de s'être inspiré maladroitement d'un gothique allemand et tardif, donc altéré, bref d'avoir fait du « gautique », comme l'écrivit Prosper Mérimée, alors inspecteur général des Monuments historiques. L'église fut achevée par Théodore Ballu en 1857 et eut pour premier organiste César Franck, auquel succédèrent Gabriel Pierné, en 1890, puis Charles Tournemire.

La maison de Balzac est la seule demeure conservée des nombreuses résidences parisiennes de l'écrivain.

Balzac au village de Passy △
Maison de Balzac, 47, rue Raynouard (XVIe)

C'est dans un Passy encore campagnard qu'Honoré de Balzac vient élire domicile en 1840, pour fuir ses créanciers après la vente sur saisie de sa demeure des Jardies. Il a loué sous le nom de M. de Breugnol – nom emprunté à sa gouvernante et maîtresse, Mme Breugniot, qui vivra là avec lui – l'ancienne orangerie d'une folie du XVIIIe siècle. Cette maison, construite à flanc de coteau et discrètement nichée dans la verdure, présente l'avantage de posséder deux issues permettant de s'éclipser en cas de visite inopportune. Balzac occupe un modeste appartement de cinq pièces, qu'il qualifie de cabane ou de halle et où il se plaint du voisinage d'un blanchisseur et de « cinq ménages de prolétaires, avec enfants de prolétaires, qui font un tel tapage que j'y perdrai trente mille francs par an de copie ». Il n'en partira qu'en 1847, pour aller vivre plus luxueusement avec Mme Hanska aux Ternes, où il mourra en 1850.

L'ÉCRIVAIN AU TRAVAIL
Depuis 1960, la maison de Balzac est devenue musée. Son cabinet de travail a été reconstitué, avec le réchaud-veilleuse dont il ne se séparait jamais, son fauteuil et la petite table où fut écrite toute une partie de l'immense *Comédie humaine*, près d'une fenêtre d'où la vue plongeait, par-delà la rue Berton, sur les jardins de l'ancien hôtel de la princesse de Lamballe, devenu ambassade de Turquie.

Le retour des cendres de Napoléon ▽
Tombeau de Napoléon, église Saint-Louis-des-Invalides (VIIe)

15 décembre 1840 au matin. Le peuple de Paris s'est massé sur l'esplanade des Invalides et, par un froid glacial, se prépare à une longue attente. Victor Hugo *(Choses vues)* s'est fait le témoin de cette mémorable journée : « Tout à coup le canon éclate à la fois à trois points de l'horizon [...] Le char de l'Empereur apparaît. Le soleil, voilé jusqu'à ce moment, reparaît en même temps. L'effet est prodigieux. On voit au loin, dans la vapeur et dans le soleil, sur le fond gris et roux des arbres des Champs-Élysées, à travers des grandes statues blanches qui ressemblent à des fantômes se mouvoir lentement une espèce de montagne d'or. On n'en distingue encore rien qu'une sorte de scintillement lumineux qui fait étinceler sur toute la surface du char tantôt des étoiles, tantôt des éclairs. Une immense rumeur enveloppe cette apparition. »

DES GAGES AUX BONAPARTISTES
Louis-Philippe avait fait achever l'Arc de triomphe et rétablir, en 1833, la statue de Napoléon au sommet de la colonne Vendôme, donnant ainsi des gages aux bonapartistes pour mieux résister aux légitimistes et aux républicains. Il fera placer les restes de l'Empereur, ramenés de Sainte-Hélène par son troisième fils, le prince de Joinville, dans un tombeau grandiose au centre d'une crypte ouverte sous le dôme des Invalides. Les travaux s'étaleront de 1843 à 1861. Les cendres impériales reposent dans un sarcophage de porphyre rouge, dessiné par Louis Visconti.
VOIR AUSSI L'HÔTEL DES INVALIDES ET L'ÉGLISE SAINT-LOUIS-DES-INVALIDES, p. 146.

Le tombeau de Napoléon, veillé par douze Victoires de marbre blanc sculptées par Pradier et gardé par deux statues colossales symbolisant la force civile et militaire.

LE LOTISSEMENT SAINT-GEORGES ▽
Immeuble du 28, place Saint-Georges (IXe)

🔒 La place Saint-Georges et le quartier qui l'environne sont créés en 1824 par une société financière. La fontaine qui ornait le centre de la place est remplacée en 1911 par un monument au dessinateur Gavarni, qui habita dans le voisinage et sut si bien croquer les lorettes dans le journal *le Charivari*. Le principal promoteur, Alexis Dosne, se fit construire au numéro 27 un hôtel qui, passé à son gendre Adolphe Thiers, fut rasé par les communards et reconstruit en 1873. La fondation Dosne-Thiers abrite aujourd'hui le musée Frédéric-Masson.
Avant de s'installer dans son somptueux hôtel des Champs-Élysées, Thérèse Lachman, marquise de Païva, vécut en 1851-1852 au numéro 28 de la place Saint-Georges. Cet immeuble néo-Renaissance, bâti en 1840 par Édouard Renaud, frappe par sa façade ciselée et son abondante ornementation, exécutée par les frères Lechesne ; sur la travée centrale, les bustes de Diane et d'Apollon surmontent les figures allégoriques de la Sagesse et de l'Abondance, accompagnées des génies de l'Architecture et de la Sculpture.

La façade luxueuse du 28, place Saint-Georges, faisait de cet immeuble un des plus chers de Paris.

Thé à la menthe et hammam à la Mosquée

Difficile de résister à la saveur parfumée du thé à la menthe servi au café maure de la Mosquée de Paris. Le serveur se faufile parmi les tables basses, les doigts se lèvent et les petits verres bariolés s'accumulent devant chaque consommateur. Pour goûter aux pâtisseries, les plus gourmands doivent se servir eux-mêmes. En guise d'addition, on se contente de la bonne foi des clients, mais aussi du nombre de verres et de coupelles blanches étalés devant eux. La semaine, ce sont surtout les étudiants des universités de Censier et de Jussieu, situées à deux pas de là, qui profitent de l'endroit. L'hiver, les touristes viennent s'y réchauffer après une promenade au Jardin des Plantes. Nombreux sont ceux qui prolongent le moment de détente goûté au hammam. Car, dans les bâtiments de la Mosquée de Paris – construite de 1922 à 1926 dans un style hispano-mauresque –, répartis, conformément à la tradition, autour de cours et de jardins clos par une enceinte, activités religieuses, culturelles (Institut d'études musulmanes) et commerciales (hammam, café maure et boutiques) font bon ménage. C'est au hammam – un jour pour les femmes, un jour pour les hommes – que viennent parfois se détendre de nombreux mannequins de la place parisienne. Car, avec sa petite fontaine, la salle de repos est fort agréable. Nonchalamment étendu, on peut s'y faire servir un thé. On se sent alors très loin du cœur de Paris...
Mosquée de Paris, 39, rue Geoffroy-Saint-Hilaire (Ve).

UN MANIFESTE DU STYLE NOUVEAU ◁
Immeuble du 3-7, place Jussieu, et du 24, rue Linné (Ve)

🔒 En architecture civile comme en architecture religieuse, les années 1840 voient la fin du style néoclassique et le recours à un répertoire décoratif très diversifié qui doit manifester la richesse et la créativité de la bourgeoisie triomphante. « On comprendra combien ce luxe extérieur, luxe inconnu depuis la Renaissance, doit animer, égayer et faire rechercher, par conséquent, les nouveaux quartiers de Paris », écrivait la très écoutée *Revue générale de l'architecture*.
Le néogothique et le style troubadour triomphent vers 1835 puis sont supplantés par le style néo-Renaissance, qui s'affiche presque avec provocation sur l'ensemble d'immeubles construits place Jussieu par Totain et Vigreux en 1842. Les façades sont surchargées d'ornements sculptés dus, semble-t-il, à Adolphe Giraud.

Sur la façade du 3-7, place Jussieu, sont sculptés les médaillons des rois et des reines de France de la première Renaissance.

La ville bourgeoise

UN HAVRE DE PAIX
DANS UN QUARTIER BRUYANT ◁
Cité de Trévise, 8, rue Richer,
et 5, rue Bleue (IXᵉ)

🔒 « Quoique bâtie dans le quartier le plus fréquenté, et par conséquent le plus bruyant de Paris, la cité Trévise offre, au milieu des affaires et des plaisirs, une retraite agréable aux personnes amies du calme et de la tranquillité. Des concierges en livrée et des gardiens de nuit sont chargés de l'entretien et de la surveillance[...] À quelques pas des boulevards, au centre des hôtels, de nos principales maisons de banque et de haut commerce, cette magnifique cité établit une communication directe entre le nouveau et riche quartier de la Boule-Rouge et le faubourg Poissonnière. » Ainsi son promoteur vantait-il la cité de Trévise. Édifiée en 1840 sur les jardins de l'hôtel Margantin, à l'origine privée et fermée de grilles, elle est composée d'un ensemble homogène de quinze maisons néo-Renaissance. Alexandre Dumas père résida au numéro 3 au début de 1848, alors que s'effectuait la vente des meubles de son château de Monte-Cristo. Ce ne fut sans doute qu'un pied-à-terre. Colonel de la garde nationale de Saint-Germain-en-Laye, Dumas se partagea pendant les journées révolutionnaires entre Marly et Paris, dont il parcourait les rues en observateur passionné.

Les immeubles de la cité de Trévise, alignés autour de la place, sont un remarquable exemple de lotissement sous Louis-Philippe.

FONTAINE DES QUATRE-ÉVÊQUES ▷
Place Saint-Sulpice (VIᵉ)

👁 « Une grande place plantée de petits arbres [...] des ruelles aux pavés pointus, qu'une grande église recouvrait de son ombre humide [...] ce pavillon étrange où des prêtres de pierre sont assis, les pieds dans la vasque d'une fontaine. » Ainsi le petit Pierre Nozière, porte-parole d'Anatole France, voyait-il dans les années 1850 la monumentale fontaine des Orateurs Sacrés, chef-d'œuvre de Louis Visconti, érigée en 1843-1848 au centre de la place Saint-Sulpice et point final à son aménagement.
Au-dessus d'une large vasque où s'étalent quatre lions agrippés aux armoiries de la Ville de Paris trônent, sur les faces d'un édicule carré coiffé d'un baldaquin, les statues de quatre éminents prédicateurs : Bossuet, par Jean-Jacques Feuchère, Fénelon, par François Lanno, Fléchier, par Louis Desprez, et Massillon, œuvre de Jacques-Auguste Fauginet. Ils furent évêques et non cardinaux ; la malice populaire, remarquant l'orientation des statues, en fit la fontaine des quatre points cardinaux.

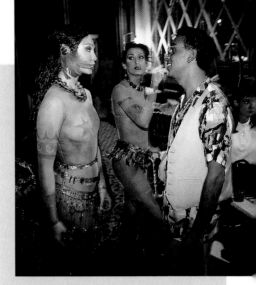

Music-hall aux Folies-Bergère

Riches maisons de plaisance où les fêtes étaient reines, les folies étaient fort à la mode au XVIIIᵉ siècle. De nombreux théâtres s'approprièrent cette appellation : Folies-Belleville, Folies-Parisiennes, Folies-Wagram... Deux salles ont conservé ce nom, les Folies-Pigalle et les Folies-Bergère, qui appartiennent au même propriétaire. Quant au qualificatif Bergère, il s'inspire tout simplement du nom d'une rue voisine.
Louis Montrouge, artiste lyrique, peintre et comédien, fit construire une salle de spectacle en 1867, à l'emplacement d'un magasin de literie surnommé les Colonnes d'Hercule. Elle est inaugurée le 2 mai 1869 sous l'appellation Café du Sommier élastique. Les premières années, la salle abrite souvent les réunions électorales des députés de l'Assemblée nationale et les discours d'orateurs tels que Léon Shah, Henri de Rochefort ou l'historien Michelet. À partir de 1918, le professionnalisme de son nouveau propriétaire, Paul Derval, et la diversité des spectacles – luttes sportives, tableaux féeriques, ballets, girls empanachées... – assurent le succès de ce music-hall, qui prend alors le nom de Folies-Bergère. Restaurées en 1929, les Folies-Bergère sont décorées par Pico. Joséphine Baker, Mistinguett, Maurice Chevalier y connaissent un grand succès. Sur la façade de style Arts déco, une danseuse nue jouant avec des voiles semble annoncer aux spectateurs – de nombreux provinciaux et étrangers – les plaisirs de ce célèbre music-hall.
Théâtre des Folies-Bergère, 32, rue Richer (IXᵉ).

LE PALAIS DU QUAI D'ORSAY ▷

Ministère des Affaires étrangères, 130, rue de l'Université, et 37, quai d'Orsay (VIIe)

🔑 Établi à l'hôtel de Galliffet de 1789 à 1822 puis à l'hôtel de Wagram, rue Neuve-des-Capucines, le ministère des Affaires étrangères occupe depuis 1853 le long bâtiment terminé en terrasse construit en 1845-1856 par Jacques Lacornée sur une partie des jardins de la Chambre des députés. Le choix de cet emplacement fut fort critiqué : « La chambre où l'on parle le plus ! le ministère où l'on doit le moins parler !... C'est un mauvais mariage... », s'exclamait un pair.

ÉCLECTISME POUR UN BÂTIMENT OFFICIEL

Le bâtiment, un peu lourd, est l'une des premières manifestations d'un style éclectique, où se mêlent les emprunts à la Renaissance italienne et au style classique français. De massifs avant-corps, ornés des statues des quatre continents, dues à Henri de Triqueti, encadrent une façade à deux niveaux de colonnades d'ordres superposés ; à l'étage, des médaillons de marbre polychrome devaient recevoir les emblèmes des nations alliées.
La révolution de 1848 ayant retardé les travaux, seule la décoration extérieure sera achevée au début du Second Empire. Décorés de 1852 à 1856 sous le contrôle personnel de l'empereur, les salons seront du plus pur style officiel Napoléon III. Siège du congrès de Paris en 1856, de la conférence de la Paix de 1919, du pacte Briand-Kellog en 1928, le quai d'Orsay – les initiés disent tout simplement le Quai – fut la résidence des hôtes officiels de la France jusqu'en 1973.

La façade sur le quai d'Orsay du ministère des Affaires étrangères.

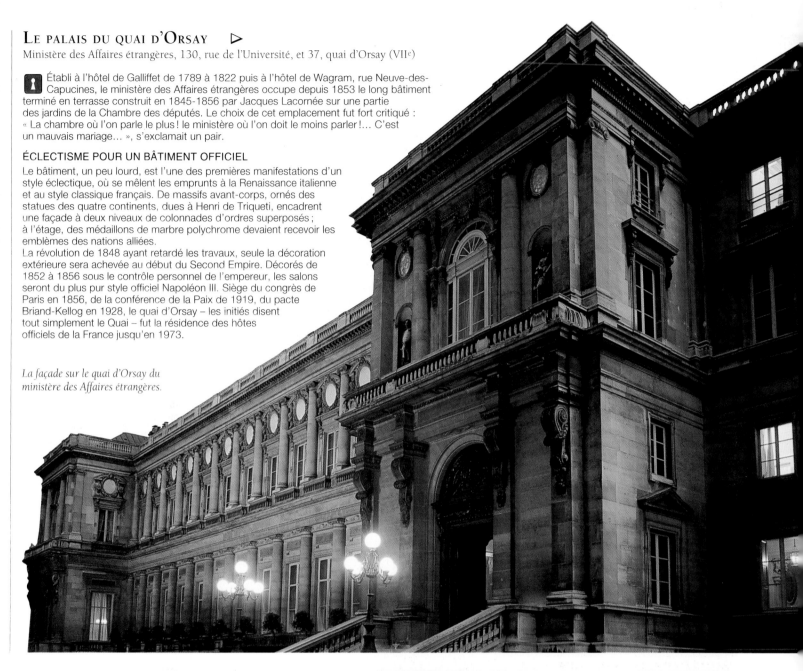

EN MÉMOIRE DU DUC D'ORLÉANS ▷

Chapelle Notre-Dame-de-la-Compassion,
2, boulevard d'Aurelle-de-Paladines (XVIIe)

Le 13 juillet 1842, le fils aîné de Louis-Philippe, Ferdinand, duc d'Orléans, héritier du trône, trouve la mort dans un accident de voiture en allant rendre visite à ses parents à Neuilly. À la hauteur de la porte Maillot, ses chevaux s'emballèrent ; le prince, éjecté de son cabriolet par une forte secousse dans un virage, eut le crâne fracassé. « Aujourd'hui, mercredi 20 juillet 1842, note Hugo dans son *Journal*, j'ai visité le lieu où le prince est tombé [...] Le roi a fait enlever les deux pavés tachés de sang, et l'on distingue encore aujourd'hui, malgré la boue d'une journée pluvieuse, les deux pavés nouveaux fraîchement posés. » Fort populaire, le prince fut unanimement pleuré. « C'est une chose remarquable qu'en France, où la Révolution n'a pas encore discontinué de fermenter, l'amour d'un prince ait pu jeter de si profondes racines », remarquait Heine.
La chapelle commémorative est élevée en 1843 sur le lieu de l'accident, 25, boulevard Pershing, mais elle sera transférée à son emplacement actuel en 1967 à la suite d'une opération immobilière. Ary Scheffer, qui avait été le professeur du jeune duc, dessina le mausolée, exécuté par Henri de Triqueti, auquel la reine Marie-Amélie fit ajouter *l'Ange de la Résignation* sculpté par la sœur de Ferdinand, Marie d'Orléans, décédée en 1839, à l'âge de vingt-six ans. Les trois rosaces représentant les Vertus théologales et les vitraux figurant les saints patrons de la famille royale sont l'œuvre d'Ingres, ami du prince, qui lui avait commandé son portrait.

Dans la chapelle Notre-Dame-de-la-Compassion, le duc d'Orléans est représenté blessé sur son sarcophage et assisté par un ange.

De l'assassinat du duc de Berry à la fontaine Louvois △
Square Louvois (Ier)

Le 13 février 1820 au soir, le duc de Berry, neveu du roi Louis XVIII, raccompagne sa jeune épouse, enceinte du futur duc de Bordeaux, à la porte de l'opéra alors situé à l'angle de la rue de Richelieu et de la rue de Louvois. À 23 heures, il est poignardé par un déséquilibré, Louvel. Cet assassinat plonge la France entière dans la consternation et entraîne la chute du ministre Decazes au profit des ultras. L'opéra est immédiatement fermé, puis démoli, et son emplacement déclaré inconstructible. On y érige cependant une petite chapelle expiatoire, que la révolution de 1830 fait abattre. En 1836, l'endroit est aménagé en place plantée, dénommée place de Richelieu, et Visconti y élève en 1839 une belle fontaine consacrée aux quatre grands fleuves de France. La place fut transformée en jardin en 1859.

Fer et fonte à la bibliothèque Sainte-Geneviève ▷
10, place du Panthéon (Ve)

La bibliothèque Sainte-Geneviève est élevée par Henri Labrouste de 1844 à 1850 pour abriter l'une des plus prestigieuses collections parisiennes, celle de l'abbaye Sainte-Geneviève. C'est l'un des premiers exemples de l'architecture métallique dans un monument public où le fer et la fonte sont utilisés de façon apparente. La structure et la décoration de ce bloc rectangulaire, sobre et « transparent », révèlent la distribution et la fonction des locaux.
Au-dessus du soubassement, décoré de patères de fonte et d'une guirlande de pierre, l'étage de la salle de lecture est formé d'une succession de hautes arcatures occupées par des baies dans leur tiers supérieur et par des murets dans les deux tiers inférieurs, où s'adossent, à l'intérieur, les rayonnages. Sur ces murets, huit cent dix noms d'érudits gravés, et à l'origine peints en rouge, composent un véritable catalogue monumental. Si la carcasse métallique est cachée à l'extérieur par une enveloppe de maçonnerie, la fonte est apparente dans la toiture et s'intègre à l'architecture.

ESPACE ET LUMIÈRE

La polychromie d'inspiration antique, chère à Labrouste, éclate à l'intérieur : forêt de cimes d'arbres peinte par Alexandre Degoffes sur les murs du vestibule ; mosaïques et copie de l'*École d'Athènes*, de Raphaël, dans l'escalier couvert d'un ciel étoilé.
Outre les avantages du métal dans une bibliothèque – résistance, économie et incombustibilité –, l'allègement résultant de l'emploi de ce matériau en couverture permet de réduire les structures porteuses et de dégager l'espace pour donner plus de lumière. Les deux voûtes en berceau de la salle de lecture reposent sur une seule rangée de seize minces colonnes de fonte dont les piédestaux de pierre sont sculptés de masques féminins représentant le Jour et la Nuit. Partout dans la bibliothèque, un abondant décor utilise largement le fer et la fonte, démontrant leur plasticité.

La fontaine Louvois, où Jean-Baptiste Klagmann sculpta des femmes symbolisant la Seine, la Loire, la Saône et, curieusement, la Garonne au lieu du Rhône.

La charpente métallique de la bibliothèque Sainte-Geneviève est formée d'arcs-doubleaux stylisés de grande portée.

Une belle symétrie ▽
Mairie du Ve arrondissement,
place du Panthéon (V^e)

🔑 L'aménagement de la place du Panthéon,
conçu dès 1757 par Soufflot pour former
avec l'église Sainte-Geneviève un « ensemble
romain », ne put être mené à bien que sous la
monarchie de Juillet. Soufflot avait construit en
1771-1774 l'école de droit et prévoyait en
pendant une école de théologie. Mais la loi du
2 juillet 1844 décida la construction de la
bibliothèque Sainte-Geneviève, le percement de
la rue Soufflot jusqu'au Luxembourg et l'érection
d'un bâtiment symétrique à l'école de droit où
serait logée la mairie du XIIe arrondissement
– devenu le Ve en 1860. Les travaux, achevés en
1850, furent exécutés sur des dessins de
François Guenepin par Victor Calliat et, pour les
aménagements intérieurs, par Jacques Hittorff.
La majestueuse façade, légèrement incurvée,
respecte la belle ordonnance ionique voulue par
Soufflot. Agrandie en 1923-1932 par René
Patouillard-Demoriane, la mairie fut alors dotée
d'un riche décor intérieur Arts déco.

La monumentale façade de la mairie du Ve.

L'école de l'élite ▷
École normale supérieure, 47, rue d'Ulm (V^e)

🔑 Le 30 octobre 1794, la Convention fonde, sous l'instigation
de Lakanal, une école normale pour former « la jeunesse savante et
philosophe à l'art d'enseigner les connaissances humaines » et « répandre
d'une manière uniforme dans toute la République l'instruction nécessaire à
des citoyens français ». Elle est réformée par Napoléon, fermée par les ultras
en 1822 – elle faillit disparaître – puis réorganisée par la monarchie de Juillet.
En 1843, elle devient école normale « supérieure ». Louis Pasteur, qui y est
alors préparateur de chimie, en deviendra l'administrateur en 1857 ; il y aura
son laboratoire jusqu'en 1888.

LE BASSIN AUX ERNESTS

C'est en 1847 que les normaliens peuvent s'installer dans
les « turnes » de l'école de la rue d'Ulm, construite par Alphonse
de Gisors autour d'une cour carrée – le célèbre cloître – aux
façades ornées de bustes de grands hommes. Au centre de la
cour, un bassin de ciment où Ernest Bersot, directeur de l'école,
plaça en 1871 des poissons rouges – les Ernests, devenus des
figures de l'école – de préférence à des grenouilles, dont le
coassement eût pu perturber les études et le sommeil des
« gnoufs », « carrés », « cubes », « caïmans » et autres
« caciques »… L'argot de l'école, comme son folklore et ses
canulars, est inépuisable !
Un grand nombre de ses « archicubes » (anciens élèves) sont
devenus célèbres ; car Normale sup fut et est encore cette
« fournaise intellectuelle » dont parlait Sainte-Beuve.

*Les allégories des Lettres et des Sciences
sculptées au fronton de l'entrée monumentale
de l'École normale supérieure.*

Fontaine Molière ▽
37, rue de Richelieu (IIe)

💬 C'est à une souscription publique lancée
en 1838 par un sociétaire de la
Comédie-Française, Régnier, que l'on doit la
construction par Visconti de la fontaine Molière ;
elle est inaugurée en 1844 rue de Richelieu,
précisément en face de la maison (emplacement
du numéro 40) où était mort l'illustre comédien.
La nature du sujet dicta sans doute l'architecture
très classique du monument, couronné par un
grand fronton curviligne et encadré de colonnes
géminées. Molière, représenté la plume à la main
par Gabriel Seurre, est placé sur un haut
piédestal auquel s'accoudent les figures
allégoriques, dues à James Pradier, de *la
Comédie sérieuse* et de *la Comédie plaisante*.
Ce fut la dernière des grandes fontaines
du préfet Rambuteau. À la même époque,
les habitants du faubourg Saint-Martin
se cotisaient également pour orner leur rue
de trente fontaines de bronze. Le préfet pouvait
se targuer, à la fin de son mandat, d'avoir fait
passer le volume d'eau disponible pour
les Parisiens de 28 litres par tête et par jour à
environ 110 litres.

Une maison définitivement close

Est-ce la proximité du Palais-Royal, longtemps refuge des demi-mondaines et des
cocottes ? Dans une voie anodine, à deux pas
de la fontaine Molière, la plus huppée de
toutes les maisons closes de Paris occupait
l'immeuble ordinaire du 12, rue Chabanais.
Pendant un demi-siècle, des souverains étrangers, des ministres, des grands-ducs et l'élite
de la société française s'y donnèrent rendez-
vous et y firent des affaires.
Édouard VII, encore prince de Galles, y
possédait quelques connaissances et,
dit-on, aimait à prendre son bain de
champagne dans une baignoire à cariatides. La maison, ne reculant devant
aucun sacrifice, lui fit même confectionner une chaise d'amour qui
demeure encore un des plus extraordinaires témoignages de l'inventivité mobilière. La notoriété du lieu était telle
qu'en argot « chabanais » devint synonyme
de maison close. Quelque amateur de statistiques calcula qu'en toute saison le Chabanais
accueillait deux cents clients par jour. Une
aubaine pour cette maison gérée comme
une entreprise et dont les actionnaires
recevaient chaque année de confortables dividendes.
La poule aux œufs d'or disparut dans
une vente aux enchères, le 7 mai 1951,
après le vote de la loi Marthe
Richard interdisant les lupanars. Et la rue Chabanais
retomba dans l'anonymat le plus
total.

Le polygone irrégulier du bastion numéro 1, abritant la casemate, et dont le talus était étagé en banquette pour les défenseurs.

LA DERNIÈRE ENCEINTE DE PARIS △

Enceinte de Thiers, bastion numéro 1, 117, boulevard Poniatowski (XVIIe)

Depuis que Louis XIV avait fait démolir les enceintes de Charles V et Louis XIII, Paris était resté ville ouverte. Mais l'occupation étrangère de 1814-1815 avait laissé de pénibles souvenirs. En 1841, Thiers saisit l'occasion d'une menace de conflit avec l'Angleterre pour faire voter, malgré une vive opposition menée entre autres par Lamartine, la construction d'une enceinte fortifiée de 36 kilomètres de long encerclant Paris et englobant onze communes de la « petite banlieue » qui seront annexées à Paris par Haussmann en 1860.
L'ouvrage, achevé en 1846 sous la direction du général Dode de La Brunerie, était composé de quatre-vingt-quatorze bastions de 10 mètres de haut et précédé d'un fossé de 15 mètres de large et d'une zone militaire inconstructible qui, au fil des ans, deviendra un terrain vague et un bidonville de sinistre mémoire. L'enceinte, qui fit ses preuves pendant le siège de 1870, sera démolie à partir de 1919 et cédera la place aux premiers HLM et aux boulevards des maréchaux. Mais la promenade aux « fortifs » restera longtemps « la promenade classique du peuple ouvrier et des petits-bourgeois » (Zola, 1878).

LIAISON FERROVIAIRE AVEC LA BANLIEUE ▽

Gare Denfert-Rochereau, place Denfert-Rochereau (XIVe)

La gare Denfert-Rochereau abrite aujourd'hui une station du RER.

« Les coucous s'en vont ! » Ce cri poussé par *l'Illustration* du 6 juin 1846 saluait l'inauguration du chemin de fer de Sceaux, condamnant à la retraite les « coucous » qui assuraient jusque-là les liaisons Paris-banlieue. Sceaux, après Versailles et Saint-Germain, cédait à la modernité de la vapeur. La petite gare tête de ligne de la barrière d'Enfer est le plus ancien témoignage subsistant de la première génération des gares parisiennes. Elle fut construite par l'ingénieur Dulong en fer à cheval : on y expérimentait les trains articulés d'Arnoux, capables de négocier des courbes à petit rayon grâce à un système particulier d'essieux ; au terminus, il n'était plus besoin de manœuvre compliquée ni de plaque tournante ; la voie ferrée unique formait une large boucle, que le train n'avait qu'à suivre pour repartir dans l'autre sens.

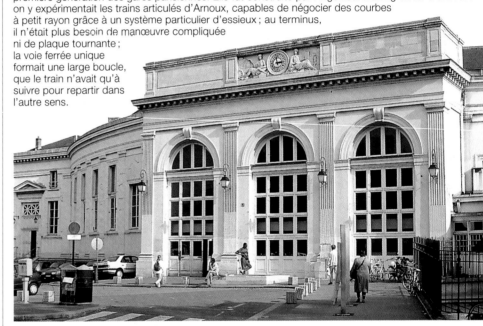

La rue Daguerre

C'est en 1867 que cette célèbre rue piétonne du XIVe arrondissement, alors baptisée rue de la Pépinière, proche de la place Denfert-Rochereau, prit le nom de Louis Jacques Mandé Daguerre, l'inventeur de l'un des plus anciens procédés photographiques, le daguerréotype. Aux habitués du quartier qui viennent faire leur marché se mêlent souvent des touristes américains, tout étonnés de trouver là les vestiges d'un vieux Paris authentique. Car, avec ses bars à vin, ses petits restaurants, ses maraîchers bruyants et ses militants politiques, elle offre aux badauds un véritable spectacle de rue, en particulier les samedis et dimanches matin. Trotski y habita quelque temps et y faisait régulièrement ses courses ; Calder y eut son premier atelier, et c'est également là que vit depuis plus de trente ans la cinéaste Agnès Varda, qui consacra à sa rue un documentaire, *Daguerréotypes*. On y croise enfin régulièrement Bernard Giraudeau et Anny Duperey. Il faut dire que les bonnes adresses ne manquent pas : on trouve aux Caves Vincent (numéro 35) plus de soixante-quinze champagnes différents ; chez Vacroux (numéro 5) un grand choix de fromages ; quant à l'excellente boucherie Martin (numéro 29), c'est la vedette de la rue.
Après ses courses, il ne faut pas hésiter à s'asseoir à la table d'un des nombreux cafés typiquement parisiens, en particulier Le Rallye (numéro 6), pour y siroter quelques bons vins accompagnés de jambon, saucisson, ou rillettes de pays tartinées sur le fameux pain Poilâne.

L'EMBARCADÈRE DE STRASBOURG ▷

Gare de l'Est, place du 8-Mai-1945 (Xe)

La première voie ferrée française, Saint-Étienne-Andrézieux, est née en 1828. Le premier « embarcadère » parisien – mot d'abord utilisé pour désigner les gares ferroviaires – fut implanté en 1837 place de l'Europe pour desservir la ligne Paris-Versailles et deviendra la gare Saint-Lazare. C'était le début du chemin de fer à Paris et une révolution dans l'histoire des transports. Suivirent les embarcadères d'Orléans, du Maine, d'Orsay et du Nord, autant de bouleversements du paysage urbain. Le 5 juillet 1849, peu avant celui de Lyon, est inauguré l'embarcadère de Strasbourg ou de l'Est, construit par François Duquesney sur des plans de Pierre Cabanel de Sermet. Il se composait d'une élégante halle à fermes en plein cintre, « gigantesque galerie arrondie en voûte », couronnée par la statue de Strasbourg, œuvre de Lemaire, et encadrée par deux grands pavillons réservés l'un aux départs, l'autre aux arrivées, disposition qui résolvait habilement le problème encore mal maîtrisé du contrôle du flux des voyageurs. C'était alors la plus belle gare de Paris.

LA GARE DÉDOUBLÉE

En 1925, on décida d'agrandir la gare. L'édifice d'origine fut, cas unique à Paris, intégralement conservé : il constitue la partie ouest de la gare actuelle, et la halle est devenue la salle des pas perdus. L'architecte Bernaut le prolongea sur l'aile droite par un bâtiment parfaitement symétrique, coiffé d'une statue de Verdun par Varenne et orné du groupe de la Marne et de la Meuse, réplique au groupe de la Seine et du Rhin sculpté sur l'aile ouest par Jean-Louis Brian.

CONJURER LE CHOLÉRA ▷

Hôpital Lariboisière, 2, rue Ambroise-Paré (Xe)

Le 28 mars 1832, *le Journal des débats* déclare : « Le choléra morbus est dans nos murs. » Les quatre premières victimes de la plus terrible épidémie de choléra que Paris ait jamais connue sont mortes deux jours plus tôt. C'est la panique. Tout ceux qui le peuvent quittent la ville, mais le fléau fait rage et, en cent quatre-vingt-neuf jours, tue 18 402 Parisiens, soit vingt-trois pour mille. Le 1er avril, le Premier ministre Casimir Perier visite les malades à l'Hôtel-Dieu en compagnie du duc d'Orléans ; la maladie l'emportera, ainsi que le général Lamarque.

L'HÔPITAL DES FAUBOURGS DU NORD

L'épidémie fait prendre conscience de l'épouvantable insalubrité des quartiers centraux de Paris, où s'entassaient les populations les plus misérables, et de l'insuffisance criante des établissements hospitaliers. Rive droite, les trois hôpitaux généraux, l'Hôtel-Dieu, Saint-Antoine et Beaujon, sont rapidement débordés. On décide alors d'édifier un nouvel hôpital dans les faubourgs du Nord, en cours d'urbanisation et en forte progression démographique. Le chantier, entrepris en 1846, traîne en longueur et est le cadre de violents combats pendant les journées de juin 1848. Un legs de deux millions six cent mille francs laissé par Elisa Roy, comtesse de Lariboisière, en 1851, permet d'accélérer les travaux, dirigés par Martin Pierre Gauthier. Selon le modèle hygiéniste alors préconisé, l'établissement, inauguré en 1853, se compose de six pavillons isolés disposés en épi autour d'une cour-jardin centrale et reliés par une galerie basse. Florence Nightingale, en voyage d'étude à Paris, en conçoit une « haute appréciation ».

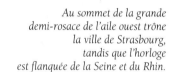

Au sommet de la grande demi-rosace de l'aile ouest trône la ville de Strasbourg, tandis que l'horloge est flanquée de la Seine et du Rhin.

La chapelle de l'hôpital Lariboisière s'élève dans l'axe de la grande cour centrale. Elle abrite le mausolée de la comtesse de Lariboisière.

LEURS MAJESTÉS...

Grandioses, mais aussi intimes, somptueux tout en restant sobres, palaces et grands hôtels ne sont pas seulement des résidences de luxe pour voyageurs fortunés. Ils sont partie prenante du patrimoine culturel de Paris, témoins de son histoire, de son art de vivre et de recevoir.

L'hôtellerie parisienne de qualité remonte à l'époque haussmannienne, lorsque la capitale entre dans l'ère industrielle. Certes, il existait depuis longtemps des auberges, mais leur réputation était telle que l'honnête homme se devait de les éviter. Les voyageurs fortunés préféraient louer un appartement et prendre des domestiques. Tout va changer à la veille du XXe siècle, lorsque l'hôtellerie de luxe fait son apparition dans la capitale.

UN PALAIS POUR RICHES AMÉRICAINS

De tous les palaces parisiens, le Crillon est sans doute le plus prestigieux, non seulement parce qu'il s'intègre au magnifique palais dessiné par Gabriel pour le roi Louis XV, mais aussi parce que ses salons donnent sur la majestueuse place de la Concorde. Édifiée dans les années 1770 par l'architecte Louis-François Trouard, cette demeure particulière fut d'abord louée au duc d'Aumont, chargé des menus plaisirs à la cour de Louis XVI, puis vendue en 1788 au comte de Crillon, qui lui donne son nom. Le bâtiment est racheté en 1907 par la Société des grands magasins et des hôtels du Louvre, qui décide d'y créer un établissement de luxe. L'intérieur, plusieurs fois transformé, a gardé une bonne partie de sa décoration d'origine, attribuée à l'architecte Pierre-Adrien Pâris. Le magnifique salon des Aigles est représentatif du style Louis XVI : portes surmontées de héros de l'Antiquité, aigles dorés aux angles, dont les ailes déployées encadrent des médaillons en porcelaine de Wedgwood représentant la Vérité, la Force, la Sagesse et la Prospérité. Après la Première Guerre mondiale, ce salon fut le siège des conférences internationales qui précédèrent la création de la Société des nations. Vraisemblablement en raison de la proximité de l'ambassade

△ ▽ **Tous les après-midi, dans le salon d'hiver (ci-dessus), une harpiste enchante les hôtes du Crillon.**
Le majestueux hall du palace (ci-dessous) date des modifications du début du XXe siècle.

◁ **Un des angles du salon des Aigles, au Crillon : deux aigles encadrent La Sagesse.**

LES PALACES

△ Le bar Vendôme et le restaurant l'Espadon, au Ritz, bénéficient de ce patio où plantes et fleurs voisinent avec des sculptures.

▽ ▷ La chambre principale (ci-dessous) et la salle de bains (ci-contre) de la suite Impériale. Le Ritz compte dix suites de prestige (suite Proust, Duc-de-Windsor, Coco-Chanel, Chopin...), mais la suite Impériale, sur la place Vendôme, au premier étage, est l'appartement le plus célèbre.

△ L'entrée du Ritz, place Vendôme. Sous ses arcades, les attelages déposaient autrefois les clients. Un autre bâtiment ouvre rue Cambon, relié au premier par une galerie.

Elizabeth Taylor, qui donna son nom à l'une des trois suites royales.

LE PARADIS D'HEMINGWAY

L'histoire du Ritz commence en 1898, lorsque César Ritz transforme en hôtel cette résidence particulière construite en 1705. Placé à l'âge de quatorze ans à Brigue (Suisse), à l'hôtel de la Couronne et de la Poste, dont il s'était fait promptement renvoyer, nommé à vingt-sept ans directeur du Grand Hôtel national de Lucerne, appelé à Londres en 1890 pour redresser les affaires de l'hôtel Savoy, César Ritz arrive à trente-huit ans à l'apogée de sa carrière. Il révolutionne l'hôtellerie et sera l'un des premiers à ne proposer que des chambres avec salle de bains. Inauguré le 1er juin, l'hôtel du 15, place Vendôme, devint rapidement le rendez-vous du Gotha européen, des banquiers et grandes fortunes d'outre-Atlantique. Le prince de Galles, Marcel Proust, le shah d'Iran, Charlie Chaplin éliront domicile au Ritz. Et Ernest Hemingway dira de lui :

des États-Unis, l'hôtel Crillon fut entre les deux guerres le lieu de prédilection de la high society américaine, dont quelques grands écrivains tels Francis Scott Fitzgerald et William Faulkner. En 1944, après la libération de Paris, le général Eisenhower y installa le grand quartier général des forces armées en Europe. Rendu à la vie civile, l'hôtel restera le home de stars de l'Amérique comme Jackie Kennedy, Orson Welles, Gregory Peck et, surtout,

« Lorsque je rêve de l'au-delà, du paradis, je me trouve toujours transporté au Ritz. » Coco Chanel y résidera pendant plus de quarante ans, jusqu'à sa mort, en 1971. Aujourd'hui, le Ritz compte près de cinq cents employés, soit trois pour une chambre. Il est renommé pour ses caves, où sont couchées quelque cent cinquante mille bouteilles aux étiquettes prestigieuses, dont la grande fine réserve spéciale de 1812, mise en bouteilles l'année même où Napoléon franchissait la Berezina.

UN ÉCRIN POUR ŒUVRES D'ART

En 1924, Hippolyte Jammet achète et fait raser l'hôtel particulier du comte de Castellane, rue du Faubourg-Saint-Honoré, pour y construire un bel immeuble de six étages. Le nouveau palace prend le nom du comte de Bristol, grand voyageur anglais du XVIIIe siècle, ami de Goethe et de Voltaire. Le Bristol se distingue par l'élégance de son décor. Le ton est donné dès le hall d'entrée, tout de marbre blanc, et éclairé par vingt-trois lustres en cristal de Baccarat. Les murs sont ornés de tapisseries des Gobelins et la plupart des éléments décoratifs sont des pièces de collection. Un buste

de Louis XVI sculpté par Pajou voisine avec un portrait de Marie-Antoinette peint par Drouais. Le Bristol n'a cessé d'allier le charme et la discrétion à la modernité. Une cour intérieure récemment aménagée en jardin à la française et une piscine installée dans les années quatre-vingt au sixième étage sont venues parfaire le confort de ses hôtes. De nombreuses personnalités y sont descendues : le chancelier Adenauer, le président améri-

△ Les 1 200 mètres carrés du jardin intérieur du Bristol, avec ses colonnes et ses fontaines. Un restaurant d'été ouvre sur ce havre de paix.

◁ Le salon Pompadour à l'hôtel Meurice, où, chaque jour, un pianiste compose de subtiles harmonies.

▽ Arcades, pilastres et fresques en trompe-l'œil composent le décor du restaurant gastronomique du Georges-V.

▽ La piscine du Bristol, située au sixième étage de l'hôtel.

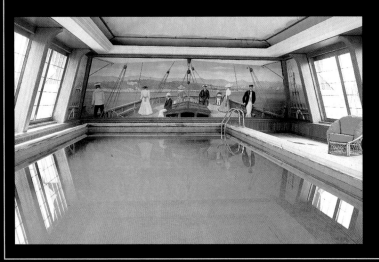

△ Formant comme un écrin à la statue de Jeanne d'Arc, l'hôtel Régina, place des Pyramides. Son salon, avec ses boiseries 1900, a servi de décor à de nombreux films.

▽ Le souvenir des amours de Roberto Rossellini et d'Ingrid Bergman, de Katharine Hepburn et de Spencer Tracy hante encore le bar anglais du Raphaël.

cain Harry Truman, le chef d'orchestre Herbert von Karajan… La cantatrice Jessie Norman en est l'une des plus fidèles habituées.

LE CLIENT EST ROI…

Le créateur de l'hôtel Meurice, Augustin Meurice, exerçait la profession de maître de poste. Il eut l'idée d'associer l'hébergement des voyageurs à son activité principale, d'abord à Calais, puis à Paris, rue Saint-Honoré. En 1835, après le percement de la rue de Rivoli, l'hôtel Meurice s'installe au numéro 228. La proximité des Tuileries et de la cour y attirera les têtes couronnées du monde entier : les rois du Danemark, de Grèce, des archiducs, mais aussi le sultan de Zanzibar et le maharaja de Jaipur.

Le Meurice, c'est de prime abord la magnificence du décor, qui fut confié à Nénot, l'architecte de la Sorbonne. Le style Louis XVI domine dans le somptueux ensemble des salons du rez-de-chaussée, qui s'inspire librement des grands appartements du château de Versailles. Les boiseries d'un château d'outre-Rhin ont servi de modèle à celles du salon Pompadour. La salle à manger, appelée salon Tuileries, vit son parquet recouvert du plus grand tapis jamais réalisé par la manufacture d'Aubusson.

Durant la Seconde Guerre mondiale, le Meurice fut réquisitionné par l'état-major allemand sous la haute autorité du général Dietrich von Choltitz, qui refusa d'obéir aux ordres d'Hitler exigeant que l'on fasse sauter la plupart des monuments parisiens. Après la guerre, le palace retrouva la sérénité, ou presque, car l'un de ses clients les plus fidèles

▷ La galerie des Gobelins, au Plaza-Athénée, où ont souvent lieu des défilés de mode.

fut l'illustre Salvador Dali. Le maître a laissé un excellent souvenir au personnel de l'hôtel en dépit de certaines excentricités, comme la transformation de sa suite en square parisien ou les coups de pistolet tirés à blanc sur un troupeau de chèvres amené dans les couloirs de l'hôtel. Depuis cet âge d'or, le Meurice est beaucoup plus calme…

VINGT-CINQ MILLE FEUILLES D'OR

Au 25 de l'avenue Montaigne se dresse depuis 1911 le majestueux Plaza-Athénée, œuvre de l'architecte Jules Lefebvre. La façade de l'hôtel est particulièrement attractive lorsque, à l'arrivée des beaux jours, les stores rouges s'harmonisent avec les géraniums du même ton. Les salles intérieures invitent également au plaisir des sens. Dans la galerie des Gobelins, longue d'une trentaine de mètres, un ensemble de colonnes ioniques, disposées par paires, viennent supporter de magnifiques voûtes sculptées dans la pierre ; appliques et lustres de bronze et de cristal les embrasent à la tombée de la nuit. Et le restaurant a retrouvé son lustre d'antan : ses moulures ont été revêtues de plus de vingt-cinq mille feuilles d'or. Charles Lindbergh, Youri Gagarine, Jean Cocteau ont apprécié ce

sompteux décor, tout comme Marcello Mastroianni, Woody Allen et la fameuse espionne Mata Hari, qui occupait la chambre numéro 120.

DISCRÉTION DE RIGUEUR

Léonard Tauber, déjà propriétaire de deux grands hôtels, le Régina et le Majestic, entendait faire du Raphaël l'un des joyaux de l'hôtellerie française, qui surpasserait tout ce que l'on pouvait alors imaginer en matière de confort, de luxe et de beauté. Ainsi cet hôtel, édifié dans les années vingt, offret-il une incomparable atmosphère où se mêlent élégance et discrétion. Le raffinement de la décoration est mis en valeur par de nombreux meubles de style ; la grande galerie abrite même une œuvre attribuée a Turner. Le bar anglais, l'un des plus beaux de Paris avec son décor de boiseries de chêne et la pourpre de son mobilier, est le lieu idéal des conversations les plus intimes. Serge Gainsbourg aimait à s'y arrêter. Le Raphaël constitue une halte privilégiée pour des hôtes allergiques au tape-à-l'œil. Fellini, Ingrid Bergman,

Roberto Rossellini, Peter O'Toole, Mickey Rourke et Mick Jagger ont fréquenté ou fréquentent encore régulièrement ce célèbre établissement de l'avenue Kléber.

ATTRAIT DU BILLARD

Le grand hôtel Terminus, aujourd'hui Concorde-Saint-Lazare, fut bâti en 1889 par la Compagnie des chemins de fer de l'Ouest afin d'accueillir les visiteurs de l'Exposition universelle. En construisant un hôtel complémentaire d'une gare de chemin de fer, ses créateurs s'étaient inspirés des exemples britannique et espagnol. C'est Just Lisch, architecte de la gare Saint-Lazare, qui fut chargé d'édifier l'hôtel sur des plans de Lavezzani. Cet établissement proposait à ses hôtes ce qui était à l'époque considéré comme le summum du luxe : l'électricité et le téléphone.

Le grand hall est décoré de miroirs encadrés d'arcades et de colonnes de marbre clair. Des peintures et des sculptures, signées Lamire, représentent des anges. Deux lustres de bronze et de cristal mettent en valeur l'architec-

△ **La salle de billard de l'hôtel Concorde-Saint-Lazare, installée en 1930. C'est la dernière salle de billard conservée dans un palace parisien.**

▷ ▽ **Un bélier accueille le client à l'Hôtel ! De cette suite (ci-dessous), la vue s'étend sur Saint-Germain-des-Prés.**

△ Un agréable patio,
fleuri l'été,
sert de restaurant d'été
au Lancaster.

▽ La chambre Mistinguett
à l'Hôtel, dont le mobilier
a appartenu à la Miss ; c'est dans
ce lit géant qu'elle quitta la vie.

ture intérieure. Mais le Concorde-Saint-Lazare est surtout connu pour sa salle de billard, unique à Paris, récemment rénovée, qui possède dix billards de compétition, dont cinq billards français, trois snookers et deux billards américains.

LA DERNIÈRE ARDOISE D'OSCAR WILDE

C'est en 1815 que la maison de villégiature de la famille de La Rochefoucauld-Liancourt, en plein centre du quartier Saint-Germain, se transforme peu à peu en hôtel. D'abord connu sous le nom d'Hôtel d'Allemagne, il devient en 1870 Hôtel d'Alsace. C'est à cette époque qu'il s'enorgueillit de la présence d'Oscar Wilde. Après avoir connu la gloire, la prison puis le bannissement, l'écrivain britannique se retrouva sans un sou vaillant sur le pavé parisien. Quasiment recueilli par Dupoirier, le propriétaire de l'Hôtel d'Alsace, Oscar Wilde termina ses jours chez son hôte sans pouvoir honorer ses frais de séjour. Il écrivit d'ailleurs avec humour : « Je meurs au-dessus de mes moyens. »

En 1968, l'architecte Robin Westbrook transforme le vieux bâtiment Directoire : toutes les chambres de ce qui devient alors L'Hôtel s'ouvrent autour de la cour centrale, transformée en cylindre formant un puits de lumière. Certaines sont consacrées à d'anciens hôtes illustres – chambre Oscar-Wilde, avec certains de ses objets et meubles, chambre Mistinguett, où trône son immense lit…, tandis que d'autres sont l'expression du goût éclectique et raffiné du propriétaire, Guy-Louis

▷ Dans la chambre reconstituée d'Oscar Wilde, à L'Hôtel, trône le portrait de l'écrivain.

Duboucheron : chambre entièrement en léopard, vert prairie ou écarlate… Un cadre voluptueux et sophistiqué qui attira Ava Gardner, Marcello Mastroianni, Roman Polanski Robert de Niro et bien d'autres.

LE CHARME BRITANNIQUE

En 1925, un hôtelier suisse, Émile Wolf, achète un immeuble rue de Berri, à deux pas des Champs-Élysées. Il en fera l'hôtel Lancaster après avoir obtenu le droit d'utiliser le nom et les armoiries de la ville anglaise de Lancaster. Cet hôtel est une synthèse exceptionnelle du goût français et du charme britannique. Conçu comme un véritable musée, il renferme des tableaux de maître, des objets précieux et des horloges du XVIIIe siècle et de magnifiques tapis persans. L'été, la salle de restaurant est transférée dans l'ancienne écurie, aménagée en patio. Et c'est le bar anglais, avec ses fauteuils profonds et ses délicates boiseries, qui exprime le mieux l'atmosphère de ce palace tranquille et cosy, bien plus proche d'une riche maison bourgeoise que d'un hôtel.

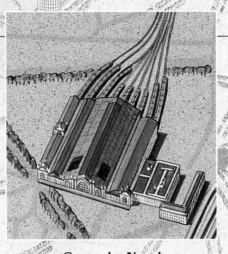

Gare du Nord

Palais du Louvre et des Tuileries

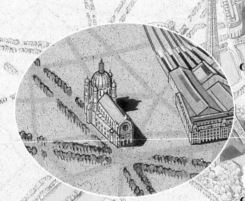

Église Saint-Augustin

Adroite, à gauche, les monuments flambaient. [...] Alors, Paris entier, à mesure que le soleil baissait, s'alluma aux bûchers des monuments... Bientôt ce fut une fournaise. Paris brûla. Le ciel s'était empourpré davantage, les nuages saignaient au-dessus de l'immense cité rouge et or.

ÉMILE ZOLA, *Une page d'amour*

Parc des
Buttes-Chaumont

Opéra

Théâtre de la Ville
et théâtre du Châtelet

LA VILLE HAUSSMANNIENNE

Napoléon III et le Second Empire (1852-1870)

Héritant d'une vieille ville chargée d'histoire, Napoléon III voulut la métamorphoser en une capitale moderne digne du nouvel empire. Dans son exil anglais, il avait rêvé d'une cité aérée et sûre, au plan raisonné et parsemé de vastes espaces verts. Porté par ses aspirations humanitaires et par un fort développement économique, Napoléon III bouleverse le paysage parisien, surveillant de près cet immense chantier qu'il confie à une figure d'une énergie rare, le baron Haussmann, tout-puissant préfet de la Seine.

Grâce au système des expropriations et au recours massif à l'emprunt, les travaux sont engagés simultanément à travers toute la ville. Son territoire est par ailleurs largement étendu en 1860 par l'annexion de onze communes limitrophes ; l'ensemble ainsi formé est divisé en vingt arrondissements.

L'œuvre la plus spectaculaire est le percement d'un réseau de larges avenues et de places de plan rayonnant qui éventrent les vieux quartiers ou déterminent de nouvelles parcelles à bâtir dans les zones faiblement urbanisées. L'attrait des spéculations immobilières sera un facteur d'avancement rapide des travaux. La ville en tirait du moins une amélioration radicale de la salubrité des habitations et le régime une géographie où les émeutes semblaient pouvoir être plus faci-lement réprimées. Enfin, d'un point de vue architectural, les servitudes imposées aux bâtisseurs des immeubles assuraient une unité de style aux nouvelles rues. En très peu d'années est modelé ce qui reste pour une large part le visage du Paris actuel.

L'urbanisme impérial a le culte de la perspective et sacrifie parfois des pans entiers du vieux Paris au dégagement de points de vue sur les monuments. L'île de la Cité est ainsi à peu près vidée de ses habitants au profit de bâtiments publics d'où émergent la Sainte-Chapelle et Notre-Dame, restaurées d'ailleurs avec soin.

Tandis que le palais du Louvre est enfin achevé, qu'un nouvel Opéra est mis en chantier et que d'immenses Expositions universelles sont organisées en 1855 et 1867, on entreprend tout un programme d'équipements collectifs : égouts, fontaines, mairies, lycées, hôpitaux, gares, squares et parcs, sans oublier le fameux « ventre de Paris », les nouvelles halles centrales. C'est pourquoi, dans les pages qui suivent, les monuments les plus somptueux ne seront pas les seuls évoqués, car l'œuvre du Second Empire dépasse de beaucoup les quelques grands chantiers et comprend toute une typologie d'édifices publics moins prestigieux, mais conçus avec un tel soin qu'ils sont pour la plupart encore en service.

La ville haussmannienne

L'ORANGERIE DES TUILERIES ▷
Actuel musée de l'Orangerie, jardin des Tuileries (Ier)

Dominant discrètement la place de la Concorde – avec son pendant plus tardif, le Jeu de paume –, l'Orangerie des Tuileries est construite en 1852 pour abriter les nombreux orangers en caisse qui constituaient le décor fort apprécié des allées du jardin des Tuileries durant l'été. Le local qu'ils occupaient au Louvre étant requis pour une caserne, l'architecte Auguste Bourgeois choisit d'implanter un nouveau bâtiment sur la terrasse du Bord-de-l'Eau, profitant ainsi d'une bonne exposition au sud. Le bâtiment, long de 100 mètres, fut élevé en quatre mois seulement. Le côté Seine fut largement vitré, le côté nord étant au contraire entièrement muré. Probablement revues par l'architecte Visconti, les deux façades, étroites, présentent le même décor monumental de colonnes baguées supportant un grand fronton, dans le style du palais des Tuileries, mais plus humblement orné de motifs végétaux et d'outils de jardinage.

L'Orangerie, côté place de la Concorde, où sont conservés les Nymphéas de Claude Monet et la collection Walter-Guillaume, célèbre pour ses tableaux impressionnistes et du début du xxe siècle.

UNE EXPÉRIENCE DE LOGEMENT SOCIAL ◁
Cité Napoléon, 58, rue de Rochechouart (IXe)

Soucieux du sort des populations ouvrières, Louis Napoléon Bonaparte a étudié la question du logement social pendant son exil en Angleterre. Dès 1849, il fait bâtir à titre expérimental cette cité de la rue de Rochechouart sur les plans de l'architecte Veugny. Vaste ensemble de près de deux cents logements, elle s'organise autour d'un jardin intérieur et de cours couvertes bordées de galeries métalliques que desservent des escaliers communs. Outre des logements familiaux bien éclairés et peu coûteux, la cité offrait des équipements collectifs sanitaires (bains, lavoirs) et scolaires ainsi que des ateliers et des boutiques. Au-delà des préoccupations de salubrité, la cité Napoléon visait à recréer un noyau urbain autonome. Bien que destiné à se multiplier dans toute la capitale, ce prototype ambitieux ne connut pas de suite. Les loyers trop élevés rebutèrent les locataires, qui furent en outre frappés par une architecture et un règlement intérieur souvent comparés à ceux des casernes. La promiscuité que pouvait engendrer la présence simultanée d'ouvriers célibataires et de familles, et la crainte – non exprimée – que de telles concentrations ouvrières ne deviennent des foyers de contestation achevèrent de discréditer ce modèle.

L'une des galeries de la cité Napoléon, sur laquelle ouvrent les appartements.

Les salles musicales du boulevard de Rochechouart

Au pied de la butte Montmartre, à deux pas de la cité Napoléon, trois salles de spectacle abritaient les fêtes, bals et revues de la fin du siècle dernier. Dès 1895, le Trianon-Concert accueillait dans son vaste et lumineux jardin d'hiver les revues « Paris-Montmartre » et « Paris au fond de la mer », de Mistinguett, puis le célèbre numéro de music-hall de Frégoli, les numéros de la Goulue, de Grille d'Égout et de Valentin le Désossé. Il fut détruit par un gigantesque incendie dans la nuit du 17 au 18 février 1900. Reconstruit et inauguré en 1902, il changea plusieurs fois d'appellation au gré des spectacles, et, en 1939, la salle à double balcon, contenant mille places, fut tranformée en cinéma populaire. Depuis 1992, le Trianon s'est tourné vers une programmation pluridisciplinaire : festivals de cinéma, opéras et opérettes, comédies musicales, galas, défilés, concerts…

L'Élysée-Montmartre, pavillon construit par Gustave Eiffel lors de l'Exposition universelle de 1889 à proximité des Champs-Élysées, fut démonté et reconstruit au pied du Sacré-Cœur. Salle de bal, d'opérette et de théâtre, l'Élysée-Montmartre devint vite l'un des hauts lieux du catch et de la boxe, mais il abrita aussi de célèbres comédies musicales : *Hair* et *Oh! Calcutta*. Depuis dix ans, c'est l'un des phares de l'univers rock.
En 1887, La Cigale ouvrit les portes de son vaste théâtre à l'italienne. Sa large scène accueillit Maurice Chevalier, Mistinguett et Arletty et fut le rendez-vous des soirées futuristes de Jean Cocteau avant de se convertir aussi en cinéma, dans les années quarante. Cent ans plus tard, Philippe Stark remodela l'ensemble pour en faire une salle polyvalente adaptée aux concerts, au cabaret, au théâtre, aux tournages, projections, défilés, sémi-

naires… La façade sobre et blanche frappe par son allure marine, le hall aux courbes savantes est habillé de reflets métalliques, tandis que la salle joue sobrement des teintes classiques du théâtre : anthracite, noir, rouge velours, or pour la voûte. Depuis sa réouverture avec le concert des Rita Mitsouko, La Cigale accueille jusqu'à mille trois cents personnes. À ses côtés, La Petite Fourmi, moins gourmande mais plus mondaine, prête volontiers ses 150 mètres carrés aux cocktails, aux conférences de presse et aux expositions.

L'ACHÈVEMENT DU GRAND DESSEIN

Palais du Louvre (musée du Louvre),
cour Napoléon (Ier)

Dès le début de son règne, Napoléon III a à cœur d'achever le Grand Dessein du Louvre, auquel tous les souverains ont contribué depuis des siècles. L'ensemble des travaux est réalisé entre 1852 et 1857. Sous la conduite de l'architecte Visconti puis, après sa mort, celle d'Hector Lefuel, le quadrilatère entre le vieux Louvre et le palais des Tuileries est refermé – ce qui reste du quartier d'habitation entre les deux palais est alors démoli –, et le problème du décalage de l'axe de la façade des Tuileries par rapport au Louvre résolu, assez adroitement, par la création de cours latérales et d'un square central.

UNE RECHERCHE D'UNITÉ ARCHITECTURALE

Pour donner un caractère plus homogène à l'ensemble, Lefuel adopte pour ses propres constructions les volumes des pavillons du XVIIe siècle et n'hésite pas à détruire des pans entiers de l'ancien palais – une partie de la Grande Galerie et le pavillon de Flore, par exemple – pour les reconstruire dans un style à l'ancienne. Le principe d'harmonisation des façades entraîne une surcharge décorative, dont la richesse est justifiée pour un palais impérial. Cette apparente unité masque en outre la diversité des services logés au palais : ministères, écuries, casernements, poste, sans oublier le musée, largement enrichi par le souverain. Des grandes résidences élevées au cœur des capitales européennes, le Louvre de Napoléon III était sans doute la plus monumentale. On sait qu'elle connut une existence des plus brèves, puisque le palais des Tuileries devait disparaître dans les incendies de la Commune de 1871.

LES APPARTEMENTS DU MINISTRE

C'est dans l'aile Richelieu que sont aménagés les appartements du ministre d'État de Napoléon III Achille Fould. Décorés avec prodigalité de 1857 à 1861, ce sont de superbes exemples du style Second Empire. Homme d'autorité et de finances, le ministre suit de près les travaux menés par l'architecte Hector Lefuel au bénéfice, ironie du sort, de son rival en politique, le comte Walewski, descendant de Napoléon Ier nommé ministre peu avant l'inauguration des appartements ! La suite des salons fit l'admiration des journalistes, qui soulignèrent insidieusement leur richesse, supérieure à celle des Tuileries elles-mêmes… Dessiné avec soin, l'abondant décor sculpté est néanmoins réalisé à l'économie : carton-pierre pour les plafonds, galvanoplastie pour les éléments métalliques (lustres ou ornements de cheminée), faux marbre et faux bois peint. L'ensemble vise avant tout à un effet spectaculaire. Le grand salon de réception pouvait ainsi se transformer en salle de théâtre, s'ouvrant en guise de scène sur le salon adjacent par une sorte de manteau d'arlequin, figuré par une lourde draperie sculptée et supportée par des angelots dorés. Encore pourvus de leur mobilier d'origine, ces appartements ont gardé toute la gamme des sièges confortables alors à la mode – fauteuil néo-Louis XV doré, confidentes (deux places), indiscrètes (trois places)… Tout y est donc resté pour évoquer les fastes de la fête impériale.

LA CONSTRUCTION DU LOUVRE S'ÉTANT ÉTALÉE AU COURS DES SIÈCLES, VOIR AUSSI LES pp. 23, 62-63, 86, 130, 220, 228.

En haut, en médaillon, le baron Haussmann, nommé préfet de la Seine en 1853 ; il fut le principal auteur des transformations de la capitale au Second Empire. Ci-contre, l'aile nord de la cour Napoléon, édifiée par Napoléon III, et, en détail, portrait de l'empereur par Winterhalter.

Au centre du grand salon de réception des appartements du ministre, une forêt de plantes s'échappe d'une borne centrale. Abandonnés à contrecœur par le ministère des Finances en 1988, les luxueux salons Napoléon III de l'aile Richelieu sont aujourd'hui ouverts aux visiteurs du musée du Louvre.

La ville haussmannienne

LA GALERIE DU TRÔNE AU PALAIS DU LUXEMBOURG ▷
15, rue de Vaugirard (VIe)

🔒 Pour conférer un nouveau prestige au Sénat impérial, rétabli en 1852, Napoléon III fait aménager par l'architecte Alphonse de Gisors au palais du Luxembourg – siège du Sénat depuis 1799 – une immense galerie de réception qui complète l'hémicycle. Longue de plus de 56 mètres et haute de 15 mètres, voûtée en berceau, elle donne sur les jardins. À ses extrémités, deux voûtes en cul-de-four décorées par le peintre Henri Lehmann surmontent d'imposantes portes ceintes de colonnes de marbre, donnant accès à deux somptueux salons latéraux. Une vaste composition allégorique due à Jean Alaux – l'Apothéose de Napoléon Ier – se déploie sur la coupole, au centre de la galerie. C'est sous ce décor de circonstance que fut placé le trône du nouvel empereur, surmonté d'un dais doré. Hormis le baldaquin impérial, remisé depuis au bénéfice d'une cheminée et d'un buste de la République, l'ensemble, avec ses stucs dorés répandus à profusion, a conservé toute la splendeur d'un étonnant décor Second Empire, rival méconnu du foyer de l'Opéra. Avant même son achèvement, la nouvelle galerie fut inaugurée, le 8 février 1853, par un bal fastueux en l'honneur du mariage de Napoléon III et de l'impératrice Eugénie.

VOIR AUSSI LE PALAIS DE MARIE DE MÉDICIS, p. 92, ET LA SALLE DES SÉANCES DES DÉPUTÉS, p. 244.

Avec la galerie du Trône, le règne de Napoléon III débutait sous le signe du luxe.

La forêt de colonnes en fonte creuse, peintes en vert et or, de l'église Saint-Eugène.

FONTE ET FER À L'ÉGLISE SAINT-EUGÈNE ◁
6, rue Sainte-Cécile (IXe)

👁 Bien qu'elle doive son vocable au mariage récent de Napoléon III et de l'impératrice Eugénie, l'église Saint-Eugène fut conçue à l'économie, en 1854-1855. Ses architectes, Adrien-Louis Lusson puis Louis-Auguste Boileau, adoptent le style gothique, mais toute l'originalité de l'édifice réside dans l'utilisation presque exclusive du métal, tant pour en abaisser le coût que pour gagner du temps. L'intérieur très aéré, avec ses minces colonnettes polychromes en fonte et ses voûtes nervurées couvertes d'étoiles dorées, met en valeur les grandes verrières, également très colorées. Par sa nouveauté, l'ensemble fit sensation à l'époque ; il devait néanmoins rester un cas assez isolé d'emploi systématique du métal dans l'architecture religieuse. Commanditaires et fidèles lui préféreront durablement l'usage plus traditionnel de la pierre, et l'innovation technique s'y camouflera dès lors derrière de rassurantes maçonneries.

RÉHABILITATION D'UN MARÉCHAL D'EMPIRE ▷
Monument du maréchal Ney, carrefour de l'Observatoire (VIe)

👁 Parmi les plus vaillants soldats de l'épopée napoléonienne, le maréchal Ney, duc d'Elchingen et prince de la Moskova, fut surnommé le Brave des braves. Rallié à Louis XVIII après l'abdication de Napoléon, il rejoignit ce dernier à Auxerre lors de son retour éclair en France. Après la défaite de Waterloo, Ney fut condamné à mort pour haute trahison le 7 décembre 1815, et sa grâce refusée par le roi. Considérée comme un acte de vengeance politique, son exécution suscita un vif émoi dans tout le pays.

LE SOLDAT GLORIFIÉ

Dès mars 1848, le gouvernement de la IIe République décida de marquer la réhabilitation du maréchal Ney par un monument élevé sur le lieu même de son exécution. Le sculpteur François Rude proposa d'abord une figure héroïque où le maréchal offrait sa poitrine au peloton d'exécution, mais Louis Napoléon Bonaparte lui demanda de glorifier plutôt le soldat. Inaugurée en grande pompe le 7 décembre 1853 par le nouvel empereur, la statue est, avec la fameuse *Marseillaise* de l'Arc de triomphe, l'une des œuvres les plus importantes de Rude.

Le maréchal Ney est représenté le sabre à la main montant à l'assaut à la bataille de Borodino.

Tout pour le plaisir de créer

D'une quincaillerie ouverte en 1854 rue du Temple, Abel Rougier fit dès 1877 une entreprise familiale qui, au fil de cinq générations, a développé la vente de matériel et d'outillage pour tous les amoureux des activités manuelles. Les débuts privilégient la sellerie, la maroquinerie, la brosserie puis, en 1893, viennent s'ajouter les fournitures pour encadreurs. En 1904, avec l'arrivée d'Henri Rougier et de Maurice Plé, s'ouvre l'ère des « travaux artistiques » : pyrogravure, clouterie, métal repoussé. Le premier catalogue de vente par correspondance paraît en 1905. Le magasin s'étend et ajoute régulièrement de nouvelles cordes à son arc : reliure, cartonnage, vannerie, sérigraphie, pyrogravure, cartonnage. Les travaux manuels éducatifs connaissent un essor considérable, et l'artisanat de loisirs bat son plein. Après avoir créé une succursale et un atelier spécialisé dans la fabrication de papiers décorés à la cuve, Rougier et Plé déménage dans le bâtiment actuel, puis ouvre d'autres magasins en France.

En regardant les vitrines du bâtiment du boulevard des-Filles-du-Calvaire, on attrape des fourmis dans les doigts… il suffit alors de pousser la porte pour se faire happer par les trois niveaux remarquablement approvisionnés, où tout est parfaitement classé. Fini les étalages de produits prêts à consommer, ici tout est à fabriquer, pour le bonheur des petits et des grands, qui se prennent à rêver de paillettes devant les masques blancs, de colliers devant les perles et de bougies devant les pains de cire. Des démonstrations gratuites, publiques et quotidiennes initient aux techniques les plus variées, tandis que les fiches techniques, remises gracieusement sur place ou par correspondance, sont de précieuses alliées.

Rougier et Plé, 13, boulevard des Filles-du-Calvaire (IIIe).

Une frise de cavaliers à l'antique court tout autour du cirque d'Hiver.

LE CIRQUE D'HIVER Δ
110, rue Amelot (XIe)

Le cirque des Champs-Élysées étant jugé trop excentré et peu accessible pendant la saison hivernale, son propriétaire, l'entrepreneur de spectacle Dejean, fait édifier ce nouveau cirque pour sa troupe équestre, alors très en vogue. L'emplacement retenu, bien que difficile à aménager, présente l'avantage de se trouver à proximité des théâtres du Boulevard du crime (boulevard du Temple).

La construction du bâtiment, confiée à l'architecte Hittorff, est menée en un temps record, entre le 26 avril et le 10 décembre 1852. L'Empire ayant été proclamé le 2 décembre, le bâtiment est aussitôt baptisé cirque Napoléon, ce qui lui vaut d'être inauguré par le tout nouvel empereur.

POLYCHROMIE À L'ANTIQUE

On devine les gradins ceinturant la piste centrale dans cette vaste rotonde à pans coupés. Hittorff aménagea l'intérieur avec soin, soucieux que les quatre mille spectateurs, quelque peu entassés (seules deux mille personnes sont admises de nos jours !), bénéficient d'une bonne visibilité. L'immense voûte de bois n'est supportée par aucune colonne intermédiaire ; à l'origine, son décor peint imitait le vaste vélum dont on recouvrait les arènes dans l'Antiquité. Toute l'ornementation rappelle la destination équestre du monument, et les couleurs vives de l'ensemble expriment le souci de gaieté du directeur de cirque tout autant que celui, plus archéologique, de l'architecte, ardent défenseur de la polychromie des monuments antiques.

271

LE PANORAMA DES CHAMPS-ÉLYSÉES ▷

Actuel théâtre du Rond-Point, rond-point des Champs-Élysées (VIIIe)

Derrière le bâtiment bas qui sert d'entrée à l'actuel théâtre du Rond-Point se dresse un grand édifice circulaire sans fenêtres qui trahit son ancienne fonction de panorama. Attractions très à la mode durant tout le XIXe siècle tant en Europe qu'en Amérique, ces rotondes abritaient de vastes toiles peintes circulaires, en trompe-l'œil, représentant une ville ou, en raison de l'actualité, une bataille. Avec un éclairage adéquat et quelques accessoires au premier plan, le spectateur placé au centre avait l'illusion du panorama d'une ville réelle. Le panorama des Champs-Élysées, d'un diamètre de 40 mètres, fut construit en 1855 par l'architecte Gabriel Davioud. Converti en palais des Glaces en 1892, il fut finalement transformé en théâtre, tout comme son pendant bâti par Charles Garnier de l'autre côté de la rue, devenu le théâtre Marigny.

Le théâtre du Rond-Point a acquis une nouvelle renommée depuis 1980, grâce à la compagnie de Jean-Louis Barrault et Madeleine Renaud.

ÉDUCATION SOIGNÉE GRÂCE À L'IMPÉRATRICE ◁

Fondation Eugène-Napoléon, 254, rue du Faubourg-Saint-Antoine (XIIe)

À l'occasion du mariage d'Eugénie de Montijo avec Napoléon III en 1853, la Ville de Paris souhaite offrir à la nouvelle impératrice un somptueux collier de diamants d'une valeur de six cent mille francs. Se souvenant peut-être des mésaventures de Marie-Antoinette, Eugénie refuse le don et affecte cette somme à la création d'une maison d'éducation pour jeunes filles pauvres. De 1853 à 1857, l'architecte Hittorff construit, près de la place de la Nation, un vaste ensemble de bâtiments, qui prend le nom de fondation Eugène-Napoléon en l'honneur de la naissance du prince impérial, en 1856.

LA « MAISON DU COLLIER »

Afin d'utiliser au mieux le terrain en forme de losange dont il disposait, Hittorff organisa les cours intérieures autour de la chapelle, un peu à la façon d'un hôpital – mais le plan d'ensemble n'est pas sans évoquer la forme d'un collier. La somme initiale s'avérant insuffisante pour bien loger les trois cents enfants attendus, les bâtiments se distinguent par leur dépouillement, hormis le salon de l'impératrice et la chapelle. Accueillies dès l'âge de huit ans, les pensionnaires ne devaient quitter l'institution où elles étaient recluses qu'à vingt et un ans, avec une solide éducation religieuse et une maîtrise parfaite de l'art de la broderie.

Le chœur de la chapelle de la fondation Eugène-Napoléon, où une peinture murale de Félix Barrias représente l'impératrice en robe de mariée, entourée des pensionnaires et tendant son fameux collier à la Vierge Marie, flanquée de sainte Catherine et de saint Vincent de Paul.

LE GOTHIQUE IDÉAL ▷

Église Saint-Jean-Baptiste de Belleville, 139, rue de Belleville (XIXe)

Théoricien de l'architecture néogothique avant Viollet-le-Duc, l'architecte Jean-Baptiste Lassus avait notamment restauré la Sainte-Chapelle quand il reçut en 1854 la commande de la nouvelle église de Belleville. Lassus tenta de recréer une église idéale du XIIIe siècle, dans la pureté du style ogival. La façade est divisée en trois parties dotées chacune d'un portail, reflet de la disposition intérieure (nef et deux bas-côtés). Son extérieur monumental, l'ordonnance rationnelle de son plan et la sobriété de son décor font de Saint-Jean-Baptiste de Belleville un des exemples les plus parfaits de l'application raisonnée des principes de l'architecture gothique. Seule concession à l'époque, les têtes sculptées à la retombée des voûtes de la nef, qui sont autant de portraits de l'architecte, du curé d'alors et des conseillers municipaux de Belleville.

La similitude des deux flèches de Saint-Jean-Baptiste de Belleville – fait rare dans les églises médiévales, souvent modifiées en cours de chantier – est typique des églises du XIXe siècle.

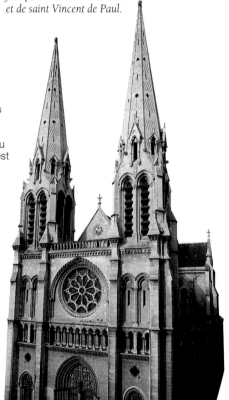

Les Chinois de Belleville

Les Chinois risquent d'être l'avenir du quartier de Belleville, traditionnellement maghrébin et juif. Venus du sud de la Chine, ils ont pris petit à petit possession du bas de la rue de Belleville et essaimé vers le XIe arrondissement. Dans leurs immenses cantines, des cartes épaisses comme des livres proposent un assortiment des cuisines originaires de toutes les provinces chinoises. La tontine, un système de prêt d'argent des anciens aux nouveaux arrivants, permet aux Chinois de Paris de pérenniser leur tradition de vie en circuit autarcique : ils s'intègrent mais ne se mélangent pas. À côté des restaurants, de nouvelles boutiques de services ou des magasins d'alimentation rivalisent désormais avec les boucheries kasher ou musulmanes. En février, les Chinois de Belleville célèbrent leur nouvelle année par des défilés de dragons ponctués

UNE RICHE COURTISANE À L'HÔTEL DE LA PAÏVA ▷ ▽

25, avenue des Champs-Élysées (VIIIe)

🔑 À la hauteur du succès de sa propriétaire auprès des hommes les plus riches de son temps, le luxe incroyable de l'hôtel de la Païva stupéfia toute la ville. Née à Moscou en 1819, Esther Lackman, après avoir tenté sa chance à Constantinople, réussit finalement à conquérir Paris, s'offrant le titre de marquise de Païva par un mariage de complaisance avec un noble portugais, puis une immense fortune grâce, entre autres, au jeune comte prussien Henckel von Donnersmarck, qu'elle finira par épouser. Pour marquer son triomphe, elle confie à l'architecte Pierre Manguin le soin de bâtir sur les Champs-Élysées, de 1856 à 1866, l'hôtel le plus richement décoré de Paris.

OR ET MATIÈRES PRÉCIEUSES

Pour accomplir cette tâche, Manguin s'entoura d'artistes de grand talent comme les sculpteurs Albert Carrier-Belleuse et Jules Dalou, ou le peintre Paul Baudry, qui sera l'auteur du plafond du foyer de l'Opéra. Entourés d'excellents artisans, ils créeront un ensemble mi-Renaissance, mi-Grand Siècle, quintessence du style Second Empire, croulant sous les lourdes draperies, les bronzes patinés et les dorures. L'escalier plaqué d'onyx suscita particulièrement l'étonnement des contemporains, voire leur ironie : « Ainsi que la vertu, le vice a ses degrés… » L'onyx reparaît d'ailleurs dans la salle de bains au décor néomauresque, au rebord de la somptueuse baignoire doublée de bronze argenté. Si le magnifique mobilier a été malheureusement dispersé, on peut encore admirer au musée des Arts décoratifs une des consoles du grand salon, entièrement en bronze doré et patiné incrusté d'albâtre, d'onyx et de marbres variés. Le fait que la maison la plus somptueuse de Paris ait été la demeure d'une courtisane ambitieuse a longtemps contribué à l'image insolente et ostentatoire du Second Empire.

Ci-contre, la cheminée du grand salon à l'hôtel de la Païva, surmontée de la Musique et de l'Harmonie par Delaplanche, avec laquelle s'harmonisait tout le mobilier. À droite, l'escalier circulaire plaqué d'onyx.

de cymbales et de bruyants roulements de tambour ; restaurants et boutiques se couvrent de multiples inscriptions en caractères noirs sur fond rouge, comme autant de souhaits de bonheur, et les autels des ancêtres regorgent d'offrandes.

Les façades uniformes des hôtels des Maréchaux, sur la place Charles-de-Gaulle

HAUSSMANN CONTRE HITTORFF △
Hôtels des Maréchaux, place Charles-de-Gaulle (VIIIe, XVIe, XVIIe)

Achevé par Louis-Philippe, l'Arc de triomphe de l'Étoile, impressionnant depuis la perspective des Champs-Élysées, ne dominait en fait qu'un carrefour assez informe bordé en partie par des terrains vagues. On comprend dès lors l'empressement de Napoléon III à confier dès 1853 à l'architecte Hittorff la mise en valeur du plus imposant des monuments parisiens. L'entreprise répond également à la nécessité d'aménager le secteur ouest de la capitale, qui offre alors beaucoup de terrains à bâtir.

DOUZE FAÇADES IDENTIQUES
Très monumental, le premier projet consiste en un vaste cercle d'immeubles à arcades reliés entre eux par de grands arcs enjambant les avenues et délimitant ainsi un immense forum fermé. Très hostile à Hittorff, le préfet Haussmann parvient à imposer sa propre conception à l'empereur : une vaste esplanade circulaire et ouverte d'où rayonnent douze avenues qui structurent ainsi tout le secteur et ménagent de belles perspectives. Hittorff doit se contenter de fournir le dessin des façades identiques des douze hôtels dit des Maréchaux qui ceinturent la place, sans même pouvoir leur donner une entrée de ce côté, clos par les grilles des jardins. Peu élevées, et bientôt cachées par les arbres, ces élégantes façades d'habitations où tout commerce était interdit, à défaut de concurrencer l'Arc de triomphe, lui offrent un cadre régulier qui concourt à sa monumentalité. Les hôtels de Gunzbourg et Landolfo-Carcano (7 et 1, rue de Tilsitt) en demeurent les exemples les plus représentatifs.

Voir aussi la Naumachie, p. 189.

Le nouveau portail du parc Monceau, sur l'avenue Vélasquez, se développe sur près de 36 mètres de long ; il est surmonté des armes de la Ville de Paris.

RÉAMÉNAGEMENT DU PARC MONCEAU △
Boulevard de Courcelles (VIIIe)

Conciliant son désir de créer des jardins et celui de favoriser la construction immobilière, le préfet Haussmann fait réaménager en 1861 la folie créée au XVIIIe siècle pour le duc de Chartres. Ce parc pittoresque est ainsi transformé par l'architecte de jardin Jean-Charles Alphand en une élégante promenade publique, au prix d'une réduction notable de sa surface. Devenu le cœur d'un quartier à la mode – les financiers y élisent domicile, et Émile Zola y situera l'action de son roman la Curée –, le parc Monceau, bientôt ceinturé d'hôtels particuliers, est doté de somptueuses grilles d'entrée du côté de l'avenue Van-Dyck et au débouché de l'avenue Vélasquez, sur le boulevard Malesherbes. Pour ce morceau de bravoure, l'architecte Davioud s'inspira des célèbres ferronneries commandées au siècle précédant par le roi Stanislas pour Nancy.

Voir aussi la Naumachie, p. 189.

La féerie du Lido

On appelait Plage de Paris le tout premier Lido, créé par Édouard Chaux en 1929 aux couleurs de Venise et à la mémoire de sa célèbre plage. Installé alors sous la galerie des arcades du Lido, c'était une sorte d'établissement thermal-casino très couru des Parisiens, qui venaient s'y baigner, y prendre le thé, jouer, assister à des défilés de mode et écouter des orchestres de jazz. En 1948, les frères Clerico en font une salle de spectacle, inaugurant la formule des revues avec dîner-spectacle. Le triomphe des Bluebell Girls est retentissant.

Le Lido déménage alors dans l'immeuble du Normandie, au 116 bis, avenue des Champs-Élysées : 6 000 mètres carrés sont dévolus à la revue et une salle panoramique de mille deux cents places est construite.

La plus grande entreprise privée de spectacle de France emploie aujourd'hui quatre cent cinquante personnes et assure la construction des décors dans ses propres ateliers. L'alliance toujours renouvelée d'une technologie de pointe, de danseuses et de tableaux vivants est la clé de son succès. 7 tonnes de projecteurs, 32 kilomètres de fibre optique, 17 000 ampoules, 600 mètres de néon et des projecteurs laser multicolores illuminent ses nuits. Et, pour que la féerie soit totale, la musique surgit de partout – grâce à soixante enceintes et à des effets spacialisants –, des images géantes se fondent au spectacle, des dizaines de décors se succèdent, des plates-formes élévatrices se métamorphosent en escaliers, des bras télescopiques géants traversent la scène… Enfin, pour que le spectacle honore son titre, « C'est Magique ! », il s'achève par un ballet aérien au-dessus du public.
Le Lido, 116 bis, avenue des Champs-Élysées (VIIIe).

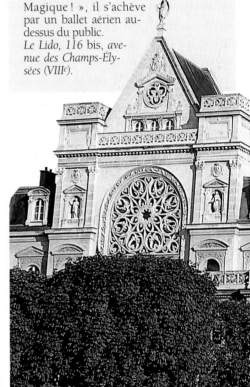

Le hall d'entrée et l'escalier d'honneur à double volée de l'hôtel de Gunzbourg sont ornés de stucs imitant des marbres polychromes.

HÔTEL DE GUNZBOURG △
7, rue de Tilsitt (XVIIe)

Soumis côté jardin à la stricte observance des élévations et des matériaux imposés à Hittorff pour toutes les façades donnant sur la place de l'Étoile, l'hôtel de Gunzbourg, occupant tout le pâté de maisons entre l'avenue de Wagram et l'actuelle avenue Mac-Mahon, échappe à cette réglementation côté rue de Tilsitt. Il se distingue par le décor néo-Renaissance de sa belle cour d'entrée, confiée à l'architecte Charles Rohault de Fleury et au sculpteur Frédéric Bogino, qui y multiplia les ornements. Bâtie de 1868 à 1870, la demeure du baron Joseph Ezel de Gunzbourg, d'origine bavaroise, se signale aussi par la richesse de son décor intérieur. Restauré avec soin, l'hôtel resplendit de nouveau dans ses ors et ses faux marbres. L'ensemble, avec ses plafonds peints par Chaplin et Mazerolle, pastiche le XVIIIe siècle, non sans enjoliver de ce surcroît de luxe si caractéristique du goût Second Empire.

La mairie du Ier arrondissement, conçue comme pendant à l'église Saint-Germain-l'Auxerrois.

UNE FONTAINE POUR LE DÉCOR ▷
Fontaine Saint-Michel, place Saint-Michel (VIe)

La fontaine Saint-Michel, qui n'a qu'une fonction décorative, est destinée à magnifier la nouvelle place créée au débouché du boulevard du Palais, ouvert en 1858. Bien qu'il ait souhaité bâtir une grande fontaine au centre du carrefour, l'architecte Davioud doit s'accommoder de l'espace assez ingrat d'un mur-pignon plus haut que large, au fond de la place dont il avait, il est vrai, dessiné les façades. Cette solution avait l'avantage de masquer l'arrivée oblique du boulevard Saint-Michel en attirant le regard sur la fontaine monumentale située dans la perspective du pont.

SAVANTE COMPOSITION

De type adossé, la fontaine s'apparente aux grands modèles de la Rome baroque. Pour pallier le manque d'ensoleillement, Davioud a tenté d'animer cette surface plaquée par la forte saillie et la polychromie des colonnes de marbre rouge. En 1856, le décor devait illustrer le fameux slogan du nouvel empereur : « L'Empire, c'est la Paix. » Compte tenu des entreprises militaires lancées par Napoléon III, il fut décidé de dédier la fontaine à saint Michel par référence au vieux pont. Inspiré du tableau de Raphaël *Saint Michel terrassant le démon*, conservé au Louvre, un puissant groupe en bronze du sculpteur Francisque Duret orne la niche centrale. L'eau jaillit du rocher où se tient l'archange et tombe en cascade dans quatre vasques superposées contenues dans un bassin semi-circulaire encadré par deux dragons d'Alfred Jacquemart ; sur l'attique en marbre polychrome, quatre statues représentent les vertus cardinales.

La fontaine Saint-Michel, dont la composition tripartite et l'arcade de la niche centrale évoquent un arc de triomphe. Elle fut inaugurée en 1860.

UNE MAIRIE QUI PASTICHE UNE ÉGLISE ▽
Mairie du Ier arrondissement, 4, place du Louvre

Sur la nouvelle place créée en face de la colonnade du Louvre, la masse hétéroclite de la vieille église Saint-Germain-l'Auxerrois contrastait avec ce monument du classicisme français. Pour harmoniser cette esplanade, l'architecte Hittorff chercha à contrebalancer l'église et prit, à l'instigation d'Haussmann, le parti curieux d'en recopier les volumes sur la gauche pour la nouvelle mairie du Ier arrondissement, bâtie de 1855 à 1860. Assez composite, le style général de la construction s'inspire de la première Renaissance, mais la salle des mariages de la mairie se cache derrière une rosace flamboyante. Bien au centre, entre les deux bâtiments symétriques, et dans l'axe du portail du Louvre, Théodore Ballu éleva en complément un beffroi néogothique dont le carillon est devenu célèbre. Cet ensemble éclectique, qui ne manque pas de pittoresque, fut néanmoins comparé à un huilier !

CRÉATIONS ORIGINALES
AU THÉÂTRE LYRIQUE Δ
Actuel théâtre de la Ville, place du Châtelet (IVe)

Les nombreux théâtres du boulevard du Temple, surnommé le Boulevard du crime, furent rasés en 1862 lors du percement du boulevard du Prince-Eugène (actuel boulevard Voltaire). Le préfet Haussmann profita de ces travaux pour fermer la plupart de ces établissements jugés séditieux et qualifiés dans ses Mémoires de « bouis-bouis oubliés ». Seuls trois théâtres, placés à cette occasion sous le contrôle de la Ville, bénéficièrent d'une reconstruction, plus au centre de la capitale, sur des terrains occupés naguère par des habitations. Un décor architectural et l'animation nocturne d'un quartier, c'est ce qu'apporteront le théâtre Lyrique et le théâtre du Châtelet – érigés l'un en face de l'autre par Gabriel Davioud – à la nouvelle croisée de Paris qu'aménage Haussmann sur la place du Châtelet.

UN SIÈCLE DE SUCCÈS

Pour le théâtre Lyrique, Davioud dut se contenter d'une parcelle peu profonde, limitée à l'est par une rue chère à Haussmann car elle laissait la tour Saint-Jacques visible du quai. Le peu d'espace dont bénéficia le théâtre, réduit encore par les boutiques et les appartements édifiés sur les côtés, s'avéra peu commode dès son inauguration, en 1862. Sa reconstruction après l'incendie de la Commune en 1871 permit à Davioud lui-même d'en modifier le plan. Dirigé par Sarah Bernhardt de 1899 à sa mort, en 1923, le théâtre acquit un grand renom, qu'il a su conserver jusqu'à nos jours. Son architecture intérieure fut, en revanche, anéantie en 1967-1968 au bénéfice d'une nouvelle structure en béton armé : ses gradins, d'où la visibilité est excellente, et son plateau modulable lui permettent d'accueillir les spectacles les plus modernes.

En haut, la façade du théâtre de la Ville, dont la superposition d'arcades et de loggias s'inspire de la Renaissance italienne. Ci-contre, l'actrice Sarah Bernhardt, le plus célèbre des directeurs du théâtre.

Poules, lapins, poissons, chats et chiens encagés

C'est au Moyen Âge que remonte la tradition animalière du quai de la Mégisserie, entre le Pont-Neuf et la place du Châtelet. Le grand bras de la Seine y était bordé de larges grèves qui accueillaient des marchés aux fruits et légumes, aux poissons et aux animaux vivants, ainsi qu'une activité de tannerie. Les ouvriers préparaient les peaux et les cuirs en les faisant mégir (en les tannant dans une préparation à base d'alun). À proximité du quai, toutes sortes de négoces se consacraient au travail de ces cuirs pour la ganterie et la pelleterie. Aujourd'hui, boutiques animalières, oiselleries et graineteries bordent toujours la voie de

Offenbach à la Gaîté-Lyrique ▷

3 *bis*, rue Papin (IIIᵉ)

Exproprié par Haussmann pour dégager l'actuelle place de la République, le célèbre théâtre de la Gaîté, fondé au milieu du XVIIIᵉ siècle sur le boulevard du Temple, fut rebâti aux frais de la Ville de Paris, face au square des Arts-et-Métiers.

Jusqu'à sa toute récente destruction intérieure, la Gaîté-Lyrique perpétuait le souvenir de la vie théâtrale animée du Second Empire. Seule est restée la jolie façade à arcades élevée par l'architecte Alphonse Cusin en 1861-1862, où le classicisme du dessin est égayé par la polychromie des colonnes de marbre rouge et des chapiteaux de bronze. Dispositif ingénieux, l'arcade de gauche était accessible aux voitures à cheval, qui, après avoir laissé descendre ou monter leurs passagers, pouvaient continuer leur route à travers le bloc d'immeubles et rejoindre la rue Réaumur.

La salle circulaire de mille huit cents places, luxueusement aménagée, avait été dotée d'un éclairage sophistiqué au moyen d'un dôme de verre. D'abord voué au drame et à la féerie comme son prédécesseur, le nouveau théâtre de la Gaîté devint, sous la direction d'Offenbach, à partir de 1873, un haut lieu de l'opéra-comique puis de l'opérette.

Le Drame et la Comédie adossés à des pilastres cantonnent la façade du théâtre de la Gaîté-Lyrique. En détail, Jacques Offenbach, caricaturé par André Gill.

circulation qui longe le quai. La plus ancienne d'entre elles, la graineterie animalerie Vilmorin, fut fondée en 1775. Clause-Jardin poursuit la vente de graines, bulbes, végétaux et petit outillage d'horticulture dans une boutique dont l'existence remonte à 1795.

Les autres magasins établis sur le quai datent du début du siècle, des années trente ou cinquante : La Renommée propose deux cent cinquante à trois cents variétés de graines, l'Oisellerie du Pont-Neuf vend des animaux domestiques vivants, Delbard est le spécialiste des roses et des arbres fruitiers, Aqua-Lumineux consacre ses aquariums aux poissons et aux reptiles, la Galerie du Quai vend des décorations de jardin… sans oublier Le Bon Jardinier et Le Bon Cultivateur, Truffaut, la Jardinerie du Quai et Discount Cichlid, rempli de petits chiens et chats.

Grands spectacles et public populaire ▷

Théâtre du Châtelet, place du Châtelet (Iᵉʳ)

Le théâtre du Châtelet remplace en 1862 l'ancien Cirque olympique du boulevard du Temple. Beaucoup plus grand que le luxueux théâtre Lyrique qui lui fait face – jusqu'à trois mille six cents spectateurs –, il est destiné à des représentations populaires à grand spectacle de caractère historique, militaire ou féerique, avec quantité de figurants, de chevaux et d'effets spéciaux.

INNOVATIONS SCÉNIQUES

Derrière sa façade inspirée de la première Renaissance italienne, Davioud n'adopte pas pour la salle le plan traditionnel en fer à cheval des théâtres mondains dit à l'italienne – où être vu et voir les autres compte autant que le spectacle –, mais une forme d'amphithéâtre semi-circulaire. L'architecte innove également dans l'éclairage de la salle en substituant au lustre traditionnel un plafond lumineux, sorte de coupole de verre et de cristal d'origine anglaise qui pouvait diffuser la lumière de becs de gaz ainsi isolés du public. Un système spécial est prévu pour l'évacuation « des gaz de la poudre dans les combats figurés ».

Le Châtelet se spécialisera durablement dans le grand spectacle, avec notamment des adaptations de Jules Verne, puis les créations éblouissantes de la troupe des Ballets russes. Après une soixantaine d'années consacrées à l'opérette, marquées notamment par les triomphes de Luis Mariano, le Châtelet a entamé en 1980 une nouvelle programmation d'opéras de grande qualité.

La salle du théâtre du Châtelet, où de grandes arcatures ornées de peintures reposent sur de fines colonnes supportant la coupole du plafond.

Cinq cents convives pouvaient dîner dans l'immense rotonde de 24 mètres de diamètre de la salle à manger du Grand Hôtel.

CONFORT ET MODERNITÉ AU GRAND HÔTEL △
5, place de l'Opéra (IXe)

Au cœur d'un quartier destiné à devenir central mais encore largement en chantier, les banquiers Pereire font construire cet immense hôtel dès 1861, à l'angle du boulevard des Capucines et de la place où devait s'élever un peu plus tard le nouvel Opéra. Ses façades, longues de 368 mètres, suivent le modèle classique fixé pour l'harmonie de la place par l'architecte Charles Rohault de Fleury. L'accès principal donnait sur le boulevard, et l'on pouvait entrer en voiture dans la cour couverte.

Par souci de rentabilité, le rez-de-chaussée sur rue fut d'emblée concédé à des commerces de luxe et au fameux Café de la Paix, réputé si distingué que ni la bohème littéraire ni les cocottes n'osèrent pendant longtemps le fréquenter. Il verra sa clientèle se diversifier sous la IIIe République, du prince de Galles à Yvette Guilbert. On y projettera des films dès 1896.

LE RENDEZ-VOUS DES BANQUETEURS

C'est Alfred Armand, déjà auteur de l'hôtel du Louvre, qui conçoit l'intérieur du Grand Hôtel, imposant établissement de sept cents chambres (et quinze salles de bains). Les brochures publicitaires et les articles de presse soulignent à satiété le confort et la modernité de l'hôtel, équipé de quatre mille becs de gaz, d'un bureau télégraphique, de sonnettes électriques pour appeler les valets et surtout de trois ascenseurs.

La qualité exceptionnelle de sa table, enfin, achève de convaincre la clientèle. La grande salle à manger, avec sa coupole de verre, ses gracieuses cariatides, ses balcons et ses dorures, offrait un cadre idéal à ces immenses banquets si appréciés durant toute la fin du XIXe siècle. La réputation de l'endroit dépassa rapidement les frontières, et le Grand Hôtel comme le Café de la Paix devinrent un des rendez-vous du Paris cosmopolite des Expositions universelles.

LA COLONIE RUSSE DE PARIS ◁
Cathédrale orthodoxe Saint-Alexandre-Nevski, 12, rue Daru (VIIIe)

Entre l'Étoile et le parc Monceau, l'apparition des cinq bulbes dorés de la cathédrale russe apporte une touche de pittoresque au milieu des immeubles haussmanniens du quartier. Sa présence n'était cependant pas si incongrue dans une ville où, après celle des Anglais, la colonie russe était des plus importantes au XIXe siècle. Construite de 1859 à 1861 dans un style bysantino-moscovite, elle est l'œuvre conjointe de Kouzmine, premier architecte de la cour impériale et auteur du projet, et de Strohm, venu de l'académie de Saint-Pétersbourg pour suivre son exécution. Comme il convient, son plan est en forme de croix grecque, la nef, le chœur et le transept ayant la même longueur. Entre chaque bras s'intercale une tourelle octogonale surmontée d'un campanile et d'une flèche. Ainsi, quatre tourelles viennent encadrer la flèche pyramidale du dôme central, haute de 48 mètres, ce qui confère à l'ensemble de l'édifice cette surprenante silhouette hérissée. Le tympan de la façade, représentant un Christ en majesté, est une mosaïque inspirée de Ravenne. L'intérieur, assez réduit, frappe toutefois par l'éclat de son décor de peintures murales et de dorures. Suivant la tradition du rite orthodoxe, le sanctuaire surélevé de quelques marches est barré par une riche iconostase en bois sculpté et doré.

La cathédrale Saint-Alexandre-Nevski, dont la forme en croix grecque, avec ses quatre bras terminés chacun par une abside, est parfaitement visible.

Héliodore chassé du Temple, *peinture de Delacroix à la chapelle des Saints-Anges.*

LA VISION TOURMENTÉE DE DELACROIX △
Chapelle des Saints-Anges, église Saint-Sulpice, place Saint-Sulpice (VIᵉ)

« Je travaillais le double les jours de messes chantées », écrit Delacroix à propos du vaste chantier de la chapelle des Saints-Anges, à l'église Saint-Sulpice. S'il n'est pas le plus mystique des nombreux artistes qui reçoivent alors des commandes pour les édifices religieux de la capitale, Eugène Delacroix semble s'être beaucoup intéressé à un projet qui le faisait se mesurer aux grands peintres du passé qu'il admirait tant, de Rubens au Tintoret. La décoration de cette chapelle, la première sur la droite en entrant dans l'église, ne fut achevée qu'en 1861.

L'artiste, aidé par ses assistants, Lassalle-Bordes et Andrieu, choisit d'illustrer le vocable des Saints-Anges à travers deux grandes scènes qui se font face. Sur le mur de gauche, *la Lutte de Jacob et de l'ange*, qui se déroule dans un sous-bois aux arbres tourmentés ; sur celui de droite, *Héliodore chassé du Temple.* Au plafond, l'artiste a représenté l'archange saint Michel terrassant le démon. Le dessin de l'artiste et la violence toute romantique des scènes représentées suscitèrent des commentaires assez critiques. Véritable testament spirituel et artistique du maître, dont c'était le dernier chef-d'œuvre avant la mort, en 1863, ces trois terribles combats s'écartent en effet des visions angéliques que le thème aurait inspirées à la plupart de ses contemporains assagis.

VOIR AUSSI LA FAÇADE ET LA CHAPELLE DE LA VIERGE, p. 170.

LE MODÈLE DES MAIRIES HAUSSMANNIENNES ▽
Mairie du XIᵉ arrondissement, 9, place Léon-Blum (XIᵉ)

À défaut de correspondre à un véritable pouvoir municipal, dans une ville fermement tenue en main par le préfet Haussmann, les nouvelles mairies d'arrondissement se doivent du moins d'être, par leur aspect imposant, la vitrine des secteurs nouvellement découpés. Tandis que le côté village de l'arrondissement est évoqué le plus souvent par un campanile et une horloge, à l'intérieur, les architectes prévoient tous les services administratifs modernes : état civil, justice de paix, bureau de bienfaisance, caisse des écoles…

La mairie du XIᵉ arrondissement, bâtie de 1862 à 1865 par l'architecte Gancel, fut considérée comme un modèle du genre et servit de référence pour d'autres réalisations. Occupant tout un îlot, l'imposant quadrilatère de la mairie présente une seule façade monumentale. L'accès aux différents services s'organise autour de la cour centrale, un escalier d'honneur conduisant au bureau du maire, à la salle des mariages (via une salle d'attente pour éviter toute cohue !) et à la grande salle des fêtes. Le peintre symboliste Victor Prouvé la décora au début du siècle d'une vaste scène bucolique des plus réussies.

Le type de façade de la mairie du XIᵉ se retrouve dans bien des mairies parisiennes.

La grande pâque russe

C'est le premier dimanche qui suit la première pleine lune après l'équinoxe de printemps – selon le calendrier julien suivi par les orthodoxes – qu'a lieu la pâque russe, fête religieuse la plus importante.

Sa célébration se déroule durant toute la semaine sainte, qui débute aux Rameaux. Chaque journée est ponctuée de deux offices de deux ou trois heures, qui se tiennent dans les lieux de culte orthodoxe de Paris (cathédrale Saint-Alexandre-Nevski, église Saint-Serge…). L'office du saint suaire a lieu le jeudi soir. Le vendredi saint, une procession de prêtres transportent une grande icône figurant le Christ afin de commémorer la mise au tombeau. Le samedi matin, les ornements du culte violets (couleur du deuil) sont changés pour du blanc, couleur de la résurrection. L'office du samedi soir, le plus chanté, se prolonge jusqu'à 1 ou 2 heures du matin.

Le reste du temps est dévolu à la confection de mets traditionnels : le koulitch, brioche truffée de raisins secs et d'amandes, recouverte de coulées de sucre glace et surmontée d'une cerise ; la paskha, le gâteau de Pâques, en forme de pyramide, à base de fromage blanc, d'œufs et d'amandes pressés. Les œufs rituels, autrefois teintés au jus de betterave et autres pigments végétaux, sont aujourd'hui colorés par de petits buvards de nuances vives immergés dans l'eau bouillante additionnée de vinaigre. On les décore ensuite de motifs raffinés avant de les passer dans le beurre, qui leur donne leur brillant. Pour symboliser la renaissance et le printemps, on les dispose sur un tapis de lentilles germées. Le jour de la pâque, les jeunes filles reçoivent d'autres œufs décorés, en pierre ou en émail, qu'elles fixent à un ruban autour de leur cou ou de leur poignet, tandis que les hommes en piquent le revers de leur veste.

La façade de l'hôtel de Vilgruy, sur la place François-Ier.

MARCHÉ AUX BESTIAUX À LA VILLETTE ▽
Grande halle de la Villette, 211, avenue Jean-Jaurès (XIXe)

S'il préfère maintenir les Halles au centre de Paris, le préfet Haussmann décide cependant de regrouper les différents abattoirs de la ville à la périphérie, principalement à la Villette, près du canal de l'Ourcq. Des trois halles métalliques bâties par Louis Janvier à la Villette de 1863 à 1867, la halle aux bœufs était la plus grande et reste la seule subsistante. Bâtiment utilitaire conçu pour le parcage des animaux, elle n'en présente pas moins une architecture soignée, alliant recherche technique et souci de l'élégance, grâce à la finesse de ses colonnes de fonte.

UNE RECONVERSION RÉUSSIE

De 1983 à 1985, la halle aux bœufs a été habilement reconvertie en lieu d'accueil pour des manifestations variées par les architectes Bernard Reichen et Philippe Robert. Équipée pour abriter des salons, des concerts ou des représentations théâtrales, elle n'a pas perdu sa transparence : les locaux techniques nécessaires ont été enfouis dans le sol et des cloisons vitrées ont été posées en retrait des façades, dégageant ainsi un vaste péristyle ouvert tout autour du bâtiment.

VOIR AUSSI LE PARC DE LA VILLETTE, pp. 376-377.

Longue de 286 mètres et large de 86, la grande halle de la Villette est divisée en sept nefs éclairées latéralement.

LE QUARTIER FRANÇOIS-Ier △
Hôtel de Vilgruy, 9, rue François-Ier (VIIIe)

C'est dans les années 1820 que l'on tenta de lotir le quartier François-Ier, dont le nom sacrifiait à la mode de la Renaissance, autour d'une maison dont la très belle façade sculptée, censée avoir abrité les amours du roi et de la duchesse d'Étampes, avait été transportée tout exprès de Moret. Mais c'est seulement sous le Second Empire que ce secteur à proximité des Champs-Élysées attira davantage les acheteurs fortunés. Donnant sur la place François-Ier, l'hôtel de Vilgruy, construit en 1865, présente une élégante façade à avant-corps dans le goût du XVIIIe siècle, dont la mode allait grandissant. C'est l'un des très rares hôtels particuliers bâtis par l'architecte Henri Labrouste, plus connu pour ses innovations à la Bibliothèque nationale ou à la bibliothèque Sainte-Geneviève. Confronté à une parcelle assez exiguë, il étudia avec soin la distribution des pièces. Reportant l'entrée sur la rue adjacente et l'escalier à l'une des extrémités du corps de logis, il put développer une enfilade de pièces, décorées pour certaines dans le style pompéien le plus raffiné.

L'église de la Trinité est dominée par un campanile haut de 65 mètres.

L'OPULENTE ÉGLISE DE LA CHAUSSÉE-D'ANTIN ◁
Église de la Trinité, place d'Estienne-d'Orves (XIXe)

À chaque quartier nouveau son église ; à l'extrémité nord de la Chaussée-d'Antin, quartier d'affaires en pleine expansion, il fallait donc une église riche et imposante à l'image de l'opulence de ses habitants. Théodore Ballu, architecte de plusieurs églises néoromanes dans la capitale, adopta pour celle-ci, de 1861 à 1867, le style Renaissance, plus propice au déploiement des ornements. Il sut admirablement tirer parti de l'emplacement choisi pour créer une véritable composition urbaine dominée par le campanile de la Trinité. À flanc de pente, l'église est accessible aux voitures grâce à deux grandes rampes qui délimitent un vaste square ovale, agrémenté de trois fontaines. Le porche monumental permettait de plus aux fidèles de descendre des calèches à l'abri des intempéries, suivant le schéma adopté au même moment par Garnier à l'Opéra pour la rotonde de l'Empereur et celle des abonnés. Les offices de la Trinité devinrent d'ailleurs rapidement un haut lieu mondain. La tonalité beige et rose des parois à l'intérieur de l'édifice, très lumineux, est rehaussée dans le chœur par un somptueux tabernacle de bronze doré, œuvre de Poussielgue.

Le quartier indien de la gare du Nord

Des mannequins aux cheveux de jais ornent les vitrines des magasins de tissus, tel le Saree Palace, nombreux et riches en couleurs étranges. Les saris en coton, en soie ou en polyester y sont jaune serin ou safran, quand ils se sont pas bleu profond brodé d'or et de perles. Les vidéos reprennent les histoires mille fois racontées tirées du Mahābhārata et du Rāmāyana.

Dix ans à peine auront suffi pour transformer une rue grise et bruyante, le long des voies de chemin de fer et du terminus des bus de la gare du Nord, en une allée indienne à ciel ouvert. La rue du Faubourg-Saint-Denis et ses voisines sont en effet devenues le lieu de rendez-vous des communautés du sud de l'Inde. Jusqu'alors, sauf dans le passage Brady, au sud de la gare de l'Est, la cuisine et la musique indiennes étaient assez peu représentées dans la capitale. Paris n'est pas Londres et la France n'a pas, à l'exception de cinq comptoirs, de passé colonial avec le sous-continent. Les accords passés par le gouvernement Mendès France en 1954 autorisaient certains habitants de Pondichéry, de Mahé ou de Kārikāl à travailler en France avec un passeport français, mais leur nombre restait limité. L'augmentation considérable de réfugiés suite à la guerre civile qui sévit depuis le début des années quatre-vingt au Sri Lanka explique le développement de cette communauté. Petits restaurants, agences de voyages, vendeurs d'instruments de musique indienne y prospèrent, sans que jamais l'endroit ne prenne une allure de ghetto, pour le plus grand bonheur des amateurs de senteurs exotiques.

LA COLLABORATION DES INGÉNIEURS ET D'HITTORFF   ▽ ▷

Gare du Nord, place Napoléon-III (Xᵉ)

La gare du Nord, bâtie de 1861 à 1866, est la seule des grandes gares parisiennes qui a bien résisté aux travaux d'aménagement ultérieurs. Sa conception fut d'autant plus soignée qu'elle remplaçait un débarcadère datant seulement de 1846 et jugé fort malcommode : moins de dix ans après son achèvement, les propriétaires du quartier pétitionnaient pour la reconstruction de bâtiments « élevés sur des plans qui ont mal compris les nécessités impérieuses et toujours croissantes du vaste réseau du Nord ».

Le nouveau projet fut donc mis au point par les ingénieurs de la Compagnie de chemins de fer puis soumis à un architecte qui avait fait ses preuves tant par son talent de décorateur que par son goût pour l'innovation technique, Jacques-Ignace Hittorff.

HALLE MÉTALLIQUE ET FAÇADE DE PIERRE

Fonctionnelle, la nouvelle gare devait offrir une vaste halle métallique d'accès facile pour les voyageurs, suffisamment élevée pour le dégagement de la fumée des locomotives, assez large et sans trop de piliers sur les quais pour accueillir un grand nombre de trains. Tête de ligne d'un réseau privé, elle devait aussi offrir à la ville une façade imposante, d'où le soin apporté au décor sculpté de cette enveloppe de pierre.

Inspirée de l'architecture antique, notamment par l'emploi d'un ordre ionique colossal, la façade à arcades dessinée par Hittorff frappe cependant par la simplicité de ses lignes et le solide agencement de ses volumes. On y discerne bien la présence de la grande halle centrale flanquée de deux ailes latérales et des pavillons des départs et des arrivées. Les principales ville desservies constituent le thème de sa décoration sculptée et, du côté de la cour des départs, sur deux frontons, un juste hommage est rendu aux grands conquérants de la vapeur, dont la gare du Nord était, suivant l'expression d'un journaliste enthousiaste, « le véritable temple ». Mais, en raison de l'hostilité bien connue du préfet Haussmann envers Hittorff, la gare du Nord ne bénéficia pas du dégagement qui eût convenu à sa majestueuse façade mais d'un modeste parvis.

Dans la halle principale de la gare du Nord, la charpente métallique est soutenue par deux rangées de colonnes corinthiennes en fonte de 32 mètres de haut. Cette légèreté est caractéristique de l'art d'Hittorff.

Au-dessus d'une marquise, installée ultérieurement sur la façade, se dressent les effigies de douze villes du nord de la France puis de huit métropoles européennes ; la ville de Paris trône au sommet du fronton.

La ville haussmannienne

L'escalier à double révolution du tribunal de commerce.

LES EXIGENCES D'HAUSSMANN ◁
Tribunal de commerce, 1, boulevard du Palais (IVᵉ)

👁 Méconnu bien que situé en plein centre de Paris, sur l'île de la Cité, le tribunal de commerce se signale pourtant par son pittoresque dôme Renaissance qui clôt la perspective du boulevard de Sébastopol du côté de la Seine. Il répond, de manière théorique compte tenu de la distance, à la gare de l'Est, située à l'autre extrémité de l'axe. Les lourdes contraintes d'urbanisme auxquelles Haussmann soumettait ses architectes trouvent ici leurs limites. Pour respecter cette perspective imposée, Antoine Bailly dut en effet décentrer le dôme par rapport à la façade de l'édifice. D'aucuns se demandèrent d'ailleurs à l'époque pourquoi il fallait équiper d'un dôme un tribunal de commerce !

UN BEL ESPACE INTÉRIEUR

Les qualités de l'architecture de Bailly deviennent cependant évidentes à l'intérieur du bâtiment, où, après avoir traversé un large vestibule, on atteint un élégant escalier à double révolution qui utilise au mieux l'espace et la lumière de ce dôme imposé. Facilitant les communications, la grande cour vitrée, bordée de cariatides sculptées par Carrier-Belleuse, occupe le centre de l'édifice et peut servir aux assemblées particulièrement nombreuses, comme lors des élections consulaires. Indépendant de la Bourse, qui l'abritait jusque-là, le tribunal de commerce se parait d'un prestige nouveau grâce à cet édifice luxueux, bâti de 1859 à 1864 face au vénérable Palais de justice.

BOULEVERSEMENTS AU PALAIS DE JUSTICE ▽
Façade sur la rue de Harlay (Iᵉʳ)

👁 L'inextricable architecture du Palais de justice, haut lieu de l'histoire de France, modelé par les incendies et les restaurations parfois douteuses, est profondément modifiée durant le Second Empire. Des deux architectes placés à la tête de cette entreprise, Daumet est resté plus célèbre pour sa brillante reconstruction du château de Chantilly, alors que c'est davantage le nom de Louis-Joseph Duc qui est resté associé au Palais : il en a suivi les travaux, il est vrai, pendant plus de trente-huit ans ! Duc est abondamment intervenu afin de rectifier l'ordonnance des corps de bâtiment de tous âges qui occupaient le site et de gagner de l'espace pour les diverses fonctions judiciaires en plein développement.

VESTIGE D'UN AMBITIEUX PROJET

La marque la plus voyante de Duc reste la façade imposante dont il a doté la cour d'assises le long de la rue de Harlay. Étrange et écrasante, oscillant entre le style grec et le gigantisme égyptien, couronnée de deux grands aigles impériaux, elle domine un vaste perron qui nécessita la démolition regrettable du troisième côté de la place Dauphine. Elle était destinée à s'intégrer dans un projet monumental qui comprenait des bâtiments annexes et un vaste dégagement ouvert sur la Seine, le reste de la place ayant été détruit. Une statue colossale de la Loi entourée d'un portique aurait achevé de donner à la pointe de l'île de la Cité l'aspect d'une acropole antique.

VOIR AUSSI LA CONCIERGERIE, p. 31, ET LA COUR DE MAI, p.196.

Lecture et gourmandise

Il suffit de traverser le Pont-au-Double pour atteindre le royaume douillet de deux charmantes librairies-salons de thé. Tables de noyer et fond de musique classique à La Fourmi ailée, qui propose de délicieuses pâtisseries maison, de suaves chocolats chauds à l'ancienne, des salades, des gratins… et les sept mille titres de sa librairie. Les murs tapissés de tissu coq de roche accueillent tous les mois des œuvres peintes ou photographiques autour d'un thème. Sa façade bleue date du XVIIᵉ siècle, comme le porche attenant, que coiffe un remarquable mascaron à tête d'homme couvert d'une peau de lion.

The Tea Caddy est installé dans un immeuble pourvu d'un tympan où figure la Justice tenant une balance, vestige de l'époque où y résidait le gouverneur de la prison du Petit Châtelet. On raconte que des passages secrets relient encore le bâtiment à la prison. Ouvert en 1928, ce salon de thé fut pendant la guerre un haut lieu de rencontre des résistants, qui pouvaient s'en échapper en empruntant les fameux souterrains. Miss Kinklin, créatrice du lieu et ancienne gouvernante chez les Rotschild, y reçut toutes les célébrités de l'époque. Chaleureux comme un pub écossais avec ses boiseries de style Tudor, ses chaises paillées, ses tables recouvertes de nappes de tissu et sa vaisselle ancienne, The Tea Caddy est un temple du thé, qu'accompagnent toasts à la cannelle ou exquises pâtisseries – tarte au citron, sacher torte, linzer torte, pie aux fruits, clafoutis… –, mais on peut aussi y déjeuner de gratins, petits plats chauds et savoureuses salades. *La Fourmi ailée, 8, rue du Fouarre, et The Tea Caddy, 14, rue Saint-Julien-le-Pauvre (Vᵉ).*

L'impressionnante façade du Palais de justice, sur la rue de Harlay, avec ses 55 mètres de long sur 24 de haut.

La cour intérieure de l'Hôtel-Dieu.

Un hôpital moderne à l'ombre de Notre-Dame △

Hôpital de l'Hôtel-Dieu,
place du Parvis-Notre-Dame (IVe)

S'inquiétant de la lenteur du chantier de l'Hôtel-Dieu face à l'avancement des travaux de l'Opéra, Napoléon III insiste pour que les deux projets progressent simultanément pour ne pas donner l'impression que la musique l'emportait sur la santé publique.

Blottis à l'ombre de Notre-Dame depuis le haut Moyen Âge, l'ancien Hôtel-Dieu de l'île de la Cité et ses dépendances de la rive gauche offraient un spectacle pittoresque mais douteux d'un point de vue sanitaire. Dans le cadre du réaménagement complet de l'île, l'Hôtel-Dieu est entièrement reconstruit de 1864 à 1877 par les architectes Jacques Gilbert et Stanislas Diet. Contre l'avis des médecins, qui auraient préféré un transfert de l'institution hors de l'île, sur un terrain plus dégagé et entouré de jardins, Haussmann imposa son maintien au centre de la ville par respect de la tradition. Son emplacement fut seulement reporté un peu vers le nord, pour dégager un parvis devant la cathédrale.

DE L'AÉRATION À TOUT PRIX

La grande cour intérieure bordée d'arcades sur deux étages et dominée par une chapelle axiale rappelle les modèles de la Renaissance italienne, mais elle illustre aussi les théories hygiénistes en vogue avant les découvertes de Pasteur. L'entassement des malades, qui prédomine encore, rend essentielle une ventilation généreuse des bâtiments pour en chasser les « miasmes ». On adopte une orientation nord-sud pour laisser entrer la lumière, et un système complexe de gaines est installé dans les murs des salles communes afin d'évacuer l'air « vicié » par de hautes cheminées. Ces dernières furent détruites par la suite, lorsqu'on comprit les principes de la transmission microbienne et l'importance primordiale de la séparation des malades et de la désinfection, qui donnèrent des résultats plus efficaces que l'aération forcenée. La sobre architecture du bâtiment, et la bonne articulation de son plan, autorisa cependant toutes les modernisations ultérieures.

La caserne de la Cité ▽

Actuelle préfecture de police, place du Parvis-Notre-Dame (IVe)

De l'île de la Cité, lieu densément peuplé où s'enchevêtrent les souvenirs les plus vénérables du passé de la ville, Haussmann fait un centre administratif d'où seuls émergent deux vestiges, abondamment restaurés, Notre-Dame et la Sainte-Chapelle. Entre l'Hôtel-Dieu et le Palais de justice, à proximité également de l'Hôtel de Ville, mais surtout au cœur d'un Paris désormais traversé par de grands axes de circulation, on bâtit ce qui constitue la clé d'un dispositif destiné en partie à éviter de nouvelles journées révolutionnaires : une immense caserne.

Construite de 1862 à 1865 par Victor Calliat dans un style assez lourd, avec des pavillons d'angle très massifs et un imposant portail en cul-de-four, la caserne de la Cité est décorée, dans ses parties hautes, de trophées d'armes qui évoquent sa fonction première, le logement de troupes. Depuis l'incendie, en 1871, des locaux de la police installés dans le Palais de justice, elle est devenue le quartier général de la préfecture de police.

La caserne de la Cité, où logeaient les armées impériales.

La ville haussmannienne

PLAN INGÉNIEUX À L'ÉGLISE SAINT-AUGUSTIN ▽

46, boulevard Malesherbes (VIIIe)

👁 Église paroissiale des beaux quartiers, à la croisée de l'actuel boulevard Haussmann et du boulevard Malesherbes, non loin du parc Monceau, Saint-Augustin (1860-1871) cache sous sa silhouette de pierre une architecture métallique surprenante, œuvre de Victor Baltard. Tributaire d'un terrain triangulaire à un coude du boulevard Malesherbes, l'architecte fut contraint d'élever une étroite façade, vaste porche en hauteur dans le style d'une basilique romano-byzantine, tandis que le monument s'élargit vers le transept et s'épanouit en un vaste chevet. La structure métallique permettant de se dispenser de puissants contreforts, la nef pouvait se loger dans la partie la plus étroite du terrain et l'immense dôme Renaissance bénéficier de son élargissement au centre. L'intérieur frappe par ses arcs métalliques ouvragés et par l'ampleur de l'espace dégagé par le dôme pour le chœur ; il abrite d'intéressants décors, notamment des œuvres d'un des maîtres de la peinture académique, William Bouguereau.

Mercure et Vulcain, symboles du commerce et du travail, encadrent toujours l'horloge, sur l'avant-corps central du bâtiment des Magasins Réunis.

L'église Saint-Augustin est dominée par un immense dôme Renaissance, couronné d'un élégant lanternon en fonte ajourée.

LA SOCIÉTÉ DES MAGASINS RÉUNIS △

Bâtiment des Magasins Réunis, 8-10, place de la République (XIe)

👁 Des grands magasins du Second Empire, dont Émile Zola, dans *Au Bonheur des dames,* a souligné l'extraordinaire développement, seules subsistent les façades des Magasins Réunis. Cet édifice, destiné à être loué à la société des Magasins Réunis, groupe de commerçants indépendants, n'est cependant pas le plus représentatif de ce type d'architecture. Gabriel Davioud, qui construit l'édifice en 1866, est en effet soumis à de multiples contraintes.

LES COMPROMIS DE DAVIOUD

La société commanditaire du magasin (le Crédit foncier international belge) impose d'abord que le bâtiment puisse être reconverti en immeuble locatif au cas où l'entreprise serait un échec commercial. Ce qui explique un rythme de fenêtres très régulier et un décor des plus mesurés. Mais Davioud doit surtout respecter les directives du préfet Haussmann : édifier un bâtiment symétrique à la caserne du Prince-Eugène (caserne Vérines), située de l'autre côté de la rue du Faubourg-du-Temple, que les Magasins Réunis prolongent sur ce grand côté de la place. Les volumes des deux gros pavillons d'angle tentent ce mariage difficile avec le lourd édifice voisin, l'architecte s'efforçant cependant de donner un aspect plus avenant au magasin. Ainsi le porche central donnait-il accès non pas à une cour mais, pour l'agrément de la clientèle, à un jardin pittoresque.

LA PLACE DU CHÂTEAU-D'EAU

La nouvelle place du Château-d'Eau (actuelle place de la République) est tracée à l'emplacement des théâtres du fameux Boulevard du crime (boulevard du Temple), à la croisée d'un immense réseau de grandes avenues destinées autant à pacifier qu'à réorganiser les quartiers du nord-est de la capitale. Inauguré pour l'Exposition universelle de 1867, le bâtiment des Magasins Réunis parachevait son dessin. La société fait faillite en 1870, et ce n'est qu'en 1905 que les Magasins Réunis rouvrent leurs portes. Un hôtel et deux grands magasins se partagent aujourd'hui les lieux.

UNE MAIRIE AUX ALLURES DE CHÂTEAU △
Mairie du IIIe arrondissement, 2, rue Eugène-Spuller

La cour d'honneur de la mairie du IIIe arrondissement.

En 1859, l'annexion à Paris des communes alentour entraîne le redécoupage des arrondissements centraux de la capitale. La Ville entreprend dès lors un programme ambitieux de construction de nouvelles mairies. Parmi les plus fastueuses, celle du IIIe arrondissement adopte l'aspect d'un vaste château du XVIIe siècle, avec son corps central surélevé, ses ailes en retours, ses toitures à la Mansart et un décor majestueux de colonnes et de pilastres. Cette noble façade de pierre bénéficie de plus du dégagement qu'offre le grand square du Temple. Commencé dès 1860 par les architectes Victor Calliat puis Eugène Chat, le bâtiment est achevé en 1867, et son riche décor intérieur remonte pour l'essentiel au Second Empire. Caractéristique du goût de cette époque, le véritable morceau de bravoure de l'édifice, plus encore que la salle des mariages qui deviendra le lieu le plus ostentatoire des mairies laïques de la IIIe République, est son escalier d'honneur.

Le carreau du Temple

Le carreau du Temple, face à la mairie du IIIe arrondissement, doit son nom à l'enclos des Templiers qui en occupait l'emplacement au Moyen Âge. Dès la fin du XVIIIe siècle, installé dans une rotonde et quatre pavillons de bois, s'y tenait un marché aux fripes et à la ferraille. Six pavillons en verre et en fer (seuls deux d'entre-eux sont encore debout), dans le style des halles centrales de Baltard, les remplacèrent en 1863 et devinrent l'un des hauts lieux du commerce parisien. En 1904, le carreau du Temple atteint

le sommet de sa gloire en accueillant la première Foire de Paris. La tradition de friperie finit par céder la place aux vêtements neufs. Les marchands sédentaires et les fabricants prirent les rênes du commerce en fondant l'Union des syndicats des marchands du carreau du Temple. Aujourd'hui, sur le pourtour de la halle, soixante-dix-sept petites échoppes de bois, ouvertes l'après-midi, sont occupées par des marchands de vêtements neufs. Le matin, ils déballent leurs habits sur le parvis du carreau. Si l'on vient admirer l'architecture du lieu, classé monument historique depuis 1981, les nippes n'ont plus rien de surprenant. Seul élément insolite, l'allure sportive de cette halle close : le tennis occupe le terrain la majeure partie des après-midi, mais le vendredi les virtuoses du patin à roulettes de vitesse se lancent dans de folles arabesques jusque tard dans la soirée.
Le carreau du Temple, 2, rue Perrée (IIIe).

LA GARE D'AUSTERLITZ ▷
boulevard de l'Hôpital (XIIIe)

De 1862 à 1869, l'architecte Louis Renaud et l'ingénieur Louis Sevène réédifient l'embarcadère des trains pour Corbeil puis Orléans, bâti au débouché du pont d'Austerlitz dès 1840. La hardiesse de la halle métallique centrale, longue de 280 mètres, haute de 27 et surtout d'une portée de 51 mètres sans appuis intermédiaires, était remarquable. Elle fut d'ailleurs utilisée pendant le siège de 1870 pour la construction de ballons aérostatiques. Cette structure, techniquement très moderne, reste toutefois dissimulée derrière des façades de pierre plus traditionnelles, ornées de sculptures. Depuis 1904, le viaduc du métro traverse la halle, aujourd'hui menacée par le trafic automobile que doit déverser à proximité le nouveau pont Charles-de-Gaulle.

Le vestibule de l'ancienne cour du départ de la gare d'Austerlitz, encadré de l'Agriculture, sous les armoiries de la ville d'Orléans, et de l'Industrie, sous celles de Paris.

L'Opéra
Place de l'Opéra (IXe)

L'immense chantier de l'Opéra, bâtiment symbole du Second Empire à Paris, demanda tant d'efforts pour être à la mesure de cette ambition qu'il ne fut achevé que bien après la chute du régime. Loisir de souverains, l'opéra avait déjà coûté la vie au duc de Berry en 1820, quand l'héritier de la Couronne fut assassiné au sortir d'une représentation. Échappant de peu en 1858 à l'attentat d'Orsini, alors qu'il se rend lui aussi à l'Opéra, Napoléon III relance le projet d'un nouveau bâtiment, plus grand et plus sûr. L'emplacement retenu, en bordure du boulevard des Capucines, au milieu d'un vaste carrefour et au débouché d'une large avenue qui sera percée jusqu'au Louvre, offre la sécurité voulue et permet de bâtir tout autour un quartier d'affaires dont l'Opéra formera le noyau monumental.

L'ÉPOPÉE DE LA CONSTRUCTION

Bien que confronté à des collègues chevronnés et bien en cour, l'architecte retenu à l'issue des deux concours de 1861 est un inconnu de trente-cinq ans, Charles Garnier, dont le projet a su remporter l'unanimité du jury final. Le jeune lauréat devait s'avérer à la hauteur de la tâche : son génie et son

Le grand escalier en marbre de couleur de l'Opéra. L'accès des abonnés se faisait en contrebas, le grand public empruntant la volée principale, encadrée de deux somptueuses torchères dues à Carrier-Belleuse.

Le grand foyer de l'Opéra, dont le décor de colonnes et de statues et les peintures de Paul Baudry sont éclairés par de somptueux lustres.

Ci-dessous et page 287, les danseurs étoiles Charles Jude et Élisabeth Platel dans le Lac des cygnes.

Séjour enchanteur au pays des senteurs

Deux jolis musées méconnus encadrent l'Opéra : les musées de la Parfumerie. L'illustre parfumerie Fragonard, qui possède trois usines à Grasse, la ville des parfums, a installé ses boutiques boulevard des Capucines et rue Scribe et consacré le premier étage de chacune d'elles à un musée. Le petit théâtre des Capucines, qui abrite le premier, a été construit à la fin du XIXe siècle et entièrement rénové en 1992. L'hôtel particulier, où se trouve le second, date du Second Empire. Aménagés en respectant les décors d'origine, ces deux musées proposent une incursion poétique au royaume des senteurs. Celui de la rue Scribe, plus spacieux, retrace l'histoire de la fabrication du parfum depuis le XVIe siècle et expose dans quatre vastes salles des flacons raffinés, des atomiseurs et des vaporisateurs, des alambics – dans lesquels étaient distillées les essences –, des pots-pourris enivrants, des brûle-parfums extrême ténacité lui permirent de mener à bien ce chantier de quatorze années, malgré de nombreuses difficultés techniques, politiques et financières.

La première surgit sans doute en creusant les fondations ; une nappe phréatique occupait tout le terrain. Il fallut donc créer une sorte de cuve gigantesque pour canaliser cette eau, qui formera un lac souterrain utile non seulement à un fantôme bien connu mais plus sûrement aux pompiers du théâtre. Parmi les événements qui perturbent ensuite la construction, la chute de Napoléon III en 1870 faillit lui être fatale. Le gros œuvre échappe à la menace des incendies de la Commune, mais l'avènement d'une république endettée par la rançon exigée par l'Allemagne est peu propice à l'achèvement coûteux d'un monument jugé inutile et trop lié à un régime déchu. Il faut l'incendie accidentel, en 1873, de la salle Le Peletier, qui abritait jusque-là les spectacles d'opéra, pour qu'on se résigne à financer les derniers travaux du palais Garnier.

ÉCLAT DE L'OR ET DE LA POURPRE

Le monument que découvre le public à l'inauguration de 1875 fait cependant sensation. Jamais un Opéra n'a bénéficié d'une telle surface ni d'un tel luxe dans la décoration. Fervent partisan de la polychromie, Garnier y a multiplié les recherches de matériaux, alliant marbres rares et onyx dans l'escalier, introduisant l'usage byzantin de la mosaïque à fond d'or dans le vestibule du foyer, créant dans le foyer lui-même une somptueuse galerie dorée, dominée, à plus de 18 mètres de haut, par un grand décor peint de Paul Baudry. L'ensemble frappe néanmoins autant par son harmonie que par son éclat. La justesse des proportions tempère l'immensité des espaces, qui n'ont en définitive rien d'écrasant. L'impression est la même dans la salle, toute d'or et de pourpre, à propos de laquelle Garnier note : « La couleur dorée domine partout et, surtout, à l'exclusion complète du blanc, qui la ferait paraître sombre et qui, par son éclat insolite, attirerait forcément les regards. » Si l'actuel plafond, composition tardive de Marc Chagall, recouvre depuis 1963 une belle œuvre de Lenepveu et ne répond plus au vœu de l'architecte, l'imposant luminaire reste à la mesure de ce temple de l'art dramatique. Dessiné par Garnier, ce lustre domine les spectateurs de sa masse de 7 tonnes et de ses trois cent quarante lumières, sans apparemment avoir faibli depuis.

LISIBILITÉ DES VOLUMES EXTÉRIEURS

La volonté de Garnier d'utiliser au mieux les ressources de la sculpture décorative sans nuire à la structure d'ensemble est tout aussi manifeste à l'extérieur du bâtiment. La structure de l'Opéra, en dépit de l'énormité de la construction, reste lisible dans ses volumes, clairement définis. La colonnade de la façade correspond au foyer, la coupole vert-de-gris couvre la salle, l'immense pignon marque le volume des cintres de la scène. Moins explicites de nos jours, les deux rotondes qui bordent les côtés signalaient les accès privilégiés : à droite, celui des abonnés, à gauche, celui prévu pour l'empereur, doté d'une rampe lui permettant de ne quitter sa voiture qu'à l'abri d'un vestibule particulier. Si Napoléon III ne put voir son projet achevé, l'Opéra de Paris n'en reste pas moins le plus beau des monuments légués par son règne.

La rotonde de l'empereur, avec sa rampe d'accès en fer à cheval, et le buste en bronze doré de Charles Garnier.

anciens, des coffrets datant des XVIᵉ et XVIIᵉ siècles, un orgue de parfumeur et toute une collection d'affiches et d'étiquettes. Le musée du boulevard des Capucines possède une collection de flacons allant du Moyen Âge au XIXᵉ siècle, une distillerie miniature, parfait outil pédagogique pour comprendre l'itinéraire des précieuses essences, et un orgue à parfums présentant trois cent cinquante de ces effluves naturels. On en ressort ravi et étourdi par tant d'exhalaisons.
Musées de la Parfumerie, 39, boulevard des Capucines, et 9, rue Scribe (IXᵉ).

La façade principale de l'Opéra. Des groupes en pierre symbolisant les arts – dont la Danse, de Carpeaux – sont sculptés de part et d'autre des arcades latérales du rez-de-chaussée, tandis que des bustes de compositeurs ou de librettistes surmontent les fenêtres de la loggia. Sur les deux frontons latéraux, l'Architecture et l'Industrie, et la Peinture et la Sculpture.

La ville haussmannienne

L'ACHÈVEMENT DE L'ÉCOLE DES BEAUX-ARTS ▷
14, rue Bonaparte (VIᵉ)

🔲 Occupant depuis 1816 l'ancien couvent des Petits-Augustins, l'École des beaux-arts présente un décor et une architecture des plus pittoresques, provenant en grande partie de la récupération d'éléments antérieurs. Principalement réaménagé par l'architecte Félix Duban sous la monarchie de Juillet, l'ensemble complexe des bâtiments de l'école s'enrichit de nouveaux ajouts sous le Second Empire. Duban lui adjoint de 1858 à 1862 le bâtiment du quai Malaquais, destiné à abriter les expositions des travaux des élèves. L'intérieur, avec son noble escalier et ses vastes cimaises, a conservé son riche décor polychrome de goût pompéien, caractéristique de l'architecte. En 1863, il dessine la couverture vitrée de la grande cour du bâtiment principal. Achevée bien après la mort de Duban par Ernest Coquart, la verrière s'appuie sur d'élégantes colonnettes indépendantes des murs. La cour couverte servit longtemps d'écrin à une collection de statues en plâtre, moulées d'après les grands chefs-d'œuvre de l'Antiquité et destinées à servir de modèles aux élèves de l'école.
VOIR AUSSI LA CHAPELLE DES LOUANGES ET L'ÉGLISE DES PETITS-AUGUSTINS, p. 89, ET LE PALAIS DES ÉTUDES, p. 250.

MARCHÉS COUVERTS ET PARAPLUIES MÉTALLIQUES ▽
Marché Secrétan, 46, rue de Meaux (XIXᵉ)

👁 Exemple conservé d'un des nombreux marchés couverts dont le XIXᵉ siècle avait pourvu la capitale, le marché Secrétan, près des Buttes-Chaumont, comme le marché Saint-Quentin, près de la gare du Nord, ou la halle Saint-Pierre, au pied de Montmartre, témoignent de l'usage de l'architecture métallique, à défaut du plus spectaculaire des monuments de ce type, les Halles centrales, élevées par Baltard et détruites en 1973. Édifié en 1868 par Victor Baltard, le marché Secrétan n'est qu'un marché de quartier, mais il est construit suivant le même principe d'un parapluie de bois, de métal et de verre porté par des colonnes de fonte qui libèrent un vaste espace bien éclairé et aménageable à volonté. Les murs extérieurs sont constitués d'un remplissage de briques de couleur et surmontés de persiennes pour l'aération.

Pittoresque et bien approvisionné, le marché Secrétan reste l'un des lieux les plus animés du quartier des Buttes-Chaumont.

La cour couverte de l'École des beaux-arts.

Petit tour de glisse sur la glace

Des trente-six patinoires parisiennes pour patins à roulettes du début du siècle – ce sport faisait alors fureur –, seule une, la Main jaune, porte de Champeret, existe toujours. Mais les patineurs à roulettes en souffrent peu : ils ont envahi esplanades et pistes de plein air. Les adeptes du patin à glace, eux, sont devenus des parents pauvres. Ouverte depuis une trentaine d'années, la patinoire à glace de la rue Pailleron est l'une des dernières à Paris. Il est bien difficile de soupçonner l'agitation qui règne à l'intérieur de ce vaste hangar banal. Ici, il fait toujours nuit. La piste, de larges proportions, ouvre sous le plafond aveugle son immense miroir laiteux. Petits et grands se lancent sur sa magnifique surface lisse, mais, avant de filer aussi vite qu'une flèche, le patineur doit parcourir un chemin semé d'embûches et, sous son apparente douceur de neige, la glace est plus dure que la pierre ! Le plus sûr moyen de conquérir le terrain et de connaître un jour la griserie de la glisse reste d'avoir recours à un maître du patin. De bons patineurs évoluent sur la piste, tantôt danseurs, tantôt sprinters. Un chronomètre préside aux concours de vitesse ; mieux vaut alors s'échapper et admirer leur ballet de plus loin, en sirotant au bar quelque boisson chaude ou sucrée, tout en regardant les clips qui défilent sur l'écran géant. Le vendredi soir, la fièvre saisit la patinoire : la musique emporte les patineurs dans de longues danses effrénées. On en ressort à la lune sans plus trop savoir si dehors on saura encore marcher sur le dur pavé.
Patinoire des Buttes-Chaumont, 30, rue Édouard-Pailleron (XIXᵉ).

Un lycée moderne ▷

Lycée Chaptal, 45, boulevard des Batignolles (VIIIᵉ)

🔑 Parmi les grands équipements collectifs dont le Second Empire entreprend la construction pour faire de Paris une capitale moderne figurent bon nombre d'établissements d'enseignement. Vaste ensemble bâti autour d'une chapelle et de trois cours (pour les petits, les moyens et les grands), le collège Chaptal n'échappe pas totalement dans son programme à la tradition des grands « lycées-casernes », avec ses forts pavillons d'angle. Son architecte, Eugène Train, introduit cependant de la variété dans le décor – usage de la polychromie, jeux de briques de couleur et d'éléments de céramique, mise en valeur des structures métalliques, et même dessin spécifique des tuiles des toitures – et s'efforce de différencier amphithéâtres, réfectoires et classes pour éviter la monotonie qu'un ensemble de cette taille pouvait engendrer. Élevé de 1866 à 1876, et donc antérieur aux grandes réformes de Jules Ferry, le lycée Chaptal témoigne déjà des préoccupations de modernisation de l'enseignement.

Toujours plus de livres à la bibliothèque impériale ▽

Salle de lecture des imprimés (actuelle Bibliothèque nationale),
58, rue de Richelieu (IIᵉ)

👁 Institution destinée à recevoir toute la production imprimée du pays, la bibliothèque impériale connaît déjà les problèmes engendrés par un afflux croissant de nouveaux livres – elle contenait huit cent mille ouvrages en 1851. Installées depuis le XVIIIᵉ siècle rue de Richelieu, la bibliothèque et les collections d'estampes, de manuscrits, de plans, de partitions et de médailles occupent divers bâtiments, dont l'hôtel de Nevers et l'ancienne demeure du cardinal Mazarin. Ce cadre magnifique, mais disparate et fort peu commode, n'est qu'en partie préservé dans le grand chantier mené par l'architecte Henri Labrouste de 1854 à 1875. Il dote néanmoins la bibliothèque de tous les locaux nécessaires à une organisation rationnelle.

HAVRE DE PAIX POUR LA LECTURE

Occupant dorénavant tout un îlot, la bibliothèque abrite en son cœur une superbe salle de lecture, isolée du bruit de la rue par d'immenses magasins de stockage. Son éclairage, zénithal, est diffusé par neuf coupoles métalliques qui structurent la salle à la manière d'une basilique byzantine terminée par une large abside destinée aux bureaux des conservateurs. S'il était techniquement possible de couvrir l'ensemble d'une seule voûte, celle-ci aurait été d'une hauteur vertigineuse, et donc écrasante pour les lecteurs. Ici, au contraire, le jeu de courbes des voûtes sphériques, l'élancement des colonnettes de fonte et l'harmonie du décor concourent au confort des utilisateurs. La richesse des dorures, qui s'harmonisent avec les reliures des ouvrages couvrant les murs jusqu'à mi-hauteur, est contrebalancée par la légèreté des frondaisons peintes par Desgoffe au-dessus des livres et par la blancheur nacrée des plaques de porcelaine blanche qui recouvrent les coupoles. Labrouste veilla au moindre détail de ce qui reste son œuvre majeure, dessinant avec soin les bouches des calorifères tout comme les pupitres ou encore l'élégant vestibule, malheureusement défiguré en 1993.

VOIR AUSSI LA GALERIE MAZARINE, p. 114, ET LA COUR D'HONNEUR, p. 289.

La façade du lycée Chaptal, dont l'originalité résulte d'un étonnant mélange de styles.

La salle de lecture des imprimés de la Bibliothèque nationale, où les livres contribuent à la décoration des parois. La structure métallique employée pour les rayonnages, les galeries et les escaliers réduisait les risques d'incendie.

L'art de la copie

Le musée de la Contrefaçon, près de l'avenue Foch, est un musée insolite de 60 mètres carrés. Mais peu importe sa taille modeste, car, ici, seul compte l'art de bien observer les détails. Les différentes vitrines où trônent côte à côte les originaux et les copies (vrai et faux Opinel, vrai et faux Chanel, vrai et faux Vuitton…) exigent autant d'attention que les jeux de patience : cherchez l'erreur et vous ne vous ennuierez pas ! Une centaine d'objets (accessoires auto, maroquinerie de luxe, boissons, alcools, lunettes, parfums, couteaux, jouets, et même mousse à raser…) font face à leurs copies. Toutes les contrefaçons exposées ont fait l'objet de poursuites et ont donc été officiellement reconnues et identifiées comme étant des faux. Les différents types de contrefaçons existant de part le monde, les principaux producteurs et les plus gros consommateurs, la législation qui s'y rapporte et les enjeux économiques qu'elles représentent font l'objet de panneaux informatifs; une plaquette explicative est remise à chaque visiteur, et une vidéo est accessible à tous. Les locaux appartiennent à l'Union des fabricants pour la protection internationale de la propriété industrielle et artistique, qui, depuis 1872, protège les marques, noms commerciaux, appellations d'origine, formes, dessins, modèles… et lutte contre la contrefaçon.

Enfin, signalons l'ultime clin d'œil du musée : il est installé à l'intérieur d'un hôtel particulier de la fin du XIXe siècle qui est l'exacte réplique d'un hôtel particulier du XVIIIe !

Musée de la Contrefaçon,
16, rue de la Faisanderie (XVIe).

VRAI   **FAUX**

LA VITRINE DU PARIS MONDAIN

Avenue Foch (XVIe)

Symbole d'élégance, l'avenue Foch, qui s'appelait alors l'avenue de l'Impératrice – avant de devenir celle du Bois –, est célèbre pour le défilé des calèches qui descendent ou remontent de la place de l'Étoile vers le nouveau bois de Boulogne. On y échange des saluts polis, et, surtout, on y scrute les attelages, baromètre de la puissance et de la richesse des demi-mondaines, des membres de la cour ou de la banque.

Interdite au commerce et bordée de luxueux hôtels particuliers, l'avenue Foch constitue encore une sorte d'avancée du bois en plein Paris, en dépit de la construction progressive d'immeubles plus élevés sur son tracé.

SÉCURITÉ DES CORTÈGES OFFICIELS

L'origine de la disposition majestueuse de cette avenue de plus de 120 mètres de large répond pourtant avant tout à des préoccupations de sécurité. Le trajet de Napoléon III entre les Tuileries et le château de Saint-Cloud évite ainsi la traversée de tout village. Le premier projet de l'architecte Hittorff – une avenue plantée de 40 mètres – est rejeté par Haussmann pour son étroitesse, jugée dangereuse. L'avenue n'adopte cette taille qu'au débouché de la place de l'Étoile afin d'en respecter l'harmonie. Au-delà, la largeur inégalée de l'avenue de l'Impératrice, avec ses contre-allées et ses plantations, offrit pendant longtemps aux cortèges officiels, outre une grande sécurité, un accès des plus impressionnants à la capitale.

Avec ses jardins et ses hôtels particuliers, l'avenue de l'Impératrice – nommée avenue Foch en 1929 – était la plus belle de Paris. Le plus remarquable de ses hôtels, le palais Rose (1897), a été détruit en 1969.

UNE PRISON EXPÉRIMENTALE ▷

Maison d'arrêt de la Santé,
42, rue de la Santé (XIVᵉ)

🔒 L'assouplissement relatif des peines au cours du XIXᵉ siècle impose une réforme du système carcéral, qui doit alors assurer, suivant l'idéal de l'époque, la régénération morale des locataires destinés à réintégrer la vie active. Seule prison subsistant à Paris, la Santé est assez représentative de la nouvelle architecture carcérale, inspirée des modèles américains.

ISOLEMENT, SURVEILLANCE ET SALUBRITÉ

Bâtie de 1861 à 1867 par Émile Vaudremer, la prison reprend deux plans alors en vogue. Un groupe de bâtiments en forme d'étoile, satisfaisant aux principes de l'architecture panoptique définis par Jeremy Bentham et appliqués à la prison de Philadelphie, combine l'isolement des prévenus – deux étages de cellules dans chaque aile, desservies par des galeries de circulation en encorbellement – et la surveillance, grâce au poste situé au centre du réseau. Le second groupe de bâtiments, organisés autour de cours rectangulaires, parti adopté à la prison d'Auburn, à New York, est destiné aux condamnés. Les prisonniers n'y sont isolés que la nuit, la journée se déroulant dans des ateliers collectifs. Soigné dans ses moindres détails architecturaux, pourvu d'un tout-à-l'égout et de systèmes modernes de ventilation et de chauffage – ce qui scandalisa nombre de contemporains –, l'ensemble répondait aux préoccupations nouvelles en matière d'hygiène et de sécurité.

Malgré son organisation rationnelle, la prison de la Santé fut vite surpeuplée et redevint insalubre.

FASTES D'ANCIEN RÉGIME ▽

Hôtel Talhouet-Roy, 137, rue du Faubourg-Saint-Honoré (VIIIᵉ)

🔒 Député influent rallié au Second Empire, le marquis de Talhouet-Roy devient ministre des Travaux publics et plus tard vice-président du Corps législatif. Fort de cette rapide ascension, il peut acquérir de l'État, via la Ville de Paris, les anciennes écuries du comte d'Artois. Les sompteux bâtiments du XVIIIᵉ siècle sont démolis au profit d'un ensemble d'hôtels, l'instigateur de cette opération immobilière se réservant l'un deux.
Si le nom de l'architecte reste inconnu, la demeure n'en est pas moins typique du retour au type ostentatoire de l'hôtel d'Ancien Régime, bâti entre cour et jardin. Précédé d'une vaste cour bordée d'ailes latérales plus basses, le corps de logis s'élève majestueusement au-dessus d'un large perron. On y imagine aisément le défilé incessant des calèches qui déversaient les invités des sompteuses soirées mondaines du marquis puis, à partir de 1881, de son nouvel occupant, Henri Schneider, le fils du fondateur des établissements métallurgiques du Creusot.

JARDIN PITTORESQUE À L'ANGLAISE ▽

Parc des Buttes-Chaumont (XIXᵉ)

🦜 En tête des lieux les plus sinistres de la périphérie nouvellement annexés à la capitale en 1860 figurent les terrains accidentés de Belleville. Les activités indésirables de la ville, des équarrissages au déversement des vidanges, se retrouvent aux Buttes-Chaumont, alors exploitées pour le gypse ; le dédale des galeries offre aussi un refuge aux vagabonds. Le préfet Haussmann veut faire de ce lieu disgracié le centre d'un nouveau quartier en y créant de toutes pièces, de 1863 à 1867, un vaste jardin pittoresque à l'anglaise.
Confié, comme les bois de Vincennes et de Boulogne, à Alphand, aidé de l'ingénieur Darcel, de l'horticulteur Barrillet-Deschamps et de l'architecte Davioud, le chantier débute par d'importants travaux afin de déblayer la zone, consolider les galeries des anciennes carrières, apporter de la terre végétale, alimenter en eau le lac, la cascade et les ruisseaux. Mais toute l'originalité du dessin d'Alphand est de mettre à profit les accidents de terrain pour créer des grottes, des ponts suspendus et, composition surprenante à Paris, un promontoire rocheux orné d'un temple circulaire dominant le lac du haut d'une falaise, à la manière du site romain de Tivoli.

L'entrée de l'hôtel Talhouet-Roy, protégée par une de ces grandes marquises métalliques alors à la mode.

On accède au temple des Buttes-Chaumont par un escalier de deux cents marches, taillé dans la falaise.

La ville haussmannienne

LES RÈGLES DE L'URBANISME HAUSSMANNIEN ▽
Place de Wagram (XVIIe)

👁 À l'intersection des boulevards Malesherbes et Pereire et de l'avenue de Wagram, la place de Wagram est typique de ce que l'on a appelé le style haussmannien. Le nouveau paysage parisien, tel que le préfet Haussmann l'a modelé en quelques années, ne se limite pas, en effet, au tracé d'avenues rectilignes. Le style même des immeubles qui bordent ces voies est déterminé avec soin. Afin d'assurer un éclairage naturel suffisant tant pour la rue que pour les appartements, la hauteur des bâtiments est conditionnée par la largeur de la voie. Ce qui, avec la contrainte de l'alignement des façades, toutes de pierre, et l'exclusion des encorbellements, limitait très fortement la liberté des architectes. Il en résulte une grande homogénéité des quartiers, qui feront d'ailleurs des émules en province, à Lyon comme à Marseille. C'est ce Paris moderne, fonctionnel, agrémenté d'un mobilier urbain de série, avec ses bancs, ses réverbères, bientôt ses colonnes Morris et fontaines Wallace, que peindront une génération nouvelle d'artistes, les impressionnistes.

LE PÉRIPLE DE LA FONTAINE AUX LIONS ▽
Place Félix-Éboué (XIIe)

👁 Au centre de la place du Château-d'Eau (actuelle place de la République) s'élevait depuis Napoléon une jolie fontaine aux Lions. Lorsque Haussmann élargit la place aux dimensions actuelles, ce monument est jugé trop étriqué. L'ancienne fontaine est donc exilée devant la Villette et une nouvelle commandée en 1867 à l'architecte Gabriel Davioud, chargé aussi d'édifier à proximité les Magasins Réunis. Il est déjà l'auteur de la fontaine de la place du Théâtre-Français et de la fontaine Saint-Michel. Les huit lions assis et crachant de l'eau ont d'ailleurs été confiés au même sculpteur que les dragons de la fontaine Saint-Michel, Alfred Jacquemart. En 1880, le nouveau régime veut faire ériger un monument commémoratif au centre de la place, l'énorme statue de la République ; cinq ans seulement après son inauguration, la fontaine est donc démontée et réinstallée sur la place Daumesnil (actuelle place Félix-Éboué).

La fontaine aux Lions, dont l'originalité réside dans l'alternance de bassins superposés et de corbeilles de plantes.

Succès mondain du bois de Boulogne △
(XVIe)

Le lac inférieur du bois de Boulogne et le kiosque de l'Empereur.

À l'image des grands parcs qu'il avait tant admirés à Londres, Napoléon III souhaite doter Paris d'un véritable réseau d'espaces verts, qui est aujourd'hui en grande partie préservé. Le premier chantier est l'aménagement du bois de Boulogne, ancienne forêt de chasse royale à l'ouest de la capitale, dévasté sous l'occupation de 1814-1815 et peu entretenu depuis. Sous la conduite de l'ingénieur Alphand, de l'horticulteur Barillet-Deschamps et de l'architecte Davioud, l'immense domaine est amendé, replanté d'essences variées et traversé de près de 95 kilomètres d'allées sinueuses. L'opération la plus impressionnante est sans doute l'adduction d'eau au milieu de cette zone sèche, avec la création d'une rivière, de cascades, de mares et de deux grands lacs-réservoirs propices au canotage. Pour donner plus de pittoresque au site, on n'hésite pas à y transporter des rochers de Fontainebleau. L'architecture de bois des divers pavillons achève de donner à l'ensemble un petit air suisse, le chalet des îles venant même directement de Berne. Mais Davioud construit également des maisons de gardien en brique qui rappellent les cottages anglais, sans compter la silhouette un peu indienne du kiosque de l'Empereur, bâti vers 1857 à la pointe de l'île. Avant d'attirer une population des plus variées, le Bois connaît un immense succès mondain sous le Second Empire, dont témoignent encore les champs de courses et certains restaurants.

Planter sa tente au bord de l'eau !

Sous les ombrages des arbres du bois de Boulogne, entre les jardins de Bagatelle et la rive de la Seine qui fait face à Suresnes, 7 hectares sont dévolus au camping. Mais ici point de Parisiens : il faut justifier d'un domicile éloigné d'au moins 100 kilomètres de la capitale pour y séjourner, et dans la limite d'un mois. Soixante mobile-homes accueillent le voyageur à la nuitée, tandis que cinq cent dix emplacements confortables, allant de 80 à 110 mètres carrés, sont réservés aux tentes, aux camping-cars et aux rares caravanes. La clientèle varie beaucoup avec les saisons. En hiver, commerçants ambulants et ouvriers de chantier sont les plus assidus. En avril, les premiers voyageurs arrivent d'Europe du Nord (Allemagne, Scandinavie, Hollande, Belgique). En mai, ils affluent de toute l'Europe jusqu'à la fin du mois de juillet. En août, le bois vit à l'heure italienne : 90 % des campeurs viennent des pays latins. Septembre et octobre saluent dans la lumière de l'été finissant le rythme reposant des retraités en vacances. Enfin, novembre et décembre voient le camping se peupler d'artistes en tout genre, montés à Paris pour leurs galas de fin d'année. Estivants et hivernants y trouvent toute l'infrastructure nécessaire : blocs sanitaires, hypermarché, bar-restaurant, bureau de change, et même, en été, une navette en direction de la station de métro Porte-Maillot.
Camping du bois de Boulogne,
2, allée du Bord-de-l'Eau (XVIe).

L'ange de la rue de Turbigo, en qui certains ont vu le « génie de la passementerie » en raison des galons et des glands de son vêtement.

Atlantes et cariatides △
Ange du 57, rue de Turbigo (IIIe)

Parmi les rares fantaisies admises sur les façades des immeubles haussmanniens figurent les atlantes et les cariatides. À la manière d'Atlas supportant la voûte céleste sur ses épaules ou des jeunes filles qui soutiennent la tribune de l'Érechthéion d'Athènes, ces statues apportaient une note d'originalité et de richesse au décor architectural. Des centaines de ces sculptures décoratives, plus ou moins robustes et plus ou moins dénudées, toutes d'un modèle différent, furent généralement confiées à des artistes de talent. Limité généralement au soutien des balcons et à l'encadrement des portes d'entrée, le décor sculpté prend rarement une place aussi monumentale que sur la façade de l'immeuble du 57, rue de Turbigo. Énigmatique, et d'ailleurs anonyme, cet ange qui s'étire du premier au troisième étage a fasciné bon nombre de passants, et même quelques écrivains ou cinéastes...

Façade sur cour de l'hôtel Jacquemart-André, avec la grande fenêtre de l'atelier de Nélie Jacquemart. En médaillon, plat en faïence d'Urbino (1538) conservé au musée.

Un hôtel pour collectionneurs △

Actuel musée Jacquemart-André, 158, boulevard Haussmann (VIIIᵉ)

Édouard André, fils d'un riche banquier, préféra, après une brève carrière militaire, vivre de ses rentes dans ce bel hôtel du boulevard et se consacrer à l'enrichissement de ses collections. Son architecte, Henri Parent, est un farouche partisan du pastiche des hôtels du XVIIIᵉ siècle. Le bâtiment, construit de 1869 à 1875, est original dans sa distribution, puisque la façade sur jardin domine en surplomb le boulevard, l'accès à la cour se faisant par une rampe en pente douce qui traverse le corps de logis pour déboucher au revers sur un noble péristyle d'entrée.

L'intérieur, somptueux, comprend de beaux remplois de boiseries du XVIIIᵉ siècle, comme cela se pratiquait alors, de nombreux hôtels étant détruits pour les besoins de l'aménagement urbain. On y trouve même des fresques de Giambattista Tiepolo provenant de la villa Contarini, près de Venise, qui constituent le plus bel ensemble d'œuvres de l'artiste en France.

À l'étage, le collectionneur et sa femme, la portraitiste Nélie Jacquemart, réunirent des œuvres de la Renaissance italienne – tableaux des peintres Uccello et Carpaccio, meubles, sculptures, boiseries et plafonds décorés – rapportées de leur séjour annuel dans la péninsule. À sa mort, en 1912, Nélie Jacquemart légua l'ensemble de ses biens à l'Institut de France.

Le palais du billard

En 1946, l'une des grandes personnalités du monde du spectacle, Jean Bauchet, qui possède le théâtre du Châtelet et le Casino de Paris, acquiert le restaurant des Bouillons du Val et le transforme en une imposante académie de billard. Des proportions généreuses – 9 mètres de haut sous des plafonds à décors de stuc – font de la salle centrale, avec ses six billards français et ses trois billards américains, l'une des plus belles de Paris. La salle annexe accueille six billards américains et un snooker (billard anglais de très grande taille, pourvu de boules de couleur). Et le Multicolore est un cercle de jeu dérivé du casino, mais où l'on mise sur les couleurs de la roulette (le bleu rapporte vingt-quatre fois la mise de départ). Les membres de la Fédération française de billard ont droit à la gratuité de l'entraînement et bénéficient de 20 % de réduction sur les cours. Mais l'académie est ouverte à tous. Des cours individuels ou en petits groupes permettent de s'initier pour environ cent cinquante francs l'heure. Certains lycéens ayant choisi un bac à option billard y font leur apprentissage et passent un examen au bout de cinq semaines de stage sur les billards américains. La clientèle est variée : P.-D.G. et hommes d'affaires côtoient jusqu'à des heures tardives les étudiants épris de cet art ; et nombreux sont ceux qui quittent la salle au petit jour, à l'heure du premier métro.
L'Académie de billard, 84, rue de Clichy (IXᵉ).

Monument à la mémoire du maréchal Moncey ▽

Place de Clichy (IXᵉ)

En 1864, la Ville de Paris décide de rendre hommage au maréchal Moncey, autre grande figure du Premier Empire avec celle du maréchal Ney, et ouvre un concours à cet effet. Les reliefs du haut piédestal et le groupe de bronze du sculpteur choisi, Amédée Doublemard, illustrent un épisode fameux de 1814, la défense de la barrière de Clichy contre les Alliés. Gloire est ainsi rendue à l'héroïsme du vieux maréchal, alors major général de la garde nationale, et à celui des Parisiens volontaires venus en renfort. Dans le groupe central, Moncey se porte en avant pour protéger la ville de Paris, personnifiée par une forte femme enveloppée dans un drapeau et ceinte d'une couronne crénelée, alors qu'à ses pieds agonise un jeune volontaire, étudiant de l'École Polytechnique.

Le monument à la mémoire du maréchal Moncey fut mis en place en 1869. Mais il ne put être inauguré officiellement à cause de l'invasion de 1870.

LA PLUS GRANDE SYNAGOGUE DE FRANCE ▷
44, rue de la Victoire (IXᵉ)

👁 Si l'émancipation des juifs remonte à la Révolution, la religion israélite n'a
guère de tradition architecturale au nord de la Loire lorsque est
commencée, en 1865, la construction de cette synagogue, qui reste la plus
grande du pays. Alfred Aldrophe adopta un style général romano-byzantin. Les
façades des trois principales synagogues parisiennes sont d'ailleurs très proches ;
celle de la rue des Tournelles (1868-1876) et celle de la rue Buffault (1877)
reprendront sur un mode moins luxueux le modèle d'Aldrophe.
Ainsi que le veut le culte, l'intérieur comporte une large nef pour les hommes et
des tribunes latérales pour les femmes ; la tribune de l'officiant,
traditionnellement au centre, est cependant déplacée vers le fond de l'édifice.
À l'arrière trône un immense chandelier d'argent à huit branches, don du
baron Gustave de Rothschild. La décoration se distingue par la richesse des
vitraux, mais elle obéit aux prescriptions religieuses qui bannissent toute
représentation humaine ou animale.

Dans la façade romano-byzantine
de la synagogue de la rue de la Victoire,
le pignon, semi-circulaire et percé
d'une grande rose,
satisfait à la mode italienne.

LA FONTAINE DE L'OBSERVATOIRE ▽
Avenue de l'Observatoire (VIᵉ)

👁 Située dans l'axe qui s'étend du palais du Luxembourg à l'Observatoire, la fontaine clôt au sud les nouveaux
jardins de l'avenue de l'Observatoire, dessinés par l'architecte Gabriel Davioud. De façon à ne pas boucher cette
perspective, l'architecte conçut la fontaine un peu en contrebas, l'eau s'écoulant d'un bassin dans l'autre ainsi que
des bords vers le centre. C'est son emplacement, sur l'axe du méridien de Paris – matérialisé d'ailleurs par les jardins –,
qui explique son iconographie.

LA ROTATION DE LA TERRE

Prévu pour être couronné, comme à Versailles, par un char d'Apollon, dieu de la
lumière, le socle central qu'entourent les figures de l'Aurore,
du Jour, du Crépuscule et de la Nuit fut finalement surmonté
par un groupe de conception beaucoup plus originale, dû
à Jean-Baptiste Carpeaux et représentant les quatre
parties du monde soutenant un globe céleste,
orné de signes du zodiaque. Dans cette
œuvre justement célèbre, le sculpteur est
parvenu à suggérer la rotation terrestre par
l'animation des figures. Également
remarquables dans leur exécution, les
chevaux marins situés à la base du
socle, œuvres d'Emmanuel Frémiet,
reprennent l'inspiration première des
chevaux d'Apollon. L'ensemble,
dont la réalisation, interrompue un
temps par la guerre, s'étira de
1867 à 1874, reste sans aucun
doute l'un des monuments
les plus réussis du
Second Empire à Paris.

Lieux de convivialité par excellence, carrefour des générations et des nationalités, les cafés de Paris sont les ambassadeurs d'un certain art de vivre. Certains sont célèbres pour leur histoire, d'autres sont plus obscurs, mais tous offrent aux Parisiens un véritable théâtre vivant.

C'est en 1686 qu'un jeune Italien, Francesco Procopio Dei Coltelli, ouvre rue des Fossés-Saint-Germain un établissement d'un genre nouveau où l'on sert une boisson qui commence à faire fureur à la cour de Louis XIV, le café. Dans un local où la décoration s'inspire du château de Versailles – tapisseries, miroirs, lustres de cristal venus à grands frais d'Italie –, liqueurs, fruits confits et sorbets à l'italienne attirent vite une importante clientèle. Mais c'est surtout l'installation de la Comédie-Française durant l'année 1686, juste en face du café, qui fera du Procope (13, rue de l'Ancienne-Comédie, VIᵉ) le premier café littéraire français. Les philosophes y rédigent plusieurs articles de l'*Encyclopédie*. Diderot, d'Alembert, Jean-Jacques Rousseau sont des habitués, de même que Benjamin Franklin et surtout Voltaire. Le Procope est également le lieu de rendez-vous des hommes politiques. Pendant la Révolution, Robespierre, Danton, Hébert et Marat s'y rencontrent, et Camille Desmoulins fête son mariage dans un des salons du premier étage. Un autre habitué, un certain Bonaparte, sergent de son état, y laissera un

de ses chapeaux en gage, car il n'avait plus un sou pour payer l'addition.

LA GRANDE ÉPOQUE DE SAINT-GERMAIN-DES-PRÉS

Le carrefour formé par la rue de Rennes et le boulevard Saint-Germain fut le berceau de l'existentialisme. C'est aux cafés de Flore et des Deux Magots que se constituèrent les équipes de rédaction des *Temps modernes,* réunissant des écrivains et philosophes tels Merleau-Ponty, Albert Camus, Simone de Beauvoir et Jean-Paul Sartre. On a dit d'ailleurs que la vision du monde de ce dernier avait été conçue à une terrasse de café.

Le Flore (172, boulevard Saint-Germain, VIᵉ), créé à la fin du Second Empire, peut s'enorgueillir d'avoir reçu des célébrités des arts et des lettres : Charles Maurras, le fondateur de l'Action française, Guillaume Apollinaire, Jacques Prévert, Picasso... En 1939, le Flore est à vendre. Un natif du Rouergue, Paul

◁ ▷ **Les deux figurines chinoises ornant l'un des piliers des Deux Magots.**

▷ **Le plus ancien café de Paris, Le Procope, fut le premier à proposer des glaces.**

▽ **Le Café de Flore, dont la décoration est de style Arts déco.**

Boubal, le rachète. Et, pour faire oublier le froid et l'Occupation, il y installe un énorme poêle à sciure. C'est là que Sartre rencontre Simone de Beauvoir. Ils ne se quitteront plus. De Sartre, Paul Boubal dira qu'il était son plus mauvais client, passant des heures à écrire devant une unique consommation. Dans les années soixante, le monde du spectacle fait son apparition au Flore : Alain Delon, Brigitte Bardot, Thierry le Luron et Alice Sapritch deviennent des inconditionnels de la fameuse terrasse. Et c'est peut-être grâce à Picasso, qui avait conseillé à Paul Boubal de ne rien changer à la décoration du Flore, que le célèbre café a gardé tout son caractère. Quant au café des Deux Magots (170, boulevard Saint-Germain, VIᵉ), il tire son nom de deux statues chinoises qui

servaient d'enseigne au magasin de nouveautés occupant les lieux auparavant et qui veillent toujours sur les allées et venues de la clientèle. De nombreux artistes, poètes et écrivains ont apprécié le confort de ses banquettes de cuir, parmi lesquels André Gide, Fernand Léger, André Breton, Hemingway et, bien sûr, Jean-Paul Sartre et Simone de Beauvoir. En 1933, quelques journalistes littéraires, mécontents du choix du jury du prix Goncourt, se réunirent aux Deux Magots pour y créer leur propre prix, le prix des Deux Magots. Depuis cette date, il est décerné tous les ans durant la seconde quinzaine de janvier et constitue un événement de la vie parisienne.

Les plaisirs du palais ne sont pas laissés de côté dans ces cafés où souffle l'esprit. Les Deux Magots reprennent les traditions du service à la française : vins et alcools toujours servis avec présentation de la bouteille, chocolat à l'ancienne fait de plaques de chocolat noir fondu et cuit très doucement. Le Café de Flore n'est pas en reste, avec le fameux Ladoucette, le pouilly-fuissé de la maison.

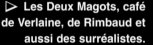

▷ **Les Deux Magots, café de Verlaine, de Rimbaud et aussi des surréalistes.**

LA BOHÈME DE MONTPARNASSE

On a souvent évoqué les facilités de logement et l'esprit de liberté qui y régnaient au début du siècle pour expliquer l'attirance que le quartier Montparnasse exerçait sur les artistes. Pourvus de génie autant que désargentés, ils allaient faire la renommée de cette partie de la rive gauche. L'un des premiers établissements à accueillir ceux que l'on appelait les louftingues fut la Closerie des Lilas. À l'origine simple guinguette où l'on servait à boire aux voyageurs qui empruntaient le service de diligences de Paris à Orléans, la Closerie rouvre en 1903 dans un immeuble neuf (171, boulevard du Montparnasse, XIVᵉ) qui deviendra le lieu de rencontre des écrivains. Paul Fort y organise des lectures poétiques hebdomadaires. Francis Carco, Verlaine, Oscar Wilde se joignent à lui. On peut aussi y croiser deux émigrés russes énigmatiques qui viennent souvent parler politique : Lénine et Trotski. Les soirées sont mouvementées. Ainsi, Alfred Jarry, le créateur du père Ubu, souhaitant toujours étonner, tira une balle dans une glace afin de pouvoir déclarer à sa voisine : « Maintenant que la glace est rompue, causons ! »

La Rotonde (105, boulevard du Montparnasse, XIVᵉ) fera le bonheur des artistes espagnols et latino-américains qui la surnommeront Le Raspail-Plage. Victor Libion, qui a acheté le café en 1911, fait tout pour que les artistes se sentent bien dans son établissement. Il les laisse passer des heures au chaud pour seulement un café crème à vingt centimes, en donnant l'ordre à son personnel de ne jamais exiger le renouvellement des consommations. Il s'absente régulièrement lorsqu'on livre le pain, qui est ainsi à la disposition des affamés, bien en évidence sur le comptoir. Le père Libion jouait souvent aux dés avec un de ses modestes clients, un certain Modigliani. Lorsque le peintre perdait – ce qui arrivait souvent –, il devait s'acquitter d'un dessin ou d'une toile. Libion acquit ainsi plus d'une centaine d'œuvres, qu'il entassait dans son appartement. Nul ne sait ce qu'est devenue cette collection fantastique que lui envieraient les plus grands musées du monde.

Mais Montparnasse ne serait pas Montparnasse sans cet extraordinaire monument qu'est La Coupole (102, boulevard du Montparnasse, XIVᵉ). Le projet d'Ernest Fraux et René Lafon était de faire construire un vaste complexe comprenant café, restaurant, bar et dancing. Le rêve d'un immense espace ouvert s'envola devant la nécessité de renforcer les fondations et de soutenir la salle par vingt-quatre

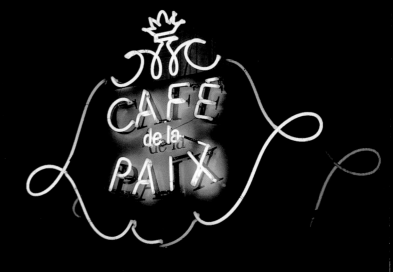

△ La terrasse et l'enseigne du célèbre Café de la Paix, qui a conservé sa décoration du XIXᵉ siècle dessinée par Charles Garnier, l'architecte de l'Opéra. Selon le moment de la journée, clientèle huppée ou arpenteurs des grands magasins viennent s'y détendre.

◁ Le jambon-beurre et le demi, repas simple mais ô combien savoureux du Parisien pressé ou seulement gourmand.

LA COUPOLE

△ **Tous les soirs depuis vingt ans, le pianiste René Pau enchante les clients de la Closerie des Lilas.**

▷ **Ce dessin de Marie Vassilief, figurant depuis 1993 sur les menus de la Coupole, est une reproduction d'une peinture décorant l'un des fameux piliers.**

▽ **Le café Au Petit Suisse (rue Corneille, VIᵉ), bien connu des amoureux du jardin du Luxembourg, avec ses boiseries en acajou et ses lampes à tiges de cuivre.**

piliers : habillés de lap vert (matériau de synthèse que l'on peut teinter) et décorés par trente-deux peintres du quartier, ils feront la célébrité du bar. L'inauguration eut lieu le 20 décembre 1927 car, comme le disait Curnonsky, prince de la fête, le 20 dissipe la tristesse ! Quinze cents personnes furent invitées et on commanda quinze cents bouteilles de Mumm Cordon Rouge. À minuit, il n'y avait déjà plus rien à boire. On envoya alors un maître d'hôtel en taxi chercher à nouveau du champagne au dépôt Mumm. La fête se poursuivit tard dans la nuit et, à 5 heures du matin, il fallut appeler police secours pour faire évacuer les derniers invités récalcitrants.

SUR LES GRANDS BOULEVARDS

Depuis que le public des théâtres a mis à la mode la promenade sur les Grands Boulevards, les cafés n'ont cessé d'y fleurir. C'est sur la rive droite plus encore que sur la rive gauche que va s'étaler paresseusement cette institution toute parisienne : les terrasses des cafés. La plus importante d'entre elles est celle du Café de la Paix. S'étendant sur 45 mètres de long sur le bou-

levard des Capucines, elle peut accueillir plus de quatre cents clients à la belle saison. Le service y est assuré en permanence par dix-huit garçons limonadiers qui portent tous la tenue traditionnelle, le célèbre rondin, le long tablier blanc et le nœud papillon. Depuis plus d'un siècle, les célébrités du monde entier – Maria Callas, Salvador Dalí, Richard Nixon, John Travolta… – se sont succédé sous les plafonds du Café de la Paix, décorés par l'équipe de Charles Garnier, l'architecte de l'Opéra de Paris. En 1948, une radio américaine y enregistra en direct une émission intitulée *This is Paris* à destination des États-Unis, où Maurice Chevalier, Yves Montand et Henri Salvador représentaient la voix de la France. Quelques années plus tard, le même Henri Salvador inscrira sur le livre d'or : « Agrandissez votre café et nous aurons la Paix dans le monde. »

Le Grand Café Capucines (4, boulevard des Capucines, IXᵉ), dont la fameuse caissière était chantée au début du siècle, est le seul établissement où deux cafés sont servis pour la commande d'un seul. L'un est le café spécial de la maison, l'autre change tous les jours. Le Grand Café Capucines entra dans l'histoire le 28 décembre 1895, lorsque s'y déroula la première séance publique du cinématographe des frères Lumière. Leur père, Antoine Lumière, avait loué un salon au sous-sol de l'établissement pour y montrer l'invention de ses deux fils. Parmi les spectateurs se trouvait Georges Méliès, qui, enthousiaste, voulut acheter la nouvelle invention ; Antoine Lumière refusa avec ces mots : « Le cinématographe n'est pas à vendre, il vous conduirait à la ruine car il n'a aucun avenir commercial. »

UN PETIT BLANC SUR LE ZINC

Il y a encore trente ans, les logements étaient bien peu confortables, mal chauffés, et nombreux étaient les Parisiens vivant dans des chambres meublées. Aussi était-il nécessaire de se sustenter au bistrot du coin, là où l'on se retrouvait entre amis. De cette époque

datent le petit blanc sur le zinc ou le ballon de rouge, souvent dégustés à l'écart des dames. La chaude ambiance de la belote, les conversations qui roulaient sur le sport et la politique constituaient l'essentiel de ces soirées agrémentées par la fameuse tournée du patron. Nombreux sont les cafés qui témoignent encore de cette vie populaire, où s'exprime tout l'entrain et la gouaille du peuple de Paris. Au café La Tartine (24, rue de Rivoli, Ier), par exemple, rien n'a changé depuis des décennies : en dégustant quelques très bons vins du terroir, on peut encore s'imaginer à la veille de la Seconde Guerre mondiale…
Les bars à vin, ces cafés-restaurants des temps modernes, ont ouvert leurs portes dans de

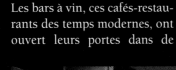

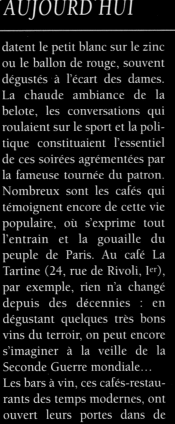

▽ La course des garçons de café, organisée par le Rivoli Park Tavern (216, rue de Rivoli, Ier), a lieu tous les ans dans les rues de Paris.

△ Le café La Palette, avec son intérieur Arts déco et ses carreaux de céramique représentant des scènes de bistrot, est le rendez-vous des artistes et des intellectuels.

◁ Le Café Beaubourg, d'un design très contemporain, où de nombreux journaux sont à la disposition des clients.

▽ Le bar recouvert de marbre du chaleureux café La Tartine.

▷ À l'enseigne de l'Écluse, de nombreux bars à vin se sont ouverts dans Paris. On y déguste religieusement les plus grands crus du monde entier.

Bar à Vin
•
Vins au verre
•
Assiettes Gourmandes
•
Plats du jour
•
Service continu de 11h30 à 1h du matin

nombreux quartiers de Paris. On y trouve à petits prix de quoi étancher sa soif dans une ambiance des plus sympathiques. Au café La Côte (77, rue de Richelieu, IIe), le propriétaire, plusieurs fois vainqueur de la course des garçons de café, privilégie la qualité de l'accueil et du service, les produits du terroir – sandwichs à la terrine des Landes, fromages d'Auvergne, charcuteries de l'Aveyron… – et les vins tirés au tonneau.

L'institution parisienne que constitue le café est toujours vivante et, dans leurs décors flambant neuf, les nouveaux cafés de Paris renouent avec leurs glorieux ancêtres. Le Café Beaubourg (43, rue Saint-Merri, IVe) est de ceux-là. Il a été dessiné par l'architecte Christian de Portzamparc et s'étire tout au long d'une nef centrale ponctuée de huit colonnes. Des tables installées de chaque côté, l'on peut voir le centre Georges-Pompidou.

Le premier étage accueille souvent des expositions où peuvent se faire connaître de jeunes talents. Parmi les plus récemment aménagés, le Café Marly (93, rue de Rivoli, Ier) est un prestigieux café des temps modernes : conçu par les créateurs Olivier Gagnère et Yves Taralon, il occupe au palais du Louvre l'ancien bureau du secrétaire d'État à la Consommation, un superbe salon de style Napoléon III.

◁ Le Café Marly, dont la terrasse protégée s'ouvre sur la pyramide du Louvre.

Tour Eiffel

Samaritaine

Sacré-Cœur

*Paris a un enfant et la forêt
a un oiseau ; l'oiseau s'appelle
le moineau ; l'enfant s'appelle
le gamin. Accouplez ces deux idées
qui contiennent, l'une toute la
fournaise, l'autre toute l'aurore,
choquez ces étincelles, Paris,
l'enfance ; il en jaillit un petit être.*

Victor Hugo, *les Misérables*

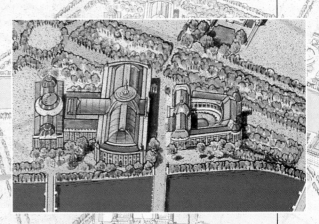

Grand Palais et Petit Palais

Hôtel de Ville

Sorbonne

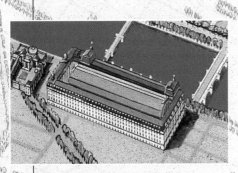

Gare d'Orsay

DE LA COMMUNE À LA BELLE ÉPOQUE

La IIIe République jusqu'à la Grande Guerre (1870-1914)

C'est par la guerre avec la Prusse et le siège de Paris, suivis de la Commune, que s'achève le fastueux Second Empire. Pour la IIIe République naissante, lourd est l'héritage de cette période troublée : deux cent trente-huit édifices publics ou privés sont en ruine – Cour des comptes, Hôtel de Ville, palais des Tuileries, Caisse des dépôts et consignations, Palais de justice...

L'impulsion de l'État reste forte pendant toute la période 1870-1914 : reconstruction de l'Hôtel de Ville dès 1873, édification de mairies pour les nouveaux arrondissements créés après 1860, qui n'en étaient pas encore pourvus, mais aussi de la Sorbonne, de la Cour de cassation... et du métropolitain ; tandis que les lois scolaires sont suivies de la construction de nombreuses écoles primaires et de lycées.

La prospérité économique retrouvée favorise l'initiative privée. Les grands magasins et sièges sociaux de banque ou d'entreprise affichent la puissance de leurs activités commerciales, les compagnies de chemin de fer remplacent les débarcadères par de vraies gares tandis que de riches commanditaires se font édifier de somptueux hôtels particuliers dans les beaux quartiers de la rive droite. On continue de construire des édifices cultuels – synagogues, églises, temples –, le plus grand chantier religieux étant celui de la basilique du Sacré-Cœur.

Si la capitale connaît une croissance plus modeste que sous le Second Empire et s'embourgeoise, elle ne cesse cependant d'exercer une fascination sur l'étranger, dont témoignent les Expositions universelles de 1878, 1889 et 1900.

L'Exposition de 1889, dont le symbole fut la tour Eiffel, voit le triomphe de l'architecture métallique. La combinaison de la pierre à l'extérieur – la bourgeoisie bien-pensante restant attachée au pastiche des architectures antérieures –, pour le prestige, et du métal à l'intérieur, pour l'utilitaire, devient plus fréquente. La créativité des architectes, encouragée par les concours de façades organisés par la Ville, s'exprime alors dans un abondant décor, souvent ostentatoire ; l'Art nouveau s'y épanouit entre 1895 et 1910. La dernière Exposition universelle, en 1900, laissera tout un ensemble architectural sur les bords de la Seine : Grand et Petit Palais, pont Alexandre-III, gare d'Orsay. Mais c'est le béton armé qui reste la grande nouveauté de la fin du siècle ; d'abord masqué, il apparaît dans toute sa nudité au théâtre des Champs-Élysées.

SARAH BERNHARDT AU THÉÂTRE DE LA RENAISSANCE ▽

20, boulevard Saint-Martin (Xᵉ)

👁 Le théâtre de la Renaissance est édifié en 1872 à l'initiative d'Hippolyte Hostein, directeur de plusieurs théâtres, en même temps que le théâtre de la Porte-Saint-Martin voisin, à l'emplacement du restaurant Deffieux, incendié pendant la Commune. Il est conçu par l'architecte Charles-Léon de Lalande, avec une salle à l'italienne décorée par Auguste Alfred Rubé et Philippe Marie Chaperon, et inauguré en 1873. Le succès ne vint que plus tard, grâce à des reprises d'opérettes d'Offenbach, de comédies de Labiche et de Feydeau.

AFFICHES DE MUCHA

Entre 1893 et 1899, Sarah Bernhardt prend la direction du théâtre et lui donne son nom. C'est grâce à une affiche créée pour la pièce *Gismonda,* de Victorien Sardou, et interprétée en 1895 par l'actrice, que l'affichiste Alphons Mucha est passé de l'anonymat à la célébrité. Le hasard a voulu qu'il soit le seul artiste présent à l'atelier lorsque cette commande est arrivée pendant les congés de Noël, et l'affiche devait être prête pour le jour de l'an. Sarah Bernhardt, enthousiasmée par ce graphisme nouveau, lui en commanda quatre mille exemplaires pour sa publicité. Le théâtre programme aussi des pièces d'Edmond Rostand, de Maurice Donnay et d'Alexandre Dumas fils. À la première d'une pièce d'Octave Mirbeau, *les Mauvais Bergers,* la salle est électrique, mais c'est un succès : « C'était la violente mainmise d'un artiste sur le cerveau et sur le cœur d'une foule blasée et réfractaire. »

La façade du théâtre de la Renaissance est ornée de quatre paires de cariatides dues au sculpteur Albert-Ernest Carrier-Belleuse.

LA GÉNÉROSITÉ DE SIR RICHARD WALLACE ▷

Fontaines Wallace

👁 Légataire du marquis d'Hertford, sir Richard Wallace dispose d'une fortune considérable. En 1870, ne voulant quitter Paris pendant le siège, il organise des ambulances militaires, constitue un comité de secours aux bombardés et aux assiégés, et un fonds de charité britannique. En 1872, il décide de doter la capitale de cinquante fontaines à boire gratuites, auxquelles son nom restera attaché. Deux modèles en fonte, dessinés, dit-on, par Wallace lui-même, avec le sculpteur Charles-Auguste Lebourg, furent munis de gobelets en fer-blanc retenus par une chaînette ; l'un des modèles, de forme ogivale, était destiné à être fixé en applique aux murs et figurait des tritons et une vasque marine.

LA RUÉE VERS L'EAU

La première fontaine est inaugurée boulevard de la Villette en 1871 : « Dès que l'eau commença à jaillir, ce fut la ruée, et une lutte s'engagea pour la possession des gobelets. Chacun voulait être le premier à goûter cette eau de la Dhuys[…] Samedi et dimanche, on a fait la queue toute la journée, avec des pots, des bouteilles, des carafes pour faire provision de la bonne eau glacée. La chose a failli amener une émeute. Les " altérés " s'opposaient énergiquement à cet approvisionnement, qui les empêchait de boire. Les autres criaient à la tyrannie ! Bref, on s'est bousculé, on s'est colleté ; les bouteilles, pots et carafes ont été mis en pièces dans la bagarre… Il fallut que l'autorité vint mettre le holà ! » La pose des fontaines continua sur toute la ligne des boulevards extérieurs.

L'une des soixante-six fontaines Wallace encore existantes sur les trottoirs parisiens ; ses quatre cariatides symbolisent la Simplicité, la Bonté, la Sobriété et la Charité.

Des éventails pour toutes les mains

Sept cent soixante-dix éventails, dont cent trente en plumes, déploient leurs ailes au musée de l'Éventail. Et de magnifiques montures rivalisent de raffinement pour que ces mystérieux objets, qui tiennent à la fois du paravent et de l'oiseau, épousent la main des belles. L'histoire de cette collection remonte à 1872, lorsque le tabletier Joseph Hoguet Duroyaume ouvre son atelier de montures d'éventails à Sainte-Geneviève, dans l'Oise, où elles sont traditionnellement fabriquées avant d'être envoyées à Paris pour y être décorées. La famille Hoguet a développé de père en fils cette technique tout en diversifiant ses fabrications. Les tabletiers travaillent la nacre blanche d'Orient et la nacre noire, l'écaille de tortue, l'os, la corne et le bois précieux. Ils les sculptent, les façonnent, les ajourent, les gravent, ou les incrustent d'or. Montées ensuite, les feuilles de l'éventail sont confectionnées en peau de cygne, en vélin, ou dans des soies en dentelle à l'aiguille, des organzas pailletés, puis décorées de scènes galantes ou mythologiques. En 1960, Hervé Hoguet rachète l'une des plus prestigieuses maisons d'éventails du XIXᵉ siècle, la maison Kees, et y installe ce musée. Les éventails du XVIIIᵉ déploient sur leurs feuilles des scènes de la vie quotidienne illustrant l'amour, le mariage, la nature. Ceux du XIXᵉ, qui servaient de carnet de bal aux demoiselles, utilisent des matières variées : papier chromolithographié, dentelle, satin, tulle, où s'affichent surtout des sujets de l'Art nouveau ; enfin, ceux du XXᵉ présentent les thèmes les plus variés sur une avalanche de plumes, de dentelles et de paillettes. Un atelier assure encore la fabrication des éventails et la restauration de pièces anciennes.
Atelier Hoguet/musée de l'Éventail, 2, boulevard de Strasbourg (Xᵉ).

EDMOND ROSTAND AU THÉÂTRE DE LA PORTE-SAINT-MARTIN

16, boulevard Saint-Martin (Xe)

△ ▷ *La façade du théâtre de la Porte-Saint-Martin, où autrefois une véranda formait une marquise-abri au rez-de-chaussée et une salle vitrée au premier étage.*

En 1897, *Cyrano,* joué par Coquelin Aîné, est créé au théâtre de la Porte-Saint-Martin : « Les trois premiers actes furent une ovation perpétuelle. » Après la dernière réplique et jusqu'à 2 heures du matin, « cela frisait l'apothéose. Les spectateurs riaient, pleuraient, s'embrassaient. C'était du délire ! » Mais *Chantecler,* œuvre achetée avant d'être terminée, eut une gestation douloureuse ; les répétitions durèrent cinq mois. Le suspens est entretenu par le théâtre et par de nombreux articles déjà parus dans la presse. Enfin, en plein hiver 1910, alors que la crue de la Seine perturbe gravement la vie quotidienne et que des théâtres ont fermé faute d'électricité, les Parisiens en vue payèrent parfois très cher pour assister à cette fameuse première. Tout, des personnages de basse-cour au jeu des acteurs, déconcerta le public. La pièce fut un échec. L'actuel théâtre est une reconstruction, de 1873 à 1875, du théâtre datant de 1781, célèbre pour ses féeries et drames à grand spectacle, que les fédérés avaient incendié en 1871. Son architecte, le marquis de La Chardonnière, désira lui conserver un air de famille avec l'ancien théâtre, mais avec un décor plus intimiste. Il est inauguré le 27 décembre 1873 avec une reprise de la pièce de Victor Hugo *Marie Tudor,* où Frédérick Lemaître joue le rôle principal. On raconte qu'un spectateur indélicat emporta, au vu de tous et avec aplomb, la pendule de marbre qui ornait la cheminée du foyer. En 1874, *les Deux Orphelines* et *le Tour du Monde en quatre-vingts jours,* d'après Jules Verne, pièces de l'auteur à succès Dennery, sont des triomphes. Sarah Bernhardt, un temps administratrice du théâtre, y crée *Théodora,* de Victorien Sardou.

Un des vitraux de Thierry Deloffre dans le foyer (1988), représentant Lucien Guitry dans Chantecler. *L'acteur remplaça le tenant du rôle, Coquelin Aîné, qui venait de décéder.*

L'HÔTEL MENIER ◁

61, rue de Monceau (VIIIe)

C'est en 1893 que l'hôtel fut acquis par Gaston Menier, grand industriel du chocolat.

Cet hôtel particulier, aujourd'hui divisé en appartements, fut construit en 1874-1875, en bordure du parc Monceau, par l'architecte Denis Destors pour le comte Abraham de Camondo, banquier du sultan de Constantinople, devenu français sous le Second Empire. La façade d'inspiration classique cachait alors une décoration exubérante. Deux paires de colonnes de marbre rose encadraient les premières marches d'un escalier spectaculaire conçu sur le modèle de celui de l'Opéra, orné d'atlantes, et une grille en fer forgé d'inspiration mauresque protégeait la verrière du premier palier. Au premier étage, un vitrail en camaïeu de jaune montrait l'architecte offrant les plans de l'hôtel à Abraham de Camondo entouré de sa famille ; un salon chinois était décoré de panneaux de laque incrustés d'oiseaux de nacre aux yeux formés d'ampoules électriques. Les salons, dont les plafonds étaient peints, étaient décorés d'œuvres d'art.

LA PREMIÈRE BANQUE DE FRANCE ▷

Siège du Crédit Lyonnais,
19, boulevard des Italiens (IIe)

Le Crédit Lyonnais, créé en 1863 par Henri Germain, est l'une des premières banques françaises de dépôts constituées en société anonyme par actions. « Toute personne, quels que soient son état ou sa condition, peut obtenir un compte à la seule condition d'effectuer un premier versement de cinquante francs au moins. Il lui sera délivré un carnet de chèques sans frais. » À la veille de la guerre de 1870, la banque occupe la troisième position parmi les banques françaises et la première en 1895, malgré son petit nombre d'agences.

ESPACE OUVERT POUR LES EMPLOYÉS

Le siège parisien du Crédit Lyonnais a été construit de 1876 à 1883 par l'architecte William Bouwens Van der Boijen. « Il avait été spécialement recommandé à l'architecte de n'avoir, en fait de murs, que ceux qui étaient absolument indispensables à la construction, et d'établir tous ses autres points d'appui indépendants. » De part et d'autre d'une galerie éclairée par une verrière, trois niveaux de bureaux étaient complètement ouverts à la vue du public. Car Germain désirait que ses employés soient non seulement en rapport direct avec le public mais aussi sous le regard de leurs chefs : « Les cloisons servent uniquement aux employés pour lire leur journal. » La salle des titres (détruite) était une halle métallique construite par la firme Eiffel. Beaucoup d'innovations furent mises en pratique concernant la sécurité et l'hygiène : aération des locaux par des foyers d'appel, dispositions en cas d'incendie…

Sur la façade du Crédit Lyonnais, le fronton, sculpté par Camille Lefèvre, représente les activités de la banque ; les cariatides qui le soutiennent symbolisent les heures de la journée.

La crèche de l'Hôtel de Ville

Tandis que les vitrines des grands magasins s'emplissent des peluches issues des dernières pellicules de Walt Disney, un chapiteau de toile rayée se dresse sur la place de l'Hôtel-de-Ville. Depuis une dizaine d'années, Paul Chaland et Odile Verdier sont chargés par la Mairie de Paris de faire fabriquer, en Europe ou ailleurs, les dizaines de personnages en terre cuite nécessaires à la mise en place d'une crèche animée.
La première fut provençale, la deuxième napolitaine, puis il y en eut une madrilène, une vénitienne… Les textes, toujours originaux, étant confiés à Yvan Audouard ou à Michel Tournier. Ils reprennent la légende dorée de la naissance du Christ entre le bœuf et l'âne, en multipliant personnages et scènes régionales.
La vogue des crèches, née au Moyen Âge d'une variation des mystères médiévaux, s'était perdue à Paris jusqu'à ces dernières années. Le succès de la première crèche à grand spectacle montée sur le parvis de l'Hôtel de Ville a incité les organisateurs à renouveler chaque année l'expérience. Cent vingt mille personnes se bousculent ainsi pendant près d'un mois pour s'extasier devant les quelque deux cent cinquante santons qui peuplent ce petit monde de terre cuite.

ENGOUEMENT POUR L'EXTRÊME-ORIENT ◁

Musée d'Ennery, 59, avenue Foch (XVIe)

En 1875, Clémence Desgranges fait construire par l'architecte Olive un hôtel particulier avenue Foch, alors avenue du Bois, où elle transfère sa collection d'objets d'Extrême-Orient. Elle ne cessera de la compléter, aidée par des amis tel Georges Clemenceau. En 1881, elle épouse Adolphe d'Ennery, auteur de théâtre à succès annobli en 1858 par Napoléon III. L'hôtel devient un cénacle littéraire où se croisent Jules Verne, Théophile Gautier, Sainte-Beuve…, dans un décor fantastique : « C'est la ménagerie de la fantaisie. Monstres blancs, verts, noirs, bleus, multicolores, toutes les chimères d'un rêve d'opium […] un peuple d'animaux qui semble être tiré de la tête d'un plésiosaure et d'un dragon », écrivent les Goncourt. À sa mort, en 1898, Mme d'Ennery léguera à l'État près de six mille trois cents objets. Le musée sera inauguré le 27 mai 1908.

Galerie du musée d'Ennery, où, selon le vœu de la donatrice, « les objets devront être présentés dans l'organisation où ils se trouveront au moment de [mon] décès ».

*L'Hôtel de Ville, un rectangle organisé autour de trois cours, est de style Renaissance française ;
sa façade centrale a été reconstruite à l'identique et rallongée de 22 mètres.*

LE SIÈGE ANCESTRAL DE LA MUNICIPALITÉ △ ▷

Hôtel de Ville, place de l'Hôtel-de-Ville (IVᵉ)

En 1357, grâce à Étienne Marcel, prévôt des marchands, une maison dite aux Piliers, située sur la place de Grève, devient le premier siège de la municipalité parisienne. Cette place, devenue place de l'Hôtel-de-Ville en 1802, était propriété indivise des bourgeois de Paris par la volonté du roi ; une grève descendait en pente douce vers le fleuve et le port de marchandises. En 1871, les communards incendièrent un hôtel de ville dont la construction s'était échelonnée du XVIᵉ au XVIIᵉ siècle : le bâtiment central était l'œuvre de l'architecte de François Iᵉʳ Dominique de Cortone, dit le Boccador.

RECONSTRUCTION À L'IDENTIQUE

Plutôt que de restaurer les ruines, les élus parisiens exprimèrent le vœu que la partie centrale de la façade, de style Renaissance, soit reconstruite à l'identique, signifiant par là leur attachement au passé municipal. Le programme du concours organisé en 1873 stipulait cette obligation assortie de celle de placer le nouvel édifice dans l'axe de l'avenue Victoria. Le projet lauréat, des architectes Théodore Ballu et Edouard Deperthes, subit quelques modifications voulues par l'Administration. La construction dura huit ans et Ballu mourut en 1885, avant que la décoration ne soit terminée. Deperthes travailla alors en collaboration avec Jean-Camille Formigé.

LE MUSÉE DE L'ART DE LA FIN DU XIXᵉ SIÈCLE

Grâce à son riche ensemble décoratif caractéristique de la fin du XIXᵉ siècle, cet édifice est un véritable musée. Afin de garnir les cent huit niches des façades, une commission fut chargée de dresser une liste de Parisiens célèbres. Pas moins de deux cent trente sculpteurs participèrent à ce programme. De même, l'abondante décoration intérieure donna lieu à la création d'une commission chargée de désigner les différents peintres, en majorité des artistes académiques dits pompiers. Depuis, dans les somptueux salons d'apparat, furent donnés bals annuels et fêtes nombreuses. Lors de la Libération de Paris, l'Hôtel de Ville, lieu hautement symbolique, est occupé dès le 20 août ; des chars tirent sur le bâtiment, des barricades sont dressées. Le 24 août, le détachement du capitaine Dronne, envoyé par le général Leclerc, prend position sur la place.

*Ci-contre, la salle des fêtes – l50 mètres de long, 12,80 de large
et 13 de hauteur sous plafond –, dont la décoration a été conçue par Jean-Camille Formigé.*

De la Commune à la Belle Époque

DRAMES POPULAIRES AU THÉÂTRE DES BOUFFES-DU-NORD ▽

37 *bis*, boulevard de la Chapelle (Xᵉ)

« On s'attendait à quelque chose d'épouvantablement hardi ; cela devait sentir le pétrole ; [elle] avait, disait-on, mis dans ce drame toute sa haine farouche contre la société [...] C'est une parodie qui a excité d'immenses et unanimes éclats de rire [...] Le poulailler s'était précautionné d'une provision de clous [...] Vers le milieu de la soirée, le tumulte devint absolument inénarrable. Les écorces d'orange commencent à nous tomber sur la tête au milieu d'une neige de petits papiers. » En 1882, avec *Nadine,* drame de Louise Michel, surnommée la Vierge rouge de la Commune, le théâtre des Bouffes-du-Nord trouvait une vocation.

Il avait été construit en 1876 à l'initiative d'un certain M. Chéret (qui sera son premier et éphémère directeur), par l'architecte Louis Leménil. La salle, petite, possède cinq cent trente places. À l'origine destiné aux spectacles de caf'conc', mais très excentré, le lieu n'avait pas rencontré le succès escompté ; il ne connut pas moins de quatorze directeurs entre 1877 et 1885.

UN SUCCÈS À ÉCLIPSES

En 1885, le théâtre ferme six mois, puis rouvre grâce à un metteur en scène dynamique, Abel Ballet, qui monte des drames populaires pouvant durer de 7 heures du soir à minuit. La formule rencontre un immense succès : les spectateurs s'installent avec saucisson et couverture. C'est ce directeur qui fera débuter Yvette Guilbert, à dix-huit ans, dans un drame de Dumas, *la Reine Margot* : « Habillée de costumes loués trois francs, avec sur la tête une petite couronne qui se déplaçait comiquement à chacun de mes mouvements [...], je traversais le plateau en quatre pas comme un soldat... » Firmin Gémier, engagé à vingt et un ans, y crée *Ubu* en 1891. En 1893, la compagnie itinérante de Lugné Poe, l'Œuvre, crée des pièces d'Ibsen. Puis, en 1896, le théâtre périclite encore. Les nouveaux directeurs veulent innover avec des pièces inédites, une salle restaurée, éclairée à l'électricité et rebaptisée en 1904 théâtre Molière. Aristide Bruant y interprétera sa pièce, *Fleur de pavé.* Fermé pendant la guerre, il rouvrira en 1917, transformé en music-hall. La salle fermera encore plusieurs fois et sera reprise en 1974 par Peter Brook.

Yvette Guilbert saluant le public, par Toulouse Lautrec (1894). L'artiste écrivait au peintre : « Pour l'amour du ciel, ne me faites pas si atrocement laide ! »

La salle à l'italienne du théâtre des Bouffes-du-Nord, volontairement laissée dans son état délabré lors de la réouverture de 1974.

Renaissance
des Bouffes-du-Nord

C'est en 1974, dans le cadre du Festival d'automne, que Peter Brook (ci-dessus, avec Kyoko Saito dans le rôle de Mélisande) et Micheline Rozan, fondateurs du Centre international de créations théâtrales, reprennent et font restaurer le théâtre des Bouffes-du-Nord. Invisible du dehors, tapi à l'intérieur d'immeubles d'habitation, le théâtre se présente de façon tout à fait imprévue. Les murs gardent une apparence brute, à la fois austère et noble, l'architecture frappe par son élégance, les plafonds et les balcons sont meublés simplement. Le théâtre rouvre avec *Timon d'Athènes*, de Shakespeare, en octobre 1974. C'est un grand succès. Peter Brook va monter dans ce décor à la magie particulière de grandes pièces classiques et toujours novatrices (*la Conférence des oiseaux*, *la Cerisaie*, *la Tragédie de Carmen*, *le Mahābhārata* – en trois épisodes –, *la Tempête…*), auxquelles viendront s'ajouter, avec le Festival d'au-tomne ou d'autres partenaires, des créations autour d'auteurs contemporains (Yacine, Aperghis, Kantor, Beckett, Novarina…) et de metteurs en scène audacieux (Deschamps, Bénichou, Cloos, Gruber, Wilson…). L'ancien théâtre populaire autrefois à la lisière des champs, aujourd'hui à l'ombre du métro aérien, sous l'empreinte de l'extraordinaire personnalité de Peter Brook et de celle de Micheline Rozan, qui en assurent toujours la direction, propose une programmation d'une exigence irréprochable. Si vous arrivez avant la représentation, ou à l'entracte, le café des Bouffes du Nord propose une restauration rapide des plus sympathiques.

MAIRIE
DU XIXe ARRONDISSEMENT ▷
Place Armand-Carrel (XIXe)

Le XIXe arrondissement a été constitué en 1860 par l'annexion de la commune suburbaine de la Villette et d'une partie de celle de Belleville. L'urbanisation de cette zone était allée croissant depuis 1806, le port de la Villette connaissant alors un trafic considérable. En 1866-1867, sous l'impulsion d'Haussmann, qui voulait assainir ce quartier mal famé, les carrières des Buttes-Chaumont furent expropriées et transformées en parc.

UN CHÂTEAU ET SON PARC
Gabriel Davioud, architecte en chef des Grands Travaux sous le Second Empire et auteur des constructions du parc, fut choisi, avec l'architecte Jules-Désiré Bourdais, pour édifier entre 1876 et 1878 la mairie, qui fait face à l'entrée principale du parc.
L'édifice, à l'origine en forme de E, mêle sur sa façade les chaînages de pierre à la brique, imposée par l'Administration, et emprunte son style au château Louis XIII. L'entrepreneur, propriétaire du terrain, souhaitait que l'on voie ici « la pensée d'une harmonie désirable entre la verdure du parc des Buttes-Chaumont et les constructions de la nouvelle mairie ». Sur la façade, le thème des sculptures prend sa source dans la vie du quartier : *l'Approvisionnement en bétail* rappelle la proximité des abattoirs, et *l'Approvisionnement en eau* celle de la source de la Dhuys.

La salle des mariages de la mairie du XIXe. Des peintures y représentent le marché aux bestiaux ou le bassin de la Villette ; dans le Mariage civil, le peintre Henri Gervex a représenté le maire d'alors, Mathurin Moreau, mariant son propre fils.

PONT SULLY ▽
(IVe et Ve)

Le pont Sully, l'une des rares constructions en fonte ayant survécu à Paris et œuvre des ingénieurs Brosselin et Vaudrey, est constitué de deux ouvrages successifs dans l'axe du boulevard Henri-IV. Au début de son édification, l'ouvrage n'était jamais appelé autrement que « le pont ». C'est alors que M. Quicherat, conservateur à la bibliothèque Sainte-Geneviève et membre de l'Institut, écrivit au président du conseil municipal pour en suggérer le nom, inspiré par la proximité du boulevard Henri-IV et par l'Arsenal, cher à son ministre, Sully. Avant sa construction, des passerelles pour piétons, payantes, reliaient l'île aux deux rives. Côté rive gauche, la passerelle de Constantine, dernier pont suspendu parisien, s'effondra dans la soirée du 8 octobre 1877, alors qu'elle faisait l'objet de réparations. Le pont Sully était en cours d'achèvement. De grosses entreprises avaient été mises en concurrence et la maison Joret & Cie avait consenti des rabais importants pour emporter le marché.

Lors de la crue des 26 et 27 janvier 1910, le niveau de l'eau est monté jusqu'à quelques mètres du parapet du pont Sully.

Une arche de Noé moderne

Rénovée par les architectes Chemetov et Huidobro et le scénographe René Allio, l'ancienne galerie de zoologie a rouvert ses portes en 1994 et montre enfin, restaurés grâce aux techniques les plus sophistiquées, les millions d'animaux naturalisés que les scientifiques avaient collectés durant des siècles. Éclairages savamment dosés, chaleur des galeries en bois, ascenseurs transparents et animation sonore feutrée font de cette Grande Galerie de l'évolution une savante arche de Noé peuplée d'animaux en une longue procession immobile et silencieuse : au rez-de-chaussée, les milieux marins ainsi qu'une impressionnante mise en scène des êtres microscopiques vivant entre les grains de sable ; au premier étage, les milieux terrestres, avec l'immense défilé des espèces peuplant la savane africaine, les forêts tropicales, l'Arctique… L'intervention de l'homme dans l'évolution – agriculture, domestication des espèces, pollution, espèces disparues ou menacées – occupe le deuxième étage, tandis qu'au troisième sont retracées les grandes étapes de la recherche, de la théorie du transformisme à celle de l'évolution. On sort très enrichi de ce rendez-vous avec la science naturaliste, dont la pédagogie n'est jamais triomphante : mises en scène sobres et élégantes respectant les collections – mini-écrans où des dialogues à voix basse abordent les responsabilités des hommes dans l'évolution de la planète, images projetées sur le sol…
La Grande Galerie de l'évolution, Muséum national d'histoire naturelle (VIe).

L'intérieur de la synagogue présente une organisation traditionnelle : nef flanquée de bas-côtés dont les tribunes sont réservées aux femmes.

LA SYNAGOGUE DES JUIFS PORTUGAIS Δ
28, rue Buffault (IXe)

En 1875, désireux de disposer d'un lieu de culte qui leur soit propre, les juifs portugais établis à Paris fondent leur « Société civile du temple israélite selon le rite sefardi » (séfarade), qui acquiert un terrain pour y édifier une synagogue. En 1877, une synagogue de caractère monumental est construite grâce à l'aide d'un mécène, Daniel Osiris Iffla. Ce banquier d'origine bordelaise, connu pour sa générosité, avait fait don à l'État du château de Malmaison après restauration.
Le sol, composé de remblais sans consistance, nécessita de faire reposer les colonnes sur des puits de béton descendus jusqu'au sable.
L'architecte, Stanislas Ferrand, adopta le style roman, déjà employé pour plusieurs grandes synagogues françaises.

TOUTE LA FAUNE DE LA TERRE ∇
Galerie de zoologie, Muséum national d'histoire naturelle, 38, rue Geoffroy-saint-Hilaire (Ve)

Le Muséum national d'histoire naturelle, institué par la Convention, a pour mission le recensement et la conservation des objets du passé dans un but d'instruction publique. Ses collections ne cessent d'augmenter tout au long du XIXe siècle, grâce à des envois de tous les points du globe. La place vient alors à manquer, et les professeurs du Muséum se plaignent de ne pouvoir ouvrir les caisses pour en exposer le contenu. Le problème se pose par exemple en 1885, lorsque arrive « une véritable cargaison d'ossements gigantesques » – une collection unique de squelettes de baleines – en provenance de Laponie.
La construction d'une galerie de zoologie a longtemps été différée en raison du manque chronique de crédits. Elle est enfin édifiée, de 1872 à 1889, par l'architecte du Muséum, Jules André. Elle comprend trois galeries superposées, longues de plus de 50 mètres (huit cent mille mammifères, soixante-dix mille oiseaux et cinq cent mille poissons y furent entassés), et une fosse centrale pour les grands mammifères, dont les baleines. Structures de métal et verrières composent son architecture. Restaurée et transformée en « galerie de l'évolution », elle est ouverte au public depuis 1994.
VOIR AUSSI LES SERRES CHAUDES DU JARDIN DES PLANTES, p. 249.

La galerie de zoologie du Muséum fut inaugurée pendant l'Exposition universelle de 1889.

LE PALAIS-MUSÉE DE LA DUCHESSE DE GALLIERA ▷

Actuel musée de la Mode et du Costume,
10, avenue Pierre-Ier-de-Serbie (XVIe)

👁 Marie de Brignole-Salé, duchesse de Galliera par son mariage avec le duc de Galliera, un très riche financier italien, avait rassemblé d'importantes collections d'œuvres d'art. À la mort de son époux, en 1876, elle voulut faire don à l'État de ses collections et, pour les abriter, fit construire par l'architecte Léon Ginain ce palais-musée – il ne fut jamais habité – sur un terrain lui appartenant.

ÉCHEC DU PROJET

La construction démarre en 1878, mais de graves problèmes administratifs surviennent entre la donatrice et la Ville de Paris, qui, par une erreur du notaire, se révèle être destinataire des murs et du terrain, en lieu et place de l'État. Puis, après que l'État français a forcé à l'exil le comte et la comtesse de Paris, que la duchesse hébergeait à l'hôtel Matignon, elle modifie son testament : une somme est allouée pour l'achèvement du musée, mais toutes les œuvres sont léguées à Gênes, sa ville natale. Le musée est terminé en 1894, sept ans après la mort de son instigatrice. Il est caractéristique du goût de la fin du XIXe siècle pour les pastiches de bâtiments d'époques plus anciennes, ici, la Renaissance, française et italienne. Des sculptures ornent la façade sur jardin : *la Peinture*, de Chapu, *l'Architecture*, de Thomas, et *la Sculpture*, de Cavelier. N'ayant pas d'affectation précise, ce fut d'abord un musée d'art industriel, puis il abrita des expositions d'art contemporain et des ventes aux enchères. Depuis 1978, le musée Galliera est le musée de la Mode et du Costume.

La cour semi-circulaire entourée d'un portique du palais Galliera s'inspire de la Renaissance italienne. En détail, habit d'homme Louis XVI, transformé en jaquette pour femme, conservé au musée de la Mode et du Costume.

UN AMOUREUX DE LA RENAISSANCE À L'HÔTEL GAILLARD ▷

Actuelle Banque de France, 1, place du Général-Catroux (XVIIe)

🔑 Émile Gaillard, petit-fils d'un banquier grenoblois, régent de la Banque de France et conseiller du comte de Chambord, est un collectionneur passionné d'œuvres d'art des XVe et XVIe siècles. Et il caresse le rêve d'un cadre Renaissance pour abriter ses peintures, faïences, porcelaines, sculptures, tapisseries, meubles et vitraux. Ayant acheté un terrain non loin du parc Monceau, quartier très prisé à l'époque, il fait construire de 1878 à 1882, par Victor-Jules Février, un « palais » inspiré directement de l'aile Louis XII du château de Blois : l'architecte en avait pris les moulages qui se trouvaient dans les combles lors de la vente de l'hôtel. Le château de Gien a également servi de modèle pour certaines parties – hauts combles, tour intérieure, gargouilles.

UN ÉVÉNEMENT MONDAIN ET ARTISTIQUE

Gaillard fait reconstituer un intérieur fastueux de la Renaissance où les pièces de sa collection trouvent naturellement leur place : cariatides en bois sculpté, cheminées, portes et boiseries, objets divers... Un bal travesti réunit deux mille invités de marque lors de l'inauguration, le 11 avril 1885, que la presse présente comme un événement mondain et artistique. Après la mort de Gaillard, en 1904, ses collections sont dispersées aux enchères ; l'hôtel est finalement racheté en 1919 par la Banque de France, qui y fait entreprendre d'importants travaux par l'architecte Defrasse : réunion des deux hôtels contigus, isolation quotidienne de la salle des coffres par un fossé rempli d'eau.

L'hôtel Gaillard, brillant pastiche de l'architecture française de la fin du XVe siècle.

« La cliente a toujours raison » ◁
Grand magasin du Printemps, 64, boulevard Haussmann (IXe)

👁 Jules Jaluzot, ancien chef de rayon des soieries au Bon Marché, fonde, en 1865, une maison de commerce de nouveautés, Au Printemps, au rez-de-chaussée d'un immeuble situé à l'angle du boulevard Haussmann, des rues du Havre et de Provence. Le magasin, dont l'ouverture est annoncée à grand renfort de publicité, prend pour devise : « La cliente a toujours raison », propose des tissus en exclusivité et invente les soldes de fin de saison. En 1874, le magasin s'agrandit, béni par le curé de la Madeleine. Il prospère et pratique la vente par correspondance. Mais, le 9 mars 1881, il est ravagé par un incendie ; Jaluzot ainsi que tous les employés logés, comme c'était l'usage, dans les étages peuvent s'échapper.

UN GRAND MAGASIN MODÈLE
Les assurances ne couvrant pas tous les dommages, une vaste souscription est organisée par la presse. Jaluzot crée une nouvelle société et, grâce à la clientèle, à des financiers et au personnel, qui devient actionnaire, il fait reconstruire le magasin par l'architecte Paul Sédille.
Le Printemps devient un grand magasin modèle : vaste espace bordé de galeries superposées reliées par des passerelles, recevant la lumière d'une verrière (disparue) et d'un nouvel éclairage – les récentes lampes à incandescence d'Edison –, emploi du fer comme matériau de base, visible à l'intérieur et qui permet un grand vitrage, granite et marbre blanc dans la décoration en façade avec les monumentales *Quatre Saisons* du sculpteur Henri Chapu, rayon d'épargne pour la clientèle et le personnel, qui bénéficient de plus de confort.
En 1904, Jaluzot est poussé à la démission en raison de ses mauvaises spéculations sur le sucre. Gustave Laguionie, ancien employé de la maison, prend sa succession. Le magasin est modifié par l'architecte René Binet, puis, en 1907, sous la direction du même architecte, un nouveau magasin est construit en harmonie avec celui de Paul Sédille. Il est centré sur un hall octogonal sous une coupole (visible au deuxième étage), tandis qu'un sous-sol relie les deux magasins. Ascenseurs, balcons et escaliers à la ferronnerie de style Art nouveau font partie du décor.

Rotondes d'angle des magasins du Printemps ;
celle de droite appartient au magasin construit par Paul Sédille,
celle de gauche au magasin construit par René Binet.

Un paradis pour plantes rares

À proximité de l'église Notre-Dame d'Auteuil, la visite des serres d'Auteuil offre une évasion inattendue et un havre délicat. C'est à l'emplacement des jardins botaniques de Louis XV que Jean-Camille Formigé créa de 1895 à 1898 le Fleuriste municipal, dont les 9 hectares fournissaient les plantes ornementales des jardins de la capitale. Amputé du tiers de sa surface en 1968 par le nœud autoroutier, le centre horticole a été transféré à Rungis, à l'exception des plantes rares ou de collection toujours cultivées à Auteuil. La direction des parcs, jardins et espaces verts est installée dans les bâtiments classiques de l'entrée, qui surplombent de vastes parterres à la française. La majestueuse serre à dôme central abrite un palmarium, une serre tropicale dans son aile droite et une serre d'exposition dans son aile gauche. Six autres grandes serres sont consacrées aux plantes de collection, tandis que les deux serres-pavillons abritent de sublimes azalées et des végétaux de grande taille. Au fond du jardin, trente-six petites serres sont destinées au stockage ; l'une d'entre elles est un atelier de jardinage pour enfants, une autre a pour mission de tester les effets de la pollution sur les végétaux. Au gré de ces constructions aériennes, vous découvrirez les plus belles espèces d'orchidées, le chrysanthème Temps des neiges, l'héliotrope du Pérou, des ficus et des bégonias, des arbousiers, des bouleaux à papier, des kakis, un parasol chinois, un cornouiller panaché…
Les serres d'Auteuil,
avenue de la Porte-d'Auteuil (XVIe).

STYLE ROMANO-BYZANTIN À NOTRE-DAME D'AUTEUIL ▷
Place d'Auteuil et 1, rue Corot (XVIe)

👁 Déjà, au XVIIe siècle, les paroissiens d'Auteuil se plaignaient de l'exiguïté de leur église. Endommagée pendant la Révolution, puis sous la Commune, elle est démolie en 1877. Les ossements trouvés à cette occasion jusque sous les murs semblent prouver l'existence d'un cimetière et d'un lieu de culte antérieur au XVIIe siècle. C'est la Ville de Paris, avec la contribution financière du curé, l'abbé Lamazou, qui subventionne le nouvel édifice, de style romano-byzantin avec quelques emprunts au style roman. Construit entre 1877 et 1884 sur un terrain en pente, il est l'œuvre de Joseph Vaudremer, architecte des églises de la ville. En forme de croix latine, l'ouvrage est surmonté d'un clocher à colonnettes et à double bulbe évoquant une tiare pontificale et possède une vaste crypte à l'instar des anciennes basiliques chrétiennes.

Le clocher de Notre-Dame d'Auteuil, à double bulbe et colonnettes,
caractéristique du style romano-byzantin.

UN PEUPLE DE CIRE ▷

Musée Grévin, 10, boulevard Montmartre (IXe)

En 1881, le journaliste Arthur Meyer crée une société pour réaliser un nouveau musée de cire à Paris, avec des personnages plus élaborés que ceux de Curtius, son prédécesseur avant la Révolution. Il embauche le dessinateur et caricaturiste Alfred Grévin comme directeur artistique, un sculpteur, Lebourg, et, ayant des difficultés pour trouver un cirier habile, il s'adresse à un préparateur de sujets anatomiques pour les hôpitaux. Le bâtiment, œuvre de l'architecte Esnault-Pelterie, est inauguré le 5 juin 1882. Le financier Gabriel Thomas, successeur de Meyer dès 1883, est à l'origine des reconstitutions d'épisodes historiques – Révolution française, conquêtes coloniales, exécutions capitales – ou romanesques – scènes de *Germinal,* d'après Zola… –, qui seront complétées dans les années cinquante par un maquettiste-metteur en scène, Xavier de Courville.

AU ROYAUME DE L'ILLUSION

À l'entrée, des miroirs déformants accueillent le visiteur. En 1900, Thomas fait appel à Rives pour construire un petit théâtre à l'italienne, le Théâtre Joli, décoré par Bourdelle et Jules Chéret : le caricaturiste Caran d'Ache y présenta ses séances d'ombres chinoises et l'illusionniste Robert Houdin y créa son Cabinet fantastique. En 1906, il demande à Émile Hénard, auteur d'un palais des illusions à l'Exposition universelle de 1900, d'installer un palais des mirages. Dans cette salle hexagonale de 10 mètres de diamètre, constituée de six glaces parallèles deux à deux, le spectateur a l'illusion de voir une multitude de salles juxtaposées.

Le palais des mirages du musée Grévin,
où un système élaboré
permet de faire se succéder des motifs différents :
palais arabe ou hindou, forêt enchantée…

PROSPÉRITÉ DU COMPTOIR NATIONAL D'ESCOMPTE △

14, rue Bergère (IXe)

La galerie entourant l'escalier du Comptoir d'escompte où alternent mosaïques et colonnes en marbre polychrome.

Le Comptoir national d'escompte de Paris naquit en 1848 avec un capital constitué pour un tiers de souscriptions privées, un tiers par la Ville et un tiers par l'État. Il devint une société privée en 1854 et, à la veille de la guerre de 1870, il est la première des grandes banques françaises de dépôts et a participé aux grandes opérations d'urbanisme parisien. L'ancien hôtel Duplessis, rue Bergère, qui abritait son siège social, est démoli en 1881 au profit de l'édifice actuel, œuvre de l'architecte Édouard Corroyer. La banque voulut là un symbole de « la solidité matérielle qui caractérise ses considérables affaires unie à l'élégance luxueuse qui honore le public » : vaste niche en façade où trône la Prudence, majestueux fronton accosté de l'Industrie et du Commerce – trois sculptures d'Aimé Millet –, abondance des mosaïques dans la décoration intérieure. Des innovations techniques furent installées : verrière polychrome, électricité, système de climatisation.

HOMMAGE AU PATRIOTISME ALSACIEN ▽

Lion de Belfort, place Denfert-Rochereau (XIVe)

C'est pour exalter la résistance de Belfort pendant la guerre franco-prussienne – sous le commandement du colonel Denfert-Rochereau, gouverneur de la place – que l'Alsacien Auguste Bartholdi, sur demande de la Ville, eut l'idée de tailler dans le flan de la montagne un gigantesque lion en grès rouge. Une réplique réduite, en cuivre repoussé, exposée au Salon de 1878, fut très remarquée par le conseil municipal de Paris. Le préfet de la Seine en traita l'achat avec le sculpteur, qui écrivit à l'un de ses amis : « C'est un hommage au patriotisme alsacien ; c'est indirectement un hommage au patriotisme de la population de Paris pendant le siège. C'est un souvenir du passé mis sous les yeux de la population en vue de l'avenir […] Il peut être bon d'entonner un peu l'oliphant sur cette belle matière […] La décision a été votée à l'unanimité du conseil… Zing… boum… Peut-être fera-t-on une fête patriotique, et cela embêtera les bons Allemands et leurs amis les bonapartistes. »

C'est à la suite d'une pétition des habitants du XIVe arrondissement que le lion de Belfort a été érigé place Denfert-Rochereau en 1880.

De la Commune à la Belle Époque

Une enchanteresse à l'hôtel Potocki ◁

Actuelle Chambre de commerce et d'industrie, 27, avenue de Friedland (XVIe)

C'est dans cet hôtel que la comtesse Potocka, née princesse italienne, anime à partir de 1884 l'un des salons les plus brillants et les plus célèbres de Paris, connu pour ses joutes oratoires. Elle y reçoit Guy de Maupassant, Gabriel Fauré, Reynaldo Hahn, Robert de Montesquiou et Marcel Proust. Beaucoup de personnalités sont fascinées par cette femme « d'une culture rare qui produisait un effet de polarisation quand elle apparaissait dans un endroit public [...] C'était une excentrique enchanteresse ». Elle se sépare de son mari en 1901 et quitte l'hôtel, qu'elle surnommait le Crédit polonais en raison de la générosité de son mari, qui y tenait un office de bienfaisance, hérité de son père, avec secrétaires, médecin, gardes-malades et chapelain.

LE PALAIS SOMPTUEUX DU COMTE POTOCKI

Le comte Nicolas Potocki avait hérité en 1879 de l'hôtel particulier de son père, avenue de Friedland, et l'avait fait démolir pour faire construire par l'architecte Jules Reboul ce palais fastueux, qui nécessita cinq ans de travaux et fut achevé en 1884. Le bâtiment principal, de style Louis XIV, abrite, selon le vœu du propriétaire, un escalier d'honneur à l'italienne réalisé en huit marbres différents de gamme foncée, décoré d'ornements sculptés réalisés en galvanoplastie par la maison Christofle. Les pièces ont toutes un décor somptueux : murs recouverts de marbre, parquets sertis de cuivre, lambris dorés, plafonds peints. Les communs et les écuries pouvant recevoir jusqu'à trente-huit chevaux possédaient des stalles en acajou et des abreuvoirs en marbre rose ainsi qu'une sellerie magnifique.

L'hôtel Potocki a été racheté en 1923 par la Chambre de commerce et d'industrie de Paris, qui ne modifia pas la façade mais fit démolir les écuries.

Une arme pour les travailleurs ▽

Bourse du travail, 3, rue du Château-d'Eau (Xe)

« Une association de résistance contre la réduction des salaires, contre la prolongation excessive de la durée du travail et une augmentation des prix », telle est l'idée que se font les hommes du XIXe siècle d'une Bourse du travail – idée qui remonterait à l'année 1790. « Il importe que les chambres syndicales aient des locaux et des bureaux où chacun pourra venir sans crainte… » Grâce à elle, les syndicats, autorisés en 1884, pourraient s'unir par professions similaires et « éviter les efforts incohérents faits jusqu'à présent et qui auraient fini par livrer les travailleurs désarmés à la puissance politique, financière et morale du capital ».

LE PALAIS DE LA CLASSE OUVRIÈRE

Soumis au conseil municipal de Paris en 1848, le projet fut écarté, puis à nouveau proposé en 1875. En 1887, le conseil met un premier immeuble à la disposition des syndicats parisiens, en attendant que soit terminé le « palais de la classe ouvrière », construit entre 1882 et 1892 par l'architecte Joseph Bouvard. Dès le 1er mai 1893, une manifestation violente y a lieu, et la Bourse ferme jusqu'en 1896.
Le bâtiment est organisé autour d'une cour centrale à la verrière métallique, qui fait office de salle de réunions et est modulable par l'adjonction des salles secondaires du pourtour. Au-dessus des trois portes de l'entrée principale, trois vigoureuses têtes symbolisent la République, la Paix et le Travail.

Un ouvrier en casquette, emblème du travail, surmonte l'une des portes en fer de la Bourse du travail.

Triomphe des idées républicaines ▷

Monument à la République, place de la République (IIIe, Xe, XIe)

Le percement des grands axes haussmanniens modifiant l'Est parisien, le carrefour du Château-d'Eau devint une vaste place. La fontaine qui l'ornait, devenue trop petite, fut reléguée à la Villette. En 1879, la Ville de Paris organisa un concours, moyen jugé le plus démocratique, afin d'ériger une statue monumentale symbolisant la République triomphante. Le lauréat fut le sculpteur Léopold Morice, assisté de son frère Charles, architecte. Cette statue allégorique de 9,50 m domine la place de son imposant piédestal.
À son pied, des figures de femmes assises représentent l'Égalité, la Liberté et la Fraternité. Douze bas-reliefs en bronze retracent les principales scènes de l'affermissement de la République de 1789 à 1880. La statue, transportée sur un char sous l'œil enthousiaste des badauds, ne fut inaugurée que le 14 juillet 1883.

À la base du socle du monument à la République, un lion devant une urne symbolise « la condition fondamentale du régime républicain ».

314

Le portique à fronton de la Bourse de commerce, soutenu par quatre colonnes corinthiennes, est surmonté des allégories de la Ville de Paris, du Commerce et de l'Abondance.

La Bourse de commerce △

2, rue de Viarmes (Ier)

L'utilisation de la halle au blé construite par Le Camus de Mézières et couverte en 1811 d'une splendide coupole métallique alla en décroissant. En 1885, la halle se trouve dégagée par les transformations de l'ensemble du quartier des Halles ; la municipalité décide de l'adjuger à la Bourse de commerce. Les modifications du bâtiment commencent en 1888, sous la direction de l'architecte Henri Blondel. Il conserve l'armature de la coupole en remplaçant la couverture de cuivre par des vitres, et creuse le sous-sol sur trois niveaux : l'un pour les machines dynamos produisant l'électricité, un autre pour la chambre froide destinée à la conservation des primeurs, et le troisième pour les batteries et calorifères. Il réduit les murs extérieurs de 1,50 m à 0,50 m et crée une entrée monumentale.
Voir aussi la halle au blé, p. 210.

Au royaume des casseroles

Rescapé du quartier des Halles quand celles-ci étaient le ventre de Paris, ce magasin, fondé en 1820 et installé au 18 de la rue Coquillière depuis 1890, a choisi de ne pas changer. Les vendeurs y portent toujours la blouse, on y enrobe les articles dans un gros papier brun, et les batteries de cuisine pendent encore au plafond. Dès l'entrée rôde le fantôme du Paris de Léon-Paul Fargue, né à quelques numéros de là. Des légions de couteaux, petits ou grands, à désosser ou à génoise, de Thiers ou de Solingen, peuplent les vitrines. Mais la descente au sous-sol est une révélation : là sont rangés par familles toutes sortes de casseroles, poêles, grils, sauteuses et poissonnières. Mais aussi des serre-jambons, des poêlons à sabayon, des bassines à ragoût, des tulipes à gigot, des curettes à homard, des plats à mignardise, des darioles, des sébiles en hêtre, des moules à manqué, des paniers à œufs et des décalitres gradués. En perpétuant une culture culinaire dans laquelle chaque ustensile a une fonction et une seule, cette boutique prouve que la cuisine est un art. Mais la clientèle de restaurateurs et de gastronomes venus pour une part importante des États-Unis ou du Japon ne se nourrit pas que de nostalgie : les casseroles pour table à induction et les récipients antiadhésifs ont su trouver petit à petit leur place à côté du cuivre, de l'étain et de la fonte émaillée.
Dehillerin, 18, rue Coquillière (Ier).

De la Commune à la Belle Époque

LA FRANCE, JOURNAL POPULAIRE ▷
Immeuble du 142, rue Montmartre (IIe)

🔒 Après des débuts difficiles, le journal *la France,* né en 1862, voit son audience augmenter en 1877 grâce au talent de polémiste et d'animateur de son nouveau directeur et propriétaire, Émile de Girardin, dont Victor Hugo disait : « On lui doit ce progrès mémorable, la presse à bon marché. » Ce journal républicain, à l'avant-garde de l'opposition contre Mac-Mahon, président de la République élu grâce à une coalition monarchiste, accueille dans ses colonnes échos et polémiques, et un dictionnaire des girouettes ; Hugo y publia son texte *Pour la Serbie* : « On assassine un peuple ! [...] Ce qui se passe en Serbie démontre la nécessité des États-Unis d'Europe ». Pour augmenter son tirage – il atteignit cent mille exemplaires –, le journal s'installe rue Montmartre. Un nouvel immeuble, construit par Ferdinand Bal sur l'ancien cimetière Saint-Joseph, est inauguré en 1884.

Au siège du journal la France, *les deux cariatides du sculpteur Lefèvre, symboles du Journalisme et de la Typographie, et l'un des deux atlantes qui les encadrent.*

La gare Saint-Lazare, qu'une passerelle, aujourd'hui désaffectée, relie à l'hôtel Terminus, luxueusement aménagé par Juste Lisch autour de cours vitrées.

FAVORITE DES PEINTRES ◁
Gare Saint-Lazare, 108, rue Saint-Lazare (VIIIe)

👁 « Dans un de ces grands ateliers vitrés comme celui de Saint-Lazare [...] ne pouvait s'accomplir que quelque acte terrible ou solennel, comme un départ en chemin de fer ou l'érection de la Croix. » Ainsi Proust évoque-t-il dans *À la recherche du temps perdu* la galerie à arcades de la gare Saint-Lazare, qui inspira par ailleurs les peintres Manet, Monet, Caillebotte... En août 1837, un simple embarcadère en bois aux abords de la place de l'Europe permettait aux voyageurs d'emprunter la première ligne ferroviaire française, la ligne de Paris-Saint-Germain-en-Laye. En raison de l'augmentation du trafic, il fut transporté en 1841 au carrefour des rues d'Amsterdam et de Saint-Lazare, qui lui donnera son nom, puis subit nombre de modifications et d'agrandissements.

L'HÔTEL DES VOYAGEURS

Dans la perspective de l'Exposition universelle de 1889, la Compagnie des chemins de fer de l'Ouest confie la transformation des bâtiments à son architecte, Juste Lisch. Cette « quatrième gare », construite de 1885 à 1887, se greffe sur le noyau des anciennes halles métalliques d'Eugène Flachat. L'architecte avait prévu une place pour magnifier sa façade, quatre fois plus longue que le bâtiment antérieur, et dont les éléments sont empruntés au XVIIe siècle ; mais la Ville refuse de donner à la Compagnie la compensation financière qu'elle réclame pour l'acquisition des terrains, qui avaient pris une forte plus-value. Lisch se voit contraint de bâtir un hôtel, source de revenus – c'est le premier hôtel associé à une gare –, mais qui masque toute la partie centrale de la façade de la gare.

LA SORBONNE NOUVELLE ▷
Grand amphithéâtre, 47, rue des Écoles (Ve)

🔒 Pendant tout le XIXe siècle, les différents gouvernements ont eu le projet de faire disparaître l'ensemble de bâtiments que Richelieu avait fait construire au XVIIe pour le collège de la Sorbonne. C'est la IIIe République qui le met à exécution, à l'exception de la chapelle, qui est conservée. À la fin de l'année 1881, le préfet de la Seine fait établir un programme précis de reconstruction sur le lieu de l'ancienne Sorbonne, où devront se tenir les différents départements de l'Université ; parallèlement, l'enseignement supérieur doit être réorganisé. Le lauréat du concours ouvert pour ce projet, Henri-Paul Nénot, âgé de vingt-neuf ans, n'a pratiquement rien construit auparavant. Pendant tout le chantier, qui s'organise en trois tranches successives de 1884 à 1901, il travaille en collaboration attentive mais ferme avec les nombreux chefs de département. Les cours et les examens sont néanmoins assurés, tout comme les recherches en laboratoire. L'entrée principale de l'îlot de la Sorbonne, sur la nouvelle rue des Écoles, ouvre sur le vaste vestibule précédant le grand amphithéâtre encadré des deux galeries des sciences et des lettres. La véritable inauguration solennelle a lieu en 1889, en présence du président de la République, onze ans avant la fin définitive des travaux : elle coïncide avec l'Exposition universelle et le Congrès international de l'enseignement supérieur et secondaire. Elle se déroula en grande pompe devant de nombreuses délégations françaises et étrangères.
VOIR AUSSI LA SORBONNE DE RICHELIEU, p. 108.

Le grand amphithéâtre de la Sorbonne, décoré d'une toile de Puvis de Chavannes représentant le bois sacré des arts et des sciences, entouré des figures de la Sorbonne – la Science, l'Éloquence, la Philosophie et l'Histoire.

Avec sa galerie à arcades, la cour de récréation du lycée Molière est encore proche de l'architecture conventuelle.

Le long du canal de l'Ourcq

Barré en amont par le beau pont levant de la rue de Crimée, le canal de l'Ourcq prolonge le bassin de la Villette pour rejoindre, 108 kilomètres plus loin, la rivière du même nom. Il bifurque aux abords d'une écluse géante située face au parc de la Villette pour former le canal Saint-Denis. Humble et paisible, le canal de l'Ourcq garde l'empreinte du temps jadis lorsque la Villette était le grenier de la capitale et que les péniches livraient et chargeaient d'énormes quantités de marchandises. Il tente aujourd'hui les pêcheurs, les boulistes, les enfants, les laveurs de voiture et les amoureux de balades improvisées. Il est doux de suivre son cours rectiligne et de traverser au rythme lent du voyage à pied ces quartiers insolites où d'anciennes usines, vestige du temps où les petites industries de Paris dépendaient des transports fluviaux, viennent disputer les rives aux constructions récentes les plus hétéroclites. De rares péniches y passent, les marchandises étant plutôt convoyées par poids lourds ou par des barges dont les gabarits (800 tonnes) interdisent d'emprunter les raccourcis des canaux. Le dimanche, le quai de l'Oise s'anime du marché de Joinville ; et l'impasse de Joinville, qui abrite quelques ateliers d'artistes, ainsi que le joli square au pied de l'église Saint-Jacques-et-Saint-Christophe résonnent des jeux des enfants.

En été, des navettes partent du bassin de la Villette et remontent le canal de l'Ourcq jusqu'au parc de la Villette. Pour les patineurs et les cyclistes, une piste cyclable longe le canal en direction de La Courneuve. Enfin, quai de la Seine, on peut louer de petits bateaux aux cabines spacieuses et pousser l'escapade jusqu'à Meaux.

POLÉMIQUE À PROPOS DU LYCÉE MOLIÈRE ◁
71, rue du Ranelagh, et 5, rue de l'Assomption (XVIᵉ)

« J'aime beaucoup Molière. Il me semble pourtant [...] voilà ce qu'ils trouvent pour des jeunes filles ; voilà le nom qu'on met sur leur porte et sur leurs lèvres, celui du plus libre des poètes comiques, dont on ne pourrait pas leur dire deux scènes de suite sans embarras pour le professeur et sans scandale pour les élèves... » *(le Figaro).* À quoi il était répondu : « Si le nom de Molière a été donné [...] c'est que nous ne voulons pas faire de vous des femmes savantes. La femme est autre chose et mieux qu'un cerveau. »

En 1882, une circulaire du ministre de l'Instruction publique indiquait : « L'établissement d'un certain nombre de lycées de jeunes filles est un des premiers et des plus pressants devoirs de l'État [...] chacun d'eux doit répandre en quelque sorte la lumière sur toute une région. » De 1881 à 1896, la France construisit trente-deux lycées et vingt-huit collèges de jeunes filles. Le lycée Molière, prévu pour trois cent cinquante élèves et troisième lycée parisien de jeunes filles, fut construit entre 1886 et 1888 par l'architecte Émile Vaudremer. À la première rentrée, en septembre 1888, les quarante-huit élèves inscrites revêtirent le long tablier de laine noire à manches longues.

INTENSE NAVIGATION SUR LES CANAUX ▽
Pont levant de la rue de Crimée (XIXᵉ)

« Pour n'être pas encore le port de mer [!] toujours rêvé par maints spéculateurs, Paris n'en est pas moins la ville de France où la navigation se chiffre par le tonnage le plus important. » En 1885, date à laquelle ce commentaire paraît dans *le Génie civil,* le tonnage parisien sur les canaux (Ourcq, Saint-Martin et Saint-Denis) s'élève à plus de 2 millions de tonnes, et le pont tournant de la rue de Crimée ne laisse qu'un passage insuffisant aux bateaux.

En 1885, la compagnie Fives-Lille élabore un système, qu'elle brevette, de pont à soulèvement parallèle manœuvré à volonté par l'eau sous pression ou à bras. Il est l'œuvre de deux ingénieurs, Humblot pour le dessin et Le Chatelier pour l'exécution. Le tablier mobile est suspendu à ses quatre angles par de fortes chaînes à contrepoids ; tout le système est apparent pour que le public puisse en voir le fonctionnement.

Le pont levant de la rue de Crimée enjambe le bassin de la Villette à son rétrécissement ; à l'arrière-plan, l'un des deux entrepôts à grains et à sucre encore debout de la Compagnie des entrepôts et magasins généraux.

Le cristal du Paradis

Le luxe a élu domicile entre les Grands Boulevards et les gares : la rue de Paradis aligne sur ses trottoirs les vitrines éclatantes des fabricants de vaisselle où étincellent cristalleries, verreries, porcelaines et faïences ouvragées. Au centre d'un ensemble d'immeubles modernes se cache une véritable cathédrale de cristal. La grande nef de bois et de verre du musée Baccarat abrite mille deux cents pièces parmi les plus belles créations de deux siècles d'histoire du cristal. En haut du grand escalier, lady Baccarat vous attend : sa robe-lustre est composée de trois mille deux cents octogones, palmettes et plaquettes taillés, et sa canne moulurée symbolise la canne magique du verrier. Derrière elle brillent de mille feux lustres, vases d'Abyssinie et d'ailleurs, aiguières, coupes,

flacons, vases et candélabres. Il ne faut pas manquer le candélabre du tsar Nicolas II, créé en 1878 et électrifié en 1900 (3,85 m de haut et 470 kilos), les œuvres décoratives numérotées – art animalier, abstrait… – et les sculptures monumentales, effectuées sur des blocs de cristal parfaitement purs, affinés dans des fours à bassins. Enfin, on peut admirer de très belles pièces en verre agate (au blanc pâte de riz) et des opalines. Pour les plus séduits par cette lumière de paradis, le magasin d'exposition présente de très beaux modèles. Enfin, la plupart des fabricants de cette rue acceptent d'entrouvrir la porte de leurs cavernes d'Ali Baba aux particuliers, mais c'est avant tout de vente professionnelle qu'il s'agit…
Musée Baccarat, 30 bis, rue de Paradis (Xᵉ).

Dans le foyer de l'Opéra-Comique, le peintre Henri Gervex représenta la foire Saint-Laurent, où naquit le genre musical de l'opéra comique ; Albert Maignan peignit des scènes d'opéra comique célèbres et, au plafond, la Ronde des notes de musique, personnifiée par des figures féminines.

Pelléas et Mélisande à l'Opéra-Comique ◁
Place Boïeldieu (IIᵉ)

Le 2 février 1900, devant un public transporté, a lieu à l'Opéra-Comique la première de *Louise,* fresque populaire de Gustave Charpentier. Le succès de ce nouveau théâtre, inauguré en 1898, ne se démentit pas pendant deux ans. Le 30 avril 1902, la création de *Pelléas et Mélisande,* de Debussy, est tumultueuse : « L'œuvre fut jouée dans une sorte de silence sournois, entrecoupé de sarcasmes, d'éclats de rire et parfois d'applaudissements. La critique fut divisée en deux clans. »

LA SÉCURITÉ EN QUESTION

Les deux premières salles de l'Opéra-Comique, sur la place Boïeldieu, avaient brûlé en 1838 puis en 1887, et plus d'une centaine de personnes périrent. En deux minutes, la scène entière était en flammes, et les débris embrasés des cintres tombant sur le plancher répandaient des gaz asphyxiants et une épaisse fumée. Presque tous les artistes étaient en scène et purent s'échapper. L'extinction des gaz d'éclairage est à l'origine du nombre élevé de victimes qui ne purent se diriger dans l'obscurité et moururent asphyxiées. De très nombreuses voix s'élevèrent pour condamner le manque de sécurité dans les théâtres, et de nouvelles réglementations furent mises en vigueur, un rideau de fer séparant la scène de la salle, par exemple.

COSSU MAIS EXIGU

Depuis un siècle et demi, neuf cent dix-sept théâtres incendiés avaient été dénombrés. Les projets pour la reconstruction d'une nouvelle salle Favart donnèrent lieu à de nombreuses discussions et controverses, car l'emplacement primitif était exigu et isolé du boulevard. On le conserva cependant, mais avec une emprise supplémentaire de 5 mètres sur la place. Pas moins de quatre-vingts projets se présentèrent au concours, dont le lauréat fut Stanislas-Louis Bernier. Le théâtre, trop exigu, ne bénéficia donc pas des nouvelles innovations scéniques et fut très critiqué. Les loges furent jugées trop petites, ainsi que la scène, l'architecte ayant privilégié le vestibule. L'ensemble, particulièrement la salle et le foyer, fut cependant richement décoré.

Sur la façade de l'Opéra-Comique, dont les grilles d'entrée sont dues à Christofle, six cariatides et deux niches abritant la Musique et la Poésie composent le décor.

CÉRAMIQUES ET FAÏENCES DE LA MAISON BOULENGER △
18, rue de Paradis (Xᵉ)

La maison Boulenger, fondée en 1804 par les frères Paillart, était une importante faïencerie basée à Choisy-le-Roi. En 1863, sous la direction d'Hippolyte Boulenger, elle prit véritablement son essor. La manufacture fabrique de la vaisselle dont le décor propose des textes de chansons célèbres, des proverbes paysans, des charades ou des rébus dont la solution se trouve sur l'envers, où l'on mangeait souvent le fromage. Puis elle se spécialise dans le décor architectural (boulangeries, bistrots...) et fournit la majorité des revêtements muraux du métro à partir de 1898. Le dépôt parisien est édifié en 1889 par Georges Jacotin, avec la collaboration de Brunnarius pour la façade, décorée de mosaïque et de médaillons d'inspiration Renaissance. Dans l'ancien lieu de réception de la clientèle, vaste salle sous verrière à deux niveaux dont le balcon intérieur est soutenu par des colonnes de fonte, s'était installé de 1978 à 1990 le musée de l'Affiche et de la Publicité ; le lieu est maintenant occupé par une galerie, Le Monde de l'art.

RIDICULE OU GRANDIOSE ? ▷
La tour Eiffel, Champ-de-Mars (VIIᵉ)

Photographiée à toutes les étapes de sa construction, « la tour de M. Eiffel » entraîna bien des controverses. Ainsi put-on lire en février 1887 dans le journal *le Temps* cette lettre ouverte d'artistes indignés : « Il suffit de se figurer un instant une tour vertigineusement ridicule dominant Paris ainsi qu'une noire et gigantesque cheminée d'usine, écrasant de sa masse barbare [...] tous nos monuments humiliés, toutes nos architectures rapetissées, qui disparaîtront dans ce rêve stupéfiant [...] et nous verrons s'allonger comme une tache d'encre l'ombre odieuse de l'odieuse colonne de tôle boulonnée. » À quoi Gustave Eiffel répondit : « Je crois, pour ma part, que la tour aura sa beauté propre. »

TRIOMPHE DE L'ARCHITECTURE MÉTALLIQUE
Cette merveille de précision est inaugurée une semaine avant l'ouverture de l'Exposition universelle de 1889, qui marque le triomphe des ingénieurs et de la construction métallique. Le règlement du concours lancé en 1886 spécifiait d'ailleurs que « les constructions principales [devraient être] entièrement établies en fer », et un défi avait été lancé pour une « tour en fer de 300 mètres. ». En 1884, à cinquante-deux ans, l'ingénieur Gustave Eiffel a déjà une grande expérience et une solide réputation, établie sur la construction de ponts métalliques dans le monde entier. C'est à lui que deux ingénieurs de son entreprise, Émile Nouguier et Maurice Koechlin, soumettent un avant-projet de pylône de 300 mètres. Avec l'aide de l'architecte Stephen Sauvestre, Eiffel prend le projet à son compte et lui donne un aspect plus esthétique ; il le réalisera avec ses propres deniers et à ses risques et périls en cas de chute de la tour.
En seulement vingt et un mois, les cent cinquante ouvriers hautement spécialisés du chantier – devenu un lieu d'attraction à la mode – assemblent dix-huit mille pièces préfabriquées et numérotées en usine. Ils travaillent neuf heures par jour en hiver et treize en été, sans repos hebdomadaire. Plusieurs grèves pour l'augmentation des salaires ponctuèrent le chantier, mais pas un seul accident mortel ne fut déploré.

De grands panneaux de céramique, signés, recouvrent les murs du porche et de la cour sous verrière de l'ancienne maison Boulenger.

La tour Eiffel reçut près de deux millions de visiteurs pendant l'Exposition universelle de 1889. Ses ascenseurs furent particulièrement admirés.

Directeur ambitieux aux magasins Dufayel ▷

22-34, rue de Clignancourt (XVIIIe)

Entré très jeune dans la maison Crespin aîné, Georges Dufayel grimpa vite les échelons pour en atteindre le sommet. M. Crespin fut, du point de vue commercial, un novateur de génie : le premier à instituer la vente à crédit, il créa ainsi une petite révolution dans le monde des affaires. Ses principaux clients étaient les grands magasins. Après avoir pris le contrôle de l'entreprise et en avoir perfectionné l'organisation dès 1890, Dufayel, le nouveau directeur, fait agrandir en 1895 les bâtiments existants afin de concurrencer son plus gros client, la Samaritaine. Dufayel s'est plus tard vanté d'avoir renvoyé Charles Garnier (architecte de l'Opéra de Paris), pas assez intelligent à son goût, au profit de Gustave Rives, architecte en chef des monuments civils.

ATTRACTIONS EN TOUT GENRE

L'ossature du nouveau bâtiment, en fer, est supportée par des colonnes creuses à l'intérieur desquelles passent tous les dispositifs techniques modernes. La façade principale est surchargée de sculptures. L'entrée monumentale de la rue de Clignancourt était autrefois coiffée d'un dôme surmonté d'une terrasse, où trônait un phare électrique qui lançait ses rayons puissants les jours de fête. La maison Dufayel, outre toutes sortes de « nouveautés », proposait des attractions qui avaient beaucoup de succès : présentation d'appartements entiers, dans tous les styles, reproductions, par exemple, de la chambre à coucher de Louis XIV, cinématographe, théâtre… Dufayel était un patron très décrié, qui fit l'objet de nombreux pamphlets, mais sa mort, en 1916, amena le déclin de l'affaire.

Au fronton de l'entrée des magasins Dufayel, le Progrès entraînant le Commerce et l'Industrie, *de Jules Dalou.*

Une goutte d'or sous le ciel de Paris

À deux pas des magasins Dufayel, le quartier de la Goutte-d'Or a vraiment la forme d'une goutte : appuyée sur le boulevard de la Chapelle, elle suit le métro aérien, en s'affinant vers la rue de Tombouctou et en s'évasant vers le boulevard Barbès, et se referme en rondeur en suivant la rue Polonceau. Mais son nom lui vient de la vigne : l'or des grappes du cépage blanc qui recouvrait les flancs de cette colline fut déclaré roi des vins lors d'un classement célèbre, qui eut lieu sous Saint Louis. Au milieu du XIXe siècle, l'essor industriel provoqua un immense essor démographique dans le quartier. Après les provinciaux et les populations d'Europe du Nord arrivèrent les immigrés italiens, puis, entre les deux guerres, les Maghrébins et, plus récemment, les ressortissants des DOM-TOM et des pays d'Afrique :

plus de trente nationalités coexistent dans ce quartier cosmopolite au tracé dense où les immeubles anciens de facture modeste voisinent avec les constructions haussmanniennes en pierre de taille. L'opération de rénovation lancée en 1984 s'étend sur 6 hectares et concerne deux cent vingt-neuf immeubles : la moitié sera détruite, l'autre moitié réhabilitée. En dépit de cette restructuration profonde et des bouleversements qu'elle a provoqués, le tissu social s'est maintenu, et le quartier a conservé un visage extraordinairement animé : un flux constant de passants et d'acheteurs, les étalages colorés, les tissus lamés, les théières martelées, les parfums épicés, les pâtisseries mielleuses et les fruits exotiques font de cette Goutte-d'Or une goutte de soleil, un centre chaud et vivant où il fait bon s'immerger.

Grâce au couturier Paul Poiret, qui recommanda de le laisser intact, on peut encore admirer le décor Art nouveau de Maxim's.

Les belles nuits de Maxim's ◁

3, rue Royale (VIIIe)

C'est en 1893 que Maxime Gaillard reprend le bail tenu par les Imoda, un couple de glaciers installés dans cet immeuble depuis 1859. Il en fait un bouchon, auquel il donne son nom, accolé à celui de son associé, sous une forme anglicisée : Maxim's & George's. La visite, inattendue en ce lieu, d'Antoine de Contadès accompagné de sa maîtresse, Irma de Montigny, met à la mode ce lieu bientôt fréquenté par les femmes en vogue – Liane de Pougy, la belle Otéro, accompagnées d'aristocrates…

ARISTOCRATES ET ARTISTES

Après la mort de Gaillard, en 1895, Eugène Cornuché, qui avait commencé en cuisine, devient maître d'hôtel, puis patron, avec l'appui financier d'un de ses célèbres clients, Max Lebaudy. Sous la direction de l'architecte-décorateur Louis Marnez, le restaurant arbore en 1899 son nouveau décor de style Art nouveau, avec des peintures murales de Mortens et Léon Sonnier. Grâce à son sens de la publicité et des affaires, Cornuché fait à Maxim's une renommée tapageuse. Le soir, au son d'un orchestre tsigane, tous les convives sont en habit, la clientèle princière et les femmes parées de bijoux somptueux ; parmi eux, des écrivains, des peintres, des actrices… Lors de la fête qui suit la générale de *Cyrano de Bergerac,* Edmond Rostand y est accueilli par un tonnerre d'applaudissements. Pendant la Première Guerre mondiale, le restaurant devient le lieu de rencontre des pilotes de chasse. En mai 1927, Lindbergh y sera fêté après sa traversée de l'Atlantique et, en 1961, ce sera le tour du cosmonaute Youri Gagarine.

FÉLIX FAURE À LA MAIRIE DU Xᵉ ARRONDISSEMENT ▷
72, rue du Faubourg-Saint-Martin (Xᵉ)

Le 28 février 1896, le tapis rouge est déroulé jusque sur le trottoir pour accueillir le président de la République, Félix Faure, venu inaugurer la mairie du Xᵉ arrondissement – où il est né, rue du Faubourg-Saint-Denis. Une remise de décorations est prévue : l'architecte reçoit la croix de chevalier de la Légion d'honneur. Les maires des autres arrondissements sont présents et une foule nombreuse a été invitée. Grâce à trois orchestres, dirigés par le chef d'orchestre de l'Élysée, le bal dura jusqu'à l'aube.

INFLUENCE DE L'HÔTEL DE VILLE

La nouvelle mairie du Xᵉ arrondissement – ex-Vᵉ arrondissement, devenu Xᵉ en 1860 – avait fait l'objet de nombreux projets. Elle est finalement construite sur l'emplacement même de l'ancienne mairie, après expropriation de plusieurs immeubles.
En 1889, un concours supervisé par Charles Garnier et Eugène Alphand désigne Eugène Rouyer, des services d'architecture de la Ville. Cet architecte était arrivé en deuxième position au concours pour le projet du nouvel Hôtel de Ville – l'ancien ayant brûlé sous la Commune. Le parti architectural adopté pour la mairie du Xᵉ, d'inspiration Renaissance, est d'ailleurs proche de celui de l'Hôtel de Ville. La salle des mariages est décorée de *la Fraternité des peuples,* groupe sculpté dû à Jules Dalou et provenant de l'Hôtel de Ville. Les peintures très colorées des deux salons de la salle des fêtes, qui illustrent les cinq sens et divers aspects du Xᵉ arrondissement, datent des années 1906 à 1908.

La façade de la mairie du Xᵉ, dont l'ornementation Renaissance rappelle celle de l'Hôtel de Ville.

Sur l'une des piles du pont Mirabeau, la Ville de Paris, revêtue d'un manteau aux épaules décorées de mufles de lion, tient de la main gauche la hache d'un faisceau de licteur.

SOUS LE PONT MIRABEAU...
(XVᵉ et XVIᵉ) ▽

C'est à la suite d'une pétition des habitants des XVᵉ et XVIᵉ arrondissements, qui se plaignent de l'absence de communication entre les rives, qu'est construit le pont Mirabeau, de 1893 à 1896. Rabel, ingénieur chargé des ponts de Paris, assisté par Jean Résal et Amédée Alby, l'a conçu selon un principe qu'il venait de mettre au point et dont il avait déposé le brevet (pont en arc à culasses compensatrices ancrées sur les culées). L'emploi du métal – deux ossatures symétriques qui s'emboîtent par l'intermédiaire d'une articulation centrale, sur une portée de 100 mètres – lui permit de maintenir la hauteur nécessaire à la navigation, de passer au-dessus des voies de chemin de fer de la rive gauche tout en se raccordant au faible niveau des berges. Pour la première fois à Paris, les terrassiers travaillaient dans des caissons à air comprimé, dont le fond reposait sur le lit du fleuve. Ils y pénétraient par un sas et descendaient par une cheminée, qui servait aussi à remonter les déblais, expulsés par une manche. Le travail était dangereux, et les risques nombreux : saignements de nez, maux d'oreilles ou, pire, asphyxie ou inondation dans la chambre si les portes du sas ou de la chambre de travail n'étaient pas bien refermées lors des montées et descentes. Les deux piles figurent chacune la proue et la poupe d'une galère antique, sur lesquelles quatre figures allégoriques sont dues au sculpteur Jean-Antoine Injalbert : le Génie du Commerce, la Navigation, l'Abondance et la Ville de Paris.

De la Commune à la Belle Époque

UN DÉCOR HARDI ▷
14 et 16, rue d'Abbeville (Xᵉ)

Les 14 et 16, rue d'Abbeville, dont l'ornementation exubérante est caractéristique du début du siècle.

Par un arrêté préfectoral de février 1898, la municipalité instaure un concours annuel de façades afin d'inciter les architectes à apporter un soin particulier au décor des immeubles. Le numéro 16, construit un an avant l'Exposition universelle de 1900, est l'œuvre de l'architecte Georges Massa. Son décor sculpté exubérant est dû au ciseau de Dupuy ; les imposantes figures féminines, purement décoratives, n'ont aucune fonction porteuse. Le numéro 14, édifié en 1901 par les architectes Alexandre et Edouard Autant, le père et le fils, exalte le style Art nouveau. La façade en pierre et brique reçoit en son centre un abondant décor végétal et animal en grès flammé, œuvre d'un pionnier de la céramique architecturale, Alexandre Bigot. Hardi pour l'époque, ce décor attira dans la rue nombre de Parisiens curieux.

LA RÉVOLUTION DE PASTEUR ▽
Institut Pasteur, 25-28, rue du Docteur-Roux (XVᵉ)

C'est en juillet 1885, à l'École normale supérieure de la rue d'Ulm, où il avait organisé un service rudimentaire – vite débordé – pour les victimes du virus, que pour la première fois Louis Pasteur inocule à l'homme le vaccin contre la rage. En mars 1886, lors d'une séance à l'Académie des sciences, Pasteur affirme : « La prophylaxie de la rage après morsure est fondée. Il y a lieu de créer un établissement vaccinal contre la rage [...] Il faudra évidemment former dans l'établissement de Paris de jeunes savants qui iront porter la méthode dans ces lointains pays. »

LE « PALAIS DE LA RAGE »

À l'issue de la séance, dans l'enthousiasme général, une fondation est créée et une souscription ouverte en France et à l'étranger. Elle remporte un grand succès. Pasteur fait lui-même du porte-à-porte et affecte à la fondation les bénéfices de la vente des vaccins commercialisés en France depuis 1882. L'Institut est construit en 1887-1888 par l'architecte Félicien Brébant. L'inauguration par le président de la République, Sadi Carnot, est un événement salué par la presse. Le « palais de la Rage », ainsi que le nomme cette dernière, pastiche le style Louis XIII, avec sa pierre de taille et ses briques roses. Il s'agrandira de nouveaux bâtiments pour les tuberculeux, pour les maladies coloniales... En 1896, Pasteur ayant refusé d'être inhumé au Panthéon, une chapelle funéraire est édifiée sous la galerie par Charles Girault ; elle est décorée de mosaïques d'Auguste Guilbert-Martin et de peintures de Luc Olivier Merson. Les restes mortuaires de Pasteur y sont solennellement transférés. L'appartement de Pasteur et son laboratoire sont transformés en musée en 1936.

Avec sa coupole de style byzantin, la crypte de l'Institut Pasteur s'inspire du mausolée de Galla Placidia, à Ravenne.

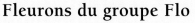

Fleurons du groupe Flo

Sept des plus belles brasseries parisiennes font partie du groupe Flo. Trois d'entre elles – Flo, Julien, le Terminus Nord – se trouvent dans le Xᵉ arrondissement. C'est en 1909 que M. Floderer donne son nom à la brasserie Hans, fameux dépôt de bière de la cour des Petites-Écuries, dont le décor Art nouveau est une fête pour les yeux. Le destin de la brasserie est marqué par le monde du théâtre : Sarah Bernhardt en fait son lieu de prédilection. Un succès qui se poursuit après son rachat en 1968 par le jeune Alsacien Jean-Paul Bucher. La troupe de Hair ainsi que Paul Meurisse, qui joue au théâtre Antoine, fréquentent assidûment les lieux. Fort de cette réussite, Jean-Paul Bucher rachète en 1972 le Terminus Nord, ancien café de gare appartenant à la Compagnie des chemins de fer du Nord et devenu une brasserie servant de la cuisine alsacienne sur fond de piano mécanique. Décoré de fresques immenses et de vastes miroirs, cet établissement regorge de statues, de lampes et d'affiches Arts déco. En 1975, Julien, célèbre bouillon du début du siècle au décor végétal renommé, rejoint la liste des acquisitions de M. Bucher. Depuis, quatre autres brasseries à Paris, quatre en province et quatre à l'étranger ont grossi le nombre des brasseries Flo pour constituer une véritable chaîne. Leur atmosphère élégante ajoute au plaisir de déguster leurs mets, qui se sont peu à peu banalisés.

Flo, 7, cour des Petites-Écuries, le Terminus Nord, 23, rue de Dunkerque, Julien, 16, rue du Faubourg- Saint-Denis (Xᵉ).

LA GLOIRE DE GUIMARD

Castel Béranger, 4-16, rue La Fontaine (XVIᵉ)

À la fin de l'année 1894, Hector Guimard, « architecte d'art » selon son expression, n'a que vingt-sept ans lorsque Élizabeth Fournier lui commande une maison de rapport. Cette veuve de soixante ans, appartenant à la bourgeoisie catholique d'Auteuil – il l'a peut-être rencontrée par l'intermédiaire de la Société historique d'Auteuil et de Passy –, souhaite faire un bon placement. Après une visite en Belgique, où sa rencontre avec l'architecte adepte de l'Art nouveau Victor Horta est déterminante, Guimard persuade sa cliente, alors que le gros œuvre est déjà achevé, de changer radicalement le parti architectural prévu, « caractérisé par un ton néomédiéval et un rigoureux appareil de pierre équarrie ».

LES FORMES MOUVANTES DE LA NATURE

Les trente-six appartements distribués sur six étages du castel Béranger – d'abord appelé castel Fournier, il devint le castel Béranger en raison de la proximité de l'ancien hameau Béranger – constituent le véritable manifeste de l'architecte. « Quand je construis une maison, quand je dessine un meuble ou que je le sculpte, je songe au spectacle que nous donne l'Univers. » Ainsi, « l'œuvre de la nature, qui contient trois principes absolus : la Logique, l'Harmonie, le Sentiment » est la base de son style. Et Guimard, concevant l'architecture comme un tout, donne autant d'importance au décor des façades dont il dessine les éléments – par souci d'économie, il a recours à la fabrication en série pour le bestiaire fantastique en fonte – qu'à l'aménagement des appartements, dont tous les éléments sont aussi couchés sur papier : cheminées, meubles, papiers peints, fenêtres à vitraux, boutons de porte, sonnettes…

LE « CASTEL DÉRANGÉ »

En 1898, année de son achèvement, le castel Béranger est primé au concours des façades, mais ses contemporains, choqués par cet « Art nouveau », le surnomment le castel dérangé. Le peintre Paul Signac, qui emménage au sixième sur rue dans un atelier couplé avec un appartement, écrit sur ce qu'il appelle « l'Excentric House » : « Les passants béent, des groupes chevelus discutent, les cyclistes se relèvent, les automobilistes s'arrêtent et lorsque le régiment défile, le colonel massivement se retourne et se congestionne. » Il termine par ces mots : « M. Guimard sera indiqué pour être le constructeur de la Maison joyeuse dans la Cité future. »

*La façade du castel Béranger,
d'où sont bannies symétrie et planéité.
Les balcons sont ornés d'un visage grimaçant,
œuvre du sculpteur Ringel d'Illzach,
qui créa aussi les hippocampes
ancrés sur les chaînages.*

*Hector Guimard (1867-1942), architecte
du castel Béranger et créateur du « style
Guimard », a surtout édifié des demeures
particulières. Une grande partie de son œuvre se
trouve concentrée dans le XVIᵉ arrondissement,
où lui-même s'était construit un hôtel particulier.*

*La porte d'entrée principale du castel Béranger,
où Balet enchassa des plaques de cuivre rouge
dans des circonvolutions de fer forgé, donne accès
à un vestibule décoré par le céramiste Alexandre
Bigot de panneaux de grès vernissé brun aux reflets
verts encastrés dans une armature métallique.*

L'EXPOSITION UNIVERSELLE DE 1900 ▽ ▷

Grand Palais, avenue Winston-Churchill (VIIIe) et pont Alexandre-III (VIIe et VIIIe)

À partir de 1867 et jusqu'en 1900, les Expositions universelles se succéderont à Paris tous les onze ans. Dès la fin de celle de 1889, qui avait vu le triomphe du fer (galerie des Machines et tour Eiffel), rendez-vous avait été pris pour l'année 1900. En 1892, le président de la République Sadi Carnot officialise ce projet par décret afin de devancer un éventuel projet de la Prusse pour Berlin. Cette perspective entraîne la modification de tout le quartier entre les Invalides et les Champs-Élysées. Une commission préparatoire de quatre-vingt-quatorze membres décide de placer dans l'axe de l'esplanade des Invalides le pont qui devait relier la future gare d'Orsay à la rive droite. Un concours pour les futurs palais d'exposition est ouvert en 1894, laissant une entière liberté aux cent huit concurrents. Le projet de percer une avenue dans l'axe du nouveau pont, que seuls une vingtaine d'entre eux avaient envisagé, est retenu, ce qui entraîne la destruction du palais de l'Industrie construit en 1855 – le Grand Palais le remplacera et bordera l'avenue à l'ouest – et celle du pavillon de la Ville de Paris, remplacé par le Petit Palais.

LE GRAND PALAIS

Le Grand Palais, qui doit à la fois être palais des Beaux-Arts et accueillir les fêtes et les concours hippiques, est réalisé de 1897 à 1900 par trois architectes, Louis Louvet, Henri Deglane et Albert Thomas, supervisés par l'architecte du Petit Palais, Charles Girault.
Le plan retenu est celui d'un H permettant de préserver les plantations existantes. Le bâtiment est un immense hall métallique à vaste coupole, habillé de façades de pierre de style classique. Les pierres, provenant de la France entière, étaient acheminées par bateau puis transportées par un pont roulant, des wagonnets et trois grues mobiles. Mais le chantier employait aussi des équipes de bardeurs déplaçant d'énormes blocs de pierre comme au temps des pyramides. Un restaurant coopératif avait été établi sur les quais pour les mille cinq cents ouvriers.

LE PONT ALEXANDRE-III

Le 7 octobre 1896, le tsar Nicolas II, « poursuivant la politique d'alliance avec la France amorcée par son père, Alexandre III », et le président Félix Faure posent la première pierre du pont Alexandre-III.
Sa construction est soumise à des impératifs techniques – ne pas gêner la navigation – et à un impératif esthétique – préserver la perspective sur la Seine et sur les Invalides. L'ingénieur Amédée Résal, assisté des architectes Cassien-Bernard et Gaston Cousin, est l'auteur de cet ouvrage d'art métallique dont le caractère monumental et décoratif se double d'une prouesse technique : d'une seule portée de 109 mètres, il supporte sur toute la longueur de son tablier une décoration exubérante en fonte (oursins, étoiles de mer, mascarons reliés par des guirlandes d'algues et de coquillages…) qui sert de contrepoids. Quatre pylônes, dont la décoration symbolise des périodes de l'histoire de France, marquent l'entrée du pont ; ils sont surmontés par des renommées qui célèbrent les Arts, le Combat, la Guerre, les Sciences et l'Agriculture.

Surmontant le pylône aval du pont Alexandre-III, rive gauche, la Renommée de la guerre de Clément Steiner.

Le paradis des philatélistes

Au carré Marigny, à deux pas du Grand Palais, les philatélistes parisiens se donnent rendez-vous le jeudi, le samedi, le dimanche et tous les jours fériés. Cette Bourse aux timbres existe depuis 1860. Elle s'implanta tout d'abord dans les jardins des Tuileries, et les collégiens furent les premiers à y échanger avec passion leurs timbres de collection. Dès 1864, les adultes sont gagnés par cette fièvre, et le marché émigre alors au Luxembourg, puis au carré Marigny. Les petites vignettes d'affranchissement postal attirent déjà les foules deux fois par semaine ; graphiques ou colorées, anciennes, vierges ou oblitérées, ces miniatures déclenchent de durables emballements. L'engouement philatélique connaît un formidable essor au moment de la Seconde Guerre mondiale : investisseurs et spéculateurs trouvant dans les timbres une valeur refuge, les cours se mettent à flamber. Devant tant de succès, le carré Marigny est transformé et réorganisé sous la houlette de la Ville de Paris. Actuellement, les négociants sont dûment inscrits au registre du commerce et disposent d'une place fixe, à toit bâché, louée par la Ville. Les collections thématiques sont riches, les timbres récents et semi-modernes de tous les pays abondent, oblitérés ou non. Les prix varient de un à dix mille francs la pièce, pour les plus rares ou les plus anciens, et l'échange entre amateurs reste pratiqué. Enfin, depuis quelques années, les cartes téléphoniques aux icônes bigarrées côtoient les étals de timbres : les collections de Télécarte représentent déjà 10 % du marché.
Le marché aux timbres, carré Marigny (VIIIe).

TRIOMPHE DE LA PIERRE AU PETIT PALAIS ▽ ▷

Avenue Winston-Churchill (VIIIe)

Construit pour l'Exposition universelle de 1900 et destiné à abriter la rétrospective de l'art français, le Petit Palais est l'œuvre de l'architecte Charles Girault. Si les palais érigés à l'occasion des Expositions universelles n'étaient en général que des monuments provisoires, le Petit Palais et le Grand Palais doivent composer, avec le pont Alexandre-III, un ensemble urbain permanent. Le Petit Palais est destiné à abriter les collections artistiques de la Ville. Les contraintes du terrain sont à l'origine du plan particulier de ce monument : un long parallélogramme servant de base à une cour circulaire bordée de portiques et de trois bâtiments tangents. Si le fer avait prédominé pour l'Exposition de 1889, celle de 1900 voit le triomphe de la pierre. Le Petit Palais, où, « employée comme moyen de construction, elle permet un déploiement architectural que le fer proscrit, malgré toute l'ornementation qu'on est susceptible de lui donner », est le témoin le plus parlant de ce retour à l'académisme.

Le Petit Palais, conçu par Charles Girault pour être le musée de la Ville de Paris.

Le pont Alexandre-III, débouchant sur le Grand Palais, tous deux réalisés pour l'Exposition universelle de 1900. Le Grand Palais a également abrité l'Exposition de 1925 et celle de 1937, dont il a conservé le palais de la Découverte, ainsi que divers Salons. Il se consacre aujourd'hui aux expositions et Salons.

L'Harmonie triomphant de la Discorde, quadrige placé à l'angle de la façade principale du Grand Palais, côté Seine. L'Immortalité devançant le Temps occupe l'autre angle. Ces groupes sculptés furent réalisés par Georges Récipon en cuivre martelé et noyé dans du ciment.

LA DERNIÈRE GARE PARISIENNE ▷
Gare d'Orsay (actuel musée d'Orsay), 1, rue de Bellechasse (VIIe)

En 1895, la Compagnie des chemins de fer d'Orléans possède déjà la gare d'Austerlitz, mais elle souhaite installer plus avant dans la capitale un terminus destiné aux voyageurs. Les ruines du palais d'Orsay, incendié sous la Commune, sont l'emplacement idéal pour un édifice monumental et un luxueux hôtel adjacent, qui doivent être prêts pour l'Exposition universelle de 1900. L'architecte Victor Laloux, qui remporte le concours organisé en 1898, construira cette dernière gare parisienne. Derrière la façade en pierre de taille réclamée par l'État, l'édifice est entièrement tenu par une structure métallique enfouie dans la maçonnerie et partout masquée. Il semble reposer sur le sol, mais de profonds poteaux invisibles le soutiennent. À l'intérieur, les piliers sont recouverts de brique puis de staff. Dans l'hôtel « enroulé » autour de la gare, l'escalier et le hall étaient recouverts de staff imitant le marbre. L'électrification de la gare permit d'installer les voies ferrées en sous-sol et les services au rez-de-chaussée, sous une halle de verre. En 1907, l'installation d'un trottoir roulant constituera une grande attraction.
En 1939, le trafic des grandes lignes sera reporté à la gare d'Austerlitz, et la gare d'Orsay ne desservira plus que la banlieue. Dès 1961, la SNCF projette de vendre les bâtiments ; l'hôtel sera fermé en 1973.
VOIR AUSSI LE MUSÉE D'ORSAY, p. 371.

Façade classique et démesure du décor – énormes horloges, statues colossales de villes, profusion d'ornements – font l'originalité de la gare d'Orsay.

Travailleurs du monde entier ◁

Église Notre-Dame-du-Travail,
59, rue Vercingétorix (XIVe)

🐱 Œuvre de l'architecte Jules Astruc, l'église paroissiale Notre-Dame-du-Travail est édifiée entre 1899 et 1901 en remplacement de l'église Notre-Dame-de-Plaisance, devenue trop petite. Contemporaine de l'Exposition universelle de 1900, elle doit son appellation à la volonté de ses abbés désirant que « les travailleurs des deux mondes puissent venir prier dans le sanctuaire de la Vierge du Travail [...] tandis que s'ouvrira le palais des produits du travail ». L'abbé Soulange-Bodin lança pour sa construction une souscription populaire, mais les fonds recueillis furent peu importants.

L'ÉGLISE DES OUVRIERS

L'originalité de l'édifice réside dans sa structure en fer : les voûtes sont des arceaux métalliques, et ses chapiteaux des colonnettes de fer terminées par de fines nervures semblables à des feuilles de palmier. Ce matériau nouveau fut employé officiellement par mesure d'économie, mais sans doute aussi, de façon symbolique, parce que l'église était implantée dans un quartier ouvrier, proche de la gare Montparnasse et des cheminots. Des moellons ayant servi à la construction du palais des Tissus de l'Exposition de 1900 ont été utilisés pour les façades latérales. Le tympan est décoré d'une mosaïque néobyzantine de Dufour-Chaptal. Les dix chapelles latérales sont décorées de frises de fleurs stylisées et de peintures de Giuseppe Ubertie et d'Émile Desouches représentant les saints patrons du travail.

L'intérieur de Notre-Dame-du-Travail, dont la structure métallique reproduit le plan de l'église traditionnelle à trois vaisseaux.

Le triomphe de la République ▷

Place de la Nation (XIIe)

🐱 En 1879, la Ville de Paris ouvre un concours afin d'ériger une statue à la gloire de la République sur l'ancienne place du Château-d'Eau, qui devient à cette occasion la place de la République. Le lauréat est Léopold Morice. Mais le jury est impressionné par le modèle du sculpteur Jules Dalou et lui propose de l'acheter pour la place du Trône, baptisée en 1880 place de la Nation. Un premier modèle en plâtre, grandeur nature, est inauguré pour le centenaire de la Révolution. Il fallut encore dix ans à Dalou pour achever son œuvre en bronze, au centre d'un bassin qu'il désirait peuplé de chimères et de monstres crachant sur le groupe central, symboles de la réaction voulant nuire à la République naissante. Après la mort de Dalou, le sculpteur Georges Gardet peupla le bassin d'alligators. Le bassin a disparu et les alligators ont été fondus sous l'Occupation.

Le char de la Nation, où se tient la République, est tiré par des lions qui symbolisent le suffrage universel et flanqué par la Justice et le Travail (le forgeron). C'est la première fois en France qu'un ouvrier est ainsi héroïsé. Le travail intellectuel est évoqué par un enfant portant des livres.

UNE RUE À VOCATION INDUSTRIELLE ◁
Immeuble du 121, rue Réaumur (IIᵉ)

🔑 La percée de la rue Réaumur, projetée dès 1860, n'est réalisée qu'entre 1895 et 1896.
Le président de la République Félix Faure l'inaugure en février 1897, dans les gravats.
Le tout-à-l'égout avait été installé de part et d'autre de la chaussée afin de laisser l'espace central pour le futur métro. Quelque cinquante investisseurs, souvent des particuliers, s'étaient partagé les terrains libérés par la Ville pour y élever des immeubles de bureaux, et la Ville de Paris avait organisé, pour la première fois, un concours de façades afin de « stimuler les goûts artistiques des architectes ».
La construction des immeubles se poursuivra jusqu'en 1910. Cette rapidité d'édification explique la grande homogénéité des façades de la rue.
L'immeuble monumental du numéro 121 a été construit en 1920 par l'architecte Charles Ruzé, face à la Bourse ; il est caractéristique des constructions de la rue par ses pans de verre sertis de liserés de métal.

L'immeuble du 121, rue Réaumur, dont l'étage central est à vocation industrielle et les parties hautes à usage d'habitation. Il offre une rotonde tréflée caractéristique sur l'angle qu'il forme avec la rue Notre-Dame-des-Victoires.

LA VITRINE DU BÉTON ARMÉ ▷
Immeuble du 1, rue Danton (VIᵉ)

🔑 Édifié en 1901, cet immeuble de la rue Danton est le premier bâtiment parisien entièrement en béton armé. Il est alors la vitrine d'un entrepreneur audacieux, François Hennebique, qui doit sa réussite à une politique commerciale agressive et au développement multinational de son entreprise, constituée d'un réseau d'agents et de concessionnaires. Hennebique n'est pas l'inventeur du béton armé, mais il a joué un rôle important dans la promotion de cette technique. Jusqu'en 1967, l'immeuble sera le siège de l'entreprise Hennebique, spécialiste du béton armé.

LE SYSTÈME HENNEBIQUE

En 1882, Hennebique avait déposé un brevet pour un système d'armature dans la construction en béton, constitué de deux rangées de fers ronds maintenus par des étriers – ces derniers deviendront l'emblème de l'entreprise –, qui fut appelé système Hennebique.
Pour le siège de sa firme, Hennebique fait appel à l'architecte Edouard Arnaud. L'emploi du système Hennebique permet à ce dernier d'implanter un immeuble de six étages sur une parcelle fort exiguë, mais il dissimule le tout nouveau matériau sous un enduit imitant la pierre. Le chantier, où le béton est coulé sur place, intéressa vivement les Parisiens. Hennebique publiait aussi des brochures explicatives et attirait l'attention sur ses planchers en acier et béton de ciment, qui étaient à l'épreuve du feu. À une époque où le feu constituait une des obsessions des architectes, c'était une des grandes qualités de son système.

Bien qu'il soit en béton armé, cet immeuble garde l'aspect traditionnel des édifices de la fin du XIXᵉ siècle. En détail, l'une des plaques décoratives portant l'inscription « système Hennebique », dont ce dernier a parsemé sa façade.

Tournez, manèges !

Au centre des Halles, au creux du jardin du Trocadéro, sur la place de la République et celle de la Nation, au pied de la butte Montmartre, à la sortie du métro Marx-Dormoy…, des manèges sédentaires bénéficient de concessions à l'année. Les plus anciens, à chevaux de bois, datent du début du siècle.
Richement peints et redorés, ces manèges sont décorés de miroirs et de petits tableaux mettant en scène des destinations lointaines, des fêtes et des mascarades. Les plus beaux portent encore le limonaire d'où s'égrenaient les ritournelles. Certains sont exclusivement peuplés de chevaux blancs ou noirs qui montent et descendent le long de fines torsades, de tourniquets baroques et de carrosses enluminés, d'autres mêlent animaux de ferme (cochons, lapins) et animaux de contes de fées (cygnes, licornes…). La gent animale a peuplé les manèges suivant les modes : si la basse-cour était à l'honneur vers 1880, les animaux exotiques (girafes, éléphants) firent leur apparition dans les années 1890. Mais ce peuple animalier devint des plus surprenants dans les années soixante, les personnages de fiction et de dessins animés venant disputer la vedette aux classiques. Les manèges d'après-guerre sont pour le moins hétéroclites : la fête est aux Mobylette et aux héros américains. Ainsi, au manège de Marx-Dormoy, Donald et son œil blagueur voisine avec une Motobécane lilliputienne, des avions jaune citron, un joyeux cochon et un cheval à bascule. Et la vie de tout ce petit monde-là tourne toujours aussi bien…

PROMOTION DE LA CÉRAMIQUE ◁
Façade du 29, avenue Rapp (VIIe)

Cet immeuble, construit par l'architecte Jules Lavirotte, présente l'une des façades Art nouveau les plus étonnantes de Paris ; elle fut primée au concours de façades de la Ville de Paris en 1901. Le rapport du jury indique : « C'est le premier exemple de l'application de la céramique utilisée pour la construction courante dans les conditions où elle est employée, et sur une aussi grande échelle. »

UNE SYMPHONIE DE GRÈS COLORÉS
L'architecte s'est en effet donné pour mission de faire de cette maison de rapport en ciment armé une sorte de catalogue des produits de son propriétaire, le céramiste Alexandre Bigot, qui entend montrer l'étonnante créativité que permettaient ses différents matériaux, choisis ici dans des couleurs chaudes et brillantes. « Les éléments de grès sont à la fois des éléments de construction et de décoration. La porte, due au sculpteur Jean-Baptiste Larrivé, est appliquée sur la pierre ; le modèle original et unique, exécuté en terre à grès d'après les dessins de l'architecte, a été cuit directement, sans passer par les diverses opérations de moulage. J'ai procédé par ce mode de cuisson directe des modèles pour les principales pièces, comme le grand arc, les fenêtres et leur entourage, le balcon du cinquième étage [...] réalisant ainsi une notable économie sur les procédés ordinaires. » Au-dessus de la porte, entre les représentations d'Adam et Ève, la figure de femme enveloppée d'une étole de renard serait celle de la femme de l'architecte, Mme Lavirotte.

*Tout un bestiaire est représenté
à l'entrée du 29, avenue Rapp :
poignée de porte en forme de lézard,
scarabées, bœufs cornus, tortues tricéphales…*

UN PALAIS POUR LA COUR DES COMPTES ▷
13, rue Cambon (Ier)

« La Cour des comptes est la plus grosse usine à paperasseries de France. En effet, l'État, qui a toujours peur d'être volé, exige de tous les fonctionnaires qu'ils fassent vérifier leurs factures » (1918). C'est Napoléon Ier qui, par une loi du 16 septembre 1807, institua et organisa cette haute juridiction, en lui confiant la double mission de contrôler et de juger tous les faits de recettes et de dépenses intéressant les deniers de l'État. Jusqu'à son incendie en 1871, sous la Commune, elle siégeait au palais d'Orsay. Pendant un quart de siècle, les ruines du palais, envahies par la végétation – que Camille Flammarion appelait « la forêt vierge de la Cour des comptes » –, ont fait partie du paysage parisien : le grand escalier d'honneur, des colonnes et des statues étaient encore visibles. La Cour fut logée au Palais-Royal en attendant la construction du nouveau bâtiment, qui entraîna la démolition du couvent des Dames-de-l'Assomption. Faute de crédits, le palais, commencé en 1899, ne fut achevé qu'en 1910. Le 12 janvier, les ouvriers du chantier arboraient sur le faîte le rameau symbolique annonçant la fin des travaux.

*Portique d'entrée de la Cour des comptes avec,
au-dessus des portes, les symboles de la République.*

La grande dame de la mode

En 1910 apparaît une jeune fille, Coco, dont la silhouette épurée et sobre se détache sur la foule des femmes aux lourds chignons et aux capelines encombrantes, engoncées dans des jupes rigides et des corsets à baleines. Dans l'univers contraint de la mode féminine d'alors, la première collection de jersey pour femmes que lance Gabrielle Chanel à Biarritz dès 1916 a le charme de la révolte et célèbre le mouvement, l'élégance confortable et pratique. « Si je me suis lancée dans ce métier, c'est pour démoder ce qui me déplaisait. » Ses trouvailles (parfums Chanel en 1924, chaînes à pendentifs en 1934, parfum N° 5 en 1954) et sa personnalité révoltée allaient marquer définitivement l'univers de la haute couture.
Plusieurs créateurs perpétuent aujourd'hui l'esprit de Chanel sous la houlette de Karl Lagerfeld. Connu pour sa personnalité extravagante et son sens de l'innovation, ce dernier devient en 1983 le directeur des collections haute couture et le consultant artistique de l'ensemble de la production de la maison Chanel. « Ma Coco préférée c'est celle des débuts, la révoltée, la fantasque [...] C'est à elle que je pense quand je crée mes collections. »
Chanel, c'était aussi une certaine philosophie du luxe, de la simplicité et de la beauté : « Rien n'est plus beau que le vide, [il faut] le meubler bien avec des choses tranquilles. » Symétrie et équilibre règnent dans l'immeuble de la rue Cambon, que Chanel décora en 1928 : murs beiges en daim froissé et meubles noirs se reflètent dans une succession de miroirs, tandis que des lis immaculés règnent sur les comptoirs laqués où sont présentés parfums et cosmétiques. Les célèbres escaliers en glace biseautée et fer forgé conduisent aux étages, où des vêtements sobres, aux matières nobles et aux teintes subtiles, sont disposés à l'envi par les mains gantées de blanc des vendeuses.
Chanel, 29-31, rue Cambon (Ier).

LA NOUVELLE GARE DE LYON ◁
20, boulevard Diderot (XIIe)

Un premier embarcadère fut construit en 1849 par Alexis Cendrier à l'emplacement de l'actuelle gare pour desservir la ligne de Paris-Lyon-Marseille, déclarée d'intérêt national depuis 1842. En raison du trafic croissant, il fut agrandi à plusieurs reprises avant d'être complètement transformé, entre 1895 et 1902, par l'ingénieur de la compagnie PLM, Denis Toudoire, en vue de l'Exposition universelle. Une partie de l'ancienne gare fut conservée et encastrée dans les nouveaux bâtiments. La longue façade, caractéristique de l'art officiel 1900, est ornée d'un imposant décor sculpté glorifiant le progrès – la Mécanique, la Navigation, la Vapeur et l'Électricité – et les nombreuses possibilités touristiques du réseau PLM – la Pêche, la Chasse, la Méditerranée... Dans le hall des départs, recouvert d'une verrière métallique, un vaste panorama des sites desservis est une invitation au voyage.

Œuvre de Paul Garnier, le campanile de la gare de Lyon (63 mètres de haut),
inspiré des hôtels de ville du nord de la France, exhibe un cadran d'horloge sur ses quatre faces.

L'HÔTEL DU VERRIER LALIQUE ▽
40, cours Albert-Ier (VIIIe)

René Lalique mena d'abord une carrière de bijoutier, de 1885 aux environs de 1900, puis de verrier, jusqu'à sa mort, en 1945. En 1902, il élève avec les architectes Louis et Alfred Feine un hôtel particulier de style néogothique pour abriter sur trois niveaux ses ateliers et ses salles de vente. Les quatre derniers étages abritent des appartements et les mansardes, avec le logement des domestiques. Il en conçoit toute la décoration. Le thème végétal – pin, fougère – est présent sur les chapiteaux, la rampe d'escalier et les plafonds, tandis que le serpent, dans les chenets en bronze, s'associe au caméléon des lustres. Au bout du hall d'entrée, une porte en verre et fer forgé inspire à un contemporain le commentaire suivant : « Lalique est un solitaire et un farouche qui vit dans une sorte de rêve laborieux [...] la solidité et la fragilité de cette barrière qu'il a ornée de ces gestes d'hommes nus cherchant à en forcer l'accès pour pénétrer dans le sanctuaire de son travail et de ses songes sembleront expressives du caractère de l'homme. »

Les troncs d'épicéa de la porte d'entrée,
formée de petits panneaux de verre enchâssés
dans des montures d'acier,
sont le thème dominant de la façade de Lalique.

La salle Dorée (18,50 m de long sur 9 de large) doit son nom à la dorure de ses stucs.
Au plafond, des paysages du nord-est de la France ainsi que de la Méditerranée.

INVITATION AU VOYAGE △
Le Train Bleu, buffet de la gare de Lyon, 20, boulevard Diderot (XIIe)

Au XIXe siècle, les gares terminus sont conçues comme de véritables monuments, et les compagnies de chemin de fer rivalisent entre elles pour donner un décor magnifique aux salles de restaurant et hôtels de voyageurs, fort lucratifs. À la gare de Lyon, le bâtiment d'arrivée a été entresolé pour y loger le buffet, d'autant plus somptueux que l'Exposition universelle de 1900 allait y drainer un public nombreux. Il est inauguré le 7 avril 1901 par le président de la République, Émile Loubet.

PAYSAGES DU RÉSEAU PLM
L'architecte-décorateur de la compagnie PLM, Marius Toudoire, frère de l'ingénieur qui dirigea les travaux de la gare, est chargé de la décoration des deux grandes salles du Train Bleu – la salle Dorée et la Grande Salle, hautes de 11 mètres et totalisant une longueur de près de 44 mètres. Il fait appel à trente peintres académiques pour les paysages et les sites traversés par le réseau PLM ainsi que pour le décor exotique du salon tunisien et du salon algérien ; cette profusion d'artistes sans doute due à l'urgence du chantier, la gare devant être terminée à temps pour l'Exposition. Invitation au voyage, les toiles marouflées sont environnées d'une exubérante décoration sculptée en relief d'Edouard Lefèvre. Sur l'une des peintures – *Orange,* d'Albert Maignan –, les directeurs de la compagnie, commanditaires de l'ensemble, sont représentés aux côtés de célébrités du moment, Sarah Bernhardt, Réjane, Edmond Rostand... De nombreux écrivains, en particulier Louise de Vilmorin, ont évoqué le décor du Train Bleu dans leur œuvre.

L'INFÂME BÉTON ▽
Immeuble, 2, rue Eugène-Manuel (XVIᵉ)

🔑 Cet immeuble a été édifié en 1903 par l'architecte Charles Klein et l'entrepreneur en béton armé François Hennebique ; Émile Muller recouvrit sa façade de grès cérame jaune d'ocre et vert amande. L'emploi d'un décor exubérant – chardons, rosiers, lierre grimpant ou liane fleurie –, caractéristique de l'Art nouveau, sur un immeuble en béton armé est révélateur d'une époque où l'on considère que ce matériau nouveau doit être caché : « Employé seul, ce matériau si intéressant n'aboutit qu'à un ensemble gris et à des lignes molles. Le grès est appelé à réveiller sa tonalité, à accuser les saillies. » De plus, « le grès nécessite un entretien moindre : plus de coûteux ravalements, un simple lavage, la résistance au temps promet d'être infinie ; enfin les motifs décoratifs, une fois le modèle établi, peuvent se répéter indéfiniment sans avoir recours à la coûteuse main-d'œuvre des praticiens ».

Pour son exubérant décor, cette façade fut primée au concours de la Ville de Paris.

LE MÉTRO, UNE ŒUVRE D'ART △
Station Porte-Dauphine (XVIᵉ)

La forme de l'édicule de la station Porte-Dauphine lui valut son surnom de libellule.

🚇 En 1886, dix ans avant que le ministre des Travaux publics ne donne l'autorisation à la Ville de Paris de réaliser le métro, l'architecte Charles Garnier, porte-parole de l'Institut, lui écrivit : « Le métro, aux yeux de la plus grande partie des Parisiens, n'aura guère d'excuse que s'il repousse absolument tout caractère industriel pour devenir complètement œuvre d'art [...] Paris doit rester un musée. »

LES ÉDICULES DE GUIMARD

En 1899, la jeune Compagnie du métro parisien ouvre un concours pour des édicules destinés à protéger certaines entrées de station. Un dénommé Durray remporte le premier prix, mais le président du conseil d'administration, le banquier Alain Bénard, admirateur de l'Art nouveau, choisit Hector Guimard. L'architecte accepte d'abandonner la propriété des édicules à la compagnie, ainsi que ses droits de reproduction.
Guimard dessine deux modèles et choisit la fonte pleine pour sa résistance et son prix de revient économique. L'utilisation d'éléments modulaires, soigneusement retouchés et polis et assemblés en combinaisons variées, permettait d'éviter la monotonie et de varier la largeur des accès. Le style de ces entrées fut mal accueilli, et un journaliste du journal *le Temps* écrivit : « Ces hiéroglyphes désordonnés jettent dans un émoi excusable les petits enfants à qui on apprend leurs lettres dans un alphabet français, et ils causent la stupeur des étrangers en promenade dans Paris. » L'édicule de la station Porte-Dauphine, installé en 1902, est l'un des derniers en place avec celui de la place des Abbesses, originairement place de l'Hôtel-de-Ville.

L'AUDACE DES FRÈRES PERRET ◁
Immeuble du 25 *bis*, rue Benjamin-Franklin (XVIᵉ)

🔑 Avec sa façade en U – une manière de remplacer la cour intérieure qu'empêchait l'exiguïté de la parcelle –, ses neuf étages, ses pièces de service sur la rue, ses poteaux en béton armé remplaçant les murs porteurs, ce qui permettait de disposer les cloisons des pièces selon le désir des habitants, cet immeuble fit l'objet de vives polémiques. D'autant que les « architectes-entrepreneurs-ingénieurs », Auguste et Gustave Perret, n'ont pas cherché à en masquer l'ossature, qui devient un élément essentiel du parti architectural. Preuve était ainsi faite que l'on pouvait, grâce au béton, construire sur des parcelles étroites difficilement exploitables avec les matériaux traditionnels. Mais, n'osant pas laisser à nu le béton des murs, les Perret firent recouvrir la façade de panneaux en grès d'Alexandre Bigot où des végétaux semblent comme incrustés.

UNE PÉPINIÈRE D'ARCHITECTES

Les architectes s'étaient réservé un appartement au septième étage, tandis que l'atelier d'Auguste occupait le dernier niveau, avec terrasse. Au rez-de-chaussée se trouvait le siège de l'entreprise Perret. Dans les années vingt, elle devint un lieu de référence important pour les jeunes architectes : Le Corbusier y travailla. En juin 1905, les deux frères étaient assis avec un journaliste sur la terrasse, et Gustave rêva : « L'immeuble par lui-même a 33 mètres de hauteur[...] mon frère et moi rêvons de faire mieux et espérons bien un jour construire une maison de vingt étages. »

Grâce à une lettre d'Auguste Perret confessant les défauts de sa construction, l'immeuble de la rue Benjamin-Franklin, non conforme aux règlements de voirie, ne fut pas démoli.

L'institut médico-légal

Quand, en 1923, l'institut médico-légal s'installe en bord de Seine, sur le quai de la Rapée, il s'inscrit dans une tradition. Les morgues se construisent au bord des fleuves, et souvent en amont, pour récupérer au fil de l'eau les cadavres des noyés avant qu'ils ne pénètrent dans la ville. La morgue est alors un endroit fréquenté, ouvert le dimanche pour permettre aux familles de reconnaître les personnes décédées sur la voie publique.

Depuis, la construction des voies sur berge et de la ligne de métro aérien qui traverse à cet endroit-là la Seine a coincé l'institut médico-légal et sa petite cour entre le flot incessant des voitures et les rames bleu et blanc de la RATP. Comme si la ville rejetait dans un de ses coins disgracieux la mort des inconnus et des assassinés.

En moyenne, c'est à un peu plus de trois mille cinq cents corps que la morgue ouvre ses portes. Au-rez-de-chaussée, domaine des médecins légistes et des « garçons d'amphithéâtre », comme les nomme l'Administration, se trouvent la salle de réception et de déshabillage, la galerie réfrigérée, quatre chapelles, une pièce de mise en bière et une salle dite « de catastrophe » pour cent cinquante corps, créée à la suite de l'accident d'avion d'Ermenonville (1974). Au premier étage se tiennent les bureaux de l'Identité judiciaire.

De temps en temps, un corbillard tout noir pénètre dans la cour de la morgue. Un métro passe au-dessus, faisant crisser ses roues. Des Parisiens bloqués dans les embouteillages regardent sans comprendre. Curieux, ils morguent, comme on disait en vieux français – ils observent.

La communauté arménienne de Paris ▷

Église apostolique arménienne,
15, rue Jean-Goujon (VIIIe)

C'est grâce à un généreux donateur, M. Mantachef, qu'Albert Guilbert, architecte de la chapelle dédiée aux victimes de l'incendie du Bazar de la Charité, dota en 1903 la communauté arménienne de Paris d'un temple pour son culte.

Selon la coutume, l'auteur a conservé le plan carré et la lanterne octogonale coiffée de sa toiture pyramidale. Il s'est inspiré de la petite église du sanctuaire d'Akhtamar, perdu au milieu du lac Van, dont il a même fait photographier les frises par grand soleil pour donner ses instructions au sculpteur, Dufeu. Comme l'exige le rite, l'édifice est isolé de tout bâtiment adjacent par deux corridors. Entouré de quatre petites chapelles fermées, le Gavith, sorte de vestibule de purification, précède le sanctuaire.

Un édicule à colonnettes loge les cloches de l'église apostolique arménienne, car, faute de place, il était impossible de construire le campanile latéral traditionnel.

Le viaduc d'Austerlitz ▽

(XIIe et XIIIe)

Proche du pont du même nom, cet ouvrage a été construit en neuf mois, en 1904, pour le passage du métropolitain par l'ingénieur Louis Biette, en collaboration avec l'auteur du métro, Fulgence Bienvenüe. Comme l'ouvrage ne devait avoir aucun appui dans le fleuve pour ne pas gêner la navigation, son arc franchit 107 mètres pour une ouverture entre les appuis de 140 mètres. Outre une prouesse technique – le record précédent était celui du pont Alexandre-III (109 mètres) –, il est le premier à posséder un très long tablier suspendu à deux arcs métalliques à trois rotules, l'une à la clé, les deux autres en avant sur la ligne de l'arc. La rampe hélicoïdale qui prolonge le viaduc sur la rive droite, opérant un virage à 90 degrés avec un rayon de courbure de 75 mètres et une pente de 4 centimètres par mètre, est l'œuvre de l'architecte Jean-Camille Formigé, ainsi que les éléments décoratifs de l'ouvrage, où domine le thème de la mer – dauphins, coquillages, algues…

LE CÉRAMIC-HÔTEL ▷
34, avenue Wagram (VIIIᵉ)

🔒 Cet ancien hôtel particulier construit en 1904 par Jules Lavirotte fut primé au concours de façades de la Ville de Paris de 1905. C'est la deuxième fois que cet architecte est distingué (il le sera à nouveau en 1907). L'exiguïté du terrain lui imposa le parti d'un édifice étroit et élancé – ce que permit l'emploi du béton armé –, composé d'une superposition d'étages et de mansardes. Ses sobres façades constituent une nouvelle expérience dans l'emploi du grès flammé comme revêtement de grandes surfaces : les carreaux du céramiste Alexandre Bigot, avec qui Lavirotte avait déjà travaillé, dessinent des motifs végétaux se ramifiant autour des bow-windows et des balcons. Le rapport du jury mentionnait d'ailleurs : « Le principal intérêt de cette maison est dans l'emploi de la brique et de la faïence émaillée qui revêt la construction depuis son soubassement jusqu'à son sommet. » Les motifs de glycine qui décorent les balcons sont l'œuvre du sculpteur Laphilippe. L'immeuble, dont l'appellation Céramic-Hôtel est plus tardive, fut transformé en hôtel de tourisme.

Le Céramic-Hôtel est l'un des plus célèbres exemples de l'Art nouveau.

La planète Tati

Au commencement était le magasin du boulevard Barbès (XVIIIᵉ), et dans ce Tati des origines se pressaient au coude à coude femmes arabes en djellaba, étudiantes fauchées et bourgeoises en quête d'une bonne affaire, tant il est vrai que le bouche-à-oreille a fait la réputation de la boutique au papier vichy rose et blanc. Les magasins ont essaimé aux quatre coins de Paris et en province, mais l'esprit maison demeure : les produits s'accumulent sans recherche dans des bacs pris d'assaut, et le client ne coupe pas à certains rituels désuets, comme l'obligation de faire enregistrer ses achats sur une fiche avant de passer à la caisse. Arborer la griffe Tati, « La rue est à nous », du créateur Alaïa, fut un temps du dernier chic : belle revanche posthume pour le petit juif tunisien, Jules Ouaki, son fondateur, méprisé par les gens du métier. L'après-guerre est dur pour les Parisiens fauchés et le premier magasin innove en affichant ses prix déjà « les plus bas » et en proposant – pour la première fois – des textiles en libre-service. Le secret de la prospérité de cette entreprise familiale et paternaliste, c'est une rotation rapide de marchandises peu chères et à la mode, sur lesquelles se ruent des clientes possédées de la frénésie des bonnes affaires. Même les Japonais n'ont pas su y résister !

LE COMMERCE SELON FÉLIX POTIN
Magasin Félix Potin (actuel Tati), 140, rue de Rennes (VIᵉ) ▽

🔒 Après avoir travaillé quelque temps chez un épicier, Félix Potin décida, à vingt-quatre ans, de s'installer à son compte. Pour réduire au maximum ses marges et ses prix de vente, il achetait directement ses produits aux fabricants ou les faisait fabriquer à moindre coût, commandant lui-même des articles à l'étranger. Pendant le siège de Paris, en 1870, des négociants tentèrent de racheter ses stocks, considérables, en lui offrant de doubler ses bénéfices : il refusa et institua même une carte de rationnement dans ses différents magasins pour que tous ses clients soient approvisionnés. Il mourut en 1871.
En 1902, la maison Potin décide de faire construire une nouvelle succursale. L'architecte Paul Auscher édifie en un temps record un immeuble de dix étages, premier magasin en béton armé à Paris, selon le système mis au point par Hennebique. L'emploi de ce matériau, modelé dans la masse, lui permit de créer des formes originales aux contours sinueux. Outre l'alimentation, le magasin vendait des menus imprimés, offrait un service de five-o'clock (salon de thé), de photographie…. Le personnel, logé dans les étages et surveillé par un concierge, était tenu au célibat.

Le campanile qui couronne sa tourelle d'angle, évidé pour renfermer le nom de Félix Potin, constituait pour l'ancien magasin Potin une véritable enseigne publicitaire.

LA TÉNACITÉ DU CURÉ SOBEAUX ▽
Église Saint-Jean-l'Évangéliste, 21, rue des Abbesses (XVIIIe)

En 1889, le curé de Saint-Pierre de Montmartre, l'abbé Sobeaux, juge son église trop vétuste et estime que la construction du Sacré-Cœur fait du tort à sa paroisse. N'ayant pu obtenir sa démolition – l'État financera sa restauration –, il sollicite une nouvelle église en dehors de la zone d'influence de la nouvelle basilique. Sans succès. Il achète alors un terrain avec ses propres fonds et fait édifier l'église Saint-Jean-l'Évangéliste par l'architecte Anatole de Baudot.

AUDACE DE L'OSSATURE EN BÉTON
Sa construction s'échelonna de 1894 à 1904 en raison de problèmes administratifs : procès contre le curé pour infraction à la législation sur le permis de construire – la démolition de l'église est exigée en 1898 alors que la crypte est déjà achevée ; refus par la commission d'enquête de laisser la construction se poursuivre en raison du manque de confiance dans le matériau choisi, le béton armé. L'emploi de ce matériau dans un édifice de grande ampleur, religieux de surcroît, est révolutionnaire. Des piliers continus, qui traversent deux étages et montent, pour les plus hauts, jusqu'à 25 mètres, constituent son ossature. Les cloisons, très minces, sont faites de deux parois de briques enfilées, séparées par un vide isolant. Le plan de l'église est simple : un clocher-porche, un vaisseau central et un collatéral surmonté de tribunes et flanqué de chapelles. En façade, les deux tourelles d'escalier formant saillie deviennent un élément essentiel. Pour des raisons d'économie, l'intérieur est orné d'un simple décor au pochoir sur les murs et les piles de la nef.

Dans l'immeuble métallique du 124, rue Réaumur, l'Art nouveau est encore présent dans le dessin chantourné des portes d'entrée.

DU MÉTAL SANS HABILLAGE △
Immeuble du 124, rue Réaumur (IIe)

Cet immeuble industriel a été édifié pour le baron Schilde. Toute référence à la pierre est ici abandonnée, et le métal est arboré en façade, à l'exception du dernier étage de logements, en brique. L'ossature de l'immeuble y est donc franchement affichée, et le métal riveté, utilisé pour ses qualités plastiques, devient un moyen d'expression formelle. Les espaces des différents niveaux ne comportent aucune division intérieure et peuvent être aménagés selon les besoins des occupants. L'immeuble du 124, rue Réaumur est généralement attribué à l'architecte Georges Chédanne, qui en déposa les plans, avec la demande de permis de construire, en avril 1903. On constate cependant qu'ils ne correspondent pas à la réalisation finale et que l'édifice contraste avec l'habillage de pierre des réalisations connues de l'architecte, selon les normes esthétiques alors en vigueur. Dans sa sobriété, l'édifice se détache de ses voisins plus académiques, construits juste après le percement de la rue Réaumur, inaugurée alors qu'elle est encore en chantier par le président de la République Félix Faure en février 1897. De 1944 à 1973, il sera occupé par le *Parisien libéré.*

Sur la façade de l'église Saint-Jean-l'Évangéliste, la décoration d'Alexandre Bigot est composée de pastilles de grès flammé concaves, où, lors de la fabrication, l'émail se ramasse en fondant.

UNE PRINCESSE MÉLOMANE ▷
Fondation Singer-Polignac, 43, avenue Georges-Mandel (XVIe)

Pour son quatorzième anniversaire, Winnaretta Singer avait demandé un concert d'un quatuor de Beethoven. C'est dire si la fille d'Isaac Merrit Singer, connu pour avoir mis au point la machine à coudre, était passionnée par la musique. Après un court mariage avec le prince de Scey-Montbéliard, elle épouse en 1893 le prince Edmond de Polignac. La princesse a tissé des liens d'amitié avec de nombreux compositeurs d'avant-garde – Fauré, Debussy, Satie, Stravinski... –, auxquels elle commande des œuvres, souvent créées pour la première fois dans son salon, dont de nombreux artistes sont des familiers – Proust, Cocteau, Reynaldo Hahn, Diaghilev, Valéry, Claudel...
Elle-même joue de l'orgue et peint en amateur.
De 1902 à 1904, elle fait construire par l'architecte Henri Grandpierre un nouvel hôtel particulier plus imposant, à l'emplacement même du précédent, acquis en 1887. De style néoclassique, il comprend un escalier monumental et de beaux salons. Bien avant sa mort, en 1943, elle décidera de perpétuer son mécénat à travers une fondation créée en 1928 et installée dans l'hôtel depuis 1945.

Le salon de musique de l'hôtel de la princesse Edmond de Polignac, décoré en 1912 de fresques par José-Maria Sert.

333

Portrait du fondateur
de la Samaritaine,
Ernest Cognacq
(1839-1928), qui fut
surnommé le Napoléon
du déballage.

L'ASCENSION DE COGNACQ ◁
La Samaritaine, 19, rue de la Monnaie (Ier)

Ernest Cognacq fut d'abord commis, puis vendeur ambulant, avant de louer une salle de café en 1867, à l'angle des rues de la Monnaie et du Pont-Neuf. L'année suivante, il rachète le café pour le transformer en boutique à l'enseigne de la Samaritaine. Son mariage avec Louise Jay, « première » (chef de rayon) au rayon confection du Bon Marché, lui apporte vingt mille francs en dot. L'immeuble, puis le pâté de maisons, enfin l'autre côté de la rue sont bientôt à lui. Dès 1883, Cognacq recrute Frantz Jourdain – Émile Zola avait demandé à cet architecte une description de grand magasin pour son roman *Au bonheur des dames* – et le charge de l'entretien et des aménagements intérieurs de ses magasins. Mais leur morcellement est peu pratique, et Cognacq décide la construction de nouveaux magasins, reliés par une galerie souterraine, exceptionnellement autorisée par la Ville.

DU MÉTAL PEINT EN BLEU

Les travaux débutent fin 1904 et se poursuivront en quatre tranches successives jusqu'en 1910. La vente recommence très vite dans les étages inférieurs et ne sera jamais interrompue. Les ouvriers travaillent par équipes et sans relâche, jour et nuit. La structure métallique – des poteaux creux – permit à Jourdain de réduire les point d'appui et de largement éclairer le magasin par des verrières zénithales et de grandes fenêtres. Apparente et peinte en bleu, la couleur emblématique du magasin, cette structure fut fabriquée en atelier avec de nombreux éléments standardisés. Une telle utilisation du fer fut très critiquée ; à quoi Jourdain répondait : « Le fer, c'est tout de même pas la syphilis. »
VOIR AUSSI LE MAGASIN QUAI DU LOUVRE, p. 350.

« Parce qu'il n'exigeait aucune connaissance préalable pour être apprécié », le décor floral avait la préférence de Jourdain. Témoins le décor de lave émaillée, en façade (ci-dessus), et la frise peinte dans le magasin, tout au long du dernier étage (ci-contre).

Le combat des grands magasins

Ils ne sont plus que cinq survivants de la glorieuse époque décrite par Émile Zola dans *Au bonheur des dames* – le Bon Marché, la Samaritaine, le Bazar de l'Hôtel de Ville, le Printemps et les Galeries Lafayette – défendant encore le concept commercial qui fit fureur à la fin du siècle dernier : de tout à tous les étages. Il y a trente ou quarante ans, La Belle Jardinière, les Trois Quartiers et les Grands Magasins du Louvre leur faisaient concurrence. Mais, dans le courant des années soixante, la grande distribution et ses hypermarchés a su drainer aux portes de la capitale une foule toujours plus importante de Parisiens.
Aujourd'hui, malgré les semaines commerciales, les soldes et les vitrines animées – qui, à

BÉTON ET STYLE MOZARABE ◁
Hôtel particulier (actuelle ambassade d'Algérie), 40, rue Boileau (XVIe)

De la première génération des constructions en béton, encore couvertes de céramique, nous est resté cet étonnant hôtel particulier, construit en 1907-1908 par Audiger et Richard. Ces deux architectes associés furent les auteurs de nombreux bâtiments dans le XVe arrondissement, où ils possédaient une agence. Toutes les ressources du béton armé sont utilisées dans cette demeure, mais, laissé apparent, il paraît imiter le métal tandis que des cabochons en céramique sont semblables à des rivets métalliques. Le revêtement de grès flammé, très en vogue et qui évoque un décor mozarabe, est l'œuvre de la maison Gentil et Bourdet, l'un des nombreux fabricants de l'époque.

Dans cet édifice d'inspiration mozarabe, seules des marguerites de ferronnerie relèvent du style Art nouveau.

UNE GIGANTESQUE BOUTIQUE DE FRIVOLITÉS ▷

Galeries Lafayette, 40, boulevard Haussmann (IXe)

En 1893, l'Alsacien Alphonse Kahn s'associe à un de ses compatriotes, Théophile Bader, pour transformer la boutique de frivolités – Aux galeries Lafayette – qu'il vient d'ouvrir à l'angle des rues Lafayette et de la Chaussée-d'Antin en société anonyme, forme juridique peu usitée à l'époque. L'expansion de cette boutique, surtout fréquentée par des ouvrières de la couture, rencontre une vive opposition chez les concurrents. Pour son nouveau magasin, il fait appel en 1906 à Georges Chedanne, qui en établit les plans – la façade d'origine étant conservée – pour la première tranche (1907 à 1908), puis, suite à une brouille, à Ferdinand Chanut, qui travaillait pour Chedanne et construit la seconde tranche (1910 à 1912).

SOUK ORIENTAL EN BÉTON ARMÉ

Les deux architectes ayant la même attirance pour le Moyen-Orient, et Bader souhaitant que son magasin ressemble à un souk oriental, les Galeries Lafayette seront distribuées autour de deux grands halls. Le dernier-né des grands magasins parisiens sera le premier à être construit entièrement en béton armé. Chanut aménage aussi les vitrines du boulevard Haussmann, en granite vert foncé, bleu royal et rouge. Bader souhaite offrir à ses clientes les derniers modèles à la mode et, dès 1900, il fait fabriquer à l'extérieur des modèles exclusifs de chapeaux puis de toilettes ; en 1905, tout un groupe d'immeubles à proximité du magasin est occupé par ses ateliers de confection.
Le magasin sera modernisé en 1926
– climatisation et éclairage électrique –, puis, en 1958, surélevé ; l'un des deux halls disparaîtra lors de cette vague de travaux.

Noël, attirent pourtant une foule d'enfants –, les grands magasins vont mal. Les prix affichés sous les verrières rococo ne sont pas aussi bas que dans les grands hangars de la périphérie. Et le consommateur craint de plus en plus de s'aventurer en ville sans pouvoir s'y garer. Pourtant, aucun touriste ne pourrait imaginer Paris sans les deux vaisseaux amiraux de la consommation à la française sur le boulevard Haussmann. Ni aucun Parisien se passer de ses magasins fétiches de la rue de Rivoli. Aussi chacun de ces mastodontes a-t-il choisi une stratégie pour contrer la désaffection dont il souffre : le Bon Marché se veut magasin de luxe pour la rive gauche, les Galeries Lafayette et le Printemps jouent la clientèle étrangère sur la rive droite ; la Samaritaine se rénove de fond en comble et le Bazar de l'Hôtel de Ville accentue sa spécialisation dans l'équipement de la maison.

Le grand hall surmonté de sa coupole, seul vestige du magasin construit en 1912. Le 19 janvier 1919, le pilote Jules Védrines réussira l'exploit de poser son monoplan sur la terrasse des Galeries Lafayette.

LA « MAISON À GRADINS » ▷

Immeuble du 26, rue Vavin (VIe)

Construit de 1912 à 1914 par l'architecte Henri Sauvage et son collaborateur Charles Sarazin, l'immeuble du 26, rue Vavin, est une commande passée par une association de copropriétaires pour leur propre usage. Cette « maison à gradins », qui fit l'objet d'un brevet par ses concepteurs, réunis en Société des maisons à gradins, est particulièrement novatrice : les étages s'élevant en retrait l'un sur l'autre à partir du deuxième, les appartements bénéficient tous d'une grande luminosité tandis que le décrochement des gradins est utilisé pour des terrasses comme autant de jardins suspendus le long desquels courent des jardinières en faïence. Le revêtement en petits carreaux de céramique biseautés, appelée « céramique métro », assure aux façades propreté et durabilité. À chaque étage, trois vastes appartements sont desservis chacun par deux couloirs parallèles réunis par une galerie. Et, autre nouveauté, ils furent équipés de douches. Dans le vide triangulaire sur cour, Henri Sauvage avait installé son propre atelier.

Henri Sauvage avait appelé Maison sportive son immeuble de la rue Vavin.

De la Commune à la Belle Époque

LE SIÈGE DE LA SOCIÉTÉ GÉNÉRALE
29, boulevard Haussmann (IXe) ▷

La coupole en vitrail de la salle des guichets, protégée par un parapluie métallique.

La Société générale fut autorisée par le gouvernement par un décret de mai 1864. Joseph Eugène Schneider, industriel et homme politique, fut le premier président de son conseil d'administration. À la veille de la guerre de 1870, elle se plaçait au deuxième rang des banques françaises de dépôts derrière le Comptoir d'escompte. Dans les années 1905-1906, elle est en pleine expansion et acquiert un ensemble immobilier proche du nouvel Opéra pour y transférer son agence centrale. L'architecte Jacques Hermant est chargé de réorganiser cet îlot, composé de sept immeubles mitoyens. Les travaux, commencés en 1908, ne furent terminés qu'en 1912.

UNE FÉERIQUE COUPOLE DE VERRE
Hermant garda une partie des façades d'origine, dont celles de Charles Rohault de Fleury et d'Henri Blondel, élevées au Second Empire. Il conçut un vaste hall couvert d'une coupole en vitrail, dont la partie inférieure est soulignée par un décor de ferronnerie de Roescher, scandé de médaillons à l'effigie de villes de France, signifiant ainsi l'expansion de la banque en province. Aux dégradés de la verrière, œuvre du maître verrier Jacques Galland, correspondent les mosaïques du sol, dues à la maison Bourdet-Gentil. Le client est accueilli au centre du hall par un vaste guichet circulaire, disposition rompant avec la tradition des guichets en enfilade le long des parois. Quatre étages en sous-sol ont été creusés pour les salles des coffres, que l'architecte avait étudiées lors d'un voyage aux États-Unis en 1910.

La vaste rotonde d'angle de l'ex-succursale Félix Potin s'orne du caducée – attribut du commerce –, de cornes d'abondance et de guirlandes de fruits.

UN « MONUMENT » POUR FÉLIX POTIN ◁
51, rue Réaumur (IIe)

Félix Potin avait fondé sa propre chaîne de magasins d'alimentation dans les années 1845. Après sa mort, une grande succursale fut édifiée rue de Rennes, mais – aux dires du journal *la Construction moderne* – « il fallait à la maison Potin un monument ». Déjà auteur de plusieurs autres succursales Potin, l'architecte Charles Le Maresquier construisit cet édifice en 1910, avec une façade « riche et populaire » de style néobaroque ; seule la rotonde d'angle, qui donne sur la rue Réaumur percée entre 1895 et 1900, a conservé sa décoration polychrome exubérante. Le magasin comprenait une épicerie-pâtisserie, une poissonnerie et une boucherie, séparées, dont le décor n'était pas moins foisonnant. Les maîtres d'hôtel venaient y passer leurs commandes et les ménagères y remplir leur filet.

BALS ET FÊTES AU LUTÉTIA ▷
45, boulevard Raspail (VIe)

Placé au centre d'un quartier en plein développement, à l'angle de deux grandes artères, ce palace de deux cents chambres a été construit en trois ans, de 1907 à 1910, par les architectes Henri Tauzin et Louis Boileau. La sculpture, déployée en façade sur le thème de la vigne, est l'œuvre de Léon Binet. À l'origine, une pâtisserie, un salon de thé, un café et un restaurant donnant sur la rue étaient installés au rez-de-chaussée, et une terrasse en ciment volcanique offrait la possibilité de dîner lors des fortes chaleurs. Seul le premier vestibule et le grand hall ont conservé leur ornementation d'origine.
À mi-chemin entre Montparnasse et Saint-Germain-des-Prés, le Lutétia est associé à tout un pan de l'histoire politique et culturelle de la France. Des bals somptueux y étaient organisés pendant les Années folles et le bar américain du palace était renommé. Henri Matisse et André Gide y vécurent à l'année. Ce fut un foyer de la Résistance et c'est dans ses salons que furent accueillis les premiers rescapés des camps de concentration.

L'hôtel Lutétia comprend aujourd'hui trois cents chambres redécorées en 1987 par Sonia Rykiel et Sybille de Margerie dans le style des années trente.

Voyage gastronomique en 404

Au sud de la rue Réaumur, dans une très ancienne rue de Paris, un restaurant s'est spécialisé dans la gastronomie du Maghreb. Le 404, dénomination qui se veut un clin d'œil à ces 404 familiales si prisées en Afrique du Nord, fut créé en 1990 par les frères Mazouz, d'origine algérienne. Installé à l'intérieur de l'ancien hôtel particulier qu'Henri IV donna en gage de son amour à la belle Gabrielle

d'Estrées, il offre un décor somptueux, digne des plus beaux restaurants de Marrakech. Une salle de restaurant spacieuse, avec une gracieuse mezzanine, des murs de pierre apparente, des fenêtres parées de moucharabiehs savamment ouvrés : dès l'entrée, on est envoûté par ce délicat décor oriental et son éclairage tamisé. Et la cuisine, ouverte, laisse deviner des préparations succulentes où se mêlent les saveurs les plus rares : tagines de poulet aux dattes, de poisson à la marinade fassia, couscous divers, pâtisseries exquises, salades de fruits… Mais, est-ce un effet de l'association des frères Mazouz avec le médiatique Smaïn, Le 404 est un endroit très en vogue, ouvert sept jours sur sept, midi et soir jusqu'à minuit… et toujours complet. Et si vous aimez les fins de semaine gourmandes, un brunch berbère est servi le samedi et le dimanche de midi à 16 h 30 : couscous sucré, petit-lait, salade marocaine, cake berbère au miel, oranges à la cannelle…
Le 404, 69, rue des Gravilliers (IIIe).

Mécénat des Rothschild ▷

Synagogue, 14, rue Chasseloup-Laubat (XVe)

👁 Si certaines étaient installées dans des immeubles, de nombreuses petites synagogues furent construites à Paris entre la fin du XIXe et le début du XXe siècle. C'est grâce au mécénat du baron Edmond de Rothschild qu'un jeune architecte, Lucien Bechmann, édifia en brique et pierre celle de la rue Chasseloup-Laubat, inaugurée en septembre 1913. De rite séfarade, elle comprend un oratoire et une école rabbinique. L'aspect extérieur de l'édifice, qui indique clairement sa fonction culturelle, donne une impression d'espace restreint qui contraste avec un intérieur semblant étonnamment vaste : le réseau formé par les poteaux de charpente soutenant les tribunes sur trois côtés et la très belle charpente apparente y évoquent les synagogues de bois d'Europe orientale.

Exécutée en sapin des Vosges – les troncs furent transportés par convois hippomobiles –, la charpente de la synagogue compose en son centre comme une coupole octogonale.

Une demeure du XVIIIe siècle ▽ ▷

Hôtel de Camondo (actuel musée Nissim-de-Camondo), 63, rue de Monceau (VIIIe)

Un bonheur-du-jour des années 1766-1770 conservé au musée Nissim-de-Camondo.

👁 Les Camondo, dynastie financière d'origine espagnole, s'étaient établis en France au Second Empire et avaient acquis la nationalité française. Anoblis en 1867 par le roi Victor-Emmanuel d'Italie en remerciement de l'aide apportée à la réunification italienne, immensément riches, ils avaient rassemblé d'impressionnantes collections d'œuvres d'art. Entre 1907 et 1911, Moïse de Camondo fait construire un hôtel à l'emplacement même de celui qu'il avait hérité de sa mère et voisin de celui d'Abraham, son oncle.

AMOUR DU DÉCOR AUTHENTIQUE

L'architecte René Sergent choisit pour ce palais le style du Petit Trianon, à Versailles. Moïse s'attacha à reconstituer le décor d'une demeure du XVIIIe siècle dans un souci scrupuleux d'exactitude. En 1935, Moïse légua ses collections ainsi que son hôtel à l'Union centrale des arts décoratifs, dont il était le vice-président. « Je lègue mon hôtel tel qu'il se comportera au moment de mon décès. De cette façon, j'espère conserver en France, en un lieu approprié, les plus beaux exemples que j'ai pu collectionner de cet art décoratif qui fut l'une des gloires de la France durant l'époque que j'ai aimée par-dessus toutes les autres. » Un legs qui fut soumis à la condition que le musée prenne le nom de son fils unique, Nissim (qui était aussi celui de son père), mort lors d'un combat aérien en 1917 et à qui il était primitivement destiné.

Selon le souhait de son propriétaire, l'hôtel de Camondo fut construit comme une demeure du XVIIIe siècle, en pierre et sans un seul matériau de remplacement.

De la Commune à la Belle Époque

UN IMMEUBLE POUR ARTISTES ▷
31, rue Campagne-Première (XIVᵉ)

En plein quartier Montparnasse, fief de la bohème intellectuelle et artistique, l'architecte André Arfvidson a conçu cet immeuble pour loger des artistes, célibataires ou mariés : de vastes ateliers y sont jumelés pour la première fois avec des appartements en duplex. Les murs de la façade, primée au concours de façades de la Ville de Paris en 1911, sont en ciment armé avec remplissage de briques recouvertes d'un décor original de carreaux de grès flammé dus au céramiste Alexandre Bigot.

LE REPAIRE DE MAN RAY
L'immeuble se distinguait à l'époque par son confort : chauffage central à la vapeur, cabinet de toilette, gaz, électricité, téléphone, ascenseurs. Les ateliers des sculpteurs, d'une grande hauteur sous plafond, se trouvaient au rez-de-chaussée. Le sculpteur François Pompon y résida pendant cinquante ans. Dans les années vingt et jusqu'en 1937, le photographe américain Man Ray y vécut avec son modèle, la célèbre Kiki de Montparnasse, dont il s'amusait souvent à farder le visage, le redessinant selon ses humeurs, puis avec son élève, la photographe américaine Lee Miller, qui partagera son « laboratoire ». Il avait transformé l'atelier en studio de pose et la salle de bains en chambre noire : là se firent accidentellement les toutes premières solarisations. L'écrivain Ezra Pound était un voisin.

L'architecture fonctionnelle et géométrique de l'immeuble du 31, rue Campagne-Première se pare encore des fantaisies décoratives de l'Art nouveau : motifs floraux des ferronneries, guirlandes de roses, têtes de femme surmontant les œils-de-bœuf.

La grande salle à l'italienne destinée à accueillir les spectacles lyriques ; le théâtre des Champs-Élysées comprend aussi la salle de la Comédie, pour l'art dramatique, et une petite salle pour le théâtre d'essai.

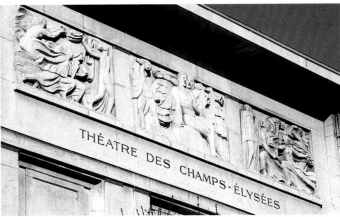

La frise de la façade du théâtre des Champs-Élysées avec, au centre, Apollon et sa méditation, et, de chaque côté, Muses accourant vers Apollon.

LE PALAIS DE LA MUSIQUE ◁
Théâtre des Champs-Élysées, 13-15, avenue Montaigne (VIIᵉ)

Gabriel Astruc, directeur de la revue *Musica* et organisateur de concerts, a depuis longtemps l'idée de construire le temple de la musique qui manquait à Paris. Il s'associe avec le financier Gabriel Thomas pour fonder en 1907 la société du théâtre des Champs-Élysées et acquiert en 1910 le terrain d'un hôtel particulier situé avenue Montaigne. Le théâtre qu'il fait construire est une œuvre à la paternité partagée entre quatre architectes ayant travaillé à des stades différents de la conception. Henri Fivaz, Roger Bouvard et Henry Van de Velde établirent les premiers projets d'une construction métallique ; Auguste Perret modifia les plans au profit d'une construction en béton armé, plus économique. Seuls trois bas-reliefs d'Antoine Bourdelle, qui, avec le peintre Maurice Denis, était chargé de la décoration, ornent la façade de marbre blanc, aux lignes austères et dépouillées. À l'intérieur, où les éléments porteurs sont laissés apparents, Bourdelle orne de fresques l'atrium et Maurice Denis peint la base de la coupole coiffant la grande salle. Le 29 mai 1913, les Ballets russes créèrent *le Sacre du Printemps,* ballet du compositeur Stravinski avec une chorégraphie de Nijinski. Un mémorable chahut salua la première et la salle semblait « secouée par un tremblement de terre et vaciller dans le tumulte ».

Costume pour le Prince Igor, de Borodine ; le ballet du deuxième acte faisait partie du programme des Ballets russes.

C'est le calcaire de Château-Landon, dont l'une des propriétés est de ne pas retenir la poussière, qui explique la blancheur du Sacré-Cœur.

À l'assaut de la Butte

Au pied de la basilique du Sacré-Cœur fonctionne, hiver comme été, un drôle de petit train automatique, hybride de cabine de téléphérique et de rame de métro : c'est le funiculaire de Montmartre. Il hisse gaillardement les passagers sur une distance de 103 mètres et un dénivelé de 36. Il fut construit en 1900, à l'époque où la fête montmartroise battait son plein : guinguettes et estaminets fleurissaient au pied de la Butte, le Moulin-Rouge accueillait Jane Avril, la Goulue et Nini-Pattes en l'air, tandis qu'en altitude Le Lapin agile et le cabaret du Chat noir attiraient les grisettes, les artistes et les gens du monde venus s'encanailler. Côté face nord, c'était le maquis, un enchevêtrement de masures et de jardins ensauvagés que prisaient les peintres. Le funiculaire, qui pouvait abriter quarante-huit voyageurs par voiture, fonctionnait grâce à d'importants contrepoids d'eau. Il fut électrifié en 1934 ; on augmenta alors sa capacité d'accueil à cinquante passagers par voiture, et il ne mettait plus que soixante-dix secondes pour grimper. Un tout nouveau funiculaire ouvrit en 1991 : rapide et confortable, il transporte deux mille voyageurs par heure dans chaque sens. Entièrement automatique, il parcourt 3,50 m par seconde. Ce moyen de transport insolite et charmant fonctionne tous les jours de l'année, aux mêmes heures que le métro, avec un départ toutes les cinq minutes. Ses gares, tout de verre et d'acier, bordent le square Willette.
Le funiculaire de Montmartre, rue Tardieu et rue Saint-Euleuthère (XVIIIe).

POUR LE SALUT DE LA FRANCE △
Basilique du Sacré-Cœur, place du Parvis-du-Sacré-Cœur (XVIIIe)

En 1870, deux laïcs, Alexandre Legentil et Hubert Rohault de Fleury, forment le vœu d'expier les péchés de la France – là est selon eux la cause de sa défaite et de la disparition des États de l'Église – en faisant construire un sanctuaire en l'honneur du Sacré Cœur de Jésus. L'Association du Vœu national doit recueillir les fonds nécessaires. En 1872, la hiérarchie catholique adopte le texte du Vœu – il est d'ailleurs gravé sur l'un des bas-côtés – et, en 1873, l'Assemblée nationale déclare la construction d'utilité publique et autorise l'archevêque de Paris à se rendre propriétaire des terrains à l'amiable ou par expropriation.

INSPIRATION ROMANO-BYZANTINE

Le projet de l'architecte Paul Abadie, une église de pèlerinage avec des dégagements importants et de nombreuses chapelles, d'inspiration romano-byzantine, remporte l'adhésion. La première pierre de l'édifice est posée le 16 juin 1875 sur la colline de Montmartre, le clocher terminé en 1914, mais le bâtiment ne sera complètement achevé qu'en 1923. Pour réunir les fonds nécessaires à un si long chantier, des pierres ou même des colonnes entières sont vendues à différents tarifs aux souscripteurs, et gravées à leurs initiales. L'architecte meurt en 1884, et c'est à ses successeurs qu'il faut imputer la hauteur exagérée des dômes et la surélévation des fenêtres, qui entraîne une obscurité permanente dans l'église. La décoration, où la mosaïque domine, date des années 1900-1914, à l'exception de la mosaïque du chœur (représentant l'histoire de la dévotion au Sacré Cœur), achevée en 1923. Le transport de la Savoyarde, la plus grosse cloche de France, fondue à Annecy, fut une véritable épopée.

UN PALAIS DE STYLE CLASSIQUE ▽
Hôtel de La Trémoille, 1, boulevard Delessert (XVIe)

À la fin du XIXe siècle, l'architecte Ernest Sanson possédait une agence d'architecture renommée jusqu'à l'étranger pour le nombre des constructions privées réalisées et pour leur qualité. C'est avec l'aide de son fils Maurice, architecte également, qu'il construit en 1912 l'hôtel particulier du duc Louis de La Trémoille. Le terrain choisi, fortement pentu et dominant la Seine, fut habilement exploité. L'hôtel, un véritable palais de style classique, est implanté perpendiculairement au boulevard et précédé d'une terrasse. Le duc orna la salle à manger de boiseries du XVIIIe siècle décorées de trophées de chasse attribués à Gilles-Marie Oppenord et provenant de l'hôtel de Pomponne, jadis place des Victoires et démoli. Vendu en 1932 au prince Paul, régent des Serbes, des Croates et des Slovènes, l'hôtel abritera les services de l'ambassade de Yougoslavie puis demeurera la résidence privée de l'ambassadeur de ce pays.

L'hôtel La Trémoille faisait figure d'exception dans cette partie du XVIe arrondissement, l'aristocratie préférant alors résider dans le faubourg Saint-Germain.

ÉTALS COLORÉS

C'est la vie des quartiers de Paris qui palpite dans ses marchés, symphonies de couleurs, d'odeurs et d'ambiances toujours renouvelées. C'est l'atmosphère d'une époque que reflètent ses boutiques. Et c'est dans ce supplément d'âme, que ne donne aucun hypermarché, que l'on rencontrera véritablement le cœur battant de la capitale.

« Voyez mon poisson comme il est beau ! » « Allez la carotte ! Six francs ! »…. Palper, soupeser, comparer, fouiner entre les cageots, parlementer pour obtenir bon poids et meilleure qualité… À Paris comme dans toutes les villes de France, faire son marché est une partie de plaisir. Plaisir des sens, certes, mais aussi plaisir des bonnes affaires quand commence la grande braderie, juste avant que les camionnettes vertes de la Ville de Paris ne viennent tout nettoyer.

LES MARCHÉS ONT UNE HISTOIRE

Dès le Vᵉ siècle, Lutèce possède un marché, le marché Palu, qui se tient dans l'île de la Cité. Au XIIIᵉ siècle, au lieu-dit de la Ferronnerie (entre les rues Saint-Denis, Saint-Honoré et Croix-des-Petits-Champs), apparaît le marché des Champeaux, bientôt suivi par d'autres grands marchés alimentaires comme la foire au lard, graisse et porc du parvis Notre-Dame. En 1546, Paris compte quatre marchés aux pains et un marché aux bestiaux. Dès le XVIIᵉ siècle, le quai de la Mégisserie est envahi de marchands de volailles, de gibiers et d'agneaux, et la rue de la Poissonnerie accueille le marché aux poissons. En 1664, sur le quai Saint-Bernard, est ins-

tallée la halle aux vins, aujourd'hui enfouie sous l'université Cuvier et dont subsistent quelques arcades de pierre. La révolution de 1789 transfère aux municipalités le privilège royal d'accorder l'ouverture de marchés. En 1860, après le rattachement à Paris des faubourgs, les Parisiens disposent de cinquante et un marchés, couverts et découverts, comme autant de concentrés de la vie des quartiers.

Le quartier des Halles n'a longtemps vécu que par les célèbres halles de Baltard. Ce que l'on appelle encore aujourd'hui le trou des Halles a pourtant gardé un peu de l'atmosphère de ce ventre de Paris, grouillant de monde ; et Le Pied de cochon ou l'Escargot d'or, rescapés d'une époque ou fleurissaient bistrots et restaurants traditionnels liés au

▷ **Une ancienne enseigne restée en place au 13 de la rue François-Miron (IVᵉ).**

△ ▽ **Le marché « bio » du boulevard Raspail (VIᵉ), le dimanche, est bien connu des amateurs de produits issus de l'agriculture biologique.**

négoce, voient aujourd'hui affluer une clientèle cosmopolite qui a remplacé les forts des Halles, ces bouchers costauds capables de porter sur leurs épaules des demi-bêtes.

Le quartier de la Villette s'est, quant à lui, construit autour des abattoirs ; seuls d'excellents restaurants traditionnels, comme Au bœuf couronné, continuent de perpétuer le souvenir des plus grandes boucheries de la capitale.

Des vingt et un marchés couverts recensés en 1860 il n'en reste aujourd'hui que treize. La Ville de Paris, propriétaire des terrains sur lesquels ils sont implantés, encaisse les loyers des emplacements, fixe les horaires d'ouverture et définit les commerces autorisés ; un groupement d'intérêt économique s'occupe depuis dix ans de leur gestion et de la « police ». Le plus célèbre, le marché Saint-Germain, datant de Napoléon, vient de faire l'objet d'une rénovation. La polémique autour de cet unique

marché couvert de la rive gauche dure depuis trente ans : commerçants et riverains mobilisés contre sa démolition ont fini par l'emporter sur des projets immobiliers plus lucratifs, mais le marché y a perdu son âme populaire pour laisser place à une galerie marchande haut de gamme.

D'ALIGRE À BELLEVILLE

Quelque soixante-dix marchés alimentaires font de Paris l'une des villes les mieux équipées pour assurer le ravitaillement en denrées fraîches.

De la petite place d'Aligre (XIIᵉ), en forme de fer à cheval bordée de paulownias, se dégage une atmosphère toute provinciale ; tous les matins s'y tient un marché fort couru. Devant la halle construite par Daubenton en 1867 et s'étirant tout au long de la rue d'Aligre, étals de fruits et de légumes composent avec les fleuristes et les brocanteurs un tableau

△ ▽ **Sur le marché d'Aligre, les fruits et légumes sont parmi les moins chers de Paris. Et la brocante est aussi courue que les étals des maraîchers.**

◁ **Le marché aux fleurs, un petit coin de nature sur l'île de la Cité, que troublent à peine les sirènes des voitures de police ou des ambulances de l'Hôtel-Dieu.**

◁ ▷ ▽ Mille trois cents marchands sont installés au marché aux Puces de Saint-Ouen, tous les samedis, dimanches et lundis. Ce qui fut dès 1860 le fief des chiffonniers est aujourd'hui le marché de l'antiquité, mais aussi du neuf et de l'occasion. Et ce gigantesque supermarché du meuble et de l'objet, commun ou précieux, fait le bonheur des amoureux de l'art comme des passionnés de la brocante.

des plus pittoresques. L'histoire du marché d'Aligre est liée à celle du faubourg Saint-Antoine : une première halle est construite en 1643 sur la grande rue du faubourg, face à la riche abbaye Saint-Martin-des-Champs. Au siècle suivant, sur l'un des terrains que possède l'abbaye, les religieuses font construire un nouveau marché : création d'une place ovale, aménagement de deux halles couvertes oblongues, percement des cinq rues d'accès (qui existent toujours). Le marché Beauvau est inauguré en 1781 ; en 1867, rebaptisé Aligre, il ne comporte plus qu'une halle unique de deux cent huit places : le « deuxième ventre de Paris » connaît alors une animation d'autant plus extraordinaire que l'endroit est exigu. En 1900, on dénombrait encore alentour dix auberges, restaurants et cafés. Dès minuit, les marchands s'approvisionnaient aux halles, puis arrivaient de banlieue les maraîchers, tenus de passer par l'octroi pour peser leurs produits. La vente commençait vers 4 heures du matin pour s'achever à 10, après que la cloche avait sonné trois fois : le marché alimentaire cédait alors la place aux fripes.

Le terre-plein du boulevard de Belleville, entre les métros Belleville et Ménilmontant (XIe et XXe), se peuple les mardis et vendredis matin de centaines de marchands et de consommateurs bigarrés : c'est le rendez-vous des peuples et cultures du monde, reflet d'un quartier où Asiatiques, Africains et bien d'autres ethnies vivent en bonne intelligence depuis des décennies. On y vient de loin pour s'approvisionner en denrées les moins chères de Paris. Si le marché offre peu de produits exotiques, les boutiques du quartier en regorgent : olives et piments, colliers de merguez kasher, gâteaux arabes gorgés de miel, pains à la vapeur chinois… Dès les beaux jours, le quartier prend des allures de souk où déambulent de belles Africaines en boubou coloré.

UN FESTIVAL DE MARCHÉS

Pour ceux qui aiment flâner, fouiner, dégoter la bonne occasion, pour ceux qui aiment les surprises, la foule, les rythmes et les couleurs, bref, pour les vrais amateurs de marchés, les marchés spécialisés de Paris sont une véritable aubaine.

△ Le marché Saint-Pierre. Le commerce des tissus est une tradition ancienne dans le quartier. La halle Saint-Pierre fut construite en 1868 pour abriter un marché aux tissus.

▷ Le muguet du 1er mai, une tradition toujours vivante.

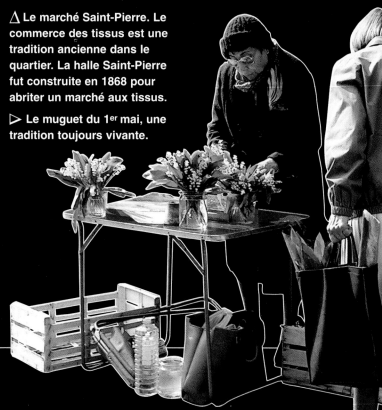

Sur l'île de la Cité, place Louis-Lépine, au cœur du Paris moyenâgeux, se tient régulièrement le marché aux fleurs. Si son origine remonte à une époque indéterminée, la première réglementation connue le concernant date du mois de frimaire an VII. Entre oiselleries, poissons rouges, tortues et hamsters, des graines attendent d'être plantées sur les balcons parisiens. Et les observateurs romantiques ne manqueront pas de lire la plaque commémorative d'un couple mythique, au 9-11, quai aux Fleurs : « Héloïse, Abélard habitèrent ces lieux. Des sincères amours, modèles précieux, l'an 1118. »
Remonter vers Notre-Dame et tout le long des quais de la Seine, c'est aimer Paris autant que la littérature : les eaux de la Seine y sont aussi changeantes que les cieux qui s'y reflètent et dans les boîtes vertes des bouquinistes sommeillent peut-être des trésors d'édition. Tout autre est l'uni-

vers des collectionneurs de timbres. Au carré Marigny (angle des avenues Marigny et Gabriel, VIIIe), les jeudis, samedis, dimanches et jours fériés, certains offrent des fortunes pour un seul timbre, tandis que d'autres achètent au kilo des timbres multicolores venus de tous les pays du monde. À la grande époque de l'ouverture à l'Est, le marché était devenu le lieu de rendez-vous des Russes vendeurs de pin's à l'effigie de Lénine : ils ouvraient discrètement leur manteau pour vous laisser entrapercevoir leurs trésors.
Le vêtement a élu domicile entre les rues Perrée et Eugène-Spuller (IIIe), au marché du carreau du Temple – sous les poutrelles métalliques récemment restaurées, près de mille emplacements sont tirés au sort chaque matin entre les commerçants – et aux puces de Saint-Ouen, coincées entre les HLM de banlieue et les bistrots de moules-frites. Les puces – celles de Saint-

▷ **Galerie commerciale du carrousel du Louvre. Ce complexe souterrain, conçu par Peï et Macary en 1993, s'étend de la pyramide à l'arc du Carrousel.**

343

ÉTALS COLORÉS ET VITRINES POUR RÊVER

Ouen, mais aussi celles de Montreuil – ont conservé le charme de ces lieux où l'on fouine le week-end dans l'espoir de dénicher la bonne affaire ou l'objet rare à un prix abordable.

Le marché Saint-Pierre aux tissus (XVIIIe) est un autre lieu haut en couleur bien connu des Parisiennes. Velours, soieries, lourds tissus d'ameublement, voilages légers, tissus pailletés d'Orient, on y trouve absolument tout pour se vêtir ou décorer son appartement à des prix parfois dérisoires.

SAUVER LES BOUTIQUES

« Et si on allait faire les boutiques… » : cette joyeuse invitation à la flânerie, si féminine, est le meilleur moyen de découvrir une ville, et Paris est roi en ce domaine ! Des bou-

tiques, il y en a des rues entières ; des vieilles, des modernes, des anodines, des merveilleuses… Haute couture, bijoux, décoration, boulangerie, pharmacie… Énumérer les genres serait fastidieux. Dès le Moyen Âge, les artisans se font connaître du badaud par leur enseigne, évocatrice de leur métier. Au fil des siècles, l'enseigne s'affine pour devenir parfois véritable œuvre d'art : les peintres de l'école de Barbizon décoraient ainsi les panneaux des riches crémiers. Elle est devenue une curiosité, et les rares ouvrages existant, la plupart en ferronnerie, ne sont pas très anciens. Avec l'ère industrielle, vitrines et étalages deviennent le moyen d'appâter la clientèle. Sous le Second Empire, charcuteries, boulangeries et crémeries s'ornementent de panneaux peints sous verre représentant des scènes champêtres ou artisanales. Ces devantures d'autrefois agrémentent souvent aujourd'hui les vitrines de restaurants ou de boutiques de vêtements. Et, tels des bernard-l'ermite s'installant dans les coquilles vides, des couturiers originaux comme Agnès B., rue du Jour (Ier), ont pris possession des anciennes boutiques d'alimentation : par ce détournement, sans doute les ont-ils sauvées. Car les hypermarchés ont sonné le glas des commerçants de quar-

△ **Virgin Mégastore (52, avenue des Champs-Élysées, VIIIe), temple de la musique et du livre, ouvert jusqu'à minuit.**

◁ **Une boulangerie du début du siècle devenue boutique de vêtements (29, rue des Francs-Bourgeois, IVe).**

▷ **Repassage à la main, amidonnage, tuyautage des tissus dans l'une des dernières blanchisseries de fin (12, rue du Ruisseau, XVIIIe).**

△ Depuis 1761, À la mère de famille est le royaume de la confiserie. Aujourd'hui, aux produits de sa fabrication (confitures, chocolats...) sont venus s'ajouter les spécialités régionales. Le décor date des années 1900.

◁ En 1990, le créateur italien Roméo Gigli a restauré cette ancienne imprimerie pour en faire sa boutique (46, rue de Sévigné, IIIe).

▽ Boiseries de 1830 et comptoirs du XVIIIe siècle provenant d'un hospice pour cette pharmacie du 36, rue des Francs-Bourgeois (IIIe).

tier, et la vie moderne a eu raison des magasins d'autrefois ; à Paris, ces rescapés ne sont plus qu'une poignée et ils évoquent une époque désormais révolue, où dominait le commerce de proximité.

DES BOUTIQUES POUR RÊVER

On peut encore écrire un guide des boutiques d'autrefois, mais pour combien de temps ? Voici la Droguerie (rue du Jour, Ier), véritable caverne d'Ali Baba qui recelait une multitude d'objets pratiques de la vie quotidienne, des articles de quincaillerie aux pâtes de luxe ou embauchoirs à chaussures, soigneusement rangés dans de petites boîtes. C'est aujourd'hui le royaume des perles et des boutons. De rares pharmacies ont résisté au modernisme fonctionnel et conservé l'atmosphère des anciennes officines avec pots en faïence et multitude de petits tiroirs, la balance Testut et le comptoir en bois. Des jolies merceries, cordonneries, blanchisseries où on amidonnait le beau linge ne restent que quelques rescapées qui font figure de pièces de

musée. Seules les confiseries semblent s'accommoder de décors anciens (À la mère de famille, 35, rue du Faubourg-Montmartre, IXe ; Debauve et Gallais, 30, rue des Saints-Pères, VIIe...). Et, curieusement, nombre de coiffeurs pour hommes ont conservé intact leur décor des années soixante, les bacs, les casques, et jusqu'au mobilier.

Dans les années quatre-vingt, la prospérité économique a permis de renouveler le genre : des boutiques modernes, aux vitrines épurées, à la décoration soignée, ont poussé comme des champignons. Se démarquant du voisinage tapageur des fast-foods et des sex-shops, l'ex-boutique Creeks, rue Saint-Denis, affiche sa monumentalité silencieuse ; Philippe Starck y a créé un escalier monumental sur trois niveaux laqués de rose visible de la façade vitrée sur toute sa hauteur. Tout aussi sobre, et jouant cette fois sur les miroirs, la boutique Montana (37, rue de Grenelle, VIIe). Tandis que Shu Uemura Cosmetics (176, boulevard Saint-Germain, VIe) affiche ses formes géométriques : la beauté maîtrisée par les Japonais...

Palais de Chaillot
et musées d'Art moderne

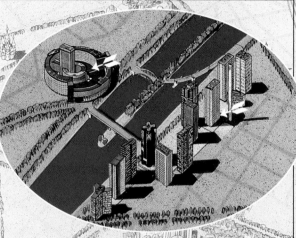

Maison de la Radio
et Front de Seine

Opéra de la Bastille

Parc de
la Villette

Mais vois quelle douceur partout
Paris comme une jeune fille
S'éveille langoureusement
Secoue sa longue chevelure
Et chante sa belle chanson

APOLLINAIRE, *Ondes*, « les Collines »

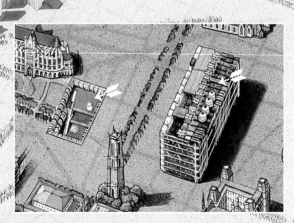

Centre national d'art et de culture
Georges-Pompidou
et Forum des Halles

Palais omnisports de Bercy
et Bibliothèque de France

DES ANNÉES FOLLES AUX GRANDS TRAVAUX

L'entre-deux-guerres (1918-1939)
La ville contemporaine (1945-1995)

Après la Première Guerre mondiale, les crédits et la main-d'œuvre sont entièrement mobilisés pour reconstruire le pays. Logements, écoles, piscines sont bâtis à grande échelle, en matériaux pauvres – brique et béton. Auguste Perret, Henri Besnard et Louis Bonnier poursuivent cependant une exploitation originale des vertus du béton.

De nombreux architectes de l'entre-deux-guerres, passionnés par les problèmes de l'habitat, subissent l'influence des courants avant-gardistes allemands, russes et hollandais. Adolf Loos, Le Corbusier, André Lurçat, Mallet-Stevens réalisent des villas entièrement nouvelles par leurs lignes géométriques et leur espace intérieur décloisonné. Dans la décoration intérieure, le faste des Années folles cède le pas au « fonctionnalisme », dont la maison de verre de Pierre Chareau est une des réussites. Différentes formules sont adoptées pour les grands immeubles : Le Corbusier conçoit les premières « barres » modernes ; Henri Sauvage et Franz Jourdain se livrent à un compromis entre la technologie et le caractère décoratif ; Pierre Patout et, dans une moindre mesure, Michel Roux-Spitz empruntent à l'architecture navale ses éléments pour exécuter des « immeubles paquebots ». L'architecture officielle monumentale des années 1930-1937 est illustrée par le musée des Arts d'Afrique et d'Océanie, le palais de Chaillot et le palais de Tokyo, qui se réfèrent au classicisme français.

Dans la décennie suivant la Seconde Guerre mondiale, l'habitat se développe hors de la capitale, qui commence à devenir un noyau minoritaire dans une mégapole. Mais Paris connaît cependant une politique intense de rénovation urbaine qui conduit dans les années soixante à la démolition de pans entiers de la ville, et les grands ensembles poussent comme des champignons.

Les années soixante-dix voient s'ouvrir l'ère des grands projets. La capitale échappant au contrôle direct de l'État avec l'élection du maire de Paris (1977), les présidents de la République – Georges Pompidou, Valéry Giscard d'Estaing, François Mitterrand – ont à cœur de marquer de leur empreinte le paysage parisien. La construction du Centre national d'art et de culture Georges-Pompidou annonce le renouvellement de l'architecture de la capitale. Et la pyramide du Louvre et la Grande Arche incarnent une architecture où la forme élémentaire, pure et quasi abstraite, s'allie à la haute technologie. Parallèlement, la critique de l'urbanisme moderne et la dénonciation croissante de la destruction du patrimoine annoncent une nouvelle conception de la ville, plus humaine et plus respectueuse de la cohérence du paysage urbain.

LE RAFFINEMENT DU BAIN ▷

Salle de bains de Jeanne Lanvin, musée des Arts décoratifs, 107, rue de Rivoli (Ier)

Jeanne Lanvin et Armand Rateau – grands voyageurs et amateurs d'art – réalisent en 1922 la décoration de l'hôtel particulier de la célèbre couturière, au 16, rue Barbet-de-Jouy. En 1965, lors de la démolition de l'immeuble, Louis de Polignac fit don au musée des Arts décoratifs de la chambre à coucher, du boudoir et de la salle de bains à l'antique, trois pièces raffinées exécutées par Rateau, féru d'art pompéien et amoureux de belles matières. Le hêtre, le merisier doré, l'albâtre, les laques, le marbre et le bronze composent le mobilier. La baignoire ovale, en marbre de Sienne, occupe une alcôve semi-elliptique, ornée d'un bas-relief de stuc doré représentant un cerf et des faisans dans un sous-bois, œuvre de Paul Plumet. De même que le lavabo et le bidet, elle est pourvue de robinets-oiseaux en bronze patiné. Les portes plaquées de glaces, les lampes-marguerites, la chaise en hêtre moulurée et surtout la table de toilette participent au décor luxueux de cette pièce.

*La salle de bains de Jeanne Lanvin,
fidèlement remontée au musée des Arts décoratifs.*

UN ÉCRIVAIN RÉVOLUTIONNAIRE ▽

Maison de Tristan Tzara, 15, avenue Junot (XVIIe)

Tristan Tzara (1896-1963), écrivain français d'origine roumaine, résidait à Zurich en 1917. Il était membre fondateur du mouvement dada – « révolte permanente de l'individu contre l'art, contre la mode, contre la société ». Il vint à Paris en 1919, où il connut Aragon, Breton, Soupault. Son ami Adolf Loos (1870-1933) fut l'un des premiers architectes à pressentir l'importance de l'industrie et ses apports dans l'esthétique. Il souhaitait imposer une structure aux lignes pures, fonctionnelle, dépourvue de détails ornementaux. Loos séjourna à Paris de 1922 à 1928. Il y construisit en 1926 une seule maison, celle de Tzara, à Montmartre.

LE NOMBRE D'OR

L'architecte traça un carré blanc posé sur un rectangle brun en pierre de taille. Le rapport des deux volumes était déterminé par le nombre d'or. Comme le dernier étage ne fut jamais réalisé, la façade actuelle se compose de deux rectangles de même dimension, mais d'aspect radicalement différent. Le soubassement appareillé en pierre englobe le rez de chaussée, l'entresol et le premier étage. À ce bloc d'aspect rugueux Loos oppose un deuxième étage à la façade enduite, très lisse et blanche. Le percement des baies et la position des gouttières sont répartis avec autant d'originalité que de rigueur, selon une symétrie soumise à la section d'or. L'espace intérieur présente de fréquentes ruptures de niveau, rattrapées par des marches, car Loos attribue à chaque pièce un volume spécifique à sa fonction.

Le contraste des niveaux de la maison de Tristan Tzara témoigne de l'originalité de son architecte.

La Cité universitaire

À la lisière sud de Paris, dans un parc de 40 hectares, se trouve une étonnante petite ville dans la grande ville, la Cité internationale universitaire de Paris (CIUP), née de la rencontre du recteur de Paris Paul Appell et d'un industriel français, Émile Deutsch. L'un se préoccupait du logement des étudiants, l'autre cherchait à réaliser une œuvre sociale. Le projet de deux hameaux-jardins prêts à accueillir trois cents étudiants est proposé au ministre de l'Instruction André Honorat, qui y consacrera toute son énergie pendant trente ans. Il recueille des fonds auprès d'un homme d'affaires belge, d'un comité canadien, d'un mécène argentin, d'une riche cubaine, de grandes écoles et de gouvernements étrangers… La Cité universitaire s'édifiera sur les terrains vagues des anciennes fortifications de Paris. Entre 1925 et 1939, dix-neuf maisons sont créées. Après la guerre, la capacité d'accueil se monte à cinq mille cinq cents lits. Aujourd'hui, la Cité accueille des étudiants de plus de cent nationalités différentes. Les visiteurs peuvent admirer le parc où siègent trente-sept résidences aux audaces architecturales multiples, évoquant tantôt le pays d'origine (maison du Japon), tantôt des architectes de renom (Le Corbusier pour le pavillon suisse), et pénétrer dans la Maison Internationale. C'est là que sont rassemblés la bibliothèque, les trois salles de spectacle, des équipements sportifs et des restaurants universitaires ouverts à tous. *La Cité internationale universitaire de Paris, 19, boulevard Jourdan (XIVe).*

RÉFLEXION SUR L'HABITAT ▷

Fondation Le Corbusier,
8-10, square du Docteur-Blanche (XVIe)

Charles Édouard Jeanneret (1887-1965), dit Le Corbusier, est l'architecte le plus illustre du XXe siècle. Autodidacte, il s'intéressa dans sa jeunesse autant à la peinture qu'à l'architecture. À partir des années vingt, il participa au mouvement international rationaliste puis adopta des formules hardies restées parfois incomprises. Ses grands principes constructifs – le plan libre, les pilotis, le toit-jardin, le pan de verre, la fenêtre en longueur – sont définis dans *Vers une architecture* (1923). En matière d'urbanisme, la *Charte d'Athènes* (1943) présente quatre-vingt-quinze propositions pour rendre la ville habitable et harmonieuse.
La fondation Le Corbusier, constituée en 1968, a pour but de recevoir ou d'acquérir les œuvres originales – documents, objets... – permettant de faire connaître la pensée de l'architecte.

UNE VILLA POUR CHAQUE MODE DE VIE

La fondation est installée dans les deux villas mitoyennes construites par Le Corbusier en 1923, l'une pour le banquier Raoul Laroche, l'autre pour le musicien Albert Jeanneret, frère de l'architecte.
La villa de Raoul Laroche fut conçue pour mettre en valeur sa collection de peintures cubistes. Au rez-de-chaussée, le grand hall d'entrée – pièce maîtresse de la maison – est un cube de 6 mètres de côté qui contient deux escaliers identiques. Au premier étage, la galerie de tableaux est aménagée dans la partie sur pilotis, tandis que le second étage est réservé à la chambre du propriétaire.
La villa Jeanneret, destinée à une famille, comporte, au rez-de-chaussée, un studio de musique, au premier étage, des chambres et des sanitaires et, au second étage, un grand séjour avec salle à manger et cuisine. Pureté des lignes et des proportions, jeu des volumes, subtilité de la lumière sur les parois extérieures et intérieures concourent à donner à l'ensemble une qualité achitecturale indéniable, où l'harmonie des couleurs et des matériaux est rigoureusement étudiée.

Dans le salon de la villa Laroche, le décor est resté immuable, notamment la table fixée au sol.

Au deuxième étage de la maison Ozenfant, un vaste atelier est éclairé par une verrière d'angle. En détail, Le Corbusier, qui s'est imposé comme l'un des maîtres de l'architecture moderne.

CUBE VITRÉ POUR PEINTRE CUBISTE ◁

Maison Ozenfant, 53, avenue Reille (XIVe)

En 1917, Le Corbusier suit un stage de quinze mois dans l'atelier des frères Perret. Il y rencontre le peintre cubiste Amédée Ozenfant (1886-1962), avec lequel il se lie d'amitié. Représentants du mouvement pictural puriste, qui s'inspire de l'esthétique fonctionnelle des machines, ils exposent leurs peintures en 1922 et fondent la revue *l'Esprit nouveau,* avant de se brouiller, en 1925. Les deux amis fréquentent quotidiennement le café Legendre, qui inspira le plan de l'atelier d'Ozenfant. Ce dernier l'évoque dans ses Mémoires (1968) : « C'était un local assez étroit mais profond, à peu près quatre fois plus long que large et très haut en proportion [...] Je remis à Le Corbusier et à son cousin et associé Pierre Jeanneret mes esquisses, ils les développèrent sans toucher aux principes. Je me serais contenté d'une maison fonctionnelle – ils me bâtirent une petite beauté. Je fus l'ingénieur, Pierre perfectionna le plan et les dispositifs techniques, Le Corbusier fut l'artiste. Rarement fonction et charme ne firent si bon ménage. » Une terrasse a remplacé la toiture d'origine. L'étage principal a gardé le système de hauts volets destiné au passage des grands tableaux. Les fenêtres en bandeau continu confèrent à ce cube vitré sur trois côtés un air de liberté qu'on lie volontiers au caractère avant-gardiste d'Ozenfant.

NÉGOCIATIONS DIFFICILES POUR L'EXTENSION DE LA SAMARITAINE ▽
Magasin 2, 10, quai du Louvre (Iᵉʳ)

Le magasin 2 de la Samaritaine comporte trois niveaux en sous-sol, un rez-de-chaussée et dix étages. À partir du sixième étage, les terrasses se superposent en retrait.

👁 Le magasin 2 de la Samaritaine fut édifié de 1904 à 1910 par Frantz Jourdain, qui l'agrandit ensuite vers le quai du Louvre avec Henri Sauvage entre 1925 et 1928. Cette extension fit l'objet de difficiles négociations entre les architectes, le commanditaire, Cognacq-Jay, et la commission d'esthétique de la Ville de Paris. Le terrain nécessaire à l'extension du magasin entraînait la désaffection d'une partie de la rue des Prêtres-Saint-Germain-l'Auxerrois, la démolition des immeubles bordant le quai du Louvre et l'expulsion de leurs habitants.

UN COMPROMIS STYLISTIQUE
Cette annexion fut accordée sous conditions : la nouvelle façade à élever sur le quai serait en retrait pour que la ville jouisse d'un élargissement du quai au débouché du Pont-Neuf ; de plus, les deux dômes polychromes placés à l'angle du magasin 2 par Jourdain devraient être détruits : leur exubérance, jugée vulgaire dans ce périmètre historique, suscitait l'indignation de la commission d'esthétique. Sauvage, plus diplomate que Jourdain, tint compte des observations de cette dernière et modifia le premier projet déposé en juillet 1925. Dès lors, le dernier projet, agréé par la Ville en novembre 1926, porte son empreinte. La polychromie et l'ossature métallique apparente sont abandonnées. Les façades de pierre, indépendantes de l'armature métallique, reposent directement sur les voiles en béton armé du sous-sol. Le fer apparent (marquises, balcon, menuiserie métallique) fut peint « d'un ton bronze classique sans aucune décoration surajoutée ». Les travaux sont terminés en octobre 1928.
VOIR AUSSI LE MAGASIN SUR LA RUE DE LA MONNAIE, p. 334.

VUE SUR LE PARC MONTSOURIS ◁
Villa Guggenbühl, 16, rue Nansouty (XIVᵉ)

🔑 André Lurçat (1894-1970) élabora au début de sa carrière des maisons individuelles pour une clientèle d'artistes et d'intellectuels. La maison élevée en 1926 pour le peintre suisse Walter Guggenbühl est représentative de son savoir-faire.
Le terrain, situé à l'angle des rues Nansouty et du Douanier, jouit d'une vue exceptionnelle sur le parc Montsouris. Le plan de la maison est composé de telle sorte que chaque pièce ait une vue sur le parc. Il fut soigneusement établi en fonction du mode de vie du propriétaire : salle de séjour et cuisine au rez-de-chaussée, atelier de 40 mètres carrés, éclairé au nord par un bow-window, et chambre, au premier étage ; installations sportives – solarium, douches, portique de gymnastique – sur le toit-terrasse. Lurçat avouait son intérêt pour les dispositions intérieures : « Partir du plan, de l'aménagement intérieur de l'espace à utiliser, disposer ses volumes d'après ce souci unique, continuer jusque sur les façades ou sur les murs extérieurs à affirmer les servitudes intérieures ; pas de salut en dehors de ces règles. »
La façade presque aveugle donnant sur la rue Nansouty s'oppose à la façade largement ouverte sur le parc Montsouris. Les élévations extérieures sont caractérisées par un sobre jeu de volumes et d'harmonieux décrochements.

Bien qu'altérée par le percement d'ouvertures et de pièces supplémentaires bâties sur les terrasses, la villa Guggenbühl demeure néanmoins exemplaire pour sa rigueur fonctionnaliste.

ATELIERS POUR ARTISTES FORTUNÉS ▷
Le Studio-Building, 5, rue La Fontaine (XVIe)

Le Studio-Building abrite cinquante ateliers d'artistes.

🔑 Cet immeuble, réalisé en 1927 par l'architecte Henri Sauvage (1873-1932) et l'ingénieur Jean Hallade, fut une opération commerciale très audacieuse. Les deux hommes proposaient de luxueux ateliers d'artistes à des gens fortunés, tel le décorateur René Prou.
Aux premier, troisième et cinquième étages sont distribués des appartements en duplex de 7 mètres sous plafond, éclairés par un haut et large bow-window – disposition rendue possible par le nouveau règlement d'urbanisme de 1902. L'immeuble est également étonnant sur le plan technique : la structure en béton armé est revêtue de matériaux assurant l'isolation thermique et phonique de tous les équipements intérieurs fonctionnant à l'électricité.
Par leur forme et leur couleur, les façades tranchent sur les immeubles avoisinants. Elles sont garnies de carrelage polychrome façonné par Gentil et Bourdet. Au rez-de-chaussée, le grès ocre flammé est surmonté d'une bande bleu ardoise. Une harmonie délicate en camaïeux de gris et ocre rosé règne aux étages supérieurs. Les carreaux blancs apposés sur les bow-windows et aux angles accentuent visuellement la saillie de ces éléments et confèrent à la façade un aspect géométrique sans doute influencé par le cubisme. La volonté d'introduire la technologie dans le secteur du bâtiment est ici complétée par une recherche décorative personnelle, exceptionnellement bien conservée.

BAIGNADE DISCIPLINÉE ▽
Piscine de la Butte-aux-Cailles,
5, place Paul-Verlaine (XIIIe)

🎨 Cette piscine était en projet dès 1898 en raison de la proximité d'un puits artésien, foré depuis 1866, qui fournit de l'eau à 28 °C. Elle est construite en brique et ciment armé par Louis Bonnier (1856-1946), de 1920 à 1924. La cuve du bassin (33 mètres sur 12) est indépendante du reste de la construction. Elle s'appuie sur soixante-cinq piliers fixés dans un sol fragilisé par l'exploitation des carrières. La couverture, soutenue par sept arcs en plein cintre de 16,60 m de portée, permet de dégager un volume aux proportions remarquables. Bonnier laissa apparent le ciment armé, car il pensait que « les masques de pierre, dont on abuse de nos jours, constituent un mensonge et une malfaçon ». Une circulation étudiée contraint les baigneurs à traverser une salle de douches et de pédiluves. On peut lire, inscrit dans la mosaïque : « Salaud qui salit l'eau », réflexion de Bonnier peu appréciée de certains baigneurs. Les sols, les escaliers et les murs sont revêtus de céramique blanche jusqu'à une hauteur de 2 mètres. Le bassin est en céramique bleue. Par son décor de couleur, par l'intelligence de la circulation des baigneurs comme des spectateurs, cette piscine, exécutée avec qualité par les établissements Hennebique, offrait, pour son époque, un caractère novateur.

La butte au miel

À deux pas de la piscine, la rue de la Butte-aux-Cailles offre son charme villageois aux passants. Bordée de bâtiments bas, elle croise des passages fleuris et des ruelles pentues, qui suivent encore la géographie du village d'origine, dont le quartier a conservé le nom. Culminant plus haut que la montagne Sainte-Geneviève, cette butte piétonne mêle l'esprit titi parisien au passé communard et à Mai 68. Le charmant décor fleuri de Chez Françoise et sa carte traditionnelle voisinent avec l'activiste estaminet Le Temps des cerises : la carte précise qu'il s'agit d'une société coopérative ouvrière de production à capital variable. Chez Paul, qui fut la cantine de Robert Doisneau au soir de sa vie, accueille l'équipe de *Charlie Hebdo*. Aux Abeilles, sous la houlette d'un traducteur-apiculteur, on découvre délices et raffinements à base de cire : bougies, cire pour harnais, et une cinquantaine de sortes de miel, dont le cru du bois de Vincennes. Enfin, à défaut de cailles, la butte

compte un Merle moqueur, petit café dont les merles sont en fait rockeurs, et, plus loin, la Folie en tête, qui vit aussi au rythme de la chanson. Un petit théâtre se cache rue des Cinq-Diamants, ainsi qu'une librairie spécialisée dans les ouvrages d'histoire, un magasin de troc et une ébénisterie. Enfin, signalons Le Dilettante, une exquise librairie au passé anarchiste.

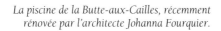

La piscine de la Butte-aux-Cailles, récemment rénovée par l'architecte Johanna Fourquier.

L'entre-deux-guerres

L'HISTOIRE DE LA COLONISATION

Palais permanent des colonies (actuel musée des Arts d'Afrique et d'Océanie),
293, avenue Daumesnil (XIIe)

L'ancien Palais permanent des colonies, seul édifice témoignant de l'Exposition coloniale de 1931, est dû à l'initiative du maréchal Lyautey. Il en confia la réalisation à son fidèle collaborateur Albert Laprade (1883-1978), auteur de la Résidence de Rabat, au Maroc, et qui se fit assister de Léon Jaussely.
Le bâtiment, construit en béton armé et moellon récupéré des fortifications, est un parallélépipède rectangle de 20 mètres de haut. Il offre les caractères d'un temple : la façade principale et les ailes en retour sont rythmées par un portique monumental, constitué de piliers de granite couronnés de chapiteaux ioniques stylisés.

HISTOIRE GRAVÉE DE TROIS CONTINENTS

Les façades sont revêtues d'un bas-relief de 1 300 mètres carrés en pierre jaune originaire du Poitou. Alfred Janniot, secondé par Gabriel Forestier et Charles Barberis, y exécuta des sculptures de 10 à 12 centimètres d'épaisseur. Étonnante prouesse architecturale, cette véritable « tapisserie de pierre » se caractérise par une exubérance joyeuse des formes et une représentation audacieuse des figures sculptées à la même échelle et sans perspective.
Au centre, le groupe symbolique donne sa signification à l'œuvre tout entière, qui se lit comme une vaste encyclopédie. *L'Abondance* – Terra Mater – est encadrée de *la Liberté* et de *la Paix*. La partie gauche du bas-relief est consacrée à l'Afrique, à ses activités – récolte du coton, de l'arachide, du cacao, du café, ramassage du bois – ainsi qu'à sa faune – lions et gazelles. L'Océanie est illustrée sur l'aile en retour. Sur la partie droite, les cultures du thé, du riz, la production de la soie et les tigres royaux évoquent l'Asie. Les perles de Tahiti, les coraux de Nouvelle-Calédonie rappellent les îles du Pacifique.

UN MOBILIER EN BOIS EXOTIQUE

À l'intérieur, le hall d'honneur, décoré de belles grilles en fer forgé de Raymond Subes, est flanqué de deux salons ovales : le salon Lyautey, doté d'un mobilier en palmier du Gabon signé Eugène Prinz, est orné d'une fresque sur le thème de l'Asie due à André-Hubert Lemaitre. Le salon Paul Raynaud fut conçu par Jacques-Émile Ruhlmann. Les boiseries et le mobilier sont en ébène macassar. Le superbe bureau est marqueté de galuchat et de filets d'ivoire en losange. Les vastes fauteuils clubs s'accordent avec les vasques ciselées d'incrustations métalliques par Edgar Brandt. L'Afrique est incarnée dans des fresques de Louis Bouquet.

RICHESSES DES CIVILISATIONS D'OUTRE-MER

Par sa fonction idéologique, le Palais permanent des colonies fut le clou de l'Exposition coloniale de 1931, qui attira trente-quatre millions de visiteurs. L'histoire de la colonisation, de ses réalisations économiques, sociales et humanitaires, y était retracée. Il devint le musée de la France d'outre-mer de 1935 à 1960. Après l'accession à l'indépendance des pays africains, il fut transféré du ministère de la France d'outre-mer au ministère des Affaires culturelles. André Malraux décida d'y exposer les arts africains et océaniens. Actuellement, le musée comprend quatre sections : l'Océanie, l'Afrique subsaharienne, le Maghreb et l'aquarium tropical.

L'immense bas-relief couvrant la façade du musée des Arts d'Afrique et d'Océanie.

Sculpture en bois de fougère arborescente, originaire de Vanuatu (ex-Nouvelles-Hébrides).

Dans le salon Paul-Reynaud, le bureau du ministre des Colonies. Au mur, l'allégorie de l'Afrique, fresque de Louis Bouquet.

Ceinture verte pour taille fine

Sous la jupe à double volant des Maréchaux et des périphériques qui la ceignent de leur circulation ininterrompue, Paris porte encore une ceinture, serrée, verte et secrète. Trésor inattendu, tout près du musée des Arts africains et océaniens, ce petit cordon ferré, qui ne connaît plus que le rare passage de vieilles locomotives transportant du matériel ferroviaire d'une gare à l'autre, garde jalousement des jardins potagers. De vrais jardins potagers. Difficiles à surprendre, ces petites merveilles jouxtent la villa du Bel-Air, la rue de Saint-Mandé et la jolie sente des Merisiers, qui part de la rue du Niger. Il s'y cache même un tel amoureux des plantes qu'il a surnom l'Homme des bois. Construite en 1854, cette étroite voie ferrée de 31,5 km de long en remblais, viaducs et tunnels s'effectua en trois tronçons successifs. Destinée à la liaison entre les grandes gares, son implantation favorisa aussi l'ouverture de gares de marchandises pour les petites industries. Elle fut accessible aux voyageurs en 1862 et en transportait trente-neuf millions en 1900! Remplacée en 1934 par un bus du même nom, le PC, la petite ceinture a perdu tout trafic régulier, et ses gares se sont transformées en lieu de stockage, tandis que ses voies presque à l'abandon (en dehors du tronçon ouest, réutilisé par le réseau express régional – RER) ont été investies par une abondante végétation, jusqu'à être classées « zone verte » en 1989. L'Association de la sauvegarde de la petite ceinture y organise des visites et des sorties destinées à l'observation des raretés écologiques qu'elle abrite.

LA RUE D'UN GRAND ARCHITECTE ▷

Rue Mallet-Stevens (XVIᵉ)

Entre 1925 et 1927, Robert Mallet-Stevens (1886-1945) réalise dans cette rue cinq hôtels particuliers pour lui et ses amis, dont la distribution intérieure est personnalisée. Dans son hôtel, il prévoit une agence avec atelier de dessin, pour la pianiste Mme Reifenberg une salle de musique, pour les frères Martel un grand atelier de sculpteur, un hall avec cabine de projection pour un cinéaste et un atelier pour un peintre. Au rez-de-chaussée se trouvent les services (garage, buanderie, cuisine) ainsi que les locaux professionnels. Aux étages moyens sont répartis les hall, salon, salle à manger, chambres et, au dernier étage, les chambres des domestiques. Les constructions, en béton, se composent d'assemblages de volumes simples, essentiellement cubiques, parfois articulés autour de cylindres ou imbriqués pour créer des terrasses. Les volumes se superposent, formant des déboîtements, des effets de contraste, accentués par le jeu d'ombres et de lumières. La villa de Mallet-Stevens a été malheureusement défigurée par l'adjonction de trois étages. À côté de la terrasse, trois fenêtres verticales, autrefois munies de vitraux de Barillet, éclairent le salon.

LA CITÉ IDÉALE

Cet ensemble manifeste tout à la fois la volonté d'individualiser les constructions et de conférer un caractère homogène à la rue. L'unité est donnée par l'emploi d'un même vocabulaire formel : baies horizontales, garde-corps métalliques, enduits. Conçue comme un ensemble représentatif de la cité idéale, c'est l'œuvre la plus spectaculaire de Mallet-Stevens, même si elle est actuellement altérée par la suppression du mobilier urbain (massifs, lampadaires) et la surélévation des villas. Seule la maison des frères Martel (au numéro 10) a conservé intactes et en totalité ses dispositions d'origine.

La villa de Mallet-Stevens, au numéro 12 de la rue du même nom.

L'entre-deux-guerres

LE MUSÉE DES TRAVAUX PUBLICS ▷ ▽

Actuel Conseil économique et social,
1, avenue d'Iéna (XVIe)

🔑 Entreprise en 1938, la construction du musée des Travaux publics, œuvre en béton d'Auguste Perret, fut interrompue en 1946 et l'édifice resta inachevé. En 1959, les locaux seront affectés au Conseil économique et social et agrandis en 1961 sur l'avenue du Président-Wilson par Paul Vimont. L'ensemble épouse la forme d'un triangle isocèle dont l'angle est occupé par une rotonde, qui abrite une salle de conférences en amphithéâtre. La rotonde et l'aile longeant l'avenue d'Iéna sont agrémentées de colonnes cannelées spectaculaires par leur élancement. Réalisées en béton brut bouchardé, elles sont fines à la base et s'élargissent progressivement vers le sommet, où elles s'évasent en chapiteau, selon les lois de l'optique appliquées par Perret.

UN ESCALIER SPECTACULAIRE

À l'intérieur, deux rangées de colonnes portent le plancher de l'étage. Le double escalier suspendu en fer à cheval, reliant la salle hypostyle du rez-de-chaussée aux étages, est d'une remarquable ampleur. L'édifice, égayé par des tapisseries de Lurçat et des peintures de Souverbie, conserve un intéressant mobilier de l'année 1946. Pour animer son édifice, Perret avait utilisé du béton de couleur et d'aspect différents selon les matériaux entrant dans sa composition et prévu sur les métopes de la rotonde des bas-reliefs qui ne furent jamais réalisés. Onze panneaux de mosaïques de Luigi Guardigli les ont remplacés, au grand regret de certains défenseurs de « l'esprit » de l'architecte. Ils furent inaugurés le 8 novembre 1989, ainsi qu'une sculpture en bronze intitulée *Sol et Colombe,* due à Martial Raysse.

Ci-dessus, le double escalier du Conseil économique et social. Ci-contre, la rotonde.

La façade de l'immeuble Roux-Spitz. Les bow-windows correspondent aux pièces de réception des appartements.

DES TECHNIQUES ANTIQUES POUR UNE CONSTRUCTION MODERNE ▷

Immeuble Roux-Spitz, 89, quai d'Orsay (VIIe)

🔑 Michel Roux-Spitz (1888-1957) construisit cet immeuble de 1928 à 1931. Sa sobre façade blanche en pierre de Hauteville, percée de grandes baies à guillotine, est montée grâce au procédé antique de fixation du placage par des agrafes de bronze, découvert à Rome par l'architecte. Les sixième et septième étages combinés forment un hôtel particulier réservé au propriétaire. Sur les terrasses de couverture, le jardin comporte un promenoir sous une pergola ; à un autre niveau, une grande terrasse avec vue sur la Seine est agrémentée d'une fontaine. Cinq appartements comprennent des pièces de réception donnant sur le fleuve, tandis que l'habitation privée est distribuée au sud, sur la rue Cognacq-Jay.

L'APPARTEMENT D'UN GRAND ÉCRIVAIN

En 1934, le dramaturge Jean Giraudoux abandonna le Quartier latin pour le quai d'Orsay, où le conduisait quotidiennement sa fonction de diplomate. Le choix de cet immeuble contemporain est sans doute lié à son intérêt pour l'architecture et l'urbanisme : il partageait les idées de Le Corbusier, dont il fut l'ami vers 1928 – celui-ci lui dédia sa *Cité radieuse,* encore manuscrite –, et se fit le défenseur des « libertés urbaines » par des conférences et une quarantaine d'articles. Dans *le Journal* du 30 avril 1937, Maggie Guiral décrit l'appartement de l'écrivain : « Chez lui, de larges baies ont l'air de dévorer le ciel. Sur les murs blancs se détache l'heureux mélange du Chippendale et d'un moderne rare, dans un concert de blanc, de rouge et de satin noir. Tout ici semble arriver filtré, assourdi, réduit à un monde plein de mesure et de notes justes. » Jean Giraudoux y mourut en 1944, à l'âge de soixante-douze ans.

Manèges et musée font bon ménage

La fête foraine reste l'une des distractions les plus prisées des Français. Un musée, créé à l'initiative de Jean-Paul Favand, propose 3 500 mètres carrés d'univers magique aux amoureux de la foire. Il y déploie ses manèges de chevaux de bois, d'animaux, d'automobiles, de vélos et d'avions réalisés en rondes-bosses ou en bas-reliefs peints, entourés par toutes sortes d'autres monuments nomades : balançoires, montagnes russes, auto-scooters, trains fantômes, stands de jeux, devantures de brasserie, façades de confiserie… L'art du spectacle itinérant se marie aux diverses techniques artisanales – dinanderie, tapisserie, miroiterie, passementerie, facture d'instruments. En déambulant dans ce vaste hall, on se sent happé par le tourbillon d'un monde onirique : les sculptures monumentales, les décors bariolés, les scènes animalières peintes, les marionnettes, les découpes baroques des ornements en bois rivalisent avec l'inventivité des orgues, des toiles, des colonnades, des éclairages et des enseignes. Au total, quatorze manèges, seize boutiques, dix-huit ensembles d'œuvres historiques et mille cinq cent vingt-deux pièces du Musée des écoles européennes. À noter : le manège des vélocipèdes (créé en 1890 et restauré en 1910), qui permet aux amateurs d'atteindre, en pédalant, la vitesse de 50 km/h.

Musée des arts forains, 50, rue de l'Église (XVe).

HYMNE AUX VOYAGEURS MODERNES
Église Saint-Christophe de Javel, ▷
28, rue de la Convention (XVe)

Inaugurée le 4 juillet 1930, cette église fut placée sous le vocable de saint Christophe, patron des voyageurs, en raison du voisinage des usines Citroën. Une statue du saint, due à Pierre Vigoureux, orne le porche de l'église. Une peinture d'Henri-Marcel Magne le personnifie protégeant le voyageur en voiture, en train ou en avion. Et saint Christophe apparaît encore dans la voûte bleue du sanctuaire, également peinte par Magne. Dans la partie inférieure sont figurés les orants – skieurs, cyclistes, aérostier, marin, alpiniste, automobiliste, mécanicien de locomotive –, usagers des moyens de locomotion modernes. Sur les bas-côtés se développe la légende de la vie du saint, exécutée par Jacques-Martin Ferrières. L'église est éclairée par un beau vitrail de Jacques Gruber.

DU CIMENT MOULÉ SUR PLACE

Alors que son plan, élaboré dès 1921 par Charles-Henri Besnard, est traditionnel, le système de construction et l'aspect de l'église apparaissent entièrement nouveaux, grâce à l'emploi systématique d'éléments en ciment armé préfabriqués par moulage sur le chantier : les moules en bois une fois disposés sur le sol, les ouvriers y plaçaient les ferraillages préparés à l'avance ; ils les remplissaient de mortier de ciment, utilisé presque sec et fortement pilonné. La prise commencée, on arrosait copieusement la pièce dans son moule pendant plusieurs jours. Lorsque le ciment avait atteint la dureté souhaitée, on procédait au démoulage. Le décor des éléments, constitué lors du moulage, n'était pas retouché au démoulage. Le ciment permettait des effets d'une grande légèreté, qui se lisent notamment dans les rayons des fenêtres hautes de chaque travée.

L'église Saint-Christophe de Javel, longue de 51 mètres, large de 19 et haute, sous la clef de voûte, de 16,50 m, comprend une nef de six travées flanquée de bas-côtés.

La « cité de refuge » de l'Armée du Salut ▷

12, rue Cantagrel (XIIIᵉ)

🔲 L'Armée du Salut, mouvement protestant, charitable et religieux, fut fondée en 1878 par William et Catherine Booth. Blanche Peyron, fondatrice du mouvement charitable la Mère et l'enfant, a le projet de réaliser dans le XIIIᵉ arrondissement – où une population misérable vivait entassée dans des bidonvilles – un établissement social qui comporte un service d'accueil et d'orientation, deux restaurants, un dispensaire, une salle de conférences, des ateliers et un hôtel avec chambres et dortoirs. « La cité de refuge » se réfère aux six villes de refuge créées par Josué après la conquête de Canaan par les Hébreux.
La princesse Winaretta de Polignac-Singer apporte l'essentiel des fonds, soit trois millions de francs, et impose les architectes Le Corbusier et Pierre Jeanneret. L'établissement est finalement inauguré le 7 décembre 1933 par le président de la République, Albert Lebrun.

PROUESSES TECHNIQUES

La mauvaise orientation du terrain ne permet pas de construire à l'aplomb de la rue, selon la coutume. Les architectes ont l'idée de jouer avec différents volumes, de dissocier les services d'accueil et d'administration de l'hôtellerie, qui bénéficie ainsi d'une façade de 75 mètres entièrement vitrée et exposée plein sud. La construction sur pilotis, l'inclinaison de la façade de 40 centimètres due à des contraintes de gabarit, l'installation d'un chauffage à air pulsé, le premier pan de verre hermétique de 1 000 mètres carrés constituent des prouesses techniques admirées des spécialistes.
Le bâtiment fut très endommagé pendant la Seconde Guerre mondiale, notamment par une bombe tombée en 1944. En 1948-1950, Le Corbusier remodela la façade. Il installa sur des fenêtres plus petites des brise-soleil rouge sombre « sang du Christ », bleu sombre et ocre jaune « feu du Saint-Esprit » ; ces teintes rappellent celles du drapeau de l'Armée du Salut.

La « cité de refuge » (ici, façade sud) incarne la pensée de Le Corbusier dans le domaine de l'immeuble collectif.

Un paquebot dans la ville ▽

Immeuble du 3-5, boulevard Victor (XVᵉ)

🔲 Pierre Patout (1879-1965), qui participa à l'aménagement du paquebot *Normandie*, acquiert en 1929 un terrain réputé inconstructible : une bande de terre coincée entre le boulevard et le chemin de fer de la petite ceinture, longue de 90 mètres et dont la largeur varie de 2,40 à 10 mètres. Il parvient cependant à y construire un immeuble en béton armé contenant soixante-dix studios et, pour son usage personnel, un appartement en triplex à la proue de l'immeuble.
Plusieurs références aux paquebots sont manifestes dans ce monument, notamment le fronton monumental de l'entrée, véritable cabine de commandement, et les retraits successifs des étages, qui évoquent une proue effilée, tandis que des bandes alternées de fenêtres horizontales renvoient aux coursives et aux passerelles des transatlantiques. Les appartements sont distribués par de longues coursives étroites reliées par un élégant escalier à double volée. Le couronnement de l'édifice est assuré par une suite d'appartements en duplex, groupés par deux autour de petites terrasses, qui dessinent des cheminées semblables à celles des paquebots. À l'entrée principale est placé un bas-relief d'Alfred Janniot intitulé *l'Architecture, clef de voûte des arts*. La composition en proue de navire, côté rue Lecourbe, et l'intelligence exceptionnelle dans l'utilisation du terrain font de ce bâtiment un chef-d'œuvre du style international.

L'immeuble-paquebot de Pierre Patout est inscrit à l'Inventaire général des monuments historiques depuis 1986.

L'Armée du Salut à l'heure des SDF

D'obédience protestante, l'Armée du Salut se réclame d'une forme d'église de rue. Partageant la même vocation que les compagnons d'Emmaüs, elle offre de l'aide aux plus démunis, aux exclus, que la vie a placés en situation de précarité et de fragilité. Le centre de la rue Cantagrel a pour mission l'hébergement et la réinsertion sociale (CHRS) : accueil des personnes en difficulté – ce sont des gens isolés, dont une grande majorité d'hommes ; préparation de la réinsertion, qui est la tâche du service médical (médecins, infirmières, psychiatres, psychologues), financé par l'État. La vocation du centre est de les aider à retrouver un travail. Beaucoup trouvent un emploi sur place, d'autres doivent assurer un minimum de vingt heures par semaine au sein des différents services du centre. Trois cent quarante personnes sont accueillies chaque jour dans les neuf étages de la rue Cantagrel : on comprend dès lors que le respect de leur vie privée interdise les visites. Et les amoureux de l'architecture devront se

Ci-dessus, le grand salon de la maison de verre, où le docteur Dalsace et sa femme recevaient les peintres Max Ernst, Fernand Léger et le poète Max Jacob. Ci-contre, la façade sur cour.

LA MAISON DE VERRE
DU DOCTEUR DALSACE
VIIe arrondissement

contenter d'admirer l'équilibre parfait des vastes proportions du hall d'entrée et de l'espace dévolu à la vente au public. L'Armée du Salut ouvre ses portes aux amateurs de choses anciennes (meubles, fripes, bibelots) et d'électroménager d'occasion (ce dernier est révisé et garanti). Les ventes concourent à financer l'œuvre sociale du mouvement, dont les membres dispensent sur le terrain des aides aux personnes en difficulté.
L'Armée du Salut, 12, rue Cantagrel (XIIIe).

🔑 En 1928, les Dalsace achètent un hôtel particulier de trois étages, datant du XVIIIe siècle, établi entre cour et jardin, avec l'intention de le démolir pour bâtir à neuf. Ils s'adressent à Pierre Chareau (1883-1950) . Ne pouvant expulser la locataire du deuxième étage, Chareau a l'idée d'utiliser le rez-de-chaussée et le premier étage comme un volume où il logerait – tel un tiroir – une nouvelle maison. Annie Dalsace désirait consacrer chaque niveau à un usage différent : le rez-de-chaussée à la profession de son époux, le premier étage à la vie en société, et le troisième étage à la vie privée, les pièces de service étant rejetées sur une aile attenante.

La maison, en verre, est construite de 1928 à 1933. L'ossature métallique supporte des façades translucides composées en brique de verre Nevada fabriquées par Saint-Gobain, dont le montage suivant une trame géométrique confère à la façade un caractère rigoureux. Le verre est le matériau constructeur, à l'extérieur comme à l'intérieur, afin que la lumière du jour pénètre la maison au maximum. Chareau, qui a aussi une prédilection pour le fer forgé, élabore avec André Dalbet une menuiserie métallique rationnelle et mobile : parois en Duralumin dans la salle de bains, murs-placards aux portes bombées, escaliers en fer, volets métalliques doubles manœuvrables par une roue à crémaillère. Sont d'ailleurs laissés apparents les rivets de l'ossature métallique, de même que les câbles électriques et la tuyauterie. Il a enfin recours aux bois précieux – acajou de Cuba, sycomore – et à l'ardoise.

L'agencement intérieur du grand salon procède directement de la créativité de Pierre Chareau et du sens de l'ordre de Bernard Bijvoët, chargé de la conception du mobilier. Chareau marie et oppose quantité de matériaux, guidé par les effets de contrastes et de couleurs : le noir, le blanc, le minium, tempérés par les tissus mordorés d'Hélène Henry, les textiles gris ou beiges, les tapis et tapisseries de Jean Lurçat. Il met ainsi en pratique l'idée principale qui circulait dans les années vingt : trouver dans l'industrie et dans la technologie naissantes l'esthétique et l'art de vivre propres au XXe siècle.

L'entre-deux-guerres

LE PALAIS DE CHAILLOT ▽
Place du Trocadéro (XVIe)

La colline de Chaillot était couronnée par le palais du Trocadéro, construit dans le style byzantin par Davioud en 1878. Lors de la préparation de l'Exposition universelle de 1937, on songea à le camoufler par un décor éphémère, puis on décida d'en démolir le centre et de garder les deux ailes courbes. La percée centrale de 55 mètres rendrait à Paris l'une de ses plus belles perspectives sur la Seine et formerait un axe de symétrie à partir duquel s'articulaient le palais, habillé de calcaire doré de Massangis (Yonne), et les jardins. Les travaux, confiés à Jacques Carlu, assisté de Louis Boileau et Léon Azéma, furent très critiqués.

TROIS MUSÉES DANS DEUX PAVILLONS

La rotonde de l'ancien palais est rasée pour faire place à une grande terrasse sous laquelle est édifié un théâtre de trois mille cinq cents places. De part et d'autre du parvis, deux grands pavillons abritent, l'un les musées de la Marine et de l'Homme, l'autre le musée des Monuments français, que prolongent les deux ailes en quart de cercle de 195 mètres, où chaque galerie ancienne est doublée d'une galerie nouvelle, à deux niveaux. On lance un important programme de sculpture, au moment où les artistes, gravement touchés par la crise économique, s'orientent résolument vers l'art mural. Quarante sculpteurs et vingt peintres sont embauchés pour décorer le palais. Parmi les sculptures sont remarquables : *Apollon Musagète* d'Henri Bouchard et *Hercule* d'Albert Pommier, sur le parvis ; *Art et Industrie* de Raymond Delamarre et les *Eléments* de Charles Sarrabezolles, surmontant les pavillons.

LE THÉÂTRE DE JEAN VILAR

Sous le parvis, les frères Edouard et Jean Niermans édifient le Théâtre national populaire. Ses innovations techniques, qui émerveillèrent les contemporains, et son décor harmonieux – rouge tyrien, or et tête-de-nègre – furent anéantis en 1973. Yannis Kokkos a récemment décoré la salle dans le goût postmoderne. Dans le théâtre demeurent les bas-reliefs dus à Navarre, Martel, Belmondo, et quelques toiles marouflées de Dufy, Friesz, Souverbie, Bonnard, Vuillard, Roussel, qui célèbrent la musique, la danse et le théâtre.

JEUX D'EAU ET STATUES DE BRONZE

Dix hectares de vastes jardins relient par des paliers successifs le bas de la colline à son sommet. L'aménagement des bassins et des jeux d'eau, conduit par Henri Expert et Maître, fut refait par Lardat après 1937. Nombre de sculptures y furent placées. La trouée centrale est jalonnée de bassins et de statues en bronze doré, personnifiant le Matin, la Jeunesse, le Printemps, les Oiseaux, la Campagne, les Jardins, les Fruits et les Fleurs.

Des acrobates à roulettes

Le patinage à roulettes d'aujourd'hui est bien différent de celui du début du siècle. Fini les établissements prestigieux aux pistes d'érable poli où affluaient les couples élégants. Après être tombé en désuétude, il fut remis au goût du jour dans les années soixante-dix-neuf avec l'irruption du roller-disco et de ses adeptes coiffés d'un casque de Walkman.

Le Trocadéro, haut lieu de rendez-vous des patineurs acharnés, offre l'un des spectacles les plus diversifiés du patinage contemporain. Sous la terrasse, deux allées en pente déroulent leur chaussée de chaque côté des jets d'eau. Les slalomeurs s'y installent d'un côté ou de l'autre, selon le sens du vent (pour éviter les éclaboussures). Le patinage « free » y côtoie le street-hockey, jeu aux règles plus souples que le rink-hockey. Des jeunes filles éprises de mini-slalom glissent entre des plots très rapprochés : elles font de la dentelle (figures réglées très précisément). Un club appelé Rollermania dispense aux jeunes les rudiments du patinage de rue. Les adeptes ont de quatre à soixante-dix-sept ans. Le dimanche, on peut assister aux spectaculaires sauts au tremplin orchestrés par le club Roller Team 340 (à prononcer « trois, quatre, zéro », jeu de mots rappelant Trocadéro). Pour pratiquer ces sports de la glisse, deux sortes de patins sont en vogue : traditionnels ou avec roues en ligne. Mais si ces derniers sont les rois de la randonnée, les patins classiques restent plus maniables pour effectuer des figures, affirment les spécialistes…

Le grand foyer est un bel exemple de l'art des années trente : sobre décor de marbre blanc et noir par Louis Süe, lampadaires de Raymond Subes, composition murale de Gustave Jaulmes.

Le palais de Chaillot est le dernier grand manifeste monumental de la IIIe République.

LE TEMPLE MYTHIQUE DU CINÉMA Δ ▷

Le Rex, 1, boulevard Poissonnière (IIe)

Jacques Haïk, un riche producteur, décide de créer en 1930 une salle de cinéma de trois mille trois cents places sur le modèle des salles atmosphériques américaines. Il fait venir des États-Unis le spécialiste du genre, John Eberson, auquel il adjoint l'architecte Auguste Bluysen. Sur les côtés de la salle sont juxtaposés différents tableaux d'inspiration orientale et exotique : palais marocains, colonnades antiques, palmiers, statues, minarets, haciendas espagnoles et balcons fleuris. Ce décor de rêve est complété par une voûte céleste, où chaque étoile est fixée à un cône incrusté de perles de verre qui réfléchissent la lumière. La scène, très vaste, abrite un écran de 18 mètres. Elle est fermée par un rideau de scène, *City of eye,* exécuté par Edward Allington, et encadrée d'une gigantesque arche lumineuse, typique du style Arts déco. Une fosse d'orchestre accueille les cinquante musiciens qui ouvrent le spectacle. Les services proposés à la clientèle sont aussi variés que luxueux : sièges équipés d'appareils pour les personnes malentendantes, loges, infirmerie, chenil et nursery. Le cinéma est inauguré le 8 décembre 1932 avec *les Trois Mousquetaires* de Diamant-Berger.

SPECTACLES SUR SCÈNE

Après la faillite de Haïk, le Rex sera repris par Gaumont, réquisitionné par les Allemands, puis racheté en 1944 par Jean Hellmann. Il connaîtra ensuite un immense succès, enregistrant jusqu'à quatre vingt mille entrées par semaine. Aujourd'hui, la salle offre deux mille huit cents places, tandis que la scène continue d'accueillir des chanteurs – Julien Clerc, Jacques Higelin –, le festival de jazz de Paris, etc. À Noël, tous les ans, le Rex présente la féerie des eaux : des jets d'eau sortant d'une rampe sont propulsés à 20 mètres de haut et retombent dans la lumière de vingt-six projecteurs multicolores.

Le décor resté intact de la salle du cinéma Le Rex, exécuté par Maurice Dufrêne.

La tour octogonale du Rex est de pur style Arts déco.

THÉÂTRE DAUNOU ▷

7, rue Daunou (IIe)

C'est à un admirateur de la comédienne Jeanne Renouardt, amie de Jeanne Lanvin, que l'on doit la création du théâtre Daunou. Cette salle de cinq cents places est intégrée au rez-de-chaussée d'un immeuble en béton armé construit par Auguste Bluysen en 1920. Il est original par sa façade de style néo-Empire et par son décor intérieur onirique signé Armand-Albert Rateau (1882-1938), menuisier et bronzier, directeur de Lanvin-Décoration, et Paul Plumet, sculpteur.

TAPISSÉE DE BLEU ET RICHEMENT DÉCORÉE

L'abandon du rouge en faveur du lapis-lazuli provoqua la surprise. La scène est encadrée de panneaux représentant, dans un foisonnement végétal, des singes, des écureuils, des oiseaux, animaux stylisés et dorés qui évoquent à la fois les tapisseries gothiques et les miniatures persanes. Lors de son inauguration, le 30 décembre 1921, le théâtre fut admiré et jugé « moderne », car il s'affranchissait de l'apparat traditionnel.

La salle du théâtre Daunou, où des plafonniers délicatement sculptés en forme de corolle diffusent un éclairage très doux.

HOMMAGE À LA FIDÉLITÉ DE L'ALSACE ◁
Église Sainte-Odile, 2, avenue Stéphane-Mallarmé (XVIIIe)

En 1934-1936, monseigneur Loutil fait construire sur les anciennes fortifications une église paroissiale, doublée d'un centre de pèlerinage, dont il souhaite faire un monument de la « reconnaissance française » à la fidélité de l'Alsace durant la période 1871-1918. Sur sa demande, l'architecte Jacques Barge s'inspire du couvent Sainte-Odile, près de Strasbourg, tout en recherchant une grande clarté, en hommage à Odile – sainte de la lumière –, guérie de la cécité par le baptême.
Le terrain, plus long que large, contraint l'architecte à orienter l'abside vers l'ouest. La crypte est adaptée aux pèlerinages, tandis que l'église supérieure, réservée au culte paroissial, se compose d'une nef de trois travées et d'un chœur terminé par une abside à déambulatoire. L'ossature de l'église est en béton armé, dissimulée par un habillage de briques, ou en béton teinté dans la masse par des grains de granite rose et du sable de marbre rouge. À cette expression rustique Barge a mêlé des matériaux plus précieux : le cuivre (sur les portes de la nef), le verre (cabochons et coupoles), le fer forgé (grilles), l'émail (retable). Les vitraux, élément artistique le plus spectaculaire, magnifient l'histoire de sainte Odile. Selon la coutume médiévale, les textes écrits dans un but édifiant se mêlent aux images, qui pastichent l'imagerie alsacienne.

La nef de l'église Sainte-Odile, couverte par trois coupoles en dalles de verre rose.

LE SALON DE WENDEL ▽
Musée Carnavalet, 23, rue de Sévigné (IIIe)

José Maria Sert y Badia (1874-1945), né à Barcelone, conçut en 1924-1925 la décoration du grand salon situé au rez-de-chaussée de l'hôtel de Wendel (28, avenue de New-York). Ce décor fastueux fut acquis par la Ville de Paris en 1981 et remonté au musée Carnavalet.
Au-dessus de la cheminée se développe le panneau principal : la reine de Saba, trônant sur un éléphant blanc, quitte son royaume pour rejoindre le roi Salomon. Une cohorte de pachydermes porte des palmiers destinés à fournir de l'ombrage lors du voyage à travers le désert. Au milieu d'une foule agitée se trouvent un géographe, un lecteur et les membres de la cour. Sur des panneaux isolés sont représentés tireurs de cartes, dames d'atours, musiciens, jongleurs, astrologues. Les figures, peintes en sépia, se détachent sur un fond dont la tonalité précieuse est donnée par l'application de feuilles d'or blanc. Une draperie carmin, légère et tourmentée, rythme la composition des murs et du plafond, créant l'illusion d'un espace immense dans lequel se meuvent des multitudes de personnages. Influencé par la peinture vénitienne et par l'orientalisme – dont le chef de file était Paul Claudel, ami de l'artiste, – l'art de Sert se caractérise par un style brillant et grandiloquent.

Le salon de Wendel, dont la cheminée et le mobilier métallique sont signés Raymond Subes.

LA VILLE ET SON FLEUVE ▽
Fontaines, place de la Porte-de-Saint-Cloud (XVIe)

Ces deux fontaines, inaugurées le 17 juillet 1936, sont constituées chacune d'un bassin et d'une tour cylindrique de 10 mètres de haut, revêtue de bas-reliefs exécutés par Paul-Maximilien Landowski.
Sur la première tour, les travaux des champs illustrent le thème de la Seine apportant à Paris les productions de la terre. Au sommet sont mentionnés les monuments des régions traversées par le fleuve. À la base, des médaillons en bronze représentent des animaux du Bassin parisien. La seconde tour est dédiée à Paris, ville d'art et de travail. Les principaux monuments de la capitale y sont sculptés, et les médaillons de bronze exposent des scènes de la vie parisienne. Landowski s'est représenté sous les traits d'un sculpteur parisien. Il confiait dans son *Journal* : « Rude problème que ces bas-reliefs sur surfaces cylindriques convexes. J'en viens à tout traiter sur un seul plan. Presque aucune saillie. L'extrême limite de ce qui est nécessaire pour que ce soit lisible. Et puis encadrer les repos que forment les corps par des surfaces excessivement riches et ouvragées. »

L'une des fontaines de la place de la porte de Saint-Cloud. Ces tours de pierre furent dressées par les architectes Pommier et Billards.

LE PALAIS DE L'ART CONTEMPORAIN ▽ ▷

Actuels musées d'Art moderne, 11-13, avenue du Président-Wilson (XVIe)

L'Exposition universelle de 1937 fournit l'occasion de construire un palais consacré à l'art contemporain. Le but était de réunir dans un même lieu les collections de la Ville de Paris, conservées auparavant au Petit-Palais, et les collections de l'État, entassées dans l'Orangerie du Luxembourg, tout en les maintenant indépendantes. Le jury du concours, ouvert en 1935, écarta environ cent trente projets avant de choisir celui de l'équipe formée par les architectes Dondel, Viard, Aubert et Dastugue. Ceux-ci présentent un édifice, véritable compromis entre le palais à la française, avec cour, colonnade, miroir d'eau côté jardin, et le musée de style international comportant de grandes salles à éclairage zénithal. Le décor sculpté est concentré à l'extérieur, sur l'espace central.

MYTHOLOGIE ET ARTS PLASTIQUES

Dans le patio séparant les deux musées se dressent trois statues – *la France, la Force* et *la Victoire* – d'Antoine Bourdelle. Le point fort se situe de part et d'autre du buffet d'eau, où les grands bas-reliefs d'Alfred Janniot évoquent dans un style vigoureux la légende de la terre et la légende de la mer. Les façades latérales des musées donnant sur l'espace central sont agrémentées de métopes sculptées. Léon Baudry représenta Hercule, Actéon, des sirènes et la chasse. Marcel Gaumont figura Triton, Éros, Centaure et trois nymphes. La pièce d'eau est garnie de quatre nymphes couchées, une œuvre en pierre de Léon Drivier, Louis Dejean et Auguste Guénot, à l'image des parcs classiques. Si ces thèmes mythologiques privilégient les muses et les éléments, les arts plastiques sont symbolisés sur les portes en acier recouvert de cuivre patiné, dues à Szabo.

Ci-dessous, la colonnade et le miroir d'eau des musées d'Art moderne, côté jardin. Ci-contre, Jeune fille au luth, sculpture de Zadkine, conservée au musée d'Art moderne de la Ville de Paris.

Le temple de la musique russe

À deux pas des musées d'Art moderne siège la société musicale russe en France, communément appelée conservatoire Rachmaninov, qui maintient depuis 1923 la tradition issue des conservatoires impériaux de Saint-Pétersbourg et de Moscou. Fondé par des musiciens tels que les compositeurs Alexandre Glazounov et Serge Rachmaninov, le chanteur Fedor Chaliapine et le chef d'orchestre Serge Koussevitski, le conservatoire acquit rapidement une réputation internationale.

Petit à petit, les grands maîtres émigrèrent ou moururent, et l'endroit faillit bien disparaître au début des années quatre-vingt. Le soutien de la Mairie de Paris le sauva et, aujourd'hui, il tente de retrouver la qualité musicale qui fit son succès dans les années trente. Cinquante professeurs, dont une quinzaine sont originaires de Russie, enseignent les trois grandes spécialités de cette école musicale – piano, violon, chant –, mais aussi la balalaïka et la langue ou la culture russes à plus de six cents élèves. Seul établissement de ce type en Europe, le conservatoire accueille également des étudiants étrangers dont, depuis peu, de jeunes Russes. Au sous-sol, une cantine réputée pour sa qualité privilégie un autre aspect de cette culture…

Après la chute du régime soviétique, les échanges se sont multipliés entre ce centre de l'émigration blanche et Moscou ou Saint-Pétersbourg. Mais le conservatoire est désormais tellement intégré dans Paris qu'il a abandonné l'objectif de ses fondateurs : se réinstaller définitivement dans son pays d'origine.
Conservatoire Rachmaninov, 26, avenue de New-York (XVIe).

Georges-Henri Pingusson (1894-1978) travailla de 1954 à 1964 à la conception de ce monument. Le mémorial, situé à la pointe amont de l'île de la Cité, est volontairement caché. On y accède par un jardin planté de gazon et de buis, loin des bruits de la ville, qui constitue un espace de transition entre le profane et le sacré.

UN UNIVERS DE RECUEILLEMENT

L'architecture du monument de Pingusson – trois parties nettement différenciées – compose un itinéraire initiatique en trois phases qui conduit le visiteur à la crypte des déportés. Un escalier étroit et raide mène au parvis. C'est la phase du « dépaysement ». On abandonne ensuite le monde des vivants pour l'univers concentrationnaire, symbolisé par le parvis aux parois hostiles et nues, où la mort est programmée. Une grille et une herse rappellent les barbelés des camps et évoquent la souffrance des déportés. On pénètre enfin dans la crypte, phase du souvenir, de la mémoire et du recueillement. Une dalle recouvre la tombe d'un déporté inconnu. La galerie est éclairée par deux cent mille bâtonnets de verre qui remémorent les deux cent mille Français tués dans les camps de concentration.

La crypte du Mémorial de la déportation, avec la tombe du déporté inconnu.

UNE SALLE DE SPORT
ET DE SPECTACLE ▷
Palais des sports, 34, boulevard Victor (XVᵉ)

Cette salle de sport fut édifiée en 1959 par Pierre Dufau (1908-1986), assisté par Victor Pajardis de Larivière. Le bâtiment, d'un diamètre de 68 mètres, est couronné par une coupole en aluminium réalisée selon la technique des dômes géodésiques mise au point par Richard Buckmeister en 1952, et que Victor Pajardis de Larivière étudia aux États-Unis. La coupole est composée de mille cent quatre-vingts panneaux en forme de losange, chaque panneau étant constitué d'une feuille d'aluminium de 2,3 mm d'épaisseur.

MÉTAMORPHOSES DE LA SALLE

La salle, conçue à l'origine pour des événements sportifs – combats de boxe –, accueille principalement des spectacles de cirque, des ballets et du théâtre. Sa configuration peut varier en fonction des options des metteurs en scène et des chorégraphes et autres utilisateurs. Le nombre de places fut réduit à trois mille neuf cents pour la production d'*Holiday on ice,* en raison de l'espace occupé par la patinoire. Robert Hossein souhaita, pour la mise en scène de *Jules César* (1986), que la salle rappelle un théâtre shakespearien, avec une scène frontale de 18 mètres d'ouverture sur 24 mètres de profondeur. En revanche, il imagina pour *l'Affaire du courrier de Lyon* une scène centrale de 16 mètres de diamètre, autour de laquelle étaient placés cinq mille spectateurs.

Le Palais des sports, reconnaissable à sa coupole en aluminium, a été construit en six mois seulement.

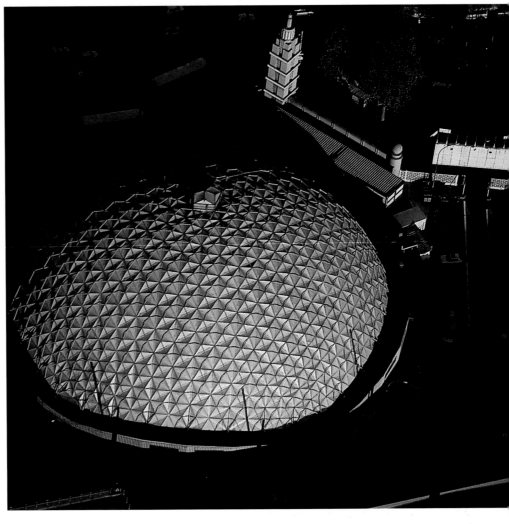

L'immeuble de l'UNESCO, dont la forme en Y complète le demi-cercle de la place de Fontenoy. De l'avenue de Suffren, on peut apercevoir la monumentale statue en travertin d'Henry Moore intitulée Silhouette au repos *(ci-dessus).*

L'œuvre culturelle ◁ Δ des Nations unies

UNESCO, 7, place de Fontenoy (VIIe)

L'UNESCO (United Nations Educational, Scientific and Cultural Organization) est une institution créée le 4 novembre 1946 par les Nations unies pour favoriser l'éducation, la science et la culture dans le monde. Trois architectes, le Français Bernard Zehrfuss, l'Italien Pier-Luigi Nervi et l'Américain Marcel Breuer, entreprirent en 1958 l'édification de son siège, à Paris, d'après des plans approuvés par un comité international comprenant le Français Le Corbusier et l'Américain Walter Gropius, fondateur du Bauhaus.

UNE LEVÉE DE BOUCLIERS

L'apparition d'une construction moderne dans un site classé, en face d'un monument historique – l'École militaire –, souleva de violentes contestations. La hauteur du bâtiment fut alors réduite à 14 mètres, ce qui correspondait à sept étages. En réponse au programme imposé et aux règlements parisiens, Breuer proposa un plan en Y aux branches courbes, une « étoile à trois branches ». Ainsi, l'édifice s'intégrerait dans le plan tracé au XVIIIe siècle par Jacques Ange Gabriel et compléterait le demi-cercle de la place de Fontenoy. L'immeuble repose sur des pilotis hauts de 5 mètres qui libèrent au rez-de-chaussée un grand hall vitré. La façade principale est animée par des brise-soleil. Les pilotis en béton blanc sablé et le porche parabolique ont été dessinés par Nervi.

DES ARTISTES PRESTIGIEUX

Des œuvres d'artistes renommés décorent l'édifice des Nations unies : *Spirale,* mobile en acier noir, haut de 10 mètres, d'Alexandre Calder ; *Silhouette au repos,* sculpture d'Henry Moore ; et *l'Homme qui marche,* d'Alberto Giacometti. Joan Miró et Josep Liorens Artigas, céramiste, ont conçu le *Mur du soleil* et *le Mur de la lune.* Le premier, long de 15 mètres et large de 2,20 m, est composé de cinq cent quatre-vingt-cinq plaques émaillées représentant le disque rouge du soleil. Le second fait apparaître le « croissant bleu » de la lune. Pablo Picasso réalisa un grand panneau pour la salle des pas perdus sur le thème de la chute d'Icare. Interrogé sur son œuvre, l'artiste déclara : « Ce sont des gens qui se baignent, tout simplement. »

Les Salons de la porte de Versailles

Au sud de la capitale, en bordure du boulevard périphérique, s'étendent les 220 000 mètres carrés du Parc des expositions de la porte de Versailles. L'ensemble, créé en 1923, se loge dans un des nombreux interstices qui séparent Paris de sa banlieue. Toute l'année, à l'exception des mois d'été, une clientèle internationale que recherchent ardemment les taxis en quête de longue course jusqu'aux aéroports se rend pour voir et pour acheter dans les nombreux Salons professionnels fermés au grand public.

Pourtant, de loin en loin, d'autres manifestations beaucoup plus populaires drainent ici une foule toujours plus nombreuse. Chaque année, cinq millions de personnes sillonnent ainsi les allées qui relient les huit bâtiments du parc. Elles vont faire des affaires à la Braderie de Paris, choisir leur nouvelle voiture au Salon mondial de l'automobile ou complimenter les éleveurs français du Salon de l'agriculture. L'occasion est alors unique de retrouver mêlés, au coude à coude derrière des vaches montbéliardes ou des cochons large white, des urbains en mal de verdure, des enfants éblouis et des ruraux guettant en professionnels la note du jury du Concours général agricole. Une semaine durant, des visages ravinés par le soleil et le grand vent viennent prendre l'air de Paris dans l'un des plus grands rassemblements populaires que connaisse la porte de Versailles. Puis les fermes repartent pour un an à la campagne, laissant Paris et les Parisiens la tête pleine d'odeurs de prairie et de rêves tout verts. Le Parc des expositions enlève la paille qu'il a dans les cheveux et accueille, comme si de rien n'était, le Salon de la robotique et de la périrobotique, les professionnels de la sérigraphie et le marché international des technologies assistées par ordinateur.

La ville contemporaine

Le fief du son et de l'image ▽
Maison de la Radio, 116, avenue du Président-Kennedy (XVIᵉ)

En 1950, la Radiodiffusion-Télévision française comprend trente-quatre studios, à Paris et en banlieue, ce qui rend extrêmement complexes la coordination et la programmation des émissions. Aussi est-il décidé de regrouper studios et bureaux dans un même bâtiment que l'on nommera Maison de la Radio. Henry Bernard (1912-1994) remporte, sur vingt-six concurrents, le concours ouvert en 1952. Il s'adjoint la collaboration de Jacques Lhuillier, classé deuxième au concours, et confie à Jean Niermans (né en 1897) et à Édouard Niermans (1904-1984), architectes du Théâtre national de Chaillot, l'aménagement des trois grandes salles destinées au public. La première pierre est posée en 1954. Neuf ans après, le 14 décembre 1963, le général de Gaulle inaugure l'édifice.

UN ROYAUME À TROIS COURONNES
L'architecture de la Maison de la Radio, qui, comme le disait Bernard, doit être « amie des sons et ennemie des bruits », s'appuie sur les lois de l'acoustique, qui imposent que les murs d'un studio d'enregistrement ne soient pas parallèles. Or, il fallait construire soixante-dix studios. L'architecte adopta une structure circulaire – qui s'inspire du plan annulaire de la BBC de Londres et de la Funkhaus de Berlin –, formée de trois couronnes concentriques. La couronne extérieure, haute de 36 mètres et d'une circonférence de 500 mètres, est occupée par les quelque mille bureaux exigés. La couronne centrale, moins élevée, est affectée aux studios, qui sont protégés du bruit des deux côtés. La couronne intérieure est réservée à la technique et à la diffusion. Elle enserre la « tour des collections » – rectangulaire, d'une hauteur de 68 mètres –, véritable mémoire de l'édifice, où sont stockés tous les programmes.

ALUMINIUM ET ACAJOU
L'aluminium qui revêt les façades a été assourdi afin de s'harmoniser avec le ciel de Paris, « couleur d'intérieur d'huître » selon Max Jacob. Plusieurs créateurs contemporains ont participé au décor intérieur. Dans le grand hall se dressent les « bois sacrés », portiques en acajou hauts de 5 mètres du sculpteur François Stahly (né en 1911). On peut également admirer des tapisseries et des céramiques de Pierre Soulages, Alfred Manessier, Gustave Singier et Jean Bazaine. Un musée retrace la naissance et l'évolution des premiers appareils d'enregistrement ; un studio de radio des années vingt et un studio de télévision de 1935 y ont été reconstitués.

Coiffée de son immense coupole, la salle de réunion du comité central, au siège du parti communiste français.

Jeu de courbes au siège central du parti communiste français △
Place du Colonel-Fabien (XIXᵉ)

Oscar Niemeyer (né en 1907 à Rio de Janeiro) fut chargé en 1956 par Kubitschek, président de la République du Brésil, de la réalisation de Brasília, la nouvelle capitale brésilienne, construite en plein désert. L'architecte y traça les plans des principaux bâtiments officiels : le palais du Congrès, la place des Trois-Pouvoirs et le palais de l'Aurore.
Exilé à Paris en raison du régime militaire de son pays, Niemeyer conçut, en 1965, le siège du parti communiste français. L'espace étant limité, il eut l'idée de reculer l'édifice par rapport à la place et de lui donner une forme incurvée afin d'en agrandir la surface. Le bâtiment, caractérisé par un jeu de courbes évoquant un amphithéâtre, présente une façade revêtue d'un mur-rideau de verre, dû à l'ingénieur Jean Prouvé. À côté, en sous-sol sol, la salle sphérique de réunion du comité central est recouverte d'une immense coupole blanche de 28 mètres de diamètre, posée à même le sol. Niemeyer a « recherché à maintenir pour tout l'immeuble la même liberté plastique, la courbe libre et logique que le béton armé suggère ».

Face à la Seine, la Maison de la Radio offre une façade circulaire.

Sports et variétés au Parc des Princes △
24, rue du Commandant-Guilbaud (XVIᵉ)

Au Parc des Princes, deux niveaux de gradins totalisent 26 kilomètres.

Le stade du Parc des Princes fut conçu pour le football et le rugby. L'équipe de France y perdit, le 17 novembre 1993, le match de qualification pour la Coupe du monde, qui devait se disputer en 1994 aux États-Unis. Le 25 janvier 1995 eut lieu l'ouverture du tournoi de rugby des Cinq Nations, en présence de lady Diana. La France l'emporta contre le pays de Galles par 22 à 9. Durant l'hiver 1994, le Parc fut transformé en piste de ski acrobatique, aménagée sur des tonnes de neige directement apportée des Alpes. Edgar Grospiron, champion olympique de ski de bosses à Albertville en 1992, y fit une démonstration très remarquée. Le Parc des Princes connaît également des spectacles de variétés, comme celui qu'y donna Johnny Hallyday en 1993 à l'occasion de son cinquantième anniversaire. Enfin, le pape Jean-Paul II y rencontra les jeunes Français en 1980, lors d'un grand rassemblement religieux.

VISION PANORAMIQUE

Le Parc des Princes fut construit en 1972 par Roger Taillibert (né en 1926), architecte de la piscine de Deauville. Il fut réalisé sans aucun pilier ni poteau, pour le confort visuel des cinquante mille spectateurs qu'il accueille. Gradins et toiture sont maintenus par une cinquantaine de consoles extérieures ; la toiture, annulaire, couvre la totalité des gradins, soit 17 000 mètres carrés, laissant la pelouse à l'air libre. Toute la structure de ce stade a été réalisée à partir d'éléments préfabriqués.

La nuit, la tour Maine-Montparnasse est éclairée par cent vingt mille tubes fluorescents.

Varappe à la tour Maine-Montparnasse ◁
33, avenue du Maine (XVᵉ)

Le 17 janvier 1995, en une heure vingt, Alain Robert ouvrit une voie sur la tour Montparnasse ! En raison du vent, qui soufflait à 100 kilomètres par heure, il dut s'aider d'un crochet « goutte d'eau ». Bien que l'ascension de la tour soit illégale, la police relâcha l'intrépide après un simple interrogatoire. Le grimpeur compte maintenant s'attaquer à la tour de Canadian National, à Toronto, l'une des plus hautes du monde, qui atteint 553 mètres.

210 MÈTRES
POUR CINQUANTE-HUIT ÉTAGES

C'est aux architectes Eugène Beaudoin, Urbain Cassan, Louis de Hayn de Marien et Jean Saubat que l'on doit la construction de la tour Maine-Montparnasse, de 1969 à 1973. L'édifice, dont les fondations s'enfoncent à 70 mètres dans le sol, s'élève à 210 mètres. Il comprend cinquante-huit étages – dont cinquante-deux abritent des bureaux – desservis par vingt-sept ascenseurs. Au cinquante-sixième étage, un bar panoramique et un belvédère permettent de jouir d'une vue exceptionnelle sur Paris. Les façades sont revêtues d'aluminium anodisé de couleur bronze et de verre pare-soleil. Un noyau central en béton armé contient les circulations verticales – escaliers, ascenseurs, câbles... Cinq mille personnes travaillent dans la tour pour une centaine de sociétés. Lors de la campagne présidentielle de 1974, François Mitterrand y loua des bureaux pour installer son équipe.

« Bouger avec la Poste »

À côté de la gare Montparnasse se dresse l'imposant bâtiment du musée de la Poste. L'histoire de cet extraordinaire service public, capable d'acheminer aujourd'hui plus de quatre-vingts milllions de plis quotidiens, se déploie en spirale sur cinq étages. Au gré d'un parcours historique, épistolaire et philatélique, on découvre les différentes étapes de la correspondance, rythmées par les grandes innovations techniques. Tous les moyens de transport, des plus classiques aux plus insolites, sont représentés : relais, malles-postes et postillons grandeur nature, maquettes de wagons postaux, de navires et d'avions, mais aussi montgolfières, pigeons voyageurs et boules de Moulins. Plus loin, ce sont les installations postales : bureaux de poste ambulants, guichets de bois, télégraphes, téléphones, et tout l'historique de la collecte et de la distribution du courrier, avec les premiers facteurs ruraux qui attendent le visiteur, habillés de pied en cap, sacoches bien arrimées, main sur le guidon. Affiches, calendriers, boîtes aux lettres accompagnent cette promenade chronologique au cours de laquelle on découvrira aussi avec amusement d'insolites instruments postaux, comme une « pince à purifier le courrier » aux pointes acérées datant du XVIIIᵉ siècle ! Enfin, le musée possède une collection complète des timbres français depuis 1849, ainsi que des sceaux, des cachets et des papier à lettres.

La boutique Correspondance, située au rez-de-chaussée, réédite d'étonnantes cartes postales, ce qui permet, sitôt la visite terminée, de faire son courrier et de glisser de hâtives missives, qui porteront le cachet du lieu, dans l'ancienne boîte aux lettres du hall. À propos, savez-vous que le Père Noël a un bureau de poste à Libourne et que ses nombreuses assistantes répondent au courrier ? Les plus belles lettres d'enfants sont exposées au musée...
Musée de la Poste, 34, boulevard de Vaugirard (XVᵉ).

La ville contemporaine

◁

VINGT TOURS CONTEMPLENT LA SEINE

Front de Seine, Quai André-Citroën et quai de Grenelle (XVe)

C'est la Ville de Paris qui décida la rénovation de cet ancien quartier industriel situé le long de la Seine, dans le XVe arrondissement. Elle en confia la coordination aux architectes Raymond Lopez, Henri Pottier et Michel Proux. Peuplé de cinquante mille habitants, le Front de Seine comporte des tours d'habitation, des bureaux, un hôtel, un centre commercial, des équipements sportifs et culturels desservis par une dalle piétonne.
L'ensemble immobilier se compose en majorité de bâtiments hauts de trente étages alternant avec des constructions basses à deux et trois niveaux. Les deux premières tours, la Tour de Seine et Évasion 2000, en forme de parallélépipède, commencées en 1967, sont dues à Pottier et Proux. Vingt tours en tout ont été érigées. Parat et Andrault ont édifié, en 1979, la tour Totem, comprenant des appartements de grand luxe. Les logements, regroupés par trois niveaux, forment des bow-windows accrochés aux poteaux de la structure en béton. La tour Cristal, la dernière, a été bâtie en 1990 par Julien Penven et Jean-Claude Le Bail. Recouverte de miroirs qui captent la lumière, elle est, selon ses auteurs, « une sculpture de verre et non une simple barre verticale ».

Le Front de Seine, vu du pont Mirabeau.

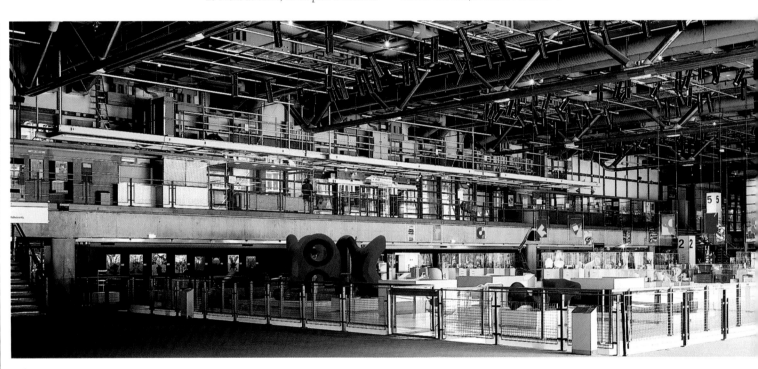

Poupées de cire, poupées de son...

Un « petit monde ancien » se blottit au fond de l'impasse Berthaud, à deux pas du Centre national d'art et de culture Georges-Pompidou. Ce musée de la poupée privé et familial, qui se cache derrière une grille et une courette enrubannées de verdure, abrite les passions de deux collectionneurs italiens, Guido et Samy Odin, père et fils : deux cents poupées et baigneurs, bien à l'abri dans les vitrines des sept salles du rez-de-chaussée. Si la première est consacrée aux Parisiennes vêtues de toilettes apprêtées rehaussées d'accessoires raffinés, la seconde est pleine de bébés joufflus datant des années 1880-1890. Cette époque marque un grand tournant dans l'histoire des poupées, qui prennent l'apparence de bébés bien plus faciles à dorloter... La troisième salle est entièrement dévolue au fabricant Jumeau, tandis que les deux suivantes présentent des modèles créés par la Société française de fabrication de bébés et de jouets, fondée en 1899 pour faire face à la concurrence allemande. Au cours de cette promenade nostalgique, on notera l'évolution morphologique des poupées et des décors qui les entourent.

Pour clore cette charmante visite, la dernière salle est consacrée aux expositions thématiques. Enfin, le musée dispose d'un laboratoire de restauration de poupées anciennes où sont également confectionnés des costumes suivant des patrons d'époque. La boutique offre un choix attrayant de petits accessoires pour collectionneurs ou amateurs (cartes postales, journaux, affiches, accessoires de poupées, figurines, etc.).
*Au petit monde ancien,
impasse Berthaud,
22, rue Beaubourg (IIIe).*

UN MÉCANO GÉANT ◁

Centre national d'art et de culture
Georges-Pompidou, rue Saint Martin (IVᵉ)

« Je voudrais passionnément que Paris possède un centre culturel qui soit à la fois musée et centre de création, où les arts plastiques voisineraient avec la musique, le cinéma, les livres, la recherche audiovisuelle… » L'idée du président Georges Pompidou prend forme dès 1970, date à laquelle est ouvert un concours international. Les lauréats furent deux jeunes architectes, l'Italien Renzo Piano (trente-trois ans), et l'Anglais Richard Rogers (trente-sept ans). La fonction du centre Pompidou est si nouvelle qu'elle ne peut conduire qu'à un bâtiment étrange à la fois « jouet » et « vaisseau spatial ». Les architectes ont imaginé un « jeu de construction, un mécano géant surplombant la ville. » Le bâtiment est composé de milliers de pièces, et ses différentes échelles le rendent comparable aux grandes réalisations métalliques du XIXᵉ siècle.

UN ESPACE OUVERT À TOUS

L'esplanade qui s'étend autour du monument est aussi importante, dans l'esprit des architectes, que le bâtiment. À l'animation qui règne en ce lieu de rencontre correspond le mouvement des visiteurs circulant librement derrière les murs ; on passe ainsi insensiblement de l'extérieur à l'intérieur, car « le centre est comme une rue qui serpente d'étage en étage ». Les architectes ont installé les systèmes d'entretien à la périphérie du bâtiment. Ces circuits techniques sont identifiables par des couleurs primaires : bleu pour la climatisation, vert pour les circuits d'eau, jaune pour l'électricité et rouge pour la circulation, que ce soit les escaliers mécaniques, les ascenseurs ou les monte-charges. L'espace intérieur, dégagé de ces contraintes techniques, acquiert ainsi une grande flexibilité. Le centre comprend cinq étages de plan identique dont les activités sont interchangeables.

LE PREMIER MONUMENT VISITÉ DE FRANCE

L'établissement, baptisé Centre national d'art et de culture Georges-Pompidou, est inauguré par le président Valéry Giscard d'Estaing le 31 janvier 1977, trois ans après la mort de Georges Pompidou. Il connaît dès son ouverture un succès foudroyant. Prévu à l'origine pour recevoir cinq mille visiteurs par jour, il en accueille régulièrement vingt-cinq mille, et jusqu'à cinquante-cinq mille les jours de grande affluence. Le centre est le monument culturel le plus visité de France, avant le Louvre. Certaines de ses expositions attirent des passionnés et des curieux du monde entier : jusqu'à huit cent quarante mille pour Salvador Dalí en 1980, et sept cent trente mille pour Henri Matisse en 1993. La bibliothèque accueille douze mille lecteurs par jour, soit 51 % du public qui fréquente le centre, et met quatre cent mille volumes de référence à leur disposition.
À partir de 1995, l'édifice sera restauré sous la direction de Renzo Piano, qui révisera la distribution de l'espace intérieur. Le musée, qui disposait de onze mille œuvres à l'ouverture, en possède maintenant trente-cinq mille, mais ne peut en exposer que huit cent cinquante à la fois. Il sera donc agrandi et occupera deux étages.

Le Centre national d'art et de culture Georges-Pompidou, bâtiment de métal et de verre au cœur du IVᵉ arrondissement. La construction fait 160 mètres de long sur 60 de large et s'élève à 42 mètres.

HOMMAGE À UN MUSICIEN RUSSE ▷

Fontaine Igor-Stravinski, place Igor-Stravinski (IVᵉ)

En 1982, la Ville de Paris, le ministère de la Culture et le centre Georges-Pompidou commandent cette fontaine à l'artiste suisse Jean Tinguely (1925-1991). Le monument, où les machines noires et métalliques de Tinguely se mêlent aux formes rondes et colorées de Niki de Saint-Phalle – avec qui l'artiste s'est associé –, s'insère dans le vaste espace rectangulaire bordé au sud par l'église Saint-Merri et au nord par le centre Georges-Pompidou.
L'emplacement retenu est le sommet d'un immeuble souterrain de cinq étages, l'IRCAM (Institut de recherches et de coordination acoustique-musique), fondé par Pierre Boulez. Pour limiter le poids en eau, le bassin est réalisé en acier inoxydable, avec un fond noir qui en augmente l'effet de profondeur. Les sculpteurs ont rendu hommage à Igor Stravinski, à qui la place est dédiée. Auteur, entre autres, de *Noces*, et de *Ragtime*, il composa de très nombreux ballets, dont *l'Oiseau de feu*, *Petrouchka* et *le Sacre du printemps* pour les Ballets russes de Serge de Diaghilev. Tinguely et Niki de Saint-Phalle ont élaboré une quinzaine de sculptures animées – *l'Oiseau de feu*, *l'Éléphant*, *le Serpent*, *la Sirène*, *Ragtime*, *l'Amour*, *la Vie*, *la Mort*… – comme autant de références à ses œuvres.

JORGE LAVELLI AU THÉÂTRE NATIONAL DE LA COLLINE ◁

15, rue Malte-Brun (XXᵉ)

Le metteur en scène Jorge Lavelli, d'origine argentine, dirige ce théâtre depuis son ouverture. Il a choisi de présenter les auteurs « classiques » de notre temps – Samuel Beckett, Eugène Ionesco, Arthur Schnitzler – et s'attache à faire connaître les œuvres peu connues de grands écrivains, comme *Comédies barbares* de Ramon del Valle-Inclan ou *Heldenplatz* de Thomas Bernhard. Lavelli veut également donner la parole à de jeunes dramaturges tels que Philippe Minyana ou Marie Redonnet. Ce répertoire du XXᵉ siècle est servi par des comédiens réputés : Michel Aumont, Judith Magre, Maria Casarès.

LE DERNIER-NÉ DES THÉÂTRES NATIONAUX

Construit en 1987 par Valentin Fabre et Jean Perrotet, le Théâtre national de la Colline est l'un des cinq théâtres dramatiques nationaux français, avec la Comédie-Française, l'Odéon-Théâtre de l'Europe, le Théâtre national de Chaillot et le Théâtre national de Strasbourg. Inauguré le 7 janvier 1988, il est le plus récent. Sa façade en verre, sur laquelle est inscrit le nom du théâtre en lettres de néon bleutées, est encadrée d'un portique de béton. Le théâtre comprend une grande salle de sept cent soixante places, de type frontal, décorée dans des tons chauds ocre-rouge, et une deuxième salle, modulable, qui peut accueillir deux cents personnes.

Le foyer du Théâtre national de la Colline.

Le Palais omnisports de Bercy, la plus grande salle de sport et de spectacle de Paris, couvre, avec son jardin, une superficie de 8 hectares.

ARCADES ET « PARAPLUIES RENVERSÉS » ▽

Forum des Halles, rue Pierre-Lescot (Iᵉʳ)

En 1969, les Halles de Paris déménagent à Rungis. Les pavillons érigés par Victor Baltard sont démolis, excepté un seul, transféré à Nogent-sur-Marne. Au centre de cet emplacement on crée, en 1979, un vaste espace souterrain qui recouvre l'un des nœuds principaux de transports en commun de la capitale (métro, réseau express régional), situé à 17,50 m en dessous du sol : le Forum des Halles. Autour d'un vaste quadrilatère creusé à 13,60 m de profondeur, Claude Vasconi et Georges Pencréa'ch érigent des verrières disposées en gradins et soutenues par des armatures métalliques peintes en blanc. Ainsi la lumière peut-elle pénétrer jusqu'au niveau le plus bas. Jean Willerwall ajoute, en 1982, des bâtiments en forme de corolle hauts d'une douzaine de mètres. Ces sortes de « parapluies renversés » s'accordent avec les arcades du Forum et avec l'architecture végétale du jardin dessiné par Claude et François-Xavier Lalanne – un véritable espace des quatre saisons : jardin de fleurs et de verdure à la belle saison, jardin automnal où domine la vigne vierge, jardin minéral et métallique en hiver.

UN CENTRE COMMERCIAL ET CULTUREL

Le Forum des Halles, vaste zone piétonne, est un lieu fréquenté par soixante mille à deux cent mille personnes chaque jour. Il réunit magasins d'habillement, de cadeaux, de décoration, de loisirs et d'équipement de la maison. Outre de nombreux restaurants, il abrite des équipements sportifs (piscine, gymnase) et culturels (discothèque, bibliothèque enfantine). Des musées y sont implantés – musée Grévin, musée de l'Holographie – ainsi que des centres d'exposition – Pavillon des Halles, Espace photographique. C'est enfin une concentration de lieux de spectacle : une vingtaine de salles de cinéma, une salle de concert, l'Auditorium des Halles, et la Vidéothèque de Paris.

Avec ses quatre étages de galeries, le Forum des Halles est l'un des principaux centres commerciaux de France.

L'Amérique régale Paris

Le Chicago Meatpackers surprend à plus d'un titre. À son plafond circule un petit train électrique, sur ses murs est retracée l'histoire des abattoirs de Chicago. Installé près des Halles depuis 1987, ce restaurant accueille un public nombreux dans son bar tout de bois revêtu. L'enseigne du lieu annonce *The home of good cooking*. Les assiettes que l'on vous sert ne

LA PYRAMIDE VERTE DE L'EST PARISIEN   △

Palais omnisports de Paris-Bercy, 8, boulevard de Bercy (XIIe)

En 1984, la Ville de Paris décide la construction d'une salle polyvalente, le Palais omnisports de Paris-Bercy, en remplacement de l'ancien Vélodrome d'hiver. Elle en confie la réalisation à Michel Andrault, Pierre Parat, Aydin Guvan et Jean Prouvé, qui lui donnent la forme d'une pyramide tronquée de plan octogonal. Les façades, inclinées à 45 degrés, sont recouvertes dans leur partie inférieure d'un gazon précultivé assemblé en rouleaux qui les tapisse comme une moquette. L'arrosage est assuré en surface par des jets, et en profondeur par de fines canalisations.

DE L'ATHLÉTISME À L'OPÉRA

La salle, qui mesure 128 mètres de longueur sur 103 de largeur, peut s'adapter à vingt-quatre disciplines sportives différentes. Le nombre de places varie de trois mille cinq cents à dix-sept mille, selon les circonstances. Lors des compétitions d'athlétisme, par exemple, la piste est recouverte d'un revêtement de 200 mètres de long divisé en six couloirs et comprenant des virages à 12 degrés. La salle contient alors neuf mille cinq cents places disposées en gradins. Pour le patinage, les sports de balle, de combat et la gymnastique, elle peut accueillir quatorze mille spectateurs. On assiste également à Bercy à des compétitions de triathlon auxquelles participent une centaine de sportifs venus du monde entier. La salle est alors équipée d'une piscine pour l'épreuve des 200 mètres en nage libre, d'une piste d'athlétisme pour la course des 1 500 mètres et d'une piste inclinée pour la course des 5 kilomètres à vélo. Enfin, c'est au Palais omnisports que se déroule l'open de Bercy, le tournoi de tennis le plus doté après les tournois du grand chelem de Melbourne, Roland-Garros, Wimbledon et New York. André Agassi, vainqueur de l'Open en 1994, y remporta la coquette somme de 1 815 000 francs.
Du grand théâtre antique de neuf mille cinq cents places au petit théâtre de trois mille cinq cents places, le Palais omnisports prête sa scène à de nombreux spectacles : cirques, chanteurs et groupes de variétés s'y succèdent, entrecoupés de représentations artistiques telles qu'*Aïda* et *Nabucco* de Verdi.

UNE FONTAINE CHUTE D'EAU   ▽

Fontaine Canyoneaustrate,
89, rue de Bercy (XIIe)

Cette œuvre, à la fois fontaine et sculpture, est réalisée en 1986 par Gérard Singer (né en 1929), en face du Palais omnisports de Paris-Bercy, du côté du parc de Bercy. Un bassin occupe les deux tiers de sa surface. D'une profondeur de 20 cm, il s'inscrit dans un carré de 41 mètres de côté et se prolonge par une chute d'eau. Pour Singer, « il s'agit d'une énorme masse d'eau qui coule sur 42 mètres au fil d'eau maximum, un peu comme les chutes du Niagara... On doit se sentir pris par cette situation, se sentir au centre, tout petit par rapport à l'environnement. » Cette chute d'eau est une véritable sculpture en creux, taillée dans le sol comme un canyon. Son point le plus bas est situé à 5 mètres au-dessous du niveau du bassin. « À Bercy, explique Singer, on passe insensiblement d'une norme géométrique – qui est celle du bassin et qui répond à l'ordre architectural – à des éléments de type organique ou naturel, ceux de la sculpture. C'est, voulue dans une même forme, la contradiction ou, plutôt, le désordre organisé. »

démentent pas : les spécialités maison sont les ribs (travers de porc fumés au bois de pommier), les T-bones (pièces de bœuf à l'os de 360 à 450 grammes), les chicken wings (poulet mariné), mais aussi les onion loafs (pains d'oignons), ainsi que toute une variété de hamburgers, sandwichs et salades, des entrées succulentes et des desserts du cru à faire fondre petits et grands. Le Chicago Meatpackers a d'ailleurs une attention particulière pour ses jeunes amateurs : le menu enfant (hamburger, frites, ice-cream, Coca) est accompagné d'une

boîte de crayons de couleurs et les plus belles réalisations sont plastifiées ; il leur propose aussi des dessins animés, des consoles et des jeux de construction. Si vous consultez son calendrier, vous verrez que tout est mis en œuvre pour que l'atmosphère festive du restaurant ne fléchisse pas : s'y enchaînent les rendez-vous culinaires, les fêtes traditionnelles américaines, les événements sportifs et les expositions (tous les ans, le mois de novembre est consacré aux Harley Davidson).
Chicago Meatpackers, 8, rue Coquillière (Ier).

La ville contemporaine

L'HÔPITAL HUMANISÉ ▷

Hôpital Robert-Debré,
48, boulevard Sérurier (XIXe)

Cet hôpital pour enfants a été bâti en 1988 par Pierre Riboulet. Il est dédié au professeur Robert Debré (1882-1978), qui se consacra à la pédiatrie et fut chef de service à l'hôpital des Enfants-Malades de 1940 à 1957.

PLACE À LA LUMIÈRE DU JOUR

Construit en arc de cercle, l'édifice blanc de l'hôpital est animé par des terrasses qui s'étagent en pente douce. Une grande galerie vitrée borde la façade et forme une rue intérieure ponctuée d'espaces conviviaux : la crèche, la maison des enfants, un restaurant, des boutiques et un jardin d'hiver. Pour « humaniser l'hôpital, en faire un lieu de vie pour les enfants et les parents », l'architecte a voulu distribuer le maximum de lumière naturelle. Les verrières, les terrasses et les petits jardins intérieurs contribuent à créer une ambiance accueillante. « Voir la ville, la vie qui continue, avoir du soleil, regarder un jardin au pied de son lit, ce sont des choses bienfaisantes quand on est malade. »

De véritables espaces verts, dus à l'architecte-paysagiste Liliane Tribel, caractérisent l'aménagement intérieur de l'hôpital Robert-Debré.

LES ÉCHELLES DU BAROQUE ▽

Place de Catalogne (XIVe)

On doit à Ricardo Bofill (né en 1939 à Barcelone) de nombreux logements sociaux dans les villes nouvelles : les Arcades du Lac à Saint-Quentin-en-Yvelines, les Colonnes de Saint-Christophe à Cergy-Pontoise. Dans le XIVe arrondissement, il réalise, de 1980 à 1985, un ensemble de deux cent soixante-douze appartements.
La façade principale des deux immeubles, les Colonnes et l'Amphithéâtre, épouse le tracé circulaire de la place de Catalogne. En choisissant d'« articuler le concave et le convexe de façon à pouvoir disposer entre les deux des appartements », Bofill puise son inspiration dans l'architecture de l'Italien Borromini, dont les volumes mouvants et dynamiques, animés de courbes et de contre-courbes, marquèrent le baroque romain du XVIIe siècle. Réalisées à l'aide de panneaux préfabriqués imitant la pierre sculptée, rythmées par des colonnes engagées colossales, les façades sont caractérisées par un jeu de lignes verticales et par l'emploi répétitif d'éléments empruntés au répertoire de l'architecture classique. Des triglyphes et une corniche à modillons couronnent les immeubles ; place de Séoul, la façade sur jardin, en verre fumé, reprend les mêmes motifs.

La façade en verre fumé de l'immeuble des Colonnes donne sur une place intérieure, la place de Séoul.

L'Entrepôt des plaisirs et des découvertes

L'Entrepôt était, comme son nom l'indique, le véritable entrepôt d'une importante papeterie. Cette grande bâtisse, située à proximité des Échelles du Baroque, fut achetée en 1979 par Frédéric Mitterrand, qui en transforma les 1 200 mètres carrés en salle polyvalente. Fin cinéphile, le neveu de François Mitterrand y ouvrit des salles de cinéma destinées à une programmation exigeante de films rares ou peu connus, anciens et récents, et de festivals d'auteur ou thématiques. L'Olympic-Entrepôt, tel fut son premier nom, devint rapidement une salle phare. Frédéric Mitterrand a quitté l'Olympic-Entrepôt après l'avoir lancé dans les étoiles. Le lieu a été repris par une deuxième équipe en 1987, et par une troisième en 1994. Les trois salles, de quatre-vingt-quatre places chacune, côtoient un bar d'ambiance musicale, une librairie spécialisée et un restaurant. L'atmosphère y est calme et accueillante. La programmation cinématographique est fidèle à la tradition « art et essai », pour le plus grand bonheur des spectateurs. La cuisine française du restaurant et les consommations du bar, qui reçoit régulièrement des formations de jazz, peuvent être servies sur la belle terrasse intérieure, au doux murmure d'une fontaine. L'Entrepôt organise régulièrement des manifestations inspirées d'autres pays : ainsi la fête irlandaise de la Saint-Patrick, le 17 mars, transforme le bar en pub irlandais où des groupes du cru viennent se produire, pendant que des films du même pays sont projetés et que le restaurant cuisine, lui aussi, à l'irlandaise.
Cinéma L'Entrepôt, 7-9, rue Francis-de-Pressensé (XIVe).

LE MARIAGE DE L'ORIENT ET DE L'OCCIDENT ◁ ▽

Institut du monde arabe,
23, quai Saint-Bernard (Ve)

L'Institut du monde arabe est né à l'initiative de la France et de vingt pays arabes, dont le Maroc, le Liban et l'Arabie saoudite. Jean Nouvel, Pierre Soria, Gilbert Lézénès et l'Architecture Studio, lauréats d'un concours national, entreprennent sa réalisation en 1987 avec le souci d'associer l'architecture arabe et l'architecture occidentale.
Le long de la Seine et suivant la courbe du quai du Jardin des Plantes au boulevard Saint-Germain, la façade nord est construite en verre pour illustrer la technologie de l'Occident. « Sa partie vitrée s'efface légèrement derrière la structure afin d'en accentuer la transparence et permet des vues sur l'intérieur du bâtiment. »
Dans sa partie haute, des procédés photographiques appliqués sur le verre reproduisent le reflet des immeubles parisiens.

DES MOUCHARABIEHS D'ALUMINIUM

La façade sud est consacrée à l'Orient. Jean Nouvel, fasciné par l'utilisation de la lumière dans l'architecture arabe, l'a ornée de deux cent quarante panneaux d'aluminium, interprétation contemporaine des traditionnels moucharabiehs (treillis de bois), composés de vingt-sept mille diaphragmes aux formes basées sur le carré, le cercle, l'étoile et le polygone, qui s'ouvrent au gré de l'intensité du soleil. Ces panneaux-diaphragmes sont commandés par dix-sept mille cellules photoélectriques qui dosent la lumière. L'immeuble est séparé en deux parties par une ouverture qui mène à un patio caché au cœur de la construction, « exprimant l'intériorité caractéristique de l'architecture du monde arabe ». Au centre de ce patio se dresse « une fontaine de mercure comme en décrivent les contes des Mille et Une Nuits ». Une bibliothèque propose quelque quarante mille ouvrages consacrés au monde arabe, édités en arabe, en anglais et en français.

Ci-contre, l'Institut du monde arabe, côté sud.
Ci-dessous, les panneaux-diaphragmes en aluminium.

L'allée centrale du musée d'Orsay (ex-nef de la gare), autour de laquelle se distribuent les collections.

UNE GARE REVISITÉE ◁

Musée d'Orsay, 1, rue de Bellechasse (VIIe)

Sauver la gare d'Orsay, sur le point d'être démolie, et la transformer en musée, telle est la décision prise en 1977 par le président de la République, Valéry Giscard d'Estaing.
La restauration et la transformation de l'édifice sont réalisées de 1980 à 1986 sous la direction de Jean-Paul Philippon, Renaud Bardon et Pierre Colboc. Respectant autant que possible l'architecture de la gare sans en rompre l'unité, ils utilisent le bâtiment dans le sens longitudinal de façon à mettre en valeur la grande nef.
La décoratrice italienne Gae Aulenti conçoit l'architecture intérieure en harmonie avec le caractère monumental de l'ancienne gare et règle l'éclairage de manière à concilier la lumière naturelle diffusée par la verrière et les variations d'intensité qu'exige la présentation des œuvres.
Le musée d'Orsay conserve les œuvres de la période 1848-1914 – peinture, sculpture, photographie et cinéma – qui illustrent les grands mouvements artistiques du XIXe siècle : réalisme, impressionnisme, Art nouveau.
Ses collections constituent une suite chronologique à celles du musée du Louvre et précèdent l'art contemporain exposé au centre Georges-Pompidou.
VOIR AUSSI LA GARE D'ORSAY, p. 325.

L'Opéra
de tous les Français ◁ ▷

Opéra de la Bastille,
2-4, place de la Bastille (XIIᵉ)

Malgré sa masse imposante, l'Opéra de la Bastille ▷
est conçu de telle sorte qu'il s'harmonise avec les
maisons les plus basses de la place.

Le site choisi pour installer cet Opéra que le président Mitterrand souhaite populaire est l'ancienne gare de la Bastille. Carlos Ott, né en 1946, Canadien d'origine uruguayenne et lauréat du concours international, est chargé de la réalisation du projet en 1983. Le but de l'architecte est de parvenir à « une véritable symbiose entre l'Opéra et le tissu urbain, à la différence du palais Garnier, bâtiment fermé qui semble infranchissable ». Aussi s'inspire-t-il de la configuration de la place de la Bastille et conçoit-il l'édifice en fonction de son monument le plus important, la colonne de Juillet, dont la forme ronde trouve une correspondance dans la façade principale de l'Opéra, de forme semi-circulaire et haute de 50 mètres.

LE RÈGNE DE LA TRANSPARENCE

Ott a privilégié le verre, l'Inox et la pierre de Valreuil (Yonne), car « ces matériaux réalisent une synthèse entre la tradition (la pierre) et le style contemporain (le verre et le métal). L'ouverture totale vers le public de l'Opéra se traduit par une transparence maîtrisée (jeux d'ombre et de lumière). De même, l'escalier monumental traditionnel descend jusqu'au trottoir à la rencontre du spectateur et le conduit sous un porche monumental vers les spectacles. »
La grande salle, qui constitue 4 % du volume total de l'Opéra, est revêtue de granite gris – le bleu de Lanhelin (Ille-et-Vilaine) –, de bois de poirier et de chêne pour le sol. Les sièges sont tapissés de velours noir. Au plafond, une grand vélum en verre, qui remplace le lustre traditionnel, assure l'éclairage et satisfait aux exigences de l'acoustique. Le rideau de scène a été imaginé par Cy Tombly. Au bar, situé à l'étage supérieur de l'édifice, est accroché un tableau de Jean-Paul Riopelle, *Point de rencontre*, offert par le gouvernement canadien lors de l'inauguration de l'Opéra en 1989. Cette œuvre se trouvait auparavant à l'aéroport de Toronto, ville où réside Carlos Ott.
L'Opéra de la Bastille connaît cependant depuis ses débuts de graves problèmes de gestion. De nombreuses équipes artistiques s'y sont succédé, sans encore parvenir à lui constituer un véritable répertoire.

La grande salle de l'Opéra de la Bastille renferme
2 716 places à vision frontale.
Aucun pilier ne vient gêner le spectateur.

La petite Auvergne

Certains regrettent la rue de Lappe des bougnats et des bals-musettes ; et il est vrai que les promoteurs guettent les opportunités… Mais, pavée de frais, la rue sait opérer sa reconversion moderne tout en conservant ses hauts lieux réputés, comme le magasin à l'enseigne Produits d'Auvergne, inchangé depuis un siècle.
La colonie auvergnate, disséminée dans tous les arrondissements de Paris, élit préférentiellement domicile dans ce quartier excentrique de la Bastille dès le XVIIIᵉ siècle. À une époque de grands bouleversements du paysage urbain, les ferrailleurs firent affaire avec la récupération des matériaux. Peu à peu, à l'appel des patrons, les vallées du puy Mary se vidaient de leurs

habitants et, à la fin du siècle dernier, les patrons ferrailleurs auvergnats, dits « taillandiers » – ils ont donné leur nom à une rue voisine, – étaient déjà deux cents autour de la Bastille. Sans compter leurs compatriotes tenanciers de tous les cafés, restaurants et bals-musettes du quartier. L'enseigne du célèbre Balajo a conservé le décor d'avant-guerre, avec son balcon et son plafond étoilé, inaugurés par le Front populaire. Petites gouapes et gens du monde s'y côtoyèrent au son de l'accordéon et des voix des plus grands : Jo Privat, Yvette Horner, Fréhel et Piaf s'y produisirent à l'occasion. De nuit comme de jour, la rue grouille toujours autant d'une foule pourtant modernisée.

Le ministère des Finances ◁
1, boulevard de Bercy (XIIᵉ)

Lorsque François Mitterrand souhaita agrandir le musée du Louvre, le ministère des Finances, qui occupait l'aile Rivoli du palais depuis plus d'un siècle, dut s'installer ailleurs. L'emplacement retenu fut le site de Bercy, sur lequel on regroupa les différents services du ministère, dispersés jusqu'alors dans quarante lieux. En tout, six mille cinq cents fonctionnaires se sont vu affecter à Bercy.

LES PIEDS DANS L'EAU

Paul Chemetov et Borja Huidobro réalisent en 1989 le bâtiment principal. Il repose sur deux énormes fondations d'acier et de béton profondément ancrées dans la Seine et est surélevé de 3 mètres en raison des crues éventuelles. De forme longiligne, l'édifice est rythmé à chaque extrémité par deux arches monumentales symbolisant les portes de Paris. C'est en effet à cet emplacement que se trouvait, jusqu'en 1984, la barrière où étaient encaissés, au XIXᵉ siècle, les droits des marchandises entrant dans Paris. Cette composition rappelle également les arcades du pont de Bercy voisin.
Les transports sont assurés, entre autres, par un embarcadère aménagé devant le ministère et d'où l'on peut gagner le centre de Paris par la Seine. Pour les hauts fonctionnaires, un héliport est installé au sommet de l'édifice.

Le nouveau ministère des Finances a servi de cadre au film policier Netchaiev est de retour, *réalisé par Jacques Deray en 1990 et interprété par Yves Montand et Vincent Lindon.*

LA MÉMOIRE DE PARIS ▷
Archives de Paris, 19, boulevard Sérurier (XIXᵉ)

C'est en 1990 que les architectes Henri et Bruno Gaudin réalisent les Archives de Paris. « Ce bâtiment adossé au périphérique s'en protège par de hauts magasins fermés » qui abritent 30 kilomètres de rayonnages. Les Archives conservent en effet toute la mémoire de la Ville de Paris et du département de la Seine, la capitale ayant été jusqu'en 1964 le chef-lieu de ce département.
La salle de lecture joue sur les nuances douces du bois, les architectes ayant utilisé du sycomore pour le plafond et de l'érable moucheté, du noyer et du hêtre pour le mobilier. Ils ont eux-mêmes dessiné les tables et les lampes.

UNE MINE DE PAPIER

On peut consulter aux Archives de Paris tous les documents du cadastre, rue par rue, immeuble par immeuble, ainsi que les actes de propriété et les pièces d'état civil. Beaucoup de passionnés de généalogie viennent y effectuer des recherches aussi longues que méticuleuses… Pourtant, bon nombre de documents originaux entreposés à l'Hôtel de Ville furent brûlés pendant la Commune, le 24 mai 1871. Patiemment on tenta, à partir de 1872, de reconstituer l'état civil grâce aux registres des paroisses, des notices de l'enregistrement et des documents privés. Ce travail minutieux dura vingt-cinq ans. Sur 8 millions d'actes détruits, 2 696 000 furent reconstitués. Une deuxième reconstitution, entreprise en 1944, est toujours en cours.

La salle de lecture des Archives de Paris, couverte d'un plafond en bois, est divisée en plusieurs compartiments séparés par des baies vitrées.

La ville contemporaine

NAISSANCE DU GRAND LOUVRE
La pyramide, cour Napoléon (Ier)

La décision de François Mitterrand en 1981 de consacrer l'ensemble du palais du Louvre au musée pour en faire le Grand Louvre implique une réorganisation complète du musée et des collections, ainsi que la création d'une entrée principale suffisamment vaste pour accueillir confortablement les milliers de visiteurs quotidiens. Ce projet est confié à Ieoh Ming Pei (né en 1917), architecte américain d'origine chinoise, qui a déjà travaillé à l'extension du musée des Beaux-Arts de Boston.

CLASSIQUE ET LÉGÈRE
Pei a l'idée d'implanter dans le sous-sol de la cour Napoléon – que l'on ne pouvait creuser à plus de 9 mètres en raison de la proximité de la Seine – ces services d'accueil qui faisaient cruellement défaut au musée. Pour assurer le maximum d'éclairage naturel, Pei propose de les surmonter d'une pyramide de verre, forme choisie parce qu'elle était « la moins dévoreuse d'espace ». Elle suivra la même pente et aura pratiquement les mêmes dimensions que la pyramide égyptienne de Chéops à Gizeh, haute de 21,65 m – celle de Pei en aura 20 – avec une base carrée de 34,5 m de côté et des pentes à 51° 7. Mais l'architecte considère que sa pyramide n'est pas égyptienne : « Les Égyptiens n'ont pas inventé la pyramide, mais la pyramide de pierre. Ici, elle est en verre. Là-bas, c'était lourd, ici, c'est léger. En chinois, cette forme signifie " la pagode d'or ". C'est une forme classique. » La pyramide du Louvre comporte 673 losanges et triangles en verre feuilleté de 2,1 cm d'épaisseur : il fallut deux années d'étude à l'entreprise Saint-Gobain pour obtenir la transparence voulue. Elle est soutenue par une résille de câbles et de tubes en acier inoxydable.

LA TÊTE EN BAS
En 1993, on inaugure le carrousel du Louvre, galerie souterraine affectée aux activités commerciales. Elle est flanquée d'une autre pyramide, plus petite que la première, et inversée. Dessinée également par Pei, haute de 7 mètres, elle mesure 13,30 m de côté à sa base. Elle est composée de cent douze losanges de verre, fixés les uns aux autres par des croix en acier inoxydable.

LA CONSTRUCTION DU LOUVRE S'ÉTANT ÉTALÉE AU COURS DES SIÈCLES,
VOIR AUSSI LES pp. 23, 62-63, 86, 130, 220, 228, 269.

La pointe du prisme de la pyramide inversée du Carrousel est suspendue à 1,40 m du sol.

Comparée à un diamant de verre brillant de tous ses feux, la pyramide du Louvre est un véritable chef-d'œuvre de technologie moderne.

De la pyramide au cube évidé ◁
La Grande Arche, la Défense

Johann Otto van Spreckelsen (1929-1987), architecte danois, remporte le concours international organisé pour la construction du monument qui achèvera la perspective de la Défense. Il s'adjoint la collaboration de Paul Andreu, qui lui succède en 1987. L'œuvre de Spreckelsen est un cube évidé de 110 mètres d'arête, revêtu de marbre de Carrare, baptisé Arche de la Défense : « C'est une fenêtre ouverte sur un avenir imprévisible. » Ce que l'on appelle aussi la Grande Arche clôt l'axe historique est-ouest de Paris. Cet axe prestigieux, qui débute au Louvre et se poursuit par les Champs-Élysées jusqu'à la Défense, est ponctué par la pyramide du Louvre, l'arc de triomphe du Carrousel, l'obélisque de la place de la Concorde et l'arc de triomphe de l'Étoile.
L'Arche, d'un angle de 6 ° 30, est légèrement inclinée par rapport à l'axe, comme la cour Carrée du Louvre, à l'autre extrémité. Au cœur du monument, Spreckelsen a imaginé une structure légère et aérienne, « les nuages », réalisée par Peter Rice et formée d'un réseau de câbles et de toiles en Téflon. « Ils ont des fonctions pratiques d'abri et de brise-vent, mais aussi, ils agissent comme des arbres devant la façade d'un bâtiment. Ils donnent une échelle humaine à un espace hors d'échelle. »

Du Louvre à la Défense, le grand axe est-ouest de Paris.

L'empire des Guignols ▽
Siège de Canal Plus, quai André-Citroën et 2, rue des Cévennes (XVe)

Canal Plus, chaîne de télévision privée fondée en 1984 par André Rousselet et Pierre Lescure, compte aujourd'hui 3,7 millions d'abonnés en France et touche six millions de foyers en Europe et en Afrique. La chaîne présente des films en première exclusivité, des événements sportifs importants, des documentaires de qualité. Elle est bien connue pour son émission « les Guignols de l'info », satire politique et pastiche d'une certaine autre chaîne. En 1991, la chaîne décide de construire un nouveau siège – le troisième en sept ans –, qui symbolise sa modernité. L'architecte américain Richard Meier (né en 1934), auteur du High Museum of Art à Atlanta et du musée des Arts décoratifs de Francfort, est chargé de sa réalisation. La forme en L du bâtiment – les studios sont installés dans la partie perpendiculaire à la Seine, l'administration dans la partie bordant le fleuve – résulte des contraintes du site. D'une blancheur éclatante, il s'articule autour du hall d'entrée, vaste atrium vitré. Tous les bureaux, munis de brise-soleil et de balcons, disposent d'une vue magnifique sur la Seine.

Une tour abritant un escalier s'élève à la jonction des deux bâtiments de Canal Plus.

Jeux d'ombre et de lumière ▷
Immeuble du 11, rue de Candie (XIe)

L'architecte romain Massimilio Fuksas, renommé pour l'originalité de ses projets, en particulier le bâtiment d'accueil de la grotte de Niaux et la médiathèque de Rézé, près de Nantes, reçoit en 1993 la commande d'un complexe réunissant cinquante-sept logements, un gymnase et des courts de tennis dans le XIe arrondissement. L'architecte – d'ailleurs toujours vêtu de noir – adore les ombres, les plans multiples et l'enchaînement des courbes : une « architecture travelling » (ce sont ses termes) qui explique sa passion pour le cinéma de Spielberg et de Coppola. L'immeuble de la rue de Candie, qui rappelle la forme d'un rouleau d'imprimante, est entièrement recouvert de zinc, matériau que l'architecte affectionne pour sa faculté d'accrocher les rayons du soleil : ainsi obtient-il les variations d'ombre et de lumière qu'il recherche.

L'immeuble de Fuksas, qui se distingue par la perfection de ses courbes.

Les plus beaux messagers du ciel

Ouverte en 1993 par Gérard Clément, le fondateur de la Fédération française du cerf-volant, la Maison du cerf-volant propose une gamme complète de cerfs-volants et de matériel pour en fabriquer. La société Vent d'est-Vent d'ouest gère le magasin (vente et réparation), édite des ouvrages, propose des expositions, des formations, des stages, des compétitions, et organise chaque printemps, à Berck-sur-Mer, le festival du cerf-volant. Poussez la porte de la boutique et admirez ces conquérants du ciel, suspendus ou assoupis. Les moins chers, pour enfants, valent de soixante-dix à deux cents francs, les adultes débutants en trouveront à partir de quatre cents francs. La Maison du cerf-volant veut être au service d'une passion : les prix valent ceux des grandes surfaces, le matériel est varié, les conseils de qualité. En plus des cerfs-volants de compétition, on peut admirer les cerfs-volants traditionnels chinois, japonais, coréens et colombiens. Ils portent au ciel toute une ménagerie colorée de peintures abstraites ou figuratives, où la gent ailée reste dominante : hirondelles, rapaces, papillons, insectes et personnages mythiques volants. À ceux-là s'ajoutent les fameux dragons dont les corps peuvent s'étendre sur plusieurs mètres. Si vous désirez avoir un aperçu de ces merveilles, demandez au magasin si l'exposition itinérante rassemblant les cinq cents cerfs-volants de la collection personnelle de Gérard Clément viendra bientôt illuminer votre mairie ou votre centre commercial.
La Maison du cerf-volant, 7, rue de Prague (XIIe).

LE PARC DE LA VILLETTE

Avenue Jean-Jaurès (XIXe)

Dans les années 1950 naît un gigantesque projet de modernisation des abattoirs de la Villette, construits par Haussmann en 1867. Le chantier s'avérant être un énorme gouffre financier, les travaux sont interrompus en 1970, et ce n'est qu'en 1976 que Valéry Giscard d'Estaing, président de la République, décide de reconvertir le site et d'installer sur ces 55 hectares un grand parc, un musée des sciences et des techniques et des équipements musicaux. Le site de la Villette sera désormais voué à la culture et aux loisirs. De 1984 à 1995 seront successivement inaugurées la salle de concert du Zénith, la salle de cinéma de la Géode, la Grande Halle – ancienne halle aux bœufs conservée et restaurée –, la Cité des sciences et de l'industrie et la Cité de la musique.

TROIS HECTARES POUR LA SCIENCE

À l'issue d'un concours, qui réunit vingt-huit architectes français, on garda la grande salle des ventes des abattoirs, qui devait constituer l'ossature de la Cité des sciences. C'est Adrien Fainsilber (né en 1932) qui en fut le lauréat.

Pour animer le terrain, l'architecte crée une dénivellation de 13 mètres entre le côté nord et le côté sud du bâtiment ; il creuse des douves pour que, entouré d'eau, le musée symbolise une forteresse de la science. D'une hauteur de 47 mètres, le bâtiment s'y reflète, ce qui le fait paraître deux fois plus haut et accentue son caractère monumental : long de 270 mètres et large de 110, il représente trois fois le volume du centre Pompidou.

La façade sud, devant la Géode, est construite en verre afin d'obtenir une transparence maximale. Elle est constituée de trois serres, hautes et larges de 32 mètres, d'une profondeur de 8 mètres, qui éclairent l'intérieur de la cité. Deux coupoles centrales diffusent un éclairage zénithal dans le bâtiment. Recouvertes de Téflon, une toile translucide, elles sont formées de deux verrières tournantes d'un diamètre de 18 mètres, et de quatre-vingt-seize miroirs orientables renvoyant la clarté du soleil dans le hall. À mi-hauteur de l'édifice, tout un étage est consacré au fonctionnement technique. Cette disposition, inspirée de celle du centre Pompidou, donne une grande flexibilité au bâtiment, qui doit pouvoir évoluer en fonction des nouvelles découvertes scientifiques.

La Cité des sciences propose, sur 30 000 mètres carrés, dès expositions permanentes autour de quatre grands thèmes : de la Terre à l'Univers, les secrets du vivant, la matière et le travail de l'homme, le langage et la communication.

UN CINÉMA D'AVANT-GARDE

La Géode, érigée par Adrien Fainsilber de 1983 à 1985, est une sphère de 63,50 m de diamètre, supportée par un seul pilier central. Sa paroi est constituée de 6 433 triangles sphériques en acier inoxydable, comme autant de miroirs où se reflète le ciel changeant de l'Île-de-France. À l'intérieur, une salle de 363 places est équipée d'un écran géant hémisphérique de 26 mètres de diamètre et de 1 000 mètres carrés sur lequel l'image est projetée selon le procédé Omnimax. La Géode est entourée d'un plan d'eau, comme la cité des Sciences. Forme parfaite où se mêlent l'air, la terre et l'eau, elle apparaît comme une ouverture symbolique sur le monde et la connaissance.

LES FOLIES DE TCHUMI

Le parc de la Villette a été tracé par Bernard Tchumi (né en 1944), assisté de Jean-François Ehrel. Il est ponctué d'édifices en béton et en tôle rouge, régulièrement répartis sur une trame de 120 mètres de côté et baptisés folies par Tchumi en référence à l'architecture

Ci-dessus, la brillante sphère de la Géode, depuis une folie de Tchumi. Ci-dessous, la façade sud de la Cité des sciences et de l'industrie et son immense hall intérieur.

Le parc de la Villette est le plus grand espace vert de la capitale et le seul qui donne un tel sentiment de liberté. Une partie est exclusivement réservée aux enfants. C'est d'abord le jardin des Vents, un enchantement pour les tout-petits : matelas d'air, sable fin, jeux d'adresse géants avec billes de bois et balançoires. L'intelligence dans le choix des activités et des matériaux est une telle réussite qu'à côté de ce jardin d'éveil un autre plus récent, le jardin des Dunes, accueille les enfants de six à douze ans. À la fourche du canal, le dragon géant, avec ses 80 mètres de long et sa langue-toboggan de 26 mètres, achève de compléter ce paradis. D'autres haltes insolites, dans le nord du parc, les surprendront (le vélo enterré, le jardin des Frayeurs enfantines…) avant d'arriver au centre hippique, avec ses beaux manèges, ses poneys et ses chevaux. Les attendent aussi le jardin des Miroirs (à l'ouest de la Grande Halle) et le jardin des Brouillards, où l'eau est reine. En été, lorsque les familles se prélassent sur les pelouses, que les plus vifs se lancent dans de grands jeux de ballon ou de raquette ou que les contemplatifs taquinent le cerf-volant, on peut, en pleine chaleur, venir se mêler aux cris de plaisir des enfants dévêtus qui circulent au milieu d'un brumisateur géant propulsant un nuage de gouttelettes au-dessus de vingt-sept petits bassins. La nuit tombée, le parc s'habille de lumière : des petits points lumineux courent sous les dalles et le long des chemins, lèchent les arbres, bordent les passerelles, grimpent sur les folies comme des phares de science-fiction.

Chaque année, dans la tiédeur de cette pénombre scintillante, se dresse du 15 juillet au 15 août l'immense écran gonflable du cinéma en plein air gratuit (seules les chaises longues sont payantes) : pique-niqueurs tardifs, familles et curieux, cinéphiles et passants ravis s'installent sur des couvertures et assistent au spectacle les pieds dans l'herbe et la tête dans les étoiles… Programmation thématique fine et plaisir assurés !

*Le Conservatoire national de musique,
à la Cité de la musique de la Villette.*

du XVIIIe siècle. On en compte une trentaine, de forme cubique (10,80 m de côté), qui se différencient par leur destination – folie-café, folie-observatoire, folie-belvédère… – et leurs éléments structuraux : rampes d'escalier hélicoïdales, toboggans, girouettes… Celle qui est placée à l'entrée porte l'horloge qui rythmait autrefois la vie des abattoirs.

LA CITÉ DE LA MUSIQUE
Réalisée par Christian de Portzamparc (né en 1944), la Cité de la musique comprend deux ensembles dissymétriques encadrant l'entrée du parc. À l'ouest, le Conservatoire national de musique, achevé en 1991, est constitué de quatre blocs couverts d'un toit de forme ondulante, qui ne sont pas sans rappeler le palais de l'Assemblée et le palais de justice bâtis par Le Corbusier à Chandigarh (Inde). Il abrite cent vingt salles d'enseignement musical et accueille plus de deux mille élèves. À l'est, construit « comme une conque qui s'ouvre en plusieurs endroits », l'édifice réunit une grande salle de concert et le musée de la Musique. Dans la salle de concert, modulable, qui revêt la forme d'une ellipse, des niches acoustiques sont éclairées par les trois couleurs fondamentales qu'un programme informatique transforme en un nombre infini de nuances. Et c'est une collection exceptionnelle d'instruments et une histoire vivante de la musique que présente le musée de la Musique, aménagé par Frank Hamoutène. Pour Portzamparc, « la cité est une suite au sens musical, une série de parcours, de lieux, que l'on découvre dans le mouvement ».

VOIR AUSSI LA GRANDE HALLE, p. 280.

Le triangle de Choisy : l'Asie à Paris

C'est en 1975 que les Asiatiques ont commencé à annexer les grands ensembles qui se dressent dans le Sud-Est parisien entre la porte de Choisy, la porte d'Ivry et la place d'Italie. Aujourd'hui, ils sont plus de trente mille à y avoir élu domicile. Le triangle de Choisy est un monde à part ; la culture et les coutumes de ses habitants y sont vivantes, et l'accueil toujours souriant. L'avenue d'Ivry, en partant de la place d'Italie, constitue un véritable itinéraire exotique. Au 87, Hawaï est l'un des tout premiers restaurants authentiquement asiatiques de Paris ; au 66, le vaste complexe des Olympiades présente une galerie couverte remplie de restaurants, billards et bowlings, un centre de danse et d'arts martiaux et, sur l'esplanade close de tours, des terrasses – L'Oiseau de paradis, New Chinatown… – parfaites pour les douceurs estivales. Dans la galerie du numéro 44, le dédale de l'esplanade Oslo égrène ses magasins de musique et de vidéo, ses salons de coiffure, ses vitrines de vêtements pailletés et ses robes traditionnelles en satin broché. Le libraire et éditeur en langues orientales Nam'A propose des ouvrages khmers, japonais, vietnamiens, chinois, thaïlandais, laotiens. Au 48, l'avenue d'Ivry ouvre sur une véritable petite ville de plusieurs milliers de mètres carrés : c'est l'univers de Tang Frères, le plus grand supermarché asiatique de France ; tous les produits alimentaires – frais, en saumure, séchés – y sont à profusion, mais on y trouve aussi de la vaisselle, des fleurs… Au 44, Paris Store et, au 21, Continental Marché proposent en moins gros le même achalandage que leur gigantesque voisin. Il existe aussi des maxi-restaurants comme Le Grand Mandarin, rue du Disque, et des dizaines de petites haltes gourmandes.
Enfin, il faut guetter les fêtes du nouvel an chinois – plus tardif que le nôtre –, qui mettent le quartier et les cuisines en liesse ; et, pour ceux qui sont envoûtés par cet univers, un centre de rêncontres et de culture franco-asiatique siège au 29, avenue de Choisy.

L'entrée du centre Galaxie sur la place d'Italie, par laquelle on accède au Grand Écran.

LE CINÉMA LE GRAND ÉCRAN △
30, place d'Italie (XIIIe)

En 1991, la Ville de Paris commande à l'architecte japonais Kenzo Tange un complexe cinématographique à l'emplacement de la gigantesque tour Apogée, projet annulé par Giscard d'Estaing. Tange, qui s'inspire des théories de Le Corbusier, avait reçu en 1987, à soixante-quatorze ans, le Pritzker Price, grand prix d'architecture équivalent du Nobel. La salle de cinéma (six cent cinquante-deux spectateurs), équipée pour les films à son numérique, est pourvue d'un écran de 24 mètres de haut sur 10 de large. Au sommet du campanile translucide de 55 mètres de haut, qui domine l'édifice et renferme les ascenseurs, se dresse une sculpture de Thicrry Vidé, réalisée en « holotramie », technique inventée par l'artiste et permettant de jouer avec la lumière au moyen de trames métalliques.

L'ÉLLIPSE DISCRÈTE DU STADE CHARLÉTY ▷
Boulevard Kellerman et avenue Pierre de Coubertin (XIIIe)

Le stade Sébastien-Charléty, bâti en 1938 et démoli en 1989, fut le premier lieu parisien libéré à la fin de la Seconde guerre mondiale. Le 11 juin 1965, Michel Jazy y battit le record d'Europe du 5 000 mètres en treize minutes et vingt-neuf secondes et le 27 mai 1968, cinquante mille étudiants et ouvriers s'y réunirent en présence de Mendès-France.
Le nouveau stade construit en 1994 sous la houlette d'Henri Gaudin et de son fils Bruno, architectes des Archives de Paris, est convivial et discret, selon le vœu des architectes :
« Nous avons voulu que ce stade s'inscrive dans les tonalités grisées de Paris. C'est pourquoi nous avons retenu les matériaux tels que le marbre, le granite et l'Inox plombé. En conformité avec cette idée, le paysagiste qui s'est occupé du square attenant au stade a eu recours à des arbres légèrement bleutés, importés d'Italie. » Le stade adopte une forme elliptique qui suit la ligne des gradins, soutenus par de très minces piliers. Quatre mâts inclinés le dominent, hauts de 40 mètres et supportant soixante-douze projecteurs. Cinquante projecteurs encastrés dans les tribunes complètent l'éclairage, étudié afin que les lumières n'éblouissent ni les joueurs, ni les spectateurs, ni les automobilistes, ni les riverains.
Le 3 septembre 1994, le stade Charléty est inauguré par le grand prix d'athlétisme. Marie-José Pérec, championne olympique à Barcelone en 1992, y réalise la meilleure performance mondiale en remportant le 400 mètres en quarante-neuf secondes soixante-dix-sept centièmes.

Le stade Charléty, où vingt mille spectateurs peuvent prendre place.

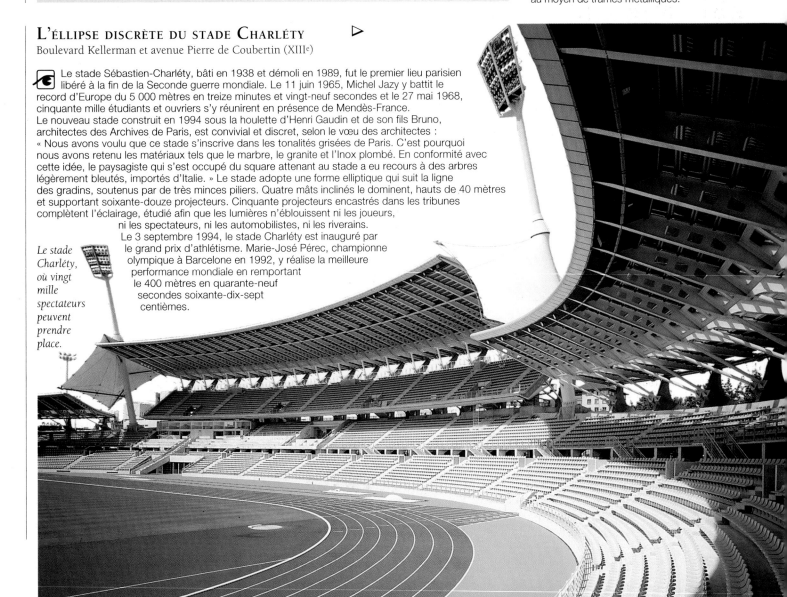

LE NOUVEAU CENTRE AMÉRICAIN ▷
51, rue de Bercy (XIIe)

👁 Le Centre américain est édifié en 1994 par Frank Gehry (né en 1929 à Toronto). Installé en Californie depuis 1944, cet architecte y fit scandale pour son « architecture de collision », basée sur l'assemblage de formes hétéroclites, le jeu des différents niveaux, des lignes brisées, et l'emploi de tôles et de contre-plaqués.
Le Centre américain succède à l'ancien établissement situé boulevard Raspail, siège dans les années 1960-1970 d'une intense vie artistique. Que ce nouveau centre devienne l'un des lieux privilégiés de l'avant-garde est d'ailleurs le souhait de son auteur.
Le bâtiment, haut de 27 mètres, est construit en calcaire de Saint-Maximin (Oise), la pierre haussmannienne par excellence. Il présente, certes, une « façade sage » côté rue de Bercy, mais, côté opposé, ce ne sont que blocs et décrochements indépendants les uns des autres. L'entrée est surmontée d'un auvent en zinc, matériau qui recouvre la plupart des toits de Paris. « J'ai tenté, a déclaré Gehry, de faire un bâtiment joyeux et de lui conserver un caractère un peu français, enfin que je trouve français. »

Les blocs hétéroclites du nouveau Centre américain.

ART CONTEMPORAIN À LA FONDATION CARTIER △
261, boulevard Raspail (XIVe)

Jeu de vitres et de miroirs à la fondation Cartier.

👁 La fondation Cartier, créée par le célèbre joaillier de la place Vendôme et destinée à l'art contemporain, était établie depuis dix ans à Jouy-en-Josas. Elle retrouve dans la capitale une surface d'exposition identique de 1 600 mètres carrés. L'édifice est construit en 1994 par Jean Nouvel (né en 1945), architecte de l'Institut du monde arabe, à l'emplacement de l'ancien Centre culturel américain, fermé en 1987. Et comme « il est devenu possible maintenant de construire sans ossature, de faire tenir des plans vitrés tout seuls, de ne plus voir que la trame des lignes de menuiserie », il comporte de grandes parois vitrées qui lui donnent le maximum de transparence, tandis que, à l'avant, deux écrans vitrés géants mettent en valeur les arbres du jardin et reflètent ceux de l'avenue.

L'ARBRE DE CHATEAUBRIAND

L'écrivain avait acquis en 1824 une maison au 92, avenue Denfert-Rochereau, dont le jardin s'étendait jusqu'au boulevard Raspail : « Mes arbres sont de mille sortes. J'ai planté vingt-trois cèdres de Salomon et deux chênes de druides [...] Un mail, double allée de marronniers, conduit du jardin supérieur au jardin inférieur [...] Ces arbres, je ne les ai pas choisis comme à la Vallée-aux-Loups, en mémoire des lieux que j'ai parcourus [...] Ils croissent chaque jour du jour que je décrois : ils se marient à ceux de l'enclos des Enfants-Trouvés et du boulevard d'Enfer qui m'enveloppent. Je n'aperçois pas une maison ; à deux cents lieues de Paris, je serais moins séparé du monde. » *(Mémoires d'outre-tombe.)* Ainsi aurait-il planté le cèdre qui s'élève dans le jardin de la fondation…

LA BIBLIOTHÈQUE DE FRANCE ▽
Quai François-Mauriac (XIIIe)

👁 Depuis 1536, date à laquelle François 1er instaura le dépôt légal, tout éditeur est tenu d'envoyer quatre exemplaires de chaque ouvrage à la Bibliothèque nationale, et l'imprimeur deux. On imagine aisément les difficultés croissantes de stockage que rencontre la Bibliothèque nationale face au développement de la production imprimée.
La Bibliothèque de France doit lui succéder. Cette dernière grande réalisation du second septennat de Mitterrand, qui sera ouverte au public en 1997, conservera douze millions d'ouvrages, dont tous les livres publiés en France depuis le XVIe siècle.
Les quatre hautes tours en verre de l'architecte Dominique Perrault (né en 1953) symbolisent quatre livres ouverts. Au centre, un jardin forme un « cloître de verdure ». Il est planté de cent vingt pins sylvestres, hauts de 20 mètres, ainsi que de chênes rouvres, de bouleaux et de charmes. La bibliothèque proposera deux mille places aux lecteurs, qui pourront consulter quatre cent mille ouvrages en libre accès.

Les tours de la Bibliothèque de France, qui s'élèvent à 80 mètres, et le jardin central.

379

Index des monuments

Les chiffres en gras précédant le nom des monuments
indiquent l'arrondissement dans lequel ils se trouvent,
et, exceptionnellement, le département pour les monuments hors de Paris.
Ceux qui suivent le nom du monument renvoient aux pages où il est décrit et illustré ;
les autres pages où il est cité sont indiquées en italique.
Les origines de Paris, du néolithique au début du Moyen Âge,
sont évoquées par des objets conservés dans les musées.

Sujets traités dans les encadrés et dans les pages sur fond noir

Les entrées en petites capitales correspondent aux parties sur fond noir ; les entrées ou les mots en italique, aux petits encadrés sur fond couleur. Les numéros de page soulignés renvoient aux illustrations.

CRÉDITS PHOTOGRAPHIQUES

Abréviations : h = haut, m = milieu, b = bas, g = gauche, d = droite.

N. HAUTEMANIÈRE : 16m, 43hg, m, 50hd, 53hd, b, 54h, 59h, 60b, 65hg, 66b, 69g, 71h, 74b, 80hd, bd, 81b, 85b, 86h, 88h, bd (ASSISTANCE PUBLIQUE-HÔPITAUX DE PARIS), 91hg, hd, 98b, 101h (ASSISTANCE PUBLIQUE-HÔPITAUX DE PARIS), 102b (MUSEE DE L'ASSISTANCE PUBLIQUE-HÔPITAUX DE PARIS), 103hd (ASSISTANCE PUBLIQUE-HÔPITAUX DE PARIS), 104, 105bg, 107h, 109hg, 127m, 131h, 134 (ASSISTANCE PUBLIQUE-HÔPITAUX DE PARIS), 135m, bg (ASSISTANCE PUBLIQUE-HÔPITAUX DE PARIS), 136hg, 137hg, hd, 140, 144hg, hd, 151hd, b, 154h, 167b, 168h, 172bd, 173hg, 177hg, 179h, 182b (ASSISTANCE PUBLIQUE-HÔPITAUX DE PARIS), 183hd, 190h, 192b, 196m, 197h (ASSISTANCE PUBLIQUE-HÔPITAUX DE PARIS), 230b, 231h, bd, 232b, 235hd, b, 239hd, m, 241h, 247hd, 250b, 259h, 259b (ASSISTANCE PUBLIQUE-HÔPITAUX DE PARIS), 268h, m, 270bg, 272h, b, 278b, 281m, b, 283h (ASSISTANCE PUBLIQUE-HÔPITAUX DE PARIS), 284b, 285m, 289h, 294bd, bg, 298m, 300bd, 307h, 311hd, b, 312bg, 314h, 316h, m, 317h, 319h, 321h, 322bd, 324m, 327mg, md, b, 329h, b, 332h, 337h, 366h, 367b (ADAGP, Paris 1995), 368bg, 369, 370bg, 378hg.

R. MAZIN : 10b, 12h (MUSÉE NATIONAL DU MOYEN ÂGE ET DES THERMES DE CLUNY), 13m, 14h, 15hg, 21b, 23hg, hd, 25hg, hd, bg, 28b, 30, 32, 33h, 34bg, bd, 35hg, bd, bg, 36, 37, 38m, b, 39, 40, 41h, 43b, 44h, 46b, 50hg, bd, 51, 52m, b, 53hg, 54bd, 55hd, b, 56, 57h, b, 58h, bg, 59bd, 60h, 61, 62h, 63m, 64, 65hd, b, 66h, 67m, b, 68hd, m, 70h, 71b, 74h, 75m, 76-77, 78bd, 79, 84, 84-85, 89b, 92h, 92-93, 93, 94b, 96hg, b, 97m, 98h, 100bg, 103hg, b, 108h, b, 111h, 113b, 114b, 115, 118bd, 119h, m, 120, 120-121, 122, 123mg, b, 123md (ADAGP, Paris 1995), 126h, mb, 127h, 129bg, 131bd, 132hg, 133h, bd, 136hd, 137b, 138h, 142m, 143m, 144b, 146h, 148b, 149, 150, 151hg, 153, 156h, 156b (ADAGP, Paris 1995), 156-157, 158, 158-159, 159, 166h, 170d, 171md, mg, 178h, m, 181bd, 183b (UNIVERSITÉ RENÉ-DESCARTES - PARIS-V), 185b, 186b, 187hg, b, 190bg, bd, 190/191, 191b, 192m, 193m, 195h, 196b (COLL. PRIVÉE, PARIS), 199hg, 200h, 206, 208d, 208-209, 209, 211h, 212hg, b, 213h, m, 214h, m, 215b, 217, 218h, 219m, b, 220m, b, 221h, 222, 223hg, b, 223hd (ADAGP, Paris 1995), 224h (ADAGP, Paris 1995), 224m, b, 225, 229b, 230h, m, 232hg, 233hg, 240b, 241bg, bd, 244h, 245g, 247hg, 249hg, 250h, 251b, 253h, 254hg, b, 255h, 256h, 258h, b, 269bd, 271b, 274-275, 276h, 278h, 279b, 280hg, 281h, 282hd, 283b, 284h, 288bd, 290b, 291bg, 292b, 293, 295h, 304h, bg, 305b, 309h, 312h, bd, 314bg, bd, 315b, 317bg, bd, 320h, m, 321b, 323h, bd, 325h, m, 326b, 328m, b, 330h, m, 331, 332m, b, 333m, 336md, 339, 340, 340-341, 341, 342, 342-343, 343h, 344hg, bg, bd, 345h, b, 348bd, 353m, 355h, 358h, 361b, 368bd, 370bd, 372m, 374b, 377h.

C. ROSE : 22h, bg, 24h (GAILLET), 27, 33bg, 63hd, 70b, 86bg, bd, 87g, 96hd, 99hd, 100hg, hd, 113hd, 114m, 116, 117hg, hd, m, 128h, 129hd, hg, 130, 132hd, b, 138m, 141h, bd, 148hg, 152h, 155, 168b, 171b, 172bg, 179b, 180b, 181hg, 182h, 184hd, 187m, 188, 189b, 193h, b, 195b, 196h, 197bd, 207h, 210m, 220h, 221bd, 228b, 236h, bg, 237h, 249hd, 251h, 252, 253bg, 257h, bd, 258m, 269hd, 270bd, 272m, 274h, 275hg, 277b, 285b, 286bg, 288bg, 292h, 305m, 308d, 310hd, 313, 318m, 327h, 333h, b, 334b, 335b, 336mg, b, 337b, 338m, bg, 349b, 351h, 354d, 356b, 358m, 360h, bd, 373b.

AUTRES SOURCES : 10hg : CVP/J.-L. Godard ; 10hd : CRA D'ÎLE-DE-FRANCE/J.-C. Blanchet ; 11hg : LDA/J.-L. Lenée ; 11hd : LDA/A. Rapin ; 11b : PHOTOTHÈQUE DES MUSÉES DE LA VILLE DE PARIS, by Spadem 1995 ; 12m : RMN/Blot ; 12b, 13h : J.-L. GODARD ; 13b : ENGUERRAND/R. Senera ; 14b, 15m, b : PHOTOTHÈQUE DES MUSÉES DE LA VILLE DE PARIS, by Spadem 1995 ; 15hd : BIBLIOTHÈQUE NATIONALE DE FRANCE, cabinet des Médailles ; 16h, bg : E. DESCARPENTRI ; 16bd, 17hd : SYGMA/D. Babinet ; 17h, b : D. BABINET ; 18h : E. GAFFARD ; 18m : GAMMA ; 18b : GAMMA/X. Rossi ; 19h : E. GAFFARD ; 19b : D. BABINET ; 20/21 : PIX ; 20bg : G. BOULLAY ; 20bd : RMN/Blot ; 21h : RAPHO/Doisneau ; 22m : GIRAUDON/Lauros ; 22bd : RMN ; 23b : CVP/J.-L. Godard ; 24m : TOP/Tripalon-Jarry ; 24b : G. DAGLI ORTI ; 25bd : SIPA PRESS/Raynaud/Zihnioglu ; 26 : G. BOULLAY ; 28h : H. JOSSE ; 29h : RMN ; 29bg : H. JOSSE ; 29bd : SIPA PRESS/Arpajou ; 31h : EXPLORER/A. Wolf ; 31bg : CNAM/J.-C. Wetzel ; 31bd : CNMHS/C. Rose, by Spadem 1995 ; 33bd : GIRAUDON/Lauros ; 34h : J. DARBLAY ; 35hd : SIPA PRESS/Hatani ; 36-37 : EXPLORER/Tatopoulos ; 38h : ARCHIPRESS/S. Couturier ; 41bg : RMN ; 41bd : DIAF/Parra-Bordas ; 42h : EXPLORER/J.-L. Bohin ; 42b : A. WOLF ; 43hd : EXPLORER/A. Wolf ; 44b : EXPLORER/E. Poupinet ; 45h : EXPLORER/E. Chino ; 45bg : BIOS/T. Moreau ; 45bd : EXPLORER/P. Gontier ; 46h : SYGMA/F. Duhamel ; 46m : BIOS/J.L. Ziegler ; 46-47 : A. WOLF ; 47 : GAMMA/G. Bassignac ; 50bg : H. JOSSE ; 52h : J.-L. GODARD ; 54bg : SRD/A. Nouri ; 55hg : I. BAUDOUIN ; 57m : H. JOSSE ; 58bd : RMN/D. Arnaudet ; 59bg, 62b : S. CHIROL ; 63hg : H. JOSSE ; 63b : SYGMA/P. Vauthey ; 67h : ENSBA, Paris ; 68hg : EXPLORER/J.L. Bohin ; 68b : H. JOSSE ; 69d : ARCHIPRESS/S. Bersout ; 71m : MAIRIE DE PARIS/H. Garat ; 72h : J.-L. GODARD ; 72m, b : ARCHIPRESS/S. Couturier ; 73h : S. CHIROL ; 73b : ARCHIPRESS/C. Doury ; 74m : A. LE TOQUIN/M. VIARD ; 75hd : ALTITUDE/Y. Arthus-Bertrand ; 75hg : LABORATOIRE AUDIOVISUEL, DIRECTION DES PARCS ET JARDINS DE LA MAIRIE DE PARIS ; 75b : A. LE TOQUIN/M. VIARD ; 76h : TOP/H. Champollion ; 76b : F. BIBAL ; 77g : Ph. PERDEREAU ; 77d : EXPLORER/P. Broquet ; 78bg : SYGMA/B. Annebicque ; 78-79 : PIX/H. Marcou ; 80hg, 80bg : LABORATOIRE AUDIOVISUEL, DIRECTION DES PARCS ET JARDINS DE LA MAIRIE DE PARIS ; 81h : TOP/Jarry-Tripelon ; 85h : SYGMA/B. Annebicque ; 87hd : H. JOSSE ; 87bd : EPGL/F. Laplaine ; 88bg : CNMHS/C. Rose - Spadem, Paris 1995 ; 89h : ENSBA, Paris ; 89m : SRD/A. Nouri ; 90 : PIX ; 90-91 : DIAF ; 91b : CINÉSTAR ; 92m : H. JOSSE ; 94h : TAPABOR/L. de Selva ; 95hg, hd : J.-L. GODARD ; 95b : TOP/H. Champollion ; 97h : ARCHIPRESS/S. Couturier ; 97b : CNMHS/C. Rose - Spadem, Paris 1995 ; 99hg : L'EXPRESS/J.-P. Courderc ; 99b : S. CHIROL ; 100bd : LE LOUVRE DES ANTIQUAIRES/S. Sautereau ; 101b : TAPABOR/L. de Selva ; 102h : CNMHS/C. Rose - Spadem, Paris 1995 ; 105h : ARCHIPRESS/S. Couturier ; 105bd : SRD/A. Nouri ; 106h : TOP/Basnier ; 106m : RMN ; 106b : TOP/H. Champollion ; 106-107 : SRD/A. Nouri ; 107b : J. DARBLAY ; 108m : G. FESSY ; 109hd : G. WALUSINSKI ; 110h : MUSÉE D'ART ET D'HISTOIRE DU JUDAÏSME/N. Feuillie ; 110m : BIBLIOTHÈQUE DE LA COMPAGNIE DES PRÊTRES DE SAINT-SULPICE ; 110b : KIPA ; 111bd : RMN ; 111bg : RMN/G. Blot - Spadem, Paris 1995 ; 112h : TOP/R. Mazin ; 112b : D. GENET ; 113hg : J. DARBLAY ; 114h : BIBLIOTHÈQUE NATIONALE DE FRANCE/Ph. Couette ; 117b : GIRAUDON/Lauros ; 118h : coll. DUFET-BOURDELLE/Photo C. M. Lavrillier ; 118m : EXPLORER/F. Jalain ; 118bg : MUSÉE BOUCHARD ; 119b : MAC INNES FIMON ; 121h : TATE GALLERY/Galerie Lelong ; 121m : GALERIE STADLER ; 122-123 : EXPLORER/J.-L. Bottin ; 126mh : RMN ; 126b : ÉCOLE SUPÉRIEURE ESTIENNE/Photo J. Deneubourg ; 127b : CNMHS/C. Rose - Spadem, Paris 1995 ; 129bd : G. DAGLI ORTI ; 131bg : MEPHISTO ; 133bg : EXPLORER/A. Wolf ; 134-135 : ALTITUDE/Y. Arthus-Bertrand ; 135bd : EXPLORER/Mary Evans ; 136b : SRD/J.-P. Germain ; 138b : ARCHIPRESS/S. Couturier ; 139hd : ALTITUDE/Y. Arthus-Bertrand ; 139h : GAMMA/Pelletier ; 139bg : CNMHS/C. Rose - Spadem, Paris 1995 ; 141bg : coll. MUSÉE P.-MARLY ; 142h : EXPLORER/J.-L. Bohin ; 142b : RMN/R. G. Ojeda ; 143h : EXPLORER/M. Moisnard ; 143b : SYGMA/F. Pitchal ; 145h : FM MUTUALITÉ ; 145b : EXPLORER/A. Wolf ; 146bg : CNMHS/C. Rose - Spadem, Paris 1995 ; 146bd : S. CHIROL ; 147h : ALTITUDE/Y. Arthus-Bertrand ; 147b : BRUMAIRE ; 148hd : CNMHS/C. Rose - Spadem, Paris 1995 ; 152b : J.-P. ABED ; 152-153 : ARCHIPRESS/S. Couturier ; 154m : G. FESSY ; 154b : C. GILLES ; 157h : MAIRIE DE PARIS ; 162hg, hd : service photo HÔTEL DE MATIGNON, Paris ; 162bg : G. FESSY ; 162-163 : R. GAIN ; 163h : G. FESSY ; 163bg : G. GAIN ; 163bd : RAPHO/L. Gibet ; 164h, bg : G. FESSY ; 164bd : HERMÈS/F. Dumas ; 164-165, 165h : EXPLORER/Y. Layma ; 165b : H. JOSSE ; 166bg : G. FESSY ; 166bg : DOCUMENTATION FRANÇAISE/B. Rheims ; 166bd : S. CHIROL ; 167h : EXPLORER/A. Autenzio ; 167m : MUSÉE RODIN/B. Jarret - ADAGP, Paris ; 168m, 169h : ARCHIPRESS/S. Couturier ; 169bd : S. CHIROL ; 169bg : Ch. DUCASSE ; 170g : TAPABOR/de Selva ; 171h : H. JOSSE ; 172h : R. LEPANY ; 173hd : ARCHIPRESS/S. Couturier ; 173b : S. CHIROL ; 174h : RAPHO/A. P. Neyrat ; 174m, b : S. CHIROL ; 174-175 : TOP/Jarry-Tripelon ; 175 : G. FESSY ; 176h : RAPHO/Rega ; 176b : A. GAEL ; 177hd : BIBLIOTHÈQUE NATIONALE DE FRANCE ; 177b : EXPLORER/J.-L. Bohin ; 178b : CNMHS/C. Rose - Spadem, Paris 1995 ; 180h : TAPABOR/L. de Selva ; 181hd : RAPHO/M. Setboun ; 181bg : RM./G. Blot ; 182-183 : EXPLORER/J.-L. Bohin ; 183hg : PHOTOTHÈQUE DES MUSÉES DE LA VILLE DE PARIS - Spadem, Paris 1995 ; 184hg : OAA ; 184b : TOP/J. Guillot ; 185h : CNMHS/C. Rose - Spadem, Paris 1995 ; 185m : MUSÉE DE LA MONNAIE ; 186h : TOP/H. Champollion ; 187hd : EXPLORER/G. Martin Guillou ; 189h : A. GAEL ; 191h : GAMMA/G. Leroux ; 192h : ARCHIPRESS/S. Couturier ; 194h : S. CHIROL ; 194b : SYGMA/J.-P. Amet ; 195m : J.-P. ABED ; 197bg : CNMHS/C. Rose - Spadem, Paris 1995 ; 198hg : SCOPE/J.-D. Sudres ; 198hd : L'EXPRESS/M. Bertrand ; 198bg : EXPLORER/A. Wolf ; 198-199 : RAPHO/N. de Soye ; 199hd : R. GAIN ; 200m, b : R. GAIN ; 201hg : SCOPE/J.-D. Sudres ; 201hd : RAPHO/S. Weiss ; 201m : E. BRENCKLE ; 201b : SCOPE/J.-D. Sudres ; 202h : GAULT MILLAU/Le Vivier ; 202bg : R. GAIN ; 202bd : GAULT MILLAU/Véron-Skinner ; 203hg : GAULT MILLAU/Le Borgne ; 203hd : R. GAIN ; 203b : SCOPE/J. Sierpinski ; 207bg : RMN/Arnaudet ; 207bd : SRD/Grands Augustins ; 208g : TAPABOR/L. de Selva ; 210-211 : EXPLORER/F. Jalain ; 210b : R. LEPANY ; 211b : RAPHO/D. Repérant ; 212hd : EXPLORER/A. Autenzio ; 213b : TAPABOR/L. de Selva ; 214b : E. GEORGES ; 215h : EXPLORER/A. Roux ; 215m : H. JOSSE ; 216 : EXPLORER/G. Thouvenin ; 218b : G. FESSY ; 219hg : FIGARO MAGAZINE/GAMMA/de Laubier ; 219hd : ALTITUDE/Y. Arthus-Bertrand ; 221bg : H. JOSSE ; 228hg : TAPABOR/L. de Selva ; 228hd, 229h : EXPLORER/A. Wolf ; 231bg : photo DROUOT ; 232hd : H. JOSSE ; 233hd : PHOTOTHÈQUE DES MUSÉES DE LA VILLE DE PARIS - Spadem, Paris 1995 ; 233b : H. JOSSE ; 234g : J.-L. CHARMET ; 234d : TAPABOR/L. de Selva ; 235hg : VILLE DE PARIS/M. Dubroca ; 235m : ANGELI/P. Riquet ; 236bd : ARCHIPRESS/S. Couturier ; 237b : H. THUREL ; 238h : EXPLORER/P. Rouchon ; 238b : EXPLORER/Th. Borredon ; 239hg : coll. VIOLLET ; 239b : EXPLORER/Thouvenin ; 240h : ARCHIPRESS/J.-C. Martel ; 242h : TAPABOR/L. de Selva ; 242b : J.-L. CHARMET ; 242-243 : TAPABOR/S. Bianchetti ; 243h : RMN ; 243m : H. JOSSE ; 244m, b : G. FESSY ; 245d : TAPABOR/S. Bianchetti ; 246b : PIX ; 246h : TOP/M. Cogan ; 247b : G. FESSY ; 248h : ARCHIPRESS/S. Couturier ; 248b : TAPABOR/L. de Selva ; 249b : G. FESSY ; 250m : ÉCOLE POLYTECHNIQUE/Photo J.-L. Deniel ; 250-251 : TAPABOR/L. de Selva ; 253bd : MARIE-CLAIRE/E. Chauvin ; 254hd : M. ENGUERRAND ; 255b : TAPABOR/L. de Selva ; 256b : J. DARBLAY ; 257m : TAPABOR/S. Bianchetti ; 257bg : coll. ROMI ; 260hg : FIGARO MAGAZINE/C. Rebois ; 260hd, bg, bd, 261hd, hg : E. BRENCKLE ; 261m, b : EXPLORER/Y. Layma ; 262h : HÔTEL LE BRISTOL ; 262m : HÔTEL MEURICE ; 262bg, bd : E. BRENCKLE ; 263h : HÔTEL RÉGINA ; 263bg : GAULT MILLAU/Le Borgne ; 263bd : TOP/R. Tixador ; 264h : AFFIRMATIF ; 264m, b : E. BRENCKLE ; 265h : HÔTEL LANCASTER ; 265bg, bd : E. BRENCKLE ; 268b : STILLS ; 269hg, bg : H. JOSSE ; 270h : ANA/J. Mounicq ; 271h : ARCHIPRESS/S. Couturier ; 273h, bd : PIX/Revault ; 273bg : EXPLORER/P. Broquet ; 274m : GAMMA/Benainous ; 274b : EXPLORER/G. Thouvenin ; 275hd : EXPLORER/A. Wolf ; 276b : H. JOSSE ; 276-277 : EXPLORER/A. Autenzio ; 277hg : PHOTOTHÈQUE DES MUSÉES DE LA VILLE DE PARIS - Spadem, Paris 1995 ; 277hd : ARCHIPRESS/J.-C. Martel ; 279h : VILLE DE PARIS, SOAE ; 279m : TAPABOR/S. Bianchetti ; 280hd : ARCHIPRESS/L. Boegly ; 280b : TAPABOR/L. de Selva ; 282hg : G. FESSY ; 282b : RAPHO/F. Bibal ; 285h : TAPABOR/L. de Selva ; 286h : ARCHIPRESS/S. Couturier ; 286m : SPECTO/Ph. Coqueux ; 286bd : MUSÉE DE LA PARFUMERIE ; 287hg : SPECTO/Ph. Coqueux ; 287hd : GAMMA/A. Assouline ; 287bd : PIX ; 287bg : MUSÉE DE LA PARFUMERIE ; 288h : ENSBA ; 289b : SYGMA/B. Annebicque ; 290h : MUSÉE DE LA CONTREFAÇON ; 291h : ALTITUDE/Y. Arthus-Bertrand ; 291bd : ARCHIPRESS/L. Boegly ; 292-293 : DIRECTION DES PARCS ET JARDINS ; 294h : F. BIBAL ; 294m : MUSÉE JACQUEMARD-ANDRÉ/Photo Bulloz ; 295b : TAPABOR/S. Bianchetti ; 296hg : M. MAIOFISS ; 296m : PIX/J. Lebar ; 296-297h : EXPLORER/J.-P. Nacivet ; 296-297b : RAPHO/K. Poulsen ; 297h : M. MAIOFISS ; 297b : EXPLORER/F. Jalain ; 298h : EXPLORER/F. Tètefolle ; 298b : RAPHO/C. Fleurent ; 298-299 : RAPHO/M. Clery ; 299h : L'EXPRESS/J.-C. Dupin ; 299m : RAPHO/J.-N. Soye ; 300h : M. MAIOFISS ; 300m : L'EXPRESS/J.-P. Couderc ; 300bg : GAMMA/F. Lochon ; 301hg : RAPHO/R. Frieman ; 301hd : EXPLORER/F. Jalain ; 301bg : ARCHIPRESS/F. Eustache ; 301bd : GAMMA/F. Lochon ; 304bd : FIGARO MAGAZINE/A. Le Toquin ; 305h : TAPABOR/L. de Selva ; 306h : ARCHIPRESS/J.-C. Martel ; 306m : MAIRIE DE PARIS/E. Lefeuvre ; 306b : G. FESSY ; 307b : F. BIBAL ; 308g : H. JOSSE ; 308-309 : BERNAND ; 309b : RAPHO/M. Tulane ; 310hg : MNHN/L. Bessol ; 310b : EXPLORER/J.-P. Courau ; 311hg : MUSÉE DE LA MODE ET DU COSTUME ; 315h, 316b : G. FESSY ; 318h : BACCARAT ; 318b : TAPABOR/L. de Selva ; 319b : ARCHIPRESS/M. Loiseau ; 320b : EXPLORER/A. Wolf ; 322h : ARCHIPRESS/S. Couturier ; 322bg : J. DARBLAY ; 323bg : COOPEE-HEWITT, NATIONAL DESIGN MUSEUM SMITHSONIAN INST./Art Resource, New York ; 324h : EXPLORER/M. Cambazard ; 324b : ALTITUDE/Y. Arthus-Bertrand ; 325b : EXPLORER/J.-L. Bohin ; 326h : ARCHIPRESS/R. César ; 328h : TAPABOR/S. Bianchetti ; 329m : J. DARBLAY ; 330b, 334hg, m : ARCHIPRESS/S. Couturier ; 334hd : SAMARITAINE ; 334-335 : HOA QUI/P. Poincelet ; 335h : TOP/H. Champollion ; 336h : SOCIÉTÉ GÉNÉRALE/DKK ; 337m : MUSÉE NISSIM-DE-CAMONDO/H. Maertens ; 338h : HOA QUI/M. Renaudeau ; 338bd : SRD/J.-P. Germain ; 343b : ARCHIPRESS/S. Couturier ; 344hd : RAPHO/J.-M. Charles ; 345m : ARCHIPRESS/L. Boegly ; 348h : J. DARBLAY ; 348bg : ARCHIPRESS/S. Couturier ; 349h : ARCHIPRESS/S. Couturier/FLC- Spadem, Paris 1995 ; 349m : RAPHO/Doisneau ; 350h : EXPLORER/S. Frances ; 350b : ARCHIPRESS/S. Couturier ; 351m : L'EXPRESS/P. Chagnon ; 351b : MAIRIE DE PARIS/G. Sanz ; 352 : RMN ; 352-353 : TAPABOR/L. de Selva ; 353b : ARCHIPRESS/S. Couturier ; 354g, 354-355 : ARCHIPRESS/Manez-Favret ; 355b : TAPABOR/L. de Selva ; 356h : ARCHIPRESS/P. Tournebœuf - Spadem, Paris 1995 ; 357h : J. DARBLAY ; 357m : ARCHIPRESS/S. Couturier ; 357b : ARMÉE DU SALUT ; 358b : PIX/M. Dusart ; 359h, m : ARCHIPRESS/A. Goustard ; 359b : J. DARBLAY ; 360bg : PHOTOTHÈQUE DES MUSÉES DE LA VILLE DE PARIS - Spadem, Paris 1995 ; 361h : PHOTOTHÈQUE DES MUSÉES DE LA VILLE DE PARIS/Joffre - Spadem, Paris 1995 ; 361m : ARCHIPRESS/M. Loiseau ; 362h : ARCHIPRESS/L. Boegly ; 362b, 363h : ALTITUDE/Y. Arthus-Bertrand ; 363hd : UNESCO/The Henry Moore Foundation ; 363b : FOVEA/de Hogues ; 364h : ARCHIPRESS/M. Moch ; 364b : PIX/E. V. Leroy ; 365h : ARCHIPRESS/P. Tournebœuf ; 365bg : URBA Images/P.-E. Charon ; 365bd : MUSÉE POSTAL/SRD/J. Verroust ; 366b : MuSÉE DE LA POUPÉE ; 366-367 : ARCHIPRESS/M. Denance ; 367h : ARCHIPRESS/M. Loiseau ; 368h : V. FABRE - J. PERROTTET, architectes, N. NAPO, conseil technique scientifique ; 368-369 : PIX/M. Dusart ; 370h : ARCHIPRESS/A. Goustard ; 371h, bd : D. VON SCHAEWEN ; 371bg : EXPLORER/R. Kord ; 372h : D. VON SCHAEWEN ; 372b : ARCHIPRESS/L. Boegly ; 373h : D. VON SCHAEWEN ; 374h : ARCHIPRESS/L. Boegly ; 375h : FOTOGRAM-STONE/P. Crapet ; 375m : ARCHIPRESS/L. Boegly ; 375bg : SCOTT FRANCES ; 375bd : J.-P. ABED ; 376bg : PIX ; 376bd : ARCHIPRESS/S. Couturier ; 376-377 : EXPLORER/J. Joffre ; 377b : ARCHIPRESS/S. Couturier ; 378hd, b, 379h : G. FESSY ; 379m : ARCHIPRESS/S. Couturier ; 379b : ARCHIPRESS/R. Cesar.

PARIS, balade au fil du temps
est publié par Sélection du Reader's Digest

Photogravure et flashage : Photochromie, Gentilly
Impression : Maury, Malesherbes
Reliure : Brun, Malesherbes

PREMIÈRE ÉDITION
Achevé d'imprimer : septembre 1995
Dépôt légal en France : octobre 1995
Dépôt légal en Belgique : D-1995-0621-117

IMPRIMÉ EN FRANCE
Printed in France